POBOL SY'N CYFRI

Cipolwg ar drigolion bro'r *Bedol* rhwng 1881 ac 1891

gan

HAFINA CLWYD

Argraffiad cyntaf: Gorffennaf 2001

℗ *Hafina Clwyd / Gwasg Carreg Gwalch*

Rhif Llyfr Safonol Rhyngwladol:
0-86381-735-1

Cynllun clawr: Sian Parri

Argraffwyd a chyhoeddwyd gan Wasg Carreg Gwalch,
12 Iard yr Orsaf, Llanrwst, Dyffryn Conwy, LL26 OEH.
✆ 01492 642031
🖷 01492 641502
✉ llyfrau@carreg-gwalch.co.uk
lle ar y we: www.carreg-gwalch.co.uk

Cyflwynedig i Bawb o Bobol y Bedol

Cynnwys

Rhagair

Un o freintiau mawr fy mywyd oedd cael golygu'r Bedol. Yr wyf hefyd wedi bod yn ysgrifennu colofn fisol i'r papur bro llwyddiannus hwn, sydd yn gwasanaethu Rhuthun a'r Cylch, am dros ugain mlynedd bellach ac oherwydd fy niddordeb mewn hanes lleol ac achau a phobl fe fûm yn cyfrannu cyfres o ysgrifau oedd yn edrych ar bentrefi dalgylch y papur adeg Cyfrifiadau 1881 ac 1891. Gan bod cylch Y Bedol yn cynnwys dwy dref a deg ar hugain o bentrefi, o Lanarmon yn Iâl i Gwmpenanner, fe gymerodd gryn amser cyn i mi ddod i ddiwedd y gyfres! Fodd bynnag, yr oedd yn amlwg iawn bod y darllenwyr yn cael blas ar ddarllen am eu hynafiaid a'u cynefin ac yr oeddwn innau erbyn hyn wedi cael fy rhwydo gan hanesion y gwahanol blwyfi. Yr oedd yna ias ychwanegol oherwydd bod gen i wreiddiau yng Ngwyddelwern, Llanelidan, Derwen, Carrog, Bryneglwys, Llandysilio, Melin y Wig, Llanfihangel a Llangar! Y mae'r ysgrifau yn y gyfrol hon gryn dipyn yn hwy na'r rhai a ymddangosodd yn Y Bedol a chefais dipyn o drafferth i'w dirwyn i ben gan fy mod, byth a beunydd, yn dod ar draws ffeithiau a straeon newydd.

Fe gynhaliwyd Cyfrifiad ym Mhrydain bob deng mlynedd ers 1801 felly y mae gennym erbyn hyn ddwy ganrif o wybodaeth am ein cyndadau – er bod rhaid i mi bwysleisio nad yw'r pedwar Cyfrifiad cyntaf o fawr o werth gan mai cyfrif pobl heb eu henwi a wnaed. Yn 1891 yr oedd yna gwestiwn pwysig yn cael ei ofyn am y tro cyntaf sef: Pa iaith ydych yn ei siarad? Yng ngholofn olaf y ffurflen gwelir yr atebion: Cymraeg, Saesneg neu Y Ddwy. Yn 1891 yr oedd dros 60% o'r boblogaeth yn siarad Cymraeg. Enw Prif Swyddog y Swyddfa Boblogaeth yn Llundain oedd Brydges Henniker (nid arno fo 'roedd y bai am hynny) ond fe wylltiodd yn gaclwm pan welodd bod yna gymaint o siaradwyr Cymraeg a mynnodd bod y Cymry wedi dweud celwydd wrth lenwi eu ffurflenni. 'Saesneg yw iaith y wlad hon' arthiodd. Wel, naw wfft i Henniker, mae o wedi diflannu ond 'rydym ni yma o hyd. Mae'n wir bod canran siaradwyr yr iaith wedi gostwng yn ddychrynllyd – i lawr i 18% yn 1981. Ond yn 1991 fe welwyd cynnydd – bychan bach – ond cynnydd am y tro cyntaf – ac y mae gennym le i obeithio y bydd ein hiaith yn goroesi.

Cymru pur wahanol oedd hi yn 1881 ac 1891: tlodi a chaledi, gormes meistri tir, teuluoedd mawr, merched heb hawliau o gwbl, dim trydan na modur na dŵr allan o dap. Yr oedd tlodi ac anwybodaeth a chrefydd gul yn esgor ar greulondeb hefyd oherwydd y mae gwasg y cyfnod yn llawn o hanesion am ffermwyr yn gorfod ymddangos o flaen eu gwell am greulondeb tuag at eu hanifeiliaid – clymu coesau ieir am oriau maith mewn ffair a marchnad, ffustio ceffylau hyd at farwolaeth, llwgu gwartheg, mynd â'u cymdogion i lys barn, curo eu plant a'u gwragedd a rhoi hysbysiad yn y wasg yn dweud nad oeddynt yn gyfrifol am ddyledion eu gwragedd. Caent gosb lymach am guro eu ceffyl nag am guro eu gwraig. Ond ar yr ochr gadarnhaol yr oedd pob pentre'n magu glewion ac yr oedd ynddynt gymunedau clos yn dibynnu ar ei gilydd ac yn gefn i'w gilydd.

Cefais flas mawr ar y chwilota. Efallai y bydd rhai'n fy meirniadu am ail-adrodd ffeithiau yma ac acw ond y gwir yw bod teuluoedd y fro fel rhaff o nionod gyda pherthnasau a hynafiaid ym mhob plwy ac felly y mae'r un tylwyth yn ymddangos dro ar ôl tro. Gwneuthum fy ngorau i sicrhau bod y ffeithiau'n gywir ac os oes yma gamgymeriadau, yna ymddiheuraf. Medraf uniaethu â'r Dr Johnson: pan ofynnodd rhyw wraig iddo pam ei fod wedi gwneud camgymeriad yn ei eiriadur ei ateb oedd 'Anwybodaeth, madam, anwybodaeth bur'.

Hafina Clwyd
Rhuthun Ebrill 2001

Llangwm – Corlan Diwylliant

'Yn Llangwm, saffrwm o serch' meddai Bedo Aeddren tua 1500. Credwch neu beidio, ond y mae yna ddau Langwm arall yng Nghymru, ond hwn, yn Uwchaled, yw'r enwocaf o lawer, ac am hwn yr oedd y bardd lleol, Bedo, yn sôn. Yn ei gyfrol bwysig *Cwm Eithin* – enw Hugh Evans ar y plwy hwn yw 'Llanfryniau'. Gallech faddau i'r trigolion am ffwndro oherwydd y maent yn eu tro wedi bod yn byw yn Sir Ddinbych, yng Nghlwyd, ac yn awr yng Nghonwy ac wedi anfon eu plant i ysgolion uwchradd yn y Bala, yn Llanrwst, yn Llangollen ac yn Rhuthun. Ond peidied neb â phoeni. Go brin bod pobl Llangwm y teip i ffwndro oherwydd y maent yn gwybod yn union pwy ydynt ac yn ymfalchïo yn eu cynhysgaeth yn y fro ddiwylliedig arbennig hon, bro sydd wedi magu peth wmbredd o feirdd a llenorion a chantorion ac yn dal i gynnal Eisteddfod Gadeiriol yn flynyddol.

Rhan o fytholeg y fro yw'r hanesyn hwnnw am Americanwr ddaeth am dro i'r ardal i chwilio am ei achau ond a aeth ar goll am ryw reswm. Roedd hi'n oer a gwlyb ac yr oedd o wedi alaru'n lân. Toc cyfarfu â gwas fferm a gofyn iddo: *'Tell me buddy, how do I get back to civilization?'* A'r gwas yn ateb: *'You're right in the centre of it!'* 'Feiddiwn i ddim anghytuno â'r gwas dienw hwnnw, onide byddai trigolion Llangwm yn barod i'm sodro i'r ddaear oherwydd y maen nhw'n bobl sydd yn arbennig o hoff o'u milltir sgwâr eu hunain. A 'does dim byd o'i le ar hynny. Gellid addasu geiriau'r Hen Ŵr o Bencader a dweud mai 'yn y cornelyn hwn o'r ddaear' y bydd y Gymraeg yn debyg o oroesi. Ac y mae hi'n beryg' bywyd dweud dim am y brodorion am eu bod, fe ymddengys i mi, i gyd yn perthyn i'w gilydd a theuluoedd y fro wedi uno drwy briodasau. Er enghraifft, tua diwedd y 19eg ganrif priodwyd Robert Owens, Llwyn Saint a Sarah Williams, Disgarth Ucha; J H Jones, Arddwyfaen ac Ellen Williams, Ystrad Fawr; H Ll W Hughes, Cwmoerddwr a Kate Maria Jones, Ystrad Bach; Owen Owens, Tai Mawr ac Elinor Roberts, Llys Dinmael; Thomas Jones, Henblas a Catherine Alice Jones, Glyn Nannau – ac yn y blaen.

Sut oedd pethau yn Llangwm pan gynhaliwyd Cyfrifiad 1881 tybed? Dowch inni gael cip ar rai o'r manylion. Y person hynaf yn y plwy oedd Marry Price, 92 oed, yn byw yn y Tŷ Capel hefo'i merch Gwen oedd yn wniadwraig. Ymysg eraill dros eu pedwar ugain yr oedd Elizabeth Jones (88) oedd yn lletya yn y Gob; Ellen Roberts (85) gwraig weddw yn 'Rodyn (ac yn ddall); Sarah Morris (89) yn byw ar ei phensiwn yn 2 Tai Newyddion ar ei phen ei hun; William Roberts (82) tlotyn ym Mhen y Fron; Thomas Roberts (90) yn lletya yn y Groes Newydd ac Elizabeth

Hughes (80) yn byw hefo'i mab, William Hughes, yn Llwyn Saint.

Y ddwy ieuengaf yn y plwy oedd Jane E Edwards, Bryn Caled, ac Elinor Jones, Hendre Garthmeilio, ill dwy yn dair wythnos oed. Rhai eraill ifanc iawn oedd Ellis (4 mis) mab John ac Ellen Williams, Castell a Margaret Jones, Ty'n y Groes (3 mis). Disgrifir nifer o'r trigolion fel tlodion. Pa ryfedd. Yr oedd bywyd yn frau ac yn frwnt ac nid oedd y fath beth â lwfans plant neu bensiwn yn bod i'r rhan fwyaf ohonynt. Anodd dychmygu pa mor galed oedd hi ar bobl cefn gwlad ganrif yn ôl. Yn arbennig o gofio am deuluoedd mawr Oes Victoria.

Yr oedd yna dri o gartrefi gyda deuddeg o bobl yn byw ynddynt: Ystrad Fawr, Arddwyfaen a Llwyn Saint. Dyna i chi waith bwydo a golchi a hynny heb na thrydan na dŵr poeth o dap. Efallai eu bod yn berffaith fodlon ar eu byd – ni wyddent yn amgenach – ond go brin y dylem ni heddiw hiraethu fawr ddim am y *good old days* bondigrybwyll a'r honedig ddyddiau hirfelyn tesog. Tlodi, afiechyd, mamau'n marw wrth eni eu plant, tai oer a llaith, dim Gwladwriaeth Lês – dyna oedd ffawd ein hynafiaid. Rhaid oedd magu asgwrn cefn neu suddo i bwll o anobaith ac fel y dywedodd Darwin, y cryfaf oedd yn goroesi. Meddyliwch, er enghraifft, am deulu Rhydolwen. Collodd Thomas a Margaret Jones naw o blant o'r clefyd coch (*scarlet fever*). Anodd dychmygu maint y galar.

Amaethu oedd gwaith y mwyafrif llethol o'r trigolion ond yr oedd popeth wrth law. Gwelir bod yno werthwr menyn sef William Williams, Trawsgoed Bach; Evan Roberts y siopwr yn Nhŷ Isa Llan; Edwin Edwards y cipar yn Nhŷ Tan Graig; David Lewis y basgedwr ym Maerdy Bach; Abel Jones y teiliwr yn Woodland Cottage; Lewis Williams, Ty'n Ddôl Terrace yn gwneud clociau a John Williams y porthmon yn y Castell, i enwi dim ond rhai. Yr oedd yno gymuned hunan-gynhaliol, mae'n amlwg, oherwydd ceid o leiaf un o bopeth – un hetiwr, un garddwr, athro, tyrchwr, saer, golchwraig, nyrs. Un melinydd, gyrrwr injian ddyrnu, saer olwynion, crydd, ocsiwnïar a thri tafarnwr. Pawb a'i waith. Pawb yn dibynnu ar ei gilydd. Cymdeithas glos – fel y mae Llangwm hyd heddiw, medde nhw. Does yna ddim sôn am ganwr penillion, gyda llaw, ond y mae ei hynafiaid fel mawion. Mwy amdano fo yn y man.

Enw'r gweinidog oedd Humphrey Ellis ac yr oedd yn byw yn Nhyddyn Eli hefo'i wraig, tri o blant a thri ŵyr. Bu'n weinidog am 56 mlynedd. Collwyd un o'i feibion (Thomas) drwy iddo foddi yn yr Adirondacks yn yr America ar 22 Hydref 1892. Nid dyna'r unig gysylltiad Americanaidd chwaith oherwydd yr oedd Katherine, merch Humphrey Ellis, wedi priodi John A Hughes, o Frymbo, yn Scranton,

Pennsylvania yn 1874. Yr oedd Humphrey Ellis yn hen-daid i Emrys Jones, Pen y Bont, y canwr penillion y cyfeiriais ato uchod. Yr oedd gan Humphrey Ellis frawd o'r enw Thomas (1809-81) ac yr oedd gan hwnnw nifer fawr o blant. Yn eu plith yr oedd:- **Thomas** (1831-1911) a fu'n ffermio Rhiwaedog a Thy'n Ddol, Cwmtirmynach; **David** (1834-1916) y Brithdir a thaid i Dei Ellis, Penyfed (gweler isod); **Robert**, tad Thomas Ellis, Hafodwen, a thaid Hywel Lloyd Ellis a fu'n rheolwr banc yn Wrecsam a Bangor ac a briododd Glenys Helen Davies, merch y Llyn, Trefor, Llangollen; a **Samuel**, taid Tecwyn Ellis, a fu'n Gyfarwyddwr Addysg Gwynedd ac a gofnododd ei atgofion yn ddifyr hynod yn ei gyfrol *Gyda'r Godre* (Gwasg y Sir 2000).

Yr oedd yno hefyd ficer enwog yn y plwy, Ellis Roberts, gŵr gradd o Goleg yr Iesu, Rhydychen – bron yr unig ddyn-dwad yn y fro. Adwaenir ef yn well fel Elis Wyn o Wyrfai, bardd toreithiog. Ganwyd ef ar 13 Chwefror 1827 yn Nhyddyn Madryn, Llandwrog, Sir Gaernarfon, trydydd mab Morris (Eos Llyfnwy) a Margaret Roberts. Ei fam a'i dysgodd i ddarllen ac ysgrifennu ac yna yn 1850 aeth i Ysgol Eben Fardd yng Nghlynnog. Yn ystod ei gyfnod yn Llangwm bu'n llygad-dyst i lawer ysgarmes yn Rhyfel y Degwm. Esther Mary oedd enw ei wraig, brodor o Walmer yng Nghaint ac a fu'n athrawes yn Llwyn y Gell, Ffestinog. Pan gyrhaeddodd ganol oed nid oedd ei hiechyd yn dda o gwbl a phan aeth Elis Wyn i briodas ei fab, gan adael ei wraig yng ngofal dwy ferch ifanc oedd wedi addo cadw llygad arni, fe ddaeth adre a chanfod ei bod wedi diflannu. Bu hir chwilio amdani a chanfuwyd ei chôt ar lan afon Alwen, ac yna rai wythnosau'n ddiweddarach ym mis Tachwedd 1892, daethpwyd o hyd i'w chorff yn y Ddyfrdwy ger Carrog, wyth milltir i lawr yr afon. Cyflwynodd Elis Feibl hardd i Martin E Cheek, Gwesty'r Eryrod, gan mai ef a dynnodd gorff Esther druan allan o'r afon. Ymhen mis yr oedd Martin o flaen ei well am feddwi'n afreolus. Ni wn a oes cysylltiad rhwng y ddau ddigwyddiad . . .

Ysgrifennodd Elis Wyn gwpl o nofelau cynnar – 'Llanaber' a 'Llan Cwm Awen' a bu'n olygydd *Yr Haul*. Ef yw awdur y garol 'Yn nhawel wlad Jiwdea dlos'. Aeth tri o'i feibion i'r eglwys. Un ohonynt oedd y Canon J R Roberts, Llanfihangel yng Ngwynfa. Yr oedd gan Elis Wyn hefyd ferch o'r enw Esther Margaret a briododd ag Owen Jones, un o'r Seiri Cochion, a brawd i daid Emrys Jones. Cafodd Esther ac Owen nifer o blant ond y mae'n debyg mai'r enwocaf ohonynt oedd John Owen Jones (1884-1972) adweinid yn well fel Owen Bryngwyn. Cofiaf ei glywed yn canu mewn cyfarfod o Gymdeithas Sir Ddinbych yn Llundain. Yng Nghlwb y Cymry, Oxford Street, y bu'r achlysur – clwb moethus uwch ben y ddwy sinema Stiwdio 1 a Stiwdio 2 – eiddo i Syr

David James. Yng nghyntedd y sinema yr oedd yna lifft na wyddai'r anghyfarwydd am ei bodolaeth ond yr oedd honno'n mynd â chi yn syth i fyny i Glwb y Cymry. Yr oedd yn lle gwych a chanolog, gyda bwrlwm cyffrous Oxford Circus islaw ac yn cynnwys ystafell fwyta, ystafell ddarllen, lolfa eang, ystafell gerdd, llyfrgell, ac yr oedd pob papur dyddiol ar gael ar resel o bren mahogani, yn cynnwys dau bapur dyddiol Cymru a chawn fy nenu at y rheiny fel cacynen i bot jam.

Yr oedd Cymry *show bizz* Llundain yn cyfarfod yno, a chofiaf bobl fel Ray Smith, Donald Houston, David Welsh, Gwyneth Jones, Clifford Evans, Sian Phillips, Rachel Roberts a Huw David yn picio i mewn. Cauodd pan fu farw Syr David ac yr oedd yn chwith iawn am y lle fel man cyfarfod cyfleus a rhywle am baned o goffi neu bryd o fwyd wedi bore o siopa ffenestri. Methiant fu pob ymdrech wedyn i greu clwb sefydlog llwyddiannus yn y West End – oherwydd costau yn bennaf. Yr oedd gan Owen Bryngwyn frawd o'r enw William Ellis Jones, cerddor dawnus, un o sefydlwyr Cymdeithas Alawon Gwerin Cymru ac un o ffrindiau Dr. John Lloyd Williams. Ceir mwy o hanes yr olaf yn ei *Atgofion Tri Chwarter Canrif* mewn tair cyfrol gyhoeddwyd gan y Clwb Llyfrau Cymraeg yn ystod y Rhyfel. Chwaer iddo oedd Elizabeth Williams, awdur *Brethyn Cartref* a *Dirwyn Edafedd*, dwy gyfrol o atgofion. W H Williams, Dinam, Llanrwst, oedd priod Elizabeth a merch iddynt oedd Gwladys Perrie a briododd â Rhys Hopkin Morris (Syr ac Aelod Seneddol Caerfyrddin) yn 1918. Ganwyd merch iddynt yn 1923 a'i henwi'n Perrie. Hi oedd priod Alun Williams y BBC.

Diddorol meddwl bod Hugh Evans, awdur *Cwm Eithin*, yn nabod y bobl enwir yn y Cyfrifiad bron i gyd gan mai yn 1875, chwe mlynedd yn flaenorol, yr aeth i Lerpwl a sefydlu Gwasg y Brython. Priododd un o ferched David a Sarah Williams, Pant Clai, Cynwyd, cwpwl a enillodd bum gini (swm go fawr) gan y cylchgrawn *Tit Bits* am mai nhw oedd y pâr priod hynaf ym Mhrydain ar y pryd. (Gweler mwy o'u hanes yn y bennod ar Langar.) Ganwyd Hugh Evans yn 1854 mewn bwthyn o'r enw Ty'n Rallt. Enw ei fam oedd Jane Barnard, ac yn wir cysylltir y cyfenw hwn â Llangwm. Yn 1881 gwelir bod Jane Barnard (65) yn byw yn Nhy'n Rallt hefo'i mab Isaac Lloyd (oedd yn hanner brawd i Hugh Evans) ac yr oedd yna hefyd Jane A Barnard, merch i Mary Hughes, yn byw yn y Gellioedd Ganol. Ceir teulu'n arddel y cyfenw Barnard yn Nhy'n y Graig sef Robert, oedd yn ŵr gweddw 44 oed, a phedwar plentyn sef Elizabeth (12) Ellin (10) David O (8) a William (6). Ddeng mlynedd yn ddiweddarach gwelir bod yna wraig weddw 57 oed o'r enw Catherine Barnard o Lanfor ar ymweliad â theulu Thomas Jones, Ty'n y Groes; bod yna David Barnard yn was yn Llwyn Mali; Elinor Barnard yn forwyn hefo teulu

Gellioedd Bach (mwy amdanyn nhw mewn munud) ac yr oedd William Barnard yn was yn Ffynnon Wen. Yr oedd Catherine Barnard, chwaer i fam Hugh Evans, yn hen hen nain i Gwennan Williams sydd yn byw yn Fron Llan, Llangwm heddiw (ac yn ferch i Heulwen, Penrhiw, Llanelidan.)

Fel ym mhlwyfi eraill cefn gwlad Cymru fe welir diffyg dychymyg affwysol cyn belled ag yr oedd enwau plant yn bod. Heblaw am y ffaith bod gennym fel cenedl stôr fechan iawn o gyfenwau – Jones, Williams, Roberts a Davies ac ati – yr oedd babanod yn gorfod arddel enwau taid a nain yn amlach na pheidio. Ychydig iawn o enwau dieithr oedd yna yn Llangwm. Un Franklin, un Oliver ac un Pandlin ac wrth gwrs teulu o Kerrs ym Mhlas Maesmor – William Kerr, Ysgweier, Ynad Heddwch, genedigol o Sussex, adweinid fel 'Yr Hen Giâr'. Yr oedd ganddo ferch o'r enw Cecile a anwyd ar Gibraltar. Hi deithiodd bellaf i'r plwy! Gair Gaeleg yw *kerr* a'i ystyr yw chwith ac yn rhyfedd iawn dywedir bod yna nifer anarferol o bobl gyda'r enw Kerr yn digwydd bod yn llawchwith. Tybed faint o aelodau troed chwith sydd yn llwyth y Kerfoots sydd yn hanfod o ardal Dinbych ac Abergele – Nerys Hughes, yr actores yn eu plith?

Ac o sôn am y diffyg amrywiaeth, yr oedd yna nifer yn ymfalchïo yn yr enw John Jones, fel ym mhob plwy yng Nghymru; John Jones, Bodlondeb; John Jones, Gwern y Frân, dau ym Mhont yr Erydr, un ym Mhen Ucha a Bryn Dedwydd a Than y Berllan; dau yn Nhy'n Ddôl Terrace ac un arall yn y Tŷ Capel; John Jones yng Nghwmoerddwr a'i ŵyr o'r un enw, ac yr oedd ganddo fab o'r enw Simon a phriododd merch hwnnw ag Isaac Ellis, mab Llaethwryd, Cerrigydrudion – porthmon llwyddiannus a symudodd i Blas yn Llan, Llangynhafal yn 1928; John Jones arall yn y Ffridd Wen ac yn Nolwerfyl ac ym Moelfre Bach; John Jones, ym Mryn Ffynnon ac yng Ngwernannau ac yn y Parc; John Jones, Llwyn Cwpl a Foty Ucha a Nant y Pyd; John Jones, Gellioedd Ucha a thri yn Nhy'n y Groes, un arall yn y Tai Newyddion ac yng Nglanrafon ac yng Nglandŵr, un arall yn Llwyn Dedwydd ac ym Mhen y Fedw. Hunllef achyddwyr, yn arbennig pan ddaw llythyr o America yn gofyn am gymorth i ddod o hyd i *'my great grandfather John Jones from North Wales.'* Ac mi synnech pa mor aml y mae hyn yn digwydd.

O fewn y plwy yr oedd dau yn ddall, un yn fyddar, un yn fud a thri o'r hyn a elwid ar y ffurflenni Cyfrifiad yn *imbecile* ac *idiot*– y Dici Bach Dwls a geid ym mhob cymdeithas am amryw resymau. Ym Mhen y Bryn yr oedd yna bâr o efeilliaid, Elis ac Elizabeth, 20 oed, plant Hugh a Marry Jones – y ddau o Lanfor. Efeilliaid hefyd ym Mryn Ffynnon, Robert a John, meibion 8 oed i Robert a Margaret Jones. Mab arall i Robert a

Margaret oedd Thomas Ellis Jones a anwyd yn 1870 sef taid Tudor Jones, Lodge Pool Park, Clocaenog ac Elfed Jones a fu'n cadw Swyddfa Bost Llanfwrog am rai blynyddoedd.

Erbyn y Cyfrifiad nesaf ar 5 Ebrill 1891 yr oedd tipyn o newid wedi bod yn hanes Cymru. Yr oedd Prifysgol Cymru wedi'i sefydlu, cenedlaetholdeb Gymreig yn dechrau ymysgwyd, Tom Ellis, Cynlas, wedi'i ethol i'r Senedd, Rhyfel y Degwm bron â dod i ben, bachgen ifanc o'r enw David Lloyd George yn Aelod Seneddol ers 1890 a phlant yn cael eu geni jyst mewn pryd i gael eu haberthu ar allor y Rhyfel Mawr. Dyma genhedlaeth Hedd Wyn. Ac yn byw ar fferm y Brithdir yr oedd David Ellis (57 oed – nai i Humphrey Ellis y soniais amdano uchod) ei wraig Elin a dau o blant – Catherine (23) a Margaret J (18). Yr oedd y mab hynaf, Thomas, wedi gadael y nyth a dechrau byw a magu teulu ym Mhenyfed, cartref ei wraig, ac ef oedd tad David Ellis, Penyfed 'Y Bardd a Gollwyd' yn Salonica yn 1918. Ceir yr hanes llawn yn y gyfrol feistrolgar *Cofiant David Ellis* a gyhoeddwyd gan Barddas yn 1992 (golygwyd gan Alan Llwyd ac Elwyn Edwards) ac fe geir portread hyfryd ohono mewn erthygl gan y diweddar Barch J H Griffith, Dinbych, yn *Nhrafodion Cymdeithas Hanes Sir Ddinbych* (Rhif 17, 1968). Enillodd Dei Gadair Eisteddfod Corwen 1914 a Choron yr Eisteddfod Ryng-golegol ac y mae'n fwy na thebyg y buasai'n Brifardd Cenedlaethol pe cawsai fyw. Druan ohono ymhell o'i fro. Meddai:

Gyda'r hwyr ym Macedonia
Sŵn y fagnel ar y bryn,
Lle mae cwyn clwyfedig Serbia
Hawdd yw cofio Pont y Glyn.

Daeth Catherine, merch y Brithdir (23 oed uchod) yn wraig i'r Parch Lewis Davies, Corwen – a dyma rieni Elena Puw Morgan, awdur *Y Wisg Sidan* a *Y Graith*. Priododd hi â John Morgan, siop Treferwyn, a chawsant un ferch, Catrin, sydd yn byw yng Ngwernymynydd ger Yr Wyddgrug. Yr wyf yn cofio Catrin yn yr ysgol yn y Bala a chanddi hi yr oedd y blethen hiraf a welais erioed. Yr oedd yn enillydd cyson yn adrannau llenyddol Eisteddfodau'r Urdd, gan gynnwys ennill y Goron. Priododd â Roger Davies a fu'n Brif Weithredwr Clwyd tan yr ad-drefnu. Y mae eu dwy ferch, Angharad a Mererid Puw Davies wedi etifeddu dawn lenyddol y teulu.

Elizabeth Alice, merch John a Margaret Jones, Penyfed, oedd gwraig Thomas Ellis y Brithdir, hynny yw, rhieni David Ellis ac ef oedd eu hail blentyn. Yr oedd ganddo frawd a thair chwaer sef **John** a fu'n amaethu

Fferm Llantysilio, Rhewl, Llangollen; **Margaret Elinor** ('Nin') mam y Dr Gwyneth Carey, enillydd Gwobr Daniel Owen yn Eisteddfod y Bala 1997 a Megan Lewis, gweddw'r diweddar Athro Hywel D Lewis, Llundain; **Catherine**, ac **Alice Harrietta** ('Etta') a briododd Aneurin Jones, Cilan, Llandrillo, un o ddisgynyddion John Evans, Hendre Forfudd a William Jones, Maesgwyn y Felin, Gwyddelwern. Y mae Gwenda Rees, Llandeilo (a chyn hynny o Blas Glansefin) a'i chwaer Alice Davies (sydd yn byw yn ardal Llandudno) yn ferched i 'Etta' – y ddwy wedi cyfrannu gwybodaeth am eu hewythr Dei i awduron y gyfrol. Yr oedd gwreiddiau Dei Ellis yn ddwfn yn naear Llangwm, ei dad yn ŵr arbennig o barchus a gweithgar, yn bencampwr ar fagu defaid, yn feirniad yn Smithfield, yn Gynghorydd ac Ynad Heddwch. Bu farw yn 1935 yn dal i gredu y deuai Dei adre. Yn ddiamheuaeth, yr oedd Dei yn fardd eneiniedig.

Yr oedd Cyfrifiad 1891 yn wahanol i'r naw blaenorol oherwydd hwn oedd y tro cyntaf i siaradwyr Cymraeg gael eu cyfrif. Ar gyfer pob enw y mae un gair: *Welsh, English* neu *Both*. Y mae'r wybodaeth hon yn ein galluogi i wybod faint o siaradwyr Cymraeg dros dair oed oedd yna yng Nghymru yn 1891, sef rhyw 60% o'r boblogaeth ac hefyd y mae'n dweud wrthym a oedd ein hynafiaid yn uniaith Gymraeg, yn uniaith Saesneg neu yn ddwyieithog ai peidio. Ym mhlwy Llangwm yn 1891 yr oedd pawb namyn deg yn siarad Cymraeg. Ymysg y deg di-Gymraeg yr oedd William Jackson, cipar o Benrith oedd yn lletya yn Llwyn Mali; pedwar o staff Plas Garthmeilio a William Kerr a'i wraig, Maesmor.

Thomas Thomas oedd yn byw yn y Bronant (*draper, grocer & flour dealer*). Yr oedd yn 32 oed a'i wraig Ann Dorothy, merch Maesmor Fechan, yn 33. Ganwyd Thomas Thomas yn Nhy'n y Fron, Llandderfel, yr hynaf o ddeg o blant i Griffith ac Elizabeth Thomas, cipar y Palé. Bu'n brentis yn Lerpwl ac yn y man prynodd siopau Maerdy, Llanfihangel a Maelor, Cerrigydrudion. Yr oedd yn ddyn busnes craff ac yn ei siop yn Ninmael yr oedd yn gwerthu bwyd a chelfi tŷ, blodiau, popeth at ddefnydd fferm, hadau, gwrteithiau a gwlân, yr oedd yn cyflogi tri theiliwr, yn gwerthu dillad ac esgidiau, yr oedd yn feddyg gwlad ac yn bensaer da. Ef gynlluniodd ysgol Llanfihangel yn ogystal â Heulfre, tŷ a gododd iddo ef ei hun. Yr oedd yn Gynghorydd Sir, yn Ynad Heddwch ac yn gerddor galluog. Bu farw yn 1937. Trosglwyddwyd y busnes i'w ŵyr, Emyr P Roberts, un arall a wnaeth ddiwrnod da o waith yn y fro fel Henadur ac Ynad Heddwch ac un o'n dynion cynhenid ddiwylliedig. Y mae Iwan Thomas, y rhedwr Olympaidd, yn ŵyr i Sydney, chwaer Emyr P Roberts ac felly yn or-or-ŵyr i Thomas Thomas. Yr oedd cadw siop yn rhedeg yn y teulu. Brawd i Thomas Thomas oedd John Thomas, yr Hand, Melin y Wig ac yr oedd brawd arall yn cadw siop Cyffylliog. Yr oedd

Thomas Thomas yn un o Ferthyron y Degwm. Ar 28 Chwefror 1888 bu ef a saith arall 'o flaen eu gwell' yn Rhuthun. Y saith arall oedd Edward E Roberts (23) pregethwr cynorthwyol, John Lloyd (36) ffermwr, James Metcalf (21) dilledydd ac un o hynafiaid Daloni Metcalf, y ddarlledwraig, John Jones (48) ffermwr, Bryn Madog, David Jones (24) ffermwr, Llwyn Mali, Edward Davies (51) ffermwr, Bodynlliw a William Williams, ffermwr, Arddwyfaen. Nid oedd 'eu gwell' yn deall yr un gair o Gymraeg. Y cyhuddiad oedd 'ymosod a therfysg' a'u harweinydd oedd John Lloyd.

'Your name and address?' gofynnodd y Barnwr iddo. 'John Lloyd Tyisarcwm Cwmpenanner Cerrigydrudion' atebodd yntau ar un gwynt cwrtais. 'None of your nonsense' ebe'r Barnwr a bu rhaid egluro iddo'n bwyllog mai nid cellwair oedd John Lloyd ond mai dyna'n wir oedd enw a chyfeiriad y gwron oedd yn sefyll o'i flaen. Nid oedd y Barnwr unieithog erioed wedi clywed y ffasiwn lond ceg: pan fyddwn yn clywed brolio cyfiawnder a barn – British Justice o dan yr English Law – dylem gofio na chafodd Cymry uniaith fawr iawn o degwch na chyfiawnder a byddaf yn echrydu wrth feddwl am y rhai a grogwyd neu a alltudiwyd ar gam oherwydd nad oedd ganddynt y syniad lleiaf o beth oedd yn mynd ymlaen yn y llys. Ond yn ôl at y gwron o Gwmpenanner. Tra bu John Lloyd yn y carchar ganwyd mab iddo ar 29 Chwefror 1888, Blwyddyn Naid. Galwyd y mab yn Robert. Daeth Robert yn adnabyddus a phawb yn ei nabod fel Llwyd o'r Bryn. Yn wir daeth yn enwog drwy Gymru gyfan ond y tro cyntaf i mi ei weld oedd fel arweinydd eisteddfod flynyddol Gwyddelwern ac yr oedd yn un penigamp. Medrai lywio'r gweithgareddau, setlo nerfau a dweud stori fyddai'n tynnu'r lle i lawr. Fel honno am fachgen oedd yn helpu cigydd y pentref trwy fynd â neges o'r siop o dŷ i dŷ ar ei feic. Yn anffodus, un diwrnod, cafodd ei daro i lawr gan gar a rhuthrodd y gyrrwr ato'n llawn gofid 'Wyt ti'n iawn machgen i?' A chael yr ateb, 'Ydw, heblaw bod 'y nghidnis i ar lawr yn bob man.' Rydwi'n cofio gwichian chwerthin a chreu cryn styrbans. Hanner canrif yn ddiweddarach rydwi'n dal i chwerthin oherwydd bod meddwl am yr olygfa swrealaidd wedi fy ngoglais.

Stori eisteddfod enwog arall, er na wn pwy a'i piau, oedd honno am rywun o'r gynulleidfa yn dweud pethau cas am ganwr a'r arweinydd yn codi'n fygythiol gan ofyn 'Pwy alwodd y canwr yn llo?' a'r ateb yn dod fel bwled 'Pwy alwodd y llo yn ganwr?' Yr oedd straeon o'r fath wrth ein bodd yr adeg honno. Credaf mai un rheswm pam bod comedi yn yr iaith Gymraeg ar y teledu mor aflwyddiannus yw am fod y sgriptwyr wedi anghofio mai chwarae ar eiriau yw cnewyllyn jôc dda yn y Gymraeg ac nad oes angen iddi ddibynnu ar air Saesneg na gair budr. Enghraifft o droi geiriau wyneb i waered yw honno am yr arolygwr Ysgol Sul yn cyhoeddi 'Fe fydd chwech am ysgol ganu nos fory.' Pan gywiriwyd ef o'r llawr ei ateb swta oedd 'Mae'r colla'n calli weithie.' Mae'r math yna o hiwmor yn peri i mi chwerthin llawer mwy na'r jôcs niceraidd a geir hyd syrffed. Mae yna rywbeth Iddewig yn yr hen straeon Cymreig a llawer ohonyn nhw'n f'atgoffa o ddywediadau Samuel Goldwyn. Hwnnw a ddywedodd – ymysg pethau eraill cofiadwy – 'Mewn dau air: am hosibl'.

Ond i ddychwelyd at John Lloyd, tad Llwyd o'r Bryn. Mab ydoedd i Tomos Llwyd, degfed plentyn Sion Llwyd, Defeity, oedd yn medru olrhain ei achau yn ôl i Rhirid Flaidd, Arglwydd Penllyn tua 1150. Gwraig Tomos Llwyd oedd Ann Roberts o'r Foty Cwm Main a chawsant naw o blant. **Ann** oedd yr hynaf a phriododd hi â Robert Jones, Tai Isa (1845-1938). Dyma deulu'r Wern, Dinmael. Ail blentyn Tomos Llwyd oedd **Jane** (1847-1929) a'i gŵr hi oedd Jeremiah Jones, Cwm Main a chawsant ddeuddeg o blant: yn eu plith yr oedd Margaret a ymfudodd i Ganada ac Elizabeth, nain Gwynfor Lloyd Evans, Llanbedr DC a'i frawd Trebor, y bancwr a'r canwr o ardal Dolgellau – *nid* Trebor Gwanas! Carys, merch Dewi a Sali Bowen o Ryducha ger y Bala yw ei wraig. Trydydd plentyn Tomos Llwyd oedd **John Lloyd**, arwr y Degwm y soniais amdano uchod. Winifred Roberts o Dy'n y Mynydd oedd ei wraig a chawsant wyth o blant. Winifred (1878-1946) oedd eu trydydd a hi oedd mam y Parchg Trebor Lloyd Evans, Treforus a'u pedwerydd oedd Jane (1881-1967) a briododd R M Wynne, Hen Golwyn, a hi oedd nain Carys sydd wedi priodi'r Athro Rees Davies, Rhydychen, brodor o Gynwyd ac arbenigwr ar Owain Glyndŵr a'i gyfnod. Eu chweched plentyn oedd Catherine (1884-1958) priod J Llewelyn Davies a fu'n brifathro yn y Brithdir a Chorwen. Dyma rieni Meinir ac Aled Lloyd Davies: Meinir wedi bod yn fferyllydd ac Aled, ymysg pethau eraill, yn arbenigwr ar Gerdd Dant, yn arwain Parti Menlli, yn brifathro Ysgol Maes Garmon ac yn Llywydd Llys yr Eisteddfod, bonwr llawn egni. Wedyn daeth John (1886-1970) sef tad Tecwyn Lloyd a'r ieuengaf oll oedd Robert, Llwyd o'r Bryn (1888-1961). Cafodd Tecwyn Lloyd ei ddisgrifio (gan John Roberts Williams 'rwy'n meddwl) fel 'Llwyd o'r Bryn wedi cael coleg'. Aeth **Dafydd** (1856-1948) mab arall i Tomos Llwyd i Newhaven yn America ar ôl ffraeo hefo'i dad (yn ôl Tecwyn Lloyd). Yr oedd yn ddall am y rhan fwyaf o'i oes. Mae nifer o'i ddisgynyddion yn yr UDA. Brawd arall oedd **Edward** (1851-1913) a aeth i Drawsfynydd. Gor-wyres iddo ef yw'r bardd Nesta Wyn Jones. Yr oedd gan Tomos Llwyd dair merch arall: **Marged, Laura** ac **Elin**. Bu farw Elin yn naw oed pan aeth ei gwallt ar dân. Priododd Laura â Tomos Owen, Cwmllan,

Llangwm a chael saith o blant a bu Marged yn byw yn Nhŷ Capel Wesle Glyndyfrdwy.

Disgynyddion i frodyr a chwiorydd Tomos Llwyd oedd Mrs Eifl Hughes y Rhyl; Ellen Ellis, Cerrigydrudion; R D Jones, y Tŷ Mawr, Carrog; Anora Rowlands, Cerrigydrudion; Trebor Jones, Llangwm; John Morris Jones, Cwm Cemig; Bet Wyn Lloyd, Cyffylliog a rhai cannoedd o rai eraill!

Un arall a ddioddefodd oherwydd helynt y Degwm oedd Thomas Hughes, Fron Isa a dyma i ble'r aeth yr arwerthwr Ap Mwrog gyntaf i geisio atafaelu dwy fuwch a'u gwerthu er mwyn talu'r Degwm. Bu terfysg – gyda Marged Hughes, gwraig y tŷ, yn defnyddio ei ffon yn ddidrugaredd. Da iawn yr hen Farged! Ar Fai 25ain 1887 y bu hynny. Dyn hynod o amhoblogaidd oedd Ap Mwrog. Ei enw iawn oedd R D Roberts a bu farw yn y Rhyl yn 72 oed yn 1901. Galwai ei hun hefyd yn 'Fardd Brenhinol Cymru' a hynny oherwydd i'r Frenhines Alexandra dderbyn cerdd o'i eiddo pan ddaeth hi i'r Rhyl i osod carreg sylfaen yr ysbyty newydd a enwyd ar ei hôl hi. Ni wn sut fardd oedd o. Yr oedd, ac y mae, yna rai oedd yn meddwl eu bod yn feirdd o fri ond talcen slip oedd llawer ohonyn nhw. Megis yr awdur anhysbys a ganodd awdl (ei ddisgrifiad ef) pan ddaeth Joseph Chamberlain, AS ar ymweliad â Dolgellau:

Siambrlen
Sy'n ddyn clên
Er mewn oed, dydi o ddim yn hen,
Mae o'n ddyn call
Ac heb fod yn ddall
Gwydr ar un llygad, dim ar y llall.

Efallai mai dyna pam na welodd ei fab Neville drwy'r 'darn o bapur' a gafodd gan Adolf Hitler.

Evan Davies o Lanfor a'i wraig Ellen a phedwar o blant oedd yn byw yn Ffridd Gwair. Mae ŵyr iddynt yn byw yn Rhuthun heddiw sef Glyn Davies, genedigol o Gorwen, biocemegydd yn ardal Lerpwl ar un adeg ac erbyn hyn yn un o olygyddion *Y Bedol*, ac yn weithgar mewn llawer cylch yn y fro. Yn rhyfedd iawn, yn ôl Cyfrifiad 1851 ac 1861 yr oedd Evan Davies yn was yng Nghwmhwylfod, Cefnddwysarn, hefo Evan Hughes, fy hen-hen-daid. Yn lletya yn y Bronant y noson honno gyda Thomas Thomas a'i deulu yr oedd y Parch J Henlyn Owen oedd newydd gael ei ordeinio. Brodor o Edern ym Mhenrhyn Llŷn oedd o a bu'n weinidog yn Ninmael am 39 mlynedd. Ganddo ef yr oedd un o foduron cynta'r fro ac fe ddyfeisiodd beiriant golchi a elwid 'Peiriant Golchi Sir Feirionnydd'. Wyres iddo yw Freda Watkin sydd yn byw yn Nhrefnant, priod Tegwyn Watkin, llythyrwr brwd i'r wasg Gymreig. Mae eu mab Hywel yn feddyg yn Ninbych. Brawd i Tegwyn Watkin yw'r Parch John Watkin sydd wedi priodi Catherine Evans, Rhydymain, un o'n cerdddantwyr praffaf ac enillydd Medal T H Parry-Williams Eisteddfod Genedlaethol Sir Ddinbych a'r Cyffiniau 2001. Evan (78) a Magdalen Roberts (70) oedd yn cadw'r Post. Yn ôl Emrys Jones mewn traethawd cynhwysfawr yn *Llên y Llannau* 1984 yr oedd Evan yn ddyn tawel a Modlen yn un ffraeth a siaradus. Yr oedd rhywun yn y siop un tro yn sôn am y Diafol. Meddai Evan 'Peidiwch dweud llawer amdano, rwyf wedi priodi ei chwaer'. Clywodd Modlen hyn ac estyn andros o glusten iddo.

Yn cadw tafarn y New Inn yr oedd Robert S Edwards a'i wraig Mary ac yr oedd ganddynt bedwar o blant ifanc: Silvanus (6) Ellin (4) William P (3) ac Evan P (1), y ddau ganol wedi'u geni ym Mhandy'r Capel. Hyfforddwyd Ellin fel athrawes a hi oedd y Miss Nellie Edwards a fu'n athrawes ar y Parch J T Roberts yn Ysgol yr Eglwys. Yr oedd gan JT feddwl mawr ohoni. Yn 1881 yr oedd yno lond tŷ yn y Plase lle'r oedd Evan Edwards yn byw - gan gynnwys ei ŵyr wyth oed o'r enw William a gafodd ddiwedd trychinebus. Yr oedd yn gweithio ym Mryn Brith, Gwyddelwern, ac un diwrnod yn 1898 ac yntau'n 24 oed yr oedd wedi cael y gwaith o ddanfon gyr o ddefaid i stesion Carrog i'w rhoi ar y trên. Yn anffodus syrthiodd o ben clawdd a thorri ei wddf a bu farw mewn cae yn ymyl y Rhagat.

Yn byw yng Nglyn Nannau yr oedd:-

Thomas Jones	penteulu	54		Llangwm
Alice "	gwraig	51		"
Griffith "	mab	27	gwneud olwynion	Llanfor
Ann "	merch	18		Llangwm
David "	mab	11		"

Merch i David (11 oed uchod) oedd Catherine Alice a briododd â Thomas R Jones yr Henblas. Bu hi farw yn 1970 yn 92 oed. Bu iddynt un ar ddeg o blant; yn eu plith y mae Llewelyn, Wern Ddu, Gwyddelwern, Beti, Aeddren, Llangwm a Dorothy, Tyddyn Garreg, Llanfair DC, priod Aled Ellis Roberts, Pengwern, Corwen gynt. Y mae Nerys, merch y ddau olaf, wedi priodi Mark sydd yn fab i John Humphries, cyn-olygydd y *Western Mail* a'r un a fu'n brwydro mor galed i geisio cael tegwch i'r Cymry ar Gyfrifiad 2001.

Yn ystod y 19eg ganrif daeth nifer o giperiaid i lawr o'r Alban a'r Hen

Ogledd i'r stadau yn Uwchaled a Hiraethog a Iâl – mae eu disgynyddion – y Watsons, y McCalls a'r Howatsons, er enghraifft, yn Gymry glân erbyn hyn. Un o Cumberland oedd John Balmer Lloyd, cipar Garthmeilio, a'i wraig Elizabeth o Drawsfynydd. Ganwyd eu pedwar plentyn hynaf – Sarah (9) John (6) Jane (4) ac Ann (1) yn Llanarmon yn Iâl ac yn 1885 yn Llangwm, yn ieuengaf o wyth, ganwyd Emily a hi oedd nain Geraint a Gerallt Lloyd Owen. Dyma o ble y daeth y Lloyd yn eu henw. Yn ddeuddeg oed aeth i weithio yn yr Hand, Betws GG hefo John Thomas ac yn y man priododd ag Owen Parry Owen, Tyddyn Barwn, Llandderfel.

Y person hynaf yn y plwy yn 1891 oedd Ann Edwards, Gellioedd Bach, gweddw 91 oed. Byddai hi'n casglu gwlân o'r cloddiau i wau sanau a'u gwerthu yn y ffeiriau. Yn y Gellioedd Ucha yr oedd Robert a Mary Roberts a'u merch Elizabeth M oedd yn ddwyflwydd oed. Ganwyd mab iddynt yn ddiweddarach (yn 1894) sef yr hynod Barch J T Roberts, 'Gŵr y Doniau Da'. Mab Nant y Cyrtiau, Cwmtirmynach oedd Robert, y tad, ond symudodd i'r Gellioedd Ucha pan oedd yn ddeuddeg oed, a hynny oherwydd i'w dad, Thomas Roberts, gael ei droi allan o'i fferm adeg helynt yr Etholiad enwog honno yn 1859. Yr oedd Elizabeth, chwaer Robert Roberts, wedi priodi John Jones, Aeddren Isa ac yn 1891 yr oedd yna chwech o blant yn y fan honno: **Thomas** (21) **Evan** (19) (Hendre Garthmeilio wedyn); **Robert** (16) (Arddwyfaen wedyn); **Edward** (13) (Nant y Pyd wedyn); **Margaret E** (9) (Hughes, Tai'n Foel wedyn) a **Winifred E** (1). Ar ochr ei dad yr oedd J T Roberts yn perthyn i Ioan Tegid (1752-1852), gŵr galluog dros ben ac un o'i gymwynasau oedd copïo'r Mabinogion allan o Lyfr Coch Hergest er mwyn i Charlotte Guest eu cyfieithu i'r Saesneg. Yr oedd JT hefyd yn perthyn i'r Parch W E Thomas, tad Elin Mair, Llanuwchllyn a'r Arglwydd Dafydd Elis Thomas. Merch Tŷ Ucha Ffrithoedd oedd Mary Thomas, mam JT, a'i mam hithau'n ferch y Groudd. Yr oedd iddi linach gadarn ac yr oedd Jac Glan y Gors yn rhan o'i hachau. John Thomas, Pentre Potes, Cyffylliog oedd ei thad. Yr oedd Mary'n wythfed o naw o blant – un o'i brodyr oedd y Parch Cadwaladr Tawelfryn Thomas, bardd ac awdur *Ysgub Cyhafan* a chofiant i Ieuan Gwynedd ac a briododd Mary Lucy oedd yn or-wyres i William Williams, Pantycelyn. Gor-ŵyr i Cadwaladr Tawelfryn a Mary Lucy Thomas yw Vaughan Roderick, gohebydd gwleidyddol BBC Cymru a'i chwaer Sian, cynhyrchydd rhaglenni dogfen. Ceir mwy o hanes JT yn y gyfrol *Gŵr y Doniau Da* gan Robin Gwyndaf (Llyfrau'r Faner 1978).

Rhaid dweud gair am y Seiri Cochion. Ddiwedd tridegau'r 19eg ganrif daeth Elizabeth Williams o Abererch ger Pwllheli i weithio i Dŷ

Nant Llwyn a chyfarfod â saer coed o'r enw William Jones, Tan y Fron, Maerdy. Ugain oed oedd hi pan briododd. Ganwyd iddynt dair merch a chwe mab ac yr oedd pump o'r meibion yn seiri coed medrus ac yn berchen gwallt coch a llygaid glas: dyna sut y cawsant yr enw Seiri Cochion. Ceir eu hanes llawn mewn ysgrif gan Eirlys Lewis Evans yn *Llên y Llannau* 1976 – un o'u disgynyddion.

William Jones oedd yr hynaf (ganwyd 10 Ionawr 1842) a phriododd â Jane, merch y Parch Humphrey Ellis, Tyddyn Eli. Buont yn byw yn London House, Cerrigydrudion ac wedyn ym Mhenybont, Llangwm a chawsant bump mab: William a Humphrey a aeth i America, Thomas i Fanceinion, John yn ddilledydd i'r Bala (a'i ddisgynyddion yn dal yno yn y Siop Newydd) a David a benderfynodd fynd yn fferyllydd ac aeth yn brentis hefo Thomas Jones, Croesoswallt, ond dim ond am chwe wythnos y bu yno oherwydd cafodd ddamwain erchyll pan dywalltodd asid swlffwrig am ei ben oddi ar silff yn y siop a chollodd ei olwg. Priododd â Kate Ellen, merch Ann a Robert Roberts. Adweinid Robert Roberts, oedd yn fardd, fel 'Gwaenfab' oherwydd mai yn y Ceunant Isa, Waen y Bala y ganwyd ef yn 1850. Yr oedd yn was yn Llechwedd Figin a dywedir mai Elis Wyn o Wyrfai ddysgodd y cynganeddion iddo. Enillodd nifer o wobrau a chyhoeddi dwy gyfrol *Murmuron Awen* a *Blaguron Awen*. Y ddau yma, Kate Ellen a David Jones, oedd tad a mam Emrys Jones, Pen y Bont, 'Brenin Llangwm', a'i chwaer, Eirlys Lewis Evans, Y Rhyl. Mab i Emrys yw Dewi Prys, trefnydd yr Ŵyl Gerdd Dant flynyddol (a chanddo blant pengoch sydd yn dilyn y traddodiad) ac yr oedd dwy o ferched Eirlys, yr efeilliaid Gwenan (Llwyd Owain, Rhuthun) a Meinir (sydd wedi priodi Bryn Hughes Jones, mab Bodeiliog Isaf, y Groes, Dinbych sydd yn or-ŵyr i Hugh ac Annie Jones, y Cwm, Llanelidan) yn aelodau o'r grŵp 'Sidan' oedd mor boblogaidd yn y 70au. Yr oedd Eirlys yn stiwdent yn y Coleg Normal yr un adeg â 'ngŵr ac y mae hi'n ei gofio fel dawnsiwr da! Gwir! Yr oedd yn medru dawnsio fel breuddwyd ac arferem gael mwynhad mawr wrth fynd i ddawns. Rwyf yn rhyfeddu cyn lleied o bobl Dyffryn Clwyd sydd yn dawnsio. Nid oes dim tebyg i ·drot y llwynog neu'r rocarôl neu'r cha cha i'ch cadw'n ystwyth. Cofiaf hefyd i 'Sidan' ganu yng ngwesty'r Savoy yng Nghinio Gŵyl Ddewi Llundain yn y 70au ac Austin Savage yn edrych ar eu holau. Yr oeddynt yn canu fel angylion. Caryl Parry Jones yn un ohonyn nhw. Mor ifanc oeddym i gyd! Un o anfanteision pennaf heneiddio yw sylweddoli bod yr ifanc yn meddwl na fuom ni erioed yn ifanc! Ond, chwedl yr hen Hannah druan yn y Coleg Normal ers talwm – '*I digress*'.

Yr ail o'r Seiri oedd **John** (ganwyd 1 Hydref 1844) a fu'n saer ar stâd y Palé. Priododd ag Elizabeth Richards, Llwyn Onn, Cwm Main a buont yn byw yng Nglandŵr, Tŷ Nant. Cawsant un ferch, Elizabeth, a phriododd hi â John Griffiths a nhw oedd hen daid a nain Mona Lloyd Jones (née Griffiths, Ty'n Ffridd, Sarnau) Fron Heulog, Rhewl, a fu'n Dywysoges Llaeth Prydain yn 1956; merch hynod o bropor hefo llygaid duon llawn direidi ac yn berchen ar ddawn gerddorol y teulu ac yn un o'r rhai cleniaf ar wyneb daear. Roedd y ddwy ohonom yn dipyn o ffrindie yn Ysgol y Merched yn y Bala, ac yn parhau i fod o ran hynny. Cofiaf ddarllen ei hanes pan oedd yn 'teyrnasu' ac edmygu ei hyder a'i naturioldeb a rhyfeddu at y ffaith mai rhan o'i gwobr oedd trip i America. Yr oedd America'n bell iawn yr adeg honno. Anodd credu y medrir heddiw fynd i'r America ac yn ôl mewn diwrnod. Ac anodd credu bod Mona'n nain erbyn hyn!

Y trydydd Saer oedd **Dafydd** (ganwyd ym mis Mawrth 1850), perchennog melin lifio a'r person ddaeth â'r tracsion cyntaf i'r fro. Priododd â Selinah Hughes, Pentre Bach, Cerrig, a chododd Fryn Saint fel cartref i'r teulu. Prynodd y Crown yng Nghorwen a symud yno am gyfnod ond bu farw ei wraig. Aeth yn ei ôl i Fryn Saint a phriodi eilwaith ag Elizabeth Winifred Watson a chawsant dri o blant – Gwen a fu farw yn ifanc, David William a John Owen. Yr oedd Dafydd Jones yn ddyn busnes llwyddiannus ac yn arwain y côr lleol. Mwy amdano yn y bennod ar Gerrigydrudion.

Wedyn daeth **Hugh** (ganwyd 5 Chwefror 1855) ac yn 1891 yr oedd yn byw yn Nhy'n y Foelas hefo'i wraig Margaret (merch Hendre Arddwyfaen) a chawsant bedair merch. Aeth Margaret a Mary i weini i Fanceinion, Anne i weini i Gonwy ac arhosodd Jane adre a phriodi Hugh Roberts, Bryn Nannau (Eos Nannau).

Y pumed mab oedd **Owen** anwyd 12 Ionawr 1858. Priododd hwn ag Esther Margaret, merch Elis Wyn o Wyrfai a symud i Fryngwyn, Llanegryn pan gafodd ei benodi'n oruchwyliwr Stâd Peniarth a ganwyd iddynt bump o blant – Emily Wyn (fu farw'n 18 oed) Ethel May (fu farw'n 13 oed) Essie Wyn (fu farw'n 23 oed) a'r ddau frawd Owen Bryngwyn a William Ellis, BSc, y soniais amdanynt uchod.

Brawd arall y Seiri oedd **Robert** a aeth yn ddilledydd i Lundain, yr unig un na throdd ei law at waith saer. Ni wn ddim mwy amdano.

Yr oedd gan y Seiri Cochion hefyd dair chwaer. Priododd **Mary** â'r Cyrnol Darley, Otley Hall, gŵr cyfoethog iawn yn ôl y sôn a Charles Hughes o Lerpwl oedd gŵr **Elizabeth**. A phriododd **Jinnie** â William Owen, Llwyn Saint a dyma daid a nain y diweddar John Owen, Hafod y Gân (fu farw Ionawr 2000) a fagodd gyda chymorth ei wraig Ceri (Evans Pencraig gynt) deulu hynod o gerddgar yn Nyffryn Clwyd ac a fyddai ar un adeg yn cynnal cyngherddau – y tad a'r fam a saith o blant. Y mae yna ambell deulu sydd yn trosglwyddo doniau o genhedlaeth i genhedlaeth – Llwydiaid Defaidty, Vaughan Evansiaid y Gro, Salisbury-Dafisiaid Plas yn Rhos ac Evansiaid Pencraig, er enghraifft. Ac y mae disgynyddion y Seiri Cochion yn sicr yn yr un olyniaeth.

Owen a Catherine Hughes oedd yn byw ym Mryn Dedwydd ac er ei fod yn cael ei ddisgrifio fel ffermwr, plismon wedi ymddeol oedd mewn gwirionedd. Mab Robert Hugh a Mari Evans o'r Gelli Isa, Talybont ger y Bala oedd Owen Hughes, yr ieuengaf o ddeg o blant. Bu'n Ddirprwy Brif Gwnstabl Meirionnydd a mab iddo oedd yr Athro Ernest Hughes, athro Hanes cyntaf Coleg y Brifysgol Abertawe. Mewn llythyr ataf yn 1981 dywed yr Athro Glanmor Williams: 'Roeddwn yn adnabod Ernest Hughes yn dda iawn. Dechreuodd yma fel yr unig ddarlithydd yn Hanes yn y coleg – yn wir yr unig ddarlithydd yn y Celfyddydau oll, yn 1920. Penodwyd ef yn Athro Hanes yn 1926. Bu farw 23 Rhagfyr 1953. Yr oedd yn athro a darlithydd huodl ac atyniadol, yn gwmnïwr penigamp ac yn gyfaill twymgalon. Yn boblogaidd iawn gyda'r myfyrwyr. Yr oedd bron yn ddall. Serch hynny yr oedd yn hynod weithgar yn y Coleg, yn y mudiad addysg allanol, fel beirniad eisteddfodol ac ymhob cylch o fywyd diwylliannol a gwladgarol yn y dref hon a'r cylch. Pan fu farw dechreuwyd cronfa lwyddiannus iddo ac fe ddefnyddir yr arian i gynorthwyo myfyrwyr a hefyd gynnal darlithiau o bryd i'w gilydd.'

Yr oedd yn cydoesi ag R T Jenkins yn Ysgol Tŷ Tan Domen, y Bala. Claddwyd Ernest Hughes ym mynwent Llanycil. Yr oedd un o'i wyrion, Mark Hancock, yn dwrne adnabyddus: ef amddiffynnodd y Darvells, y 'Swansea Two', dau frawd a garcharwyd ar gam, ond bu farw'n sydyn iawn yn 51 oed yn Fiji fis Rhagfyr 1998. Roeddwn wedi gobeithio cael ei gyfarfod ond bu farw cyn ateb fy llythyr. Gallaswn yn hawdd fod wedi cyfarfod yr Athro Ernest Hughes (a oedd yn gefnder i fy hen-nain Bryntangor) pe bawn wedi sylweddoli pwy ydoedd ond y mae hel achau'n llawn o gyfleoedd coll o'r fath.

Mab arall i Owen Hughes oedd Robert William Hughes a fu'n Brif Gwnstabl Sir Drefaldwyn nes iddo golli ei iechyd yn 1902. Yn ôl traddodiad teuluol yr oedd yn rhy hoff o godi'r bys bach a bu farw yn Seilom Dinbych. Yr oedd ganddo chwaer, Blodwen Lloyd Jones oedd yn cadw siop yn y Bala ac yn gyfeilyddes ardderchog, meddir wrthyf. Cofiaf mai Dodo Blodwen fyddai fy nain yn ei galw. Aelodau eraill o'r teulu hwn oedd Huwsiaid y Giler; Maes y Waen, Llidiardau ger y Bala; Cerrigelltgwm, Ysbyty Ifan a Phlas Llwydiarth, Llanfihangel y Pennant. Mae gen i gryn dipyn o waith chwilota cyn eu darganfod i gyd. Aelod o gangen y Llwydiarth oedd Evan Hughes a oedd yn gofalu am yr Ymgyrch Cynilo Cenedlaethol yn ystod y Rhyfel ac a dderbyniodd wobr arbennig oddi wrth y Brenin Haakon o Norwy am ei waith. Llysfab iddo yw David Rowe-Beddoe, dyn pwysig yn y Bwrdd Datblygu a'r Blaid Geidwadol ac erbyn hyn yn gofalu am y cynlluniau ar gyfer dyfodol y ganolfan gelfyddydol yn Y Bae.

Ond yn ôl i Langwm. Jane Jones, gweddw 77 oed, oedd yn y Disgarth Ucha, ac yr oedd ganddi ferch o'r enw Jane Catherine, sef mam J E Jones y Blaid. Dylwn hefyd sôn am Hugh Hughes, Pig y Bont a'i deulu: ei wraig Margaret a'i blant Hugh, Sarah a Catherine. Yr oedd yno hefyd blentyn maeth o'r enw Thomas Owen Williams. Mae hyn yn ffitio i'r hyn a ddywedodd Emrys Jones mewn traethawd ar 'Annedd-dai Adfeiliedig Llangwm' yn *Llên y Llannau* 1979. Cafodd Marged nifer o blant a bob tro y byddai'n cael babi arferai gymryd plentyn i rywun arall a'i fagu ar y fron arall. John Parry oedd yn byw ym Moelfre ac yr oedd Hugh Evans, Gwasg y Brython, yn cyfaddef ei ddyled iddo wrth ysgrifennu ei glasur *Y Tylwyth Teg*. Merch i John Parry ac Anne ei wraig oedd Margaret, a briododd â Huw Jones, Pendre, Tŷ Nant. Cawsant saith o blant; **Annie**, **Robert** (aeth i'r America), **Mary Elizabeth**, **Maggie Ellen**, **Jane Catherine**, **Salome** (fu farw o diphtheria yn un ar ddeg oed) a **John Huw**, sef tad Robin Gwyndaf, Aeryn, Tegwyn, Glenys a Rhiannon. Merch i Rhiannon yw priod Kevin Davies a glywir ar Radio Cymru bob pnawn hefo Nia Lloyd Jones. Yr oedd Robert (aeth i'r Unol Daleithiau) yn saer coed defnyddiol ac yn un o'r criw fu'n codi'r Old National Bank yno. Yr oedd hefyd yn fardd a bu'n cystadlu yn Eisteddfod San Ffransisco yn 1932. Testun y gerdd oedd Dydd Calan:

Alffa Ŵyl a Blwydd Blwyddyn
Dydd Geni wyn – Rhieni Gwanwyn,
Cyfarch hon o barch wna dyn
Drwy ddatgan da i'w gyd-ddyn.

Mae ei ddisgynyddion yn cadw cysylltiad â'r perthnasau yn Llangwm.

William Jones, gŵr gweddw, oedd ym Maesmor Fechan ac yr oedd ei ŵyr Robert Owen yn 11 mis oed. Bu ef yn ffermio Hendre Bryn Cyffo, Gwyddelwern a phlant iddo yw Mary Evans, Bryn Beuno, Gwyddelwern, Margaret Williams, Llys Mai, Cerrigydrudion a'r diweddar Aled, Hendre Bryn Cyffo a briododd Eira'r Cyffdy, Parc y Bala, chwaer Jane a briododd Ieuan Jones y Cilan. Alice Owens oedd yn Erw Dinmael ac yr oedd ganddi ddau ŵyr yn byw hefo hi, David Cadwaladr a Robert Edwards. Yr oedd yr olaf yn daid i Trebor Edwards, y canwr o Ben y Bryniau. Erw Dinmael oedd cartref yr hynod Ddafydd

Cadwaladr, tad Betsi'r nyrs aeth i Falaclafa.

Y person ieuengaf yn y plwy oedd geneth fach 4 diwrnod oed (heb ei henwi) merch David a Jane Jones, gwerthwr menyn, Ty'n y Groes. Byddai'n prynu'r menyn ar ffermydd Uwchaled a'i werthu ym Mlaenau Ffestiniog gan deithio ar ei ferlen. Yr oedd yn godwr canu yng Nghapel y Groes. Ymysg babanod eraill y fro yr oedd John (5 mis) mab Abel ac Anne Williams, Fferm y Maerdy; Hugh (4 mis) mab William a Mary Jones, Tŷ Tan Ffordd; Margaret Elinor (7 wythnos) (sef Nin) merch Thomas ac Elizabeth Ellis, Penyfed; a Dafydd (8 mis) gor-nai Thomas Roberts, Llwyn Cwpwl, ac a laddwyd yn Ffrainc yn 1917. Dyma ddywed Nansi Richards, Telynores Maldwyn, amdano yn ei chyfrol *Cwpwrdd Nansi* (1972) 'Disgybl i mi oedd Defi y telynor llawen. Ni fynnai ddysgu cymaint ag un alaw yn y cywair lleddf! Ef oedd organydd Capel y Gellioedd, a'i hoff ddarn ar y delyn oedd "Greek Pirates March" . . . daeth diwedd ar y cyfan pan anfonodd y Cyrnol brwnt o Garthmeilio Defi i'r rhyfel yn 1914. Gorfu iddo fynd ar waetha pawb a phopeth, ac ymbil taer ei fam.' Bu farw yn Ffrainc a'r unig beth oedd yn ei boced oedd tri botwm, cyllell fach a stydsen. Yr oedd ganddo ddwy chwaer sef Margaret Jane (7 oed) a briododd â William Jones 'Ci Glas' a Mary Ellen (3 oed) sef nain Gwyndaf a Dafydd Roberts o'r grŵp gwerin 'Ar Log'. Nith i Defi Llwyn Cwpwl oedd Laura M Jones (Telynores Gwynedd). Yr oedd John, taid Laura, yn frawd i Thomas Jones, Esgairwen a Robert Jones yr Henblas. Derbyniodd hi hyfforddiant ym Mhlas Llanofer ac yr oedd yn aelod o Gôr Telynau Teires Llanofer a hi fu'n rhoi gwersi telyn i Ceri Owen, Hafod y Gân, Selina Watson, Eleri Thomas, Llwyn, Gwenda ac Alice Penyfed a Nesta Edwards. Mae'n rhyfeddol fel y mae'r teuluoedd cerddorol hyn fel rhaff o wynwyns ar hyd y lle! Nith i Thomas Jones, Esgair Wen oedd Catherine, merch yr Henblas a fu'n byw yn y Geufron Bach, Llawr y Betws cyn cartrefu yn y Gellioedd. Yr oedd ganddi chwech o blant – Trefor, Blodwen, Medwyn, Hefin, Emyr a Haf, criw galluog dros ben, e.e. y mae gan Trefor bedair o ferched sydd wedi eu trwytho yn y Pethe – Eleri yn athrawes yn yr Wyddgrug; Bethan (Smallwood) yn arwain Côr Meibion Llangwm; Rhiannon yn hyfforddi Parti'r Gromlech ac yn briod â Tecwyn Ifan a Meinir (Lynch) cyfieithydd y Telitybis ymysg pethau eraill. Dyn tarw potel oedd Medwyn a bardd a gosodwr cerdd dant gwych ac aelod o Barti Menlli ymysg pethau eraill. Mab i Emyr yw Arfon Jones a merch i Hefin yw Carys Jones, dau arall sydd yn enwau cyfarwydd ym myd cerdd dant a chanu cyfoes. Yr oedd William Jones 'Ci Glas' (1872-1941) a fagwyd ym Mhlas Nant, yn bencampwr ym myd treialon cŵn defaid ac yr oedd ganddo gi glas oedd yn enwog drwy Gymru, Lloegr a'r Alban. Fe'i ganwyd yn y Gwerni ar dir y Gydros ond gadawyd ef yn amddifad yn ifanc iawn a magwyd ef gan ei chwaer Elizabeth Jones, Plas Nant.

Yr oedd yna fab 12 oed yng Nghwmoerddwr o'r enw Huw Llewelyn Williams Hughes ac yn y man priododd â Kate Maria Jones, Ystrad Bach, a bu'r ddau yn ffermio'r Geufron Fawr, Glanrafon. Yr oedd Huws y Geufron, fel y'i gelwid, yn fardd da iawn, enillydd 14 o gadeiriau. Yr oedd ganddo fab – Huw Meirion Hughes – oedd hefyd yn fardd da. Ganwyd ef yn 1910 ac ef oedd y chweched o saith o blant y Geufron. Aeth i'r heddlu ac enillodd yntau hefyd nifer o gadeiriau – gan gynnwys un Llangwm. Bu farw yn 1980. Merch Huws y Geufron oedd Olwen a briododd Jacob Jones, Rhydolwen a magu teulu yn Nant y Pyd.

Yr oedd pum pâr o efeilliaid yn y plwy yn 1891 sef Price ac Ann (23), plant Cadwaladr a Mary Williams, y Fach; Catherine ac Ellenor, merched 30 oed John Thomas, Gaerfechan (Catherine yn fam i Syr John Cecil-Williams a'i thad John yn frawd i Michael Thomas, Llwyn Onn, Bryneglwys sef tad E W Thomas – gweler Bryneglwys); John a Griffith Jones, 39 oed, seiri olwynion a meibion Alice Jones, Glyn Nannau; Robert a John, (18), meibion Robert a Margaret Jones, Bryn Ffynnon a Margaret ac Elizabeth, merched dwyflwydd oed Evan ac Elizabeth Roberts, Parc.

Y dyn hapusaf oedd John Roberts, Cefn Nannau. Disgrifir ei waith fel *'working at pleasure'*. Gwyn ei fyd!

Terfynaf gyda hen rigwm

Gwelais neithiwr drwy fy hun
Lanciau Llangwm bob ag un,
Rhai mewn uwd a rhai mewn llymru
A rhai mewn buddai wedi boddi.

Peidiwch â gofyn i mi pam.

Gwyddelwern – Pentre Beuno

Yn 1790 dim ond chwe thŷ oedd yn y pentref a dau o'r rheiny'n dafarndai. Yr oedd yn lle enwog am wyliau mabsant ac ymladd ceiliogod a bu yno lawer ffrwgwd hyd at ladd yn y cae tu ôl i'r Rose a'r Crown. Ar un olwg y mae Gwyddelwern yn blwy gwahanol iawn i Langwm. Yn un peth, nid oedd cweit mor anghysbell gan mai pentref wedi tyfu ar ochr y ffordd dyrpeg o Rhuthun i Gorwen oedd o. Yn fwy na hynny – yr oedd yno orsaf. Dyna un rheswm, mae'n debyg, pam bod yno fwy o bobl ddwad ganrif yn ôl nag oedd yn Llangwm. Y mae Gwyddelwern yn bentref hynafol iawn, wrth gwrs, llan a dyfodd o gwmpas Eglwys Sant Beuno ganrifoedd yn ôl. 'Y Llan' yw enw'r lle i lawer iawn ohonom hyd heddiw – neu fel y dywed y brodorion – Gyddelwar. Mae'n siwr bod gan ieithyddwyr esboniad am y fath esblygiad lleferydd. 'Does a wnelo enw'r lle ddim byd â Gwyddelod, coed gwern efallai.

Ceir sôn am yr eglwys mor bell yn ôl a diwedd y 13eg ganrif. Y mae'r cofrestri plwy'n mynd yn ôl i 1662 ac ar Ebrill 5ed bedyddiwyd Mary Pierce merch Thomas y gof yn y Ddwyryd, ar Ebrill 23ain claddwyd David mab John Pierce Elis ac ar Ebrill 30ain priodwyd Humphrey ap John a Lowry. Dyna'r cofnodion cynharaf. Yn 1881 cafodd yr eglwys ei hatgyweirio a'i thrawsnewid yn gyfangwbl a chredir bod nifer o hen greiriau a rhyfeddodau wedi mynd ar ddifancoll yn sgil y 'moderneiddio' cibddall hwnnw. Effeithiodd y chwiw Fictoraidd hon ar gannoedd o'n heglwysi a'r canlyniad oedd inni golli peth wmbredd o bensaerniaeth a chreiriau o'r canoloesoedd a chynt. Mae'n bur debyg bod y llan ar lwybr y pererinion – yn dirwyn o Eglwys Sant Beuno yn y Bala, drwy Wyddelwern ac i Glynnog Fawr yn Arfon, yr eglwys honno hefyd wedi'i chysegru i Feuno. Yr oedd gan Beuno ddisgybl o'r enw Aelhaearn ac y mae llannau yn dwyn ei enw ef nid nepell o dair o eglwysi Beuno yng Nghymru. Yn ôl hen fapiau, Capel Aelhaearn oedd yr hen enw ar Bandy'r Capel ychydig filltiroedd o'r llan i gyfeiriad Rhuthun ac y mae hynny'n awgrymu bod yno gapel yn rhywle rhywbryd. Dywed Edward Lhuwyd bod ôl cam ceffyl Beuno ar garreg o'r enw Maen Beuno. Ar draws y ffordd i gapel Moreia y mae Ffynnon Beuno neu Ffynnon Ucha. Pan oeddwn yn blentyn yn ysgol y llan cofiaf ein bod yn arfer mynd at y ffynnon yn rheolaidd er mwyn gwneud yn siwr bod ynddi lyffant. Dywedid bod presenoldeb llyffant yn sicrhau bod y dŵr yn lân. Mae'n debyg mai'r rheswm yw na fyddai unrhyw lyffant yn barod i oddef byw mewn dŵr aflan.

Yn ôl Cyfrifiad 1881 yr hynaf yn y plwy oedd Martha Thomas (88), genedigol o Langwm, a oedd am ryw reswm yn *lodger* yn Nhyddyn

Cochyn. Yr oedd hefyd chwech arall dros eu pedwar ugain: Robert Jones, Ty'n Rhos (83); William (84) a Susan Davies (80), Bryn Llan; Richard Jones, 2 Bryn Tirion (84); Thomas Davies, Ty'n Llechwedd (85) ac Elizabeth Williams, 1 Ty'n Erw Terrace (87). Yr oedd llawer o weddwon, dynion gan fwyaf. Nid oedd merched yr oes o'r blaen yn byw mor hen â merched yr oes hon – gofal adeg geni plant wnaeth y gwahaniaeth mawr i hyd oes merched.

Yr oedd dwy eneth fach wythnos oed yn y plwy sef Sarah, merch Ellis ac Elizabeth Evans, Bryn Du a Gertrude Adelaide, merch Thomas Vaughan y ficer a'i briod Annie, merch llawfeddyg o Ddinbych. Yr oedd Ellis Evans, Bryn Du, yn frawd i Edward Evans, Llidiart y Sais, Llanelidan, i Dorothy Jones, Ty'n Llechwedd (a syrthiodd i lawr y grisiau yn 1903 a thorri asgwrn ei phen) ac i Elizabeth, gwraig Edward Evans y saer, Tyddyn Cochyn (mab Hugh Evans, Tŷ Isa'r Llyn). Merch y Parch John Hughes, Llangollen, oedd Elizabeth Evans, Bryn Du ac yr oedd ganddi hi ac Ellis fab wyth oed, sef Edward, a aeth i'r weinidogaeth ac a fu'n genhadwr yn Nigeria. Rhaid i mi gyfaddef ein bod ni, blant capel Cefn y Wern ers talwm, yn edrych ymlaen at bregeth gan Edward Evans a hynny oherwydd bod ei ddannedd gosod yn rhydd a byddent yn neidio yn ei geg fel robin goch ar frigyn. Ein gobaith oedd y byddent yn llamu o'i enau ac yn saethu o'r pulpud tuag at un o'r blaenoriaid, William Edwards, Highgate neu Trefor Wynne, Rhewl Felen efallai, ac y byddai un o'r ddau yn eu dal megis pêl rygbi ac yn eu hestyn yn ôl iddo. Ond ddaru nhw erioed. Priododd Sarah, ei chwaer (y babi bach uchod) â D O Roberts, Cefn Griolen, Llanelidan, a ganwyd iddynt nifer o blant. Am fwy o hanes y teulu hwn gweler y bennod ar Lanelidan. Priododd John Hughes Evans, brawd Sarah, â Jane Elizabeth Hughes, Hendre Cottages, Llanelidan yn 1909.

Ymhlith gweddill y genhedlaeth newydd cawn Jane E Parry, wyres Thomas ac Elizabeth Parry, Tŷ Ucha'r Llyn (3 mis – credaf mai hi oedd perchennog Bwch Gafr y Foty yr oedd arnaf gymaint o'i ofn wrth fynd i'r ysgol ers talwm; bu farw Thomas ac Elizabeth Parry o fewn diwrnod i'w gilydd ym mis Rhagfyr 1891, ef yn 72 a hithau'n 66 oed); Robert Jones, Bryn Golau (2 fis); Mary Elizabeth Foulkes, 2 Tan y Rhiw (mis) Robert Lloyd Roberts, Rose Cottage (2 fis); John Owens, Pen y Foel (2 fis) a Sarah H Jones, Bryn Dicws (mis). Yr oedd nifer o dai gwag (neu neb yn digwydd bod adre y noson honno) sef Craig Lelo, Bryn Cyffo, Ty'n y Glyn, Penybanc, Deunant, Bryn Moel, Pennant, Erw Deg, Bryn Rhedyn, Hafoty Bach, Glan y Gors, Plas Angharad, Tŷ Newydd, Doltandderwen a Tŷ Croes. Disgrifir Ty'n Llidiart fel tri thŷ newydd ond neb wedi symud i mewn ar y pryd.

Ymddengys bod y swyddog wedi anghofio mynd i Gefnmaenllwyd. Efallai ei fod yn meddwl mai ym mhlwy Llanelidan yr oedd o gan bod y ffin rhwng y ddau blwy a rhwng siroedd Meirionnydd a Dinbych yn dilyn y gwrych rhwng Cae Ucha a Mynydd y Cwm. Caem hwyl diniwed wrth frolio y medrem roi un goes ym Meirionnydd a'r llall yn Sir Ddinbych gan feddwl ein bod yn gwneud andros o gamp. 'Doedd neb ohonom wedi bod ar gyfyl Clawdd Offa ac ni wyddem ei bod hi'n bosib rhoi un goes yn Lloegr a chadw'r llall yng Nghymru. Byd bychan bach oedd gennym. Byd diniwed a diogel. Ni wyddem chwaith bod yna hen domen rhyw chwarter milltir o dŷ Cefnmaenllwyd lle cefais fy magu, a hynny yn yr union fan lle byddem yn pontio'r siroedd hefo'n coesau. Yn y gyfrol *The Prehistoric and Roman Remains of Denbighshire (1929)* dywed yr awdur, y Parch Ellis Davies, bod y domen rhyw bum troedfedd o uchder a bod meini wedi eu darganfod ynddi – yn awgrymu cylch. Yr enw arni yw Tomen Domwydd ac y mae Llyn Domwydd gerllaw ac afon Domwy(dd) yn rhedeg ohono i lawr i Wyddelwern gan ymuno â'r Ddyfrdwy yn y man.

Y mae arolwg o Arglwyddiaeth Rhuthun yn manylu ynglŷn â ffiniau'r tir oedd yn eiddo i'r Iarll de Grey: 'O Fwrdd y Tri Arglwydd lle mae Sir Feirionnydd yn cyffwrdd â Sir Ddinbych a throi i'r dde yno a chroesi rhosydd elwir yn Waen Helyg i Ben yr Aber Ddŵr lle mae Aber Cyfle yn rhedeg ar derfyn Talcen Cefn Hywel ac ar hyd y nant elwir Aber Cyfle i fyny at domen elwir Tom Domwydd neu Moel Domwydd ac i'r llyn elwir Pwll Domwydd gan droi i lawr hyd at hen ffos bridd a charreg sydd yn ymyl y ffordd sydd yn arwain i Fryn Saith Marchog.' Cawsom oriau o chwarae ar lan Pwll Domwydd (er mai Llyn y Cwm oeddem yn ei alw) gan guddio yn y rhedyn a chael ein dychryn gan ambell i betrisen yn codi o'r grug fel rhyw gloc larwm gorffwyll. Yng nghanol y defaid a'r cwningod a phlu'r gweunydd a'r hwyiaid gwylltion a'r brwyn a'r chwislod a'r ieir dŵr a'r ceiliogod rhedyn yr oedd bywyd yn syml iawn i blant oedd yn cael eu magu mewn byd di-deledu, di-gyffur, di-feddwl-ddrwg. Un o fendithion mawr heneiddio yw sbectol binc! Er hynny, y mae gen i gof clir am un amgylchiad a roddodd fraw mawr inni i gyd. Wrth ymyl gwrych gwelsom ddafad farw a dyma un o'r bechgyn yn rhoi proc iddi a dyma'r sŵn mwyaf anferthol yn dod allan ohoni ac yr oeddym yn barod i ddechrau chwerthin pan fu rhaid inni redeg nerth ein coesau byrion am bellteroedd oherwydd yr oedd yno ddrewdod annaearol yn dilyn y sŵn. Os nad ydych wedi arogli rhech dafad farw, ni wyddoch ystyr y gair drewi. Ni feiddiem edrych yn ôl rhag ofn i'r ogle ein goddiweddyd a theimlem ei fod yn edrych yn debyg i gwmwl madarch ffrwydriad niwcliar. Er cymaint hud yr atgofion am y rhedyn

27

a'r mwsogl, y robin racsiog a'r cornchwiglod, ofnaf mai'r ddafad farw sydd yn mynnu aros yn y meddwl.

Anodd credu bod teuluoedd mor fawr wedi cael eu magu mewn rhai o'r rhesdai bach a'r bythynnod yn y fro. Ond yr oedd yna dai helaeth hefyd a nifer fawr yn byw ynddynt. Yr oedd pymtheg yn y Caenog, pymtheg yn yr Hendre Isa, 14 yn y Wern Ddu, 13 yn y Clegir Mawr, 12 yn Hendre Bryn Cyffo ac un ar ddeg yn yr Oror. Dyma fel y cofnodir nhw:

CAENOG

John Jones	pen	45	Ffermwr	Gwyddelwern
Margaret "	gwraig	39		Llangollen
Robert Ed "	mab	13		Gwyddelwern
Mary "	merch	11		"
Thos Eaton "	mab	9		"
Alfred Herbert "	mab	3		"
Elizabeth "	merch	1		"
John Wynn	gwas	28		Betws
Robert Hughes	gwas	18		Derwen
David Davies	gwas	24		Llangynniew
Robt Dd Owens	gwas	15		Pentredwr
Mary Jones	morwyn	29		Llangower
Mary Edwards	morwyn	16		Gwyddelwern
Mgt Ellen Hughes	nyrs	15		Birkenhead
Eliz Jones	morwyn	12		Gwyddelwern

Yr oedd teulu'r Caenog wedi bod yn gysylltiedig â'r achos Wesleaidd yn y pentre bron o'r dechrau. Yr oedd tri John Jones wedi bod yno ac yr oedd y cyntaf a'i wraig yn eglwyswyr selog yn y cyfnod pan oedd Edward Jones, Bathafarn, yn ennill gwrandawyr. Talodd Edward Jones ei ymweliad cyntaf â'r pentref yn 1801 pan bregethodd yn nhafarn y Crown. Bu'r achos Wesleaidd (neu Fethodistaidd fel y'i gelwir heddiw) yn gryf iawn yn y fro ac y mae yno gapel helaeth. Dywed traddodiad mai'r Parch Owen Jones oedd y pregethwr Wesleaidd cyntaf a fu yn y Caenog. Ei daith ar y Sul hwnnw oedd Gwyddelwern am 10, Bryneglwys am 2 a Llandegla am 6 a threfnwyd iddo gael cinio yn y Caenog ac yr oedd yr hen wraig yn sâl. Penliniodd Owen Jones wrth ei gwely a gweddio drosti gan ennill ei ffafr. A dyna ddechrau'r ymlyniad selog â'r achos. Cawsant naw o blant a'r hynaf o'r meibion oedd John Jones yr Ail a briododd â Mary Bowen, merch y Dinbren, Llangollen, teulu nodedig arall yn hanes Wesleaeth Gogledd Cymru a chawsant ddau o blant,

Elizabeth a John, ond pan oedd John onid 3 mis oed bu farw ei dad ar Orffennaf 1af 1836. Priododd Elizabeth â J Harrison Jones, fferyllydd yn Ninbych a brawd, mi gredaf, i Thomas Jones, Plas Coch, Llanychan. Yr oedd yn un o bileri'r achos Wesleaidd yn y dref honno. Priododd John (gofnodir uchod – y 3ydd John Jones ar y fferm) â Margaret Edwards, fferm y Llyn, Trefor, Llangollen a ganwyd iddynt ddeg o blant. Bu farw un mab, **John Bowen**, o drawiad yr haul yn 1876. Rwyf yn cofio ein bod bob amser yn cael ein rhybuddio rhag mynd i'r haul heb het pan oeddem yn blant rhag ofn inni gael *sunstroke* – a'r gair Saesneg yn gwneud iddo swnio'n fwy brawychus fyth. Yr oedd clefydau arferol plentyndod yn cael yr enw Cymraeg gan bawb – brech yr ieir, pâs, swyneg, cryd melyn, brech goch, clwy penne, cusan ddrwg – ond y rhai mwy anghyffredin y Saesneg – *sunstroke, lockjaw* a 'pendics'. Dyddiau hirfelyn tesog a gaem – wir-yr – ac nid oeddym yn pryderu am wisgo llewys hir ac ati gan nad oedd sôn am ganser y croen. Nid oedd twll yn yr haen osôn yr adeg honno. Mae'r byd meddygol wedi gwella tu hwnt i bob dychymyg yn ystod yr hanner canrif ddiwethaf ond fel y mae un brychfilyn yn cael ei ladd mae un newydd yn ymddangos.

Priododd mab arall y Caenog, **Thomas Eaton** (neu Eyton) â merch Owen Lloyd (gweler y bennod nesaf ar Gorwen am hanes y teulu hwnnw) a phriododd **Elizabeth/Bessie** ag R N Jones, mab Thomas Jones, Brynmelyn, Llandderfel, gŵr dylanwadol iawn yn ei oes. Bu farw merch o'r enw **Mabel** yn 1914. Daeth Agnes, Hendre Bryn Cyffro yn wraig i **Herbert**. Merch iddyn nhw yw Gwenda a briododd â George Elwyn Thomas, mab yr Hand, Betws GG. Buont yn ffermio Rhydonnen, Llanychan, ond yn 1953 cafodd ef strôc (yn ifanc) a bu rhaid iddynt werthu. Fy nhad oedd y prynwr. Antur fawr i'n teulu ni oedd mudo o'r topie anghysbell i lawr i Ddyffryn clodfawr Clwyd. Yr oedd fy nhad wedi bod yn chwilio am fferm arall ers tipyn a bu bron iawn iddo brynu un yng nghyffiniau'r Amwythig. Byddai hanes ein teulu ni wedi bod yn bur wahanol!

HENDRE ISA

Hugh Roberts	pen	47	Ffermwr	Gwyddelwern
Ann "	gwraig	46		"
Robert Owen "	mab	17		"
Edward "	mab	15		"
John "	mab	14		Derwen
Anne Jane "	merch	12		"
William "	mab	11		"
Hugh Thos "	mab	9		"

Mary Catherine "	merch	6		"
Henry "	mab	4		"
John Jones	lletywr	75	Ffermwr	Llanarmon
Frances "	ei wraig	74		Abergele
Edward Hughes	gwas	29		Gwyddelwern
John Jones	gwas	19		Glyndyfrdwy
Elizabeth "	morwyn	21		Llansantffraid

Seithfed mab John a Jane Roberts, Clegir Mawr, Melin y Wig, oedd Hugh Roberts, Hendre Isa, a'i wraig yn ferch Edward Edwards (Yr Hen Ddewin) Llwyn y Brain ac Ann (née Davies, Tyddyn Uchaf, Derwen). Eu mab hynaf, **Robert Owen**, fu'n ffermio'r Hendre Isa ar eu holau a phriododd â'i gyfnither Anne Jane Edwards, Siop Bryn Saith Marchog a chawsant bump o feibion. Lladdwyd yr hynaf, Robert Hugh, yn Ffrainc yn 1916 a'i gladdu ym Mynwent Brydeinig Ancre yn 22 oed. Wythnos cyn iddo gael ei ladd anfonodd y llythyr canlynol at ei rieni:-

October 25th 1916
I am alive and well, that's about all I have to say. Nothing untoward has happened since I last wrote. We have remained stationary for the last few days but they have no means been days of rest. In one hour's time I have to parade for a fatigue party when we shall probably have to go up the line. I am writing this on my spring bed (hum) and all around my companions are similarly engaged. We have wood fires going to keep us warm and so just for the moment we are all in a contented frame of mind. It was not the same the other night returning from a fatigue in the trenches when we wandered like lost sheep before we reached our billetts. It was dark and we somehow got astray with the result that we were thoroughly done up. It is no joke going across open country in the dark blundering into shell holes and ditches and tripping over wires etc. I may say that there are no hedges in this country for which fact we are truly thankful.   Your loving son, Bob.

Trydydd mab Robert Owen ac Anne Jane Roberts yr Hendre oedd John Emlyn (1899-1982) ac ef fu'n ffermio yno ar ôl ei dad, dilynwyd ef gan ei fab yntau, Elwyn Owen Roberts, ac erbyn hyn y mae Aled, ei fab yntau, yn ffermio'r hen gartref, y chweched genhedlaeth yno. Aeth dau fab arall Robert Owen yr Hendre, Gwilym a Merfyn, i fyd y banc a bu'r ddau yn rheolwyr mewn gwahanol rannau o Gymru. Ymddengys bod yna ryw elfen fathemategol yn y teulu oherwydd bu John, mab Gwilym, yn Athro mewn Mathemateg yn un o golegau Rhydychen ac y mae Morien, mab Elwyn ac Aurona Roberts, Hendre Isa, yn yr un byd ac yn byw yn nhalaith Efrog Newydd ers rhai blynyddoedd. Yr oedd fy nhad, oedd yn gefnder i Emlyn a Trefor a Gwilym a Merfyn, yn un da gyda ffigurau a methai'n lân â deall pam fy mod i mor anghredadwy o anobeithiol hefo syms o bob math.

Ail fab Hugh ac Anne Roberts, Hendre Isa oedd **Edward** a phriododd â'i gyfnither, Elizabeth Jane Edwards, merch John Morris a Maria Edwards, Tyddyn Isa a chawsant ddeg o blant. Ymysg eu wyrion y mae Bethan Lloyd Roberts sydd yn gweithio yn Llyfrgell Rhuthun a'i dwy chwaer Rhian a Gwenan (merched y diweddar Hugh Lloyd Roberts, cigydd Cerrigydrudion); Alan Roberts, Fferm y Bryn a'i chwaer Anona; Eflyn Williams sydd yn athrawes yn Ysgol Maes Garmon a'i brawd Sion Lloyd, Talar Wen, Rhuthun – adwaenir fel Sion y Go – ef yn bumed genhedlaeth 'yn yr Efail' ym Mryn Saith Marchog. Wyrion eraill oedd Auriol Inglesby, Dyserth a'r diweddar Trefor Roberts, Pen Stryd a Vivian Roberts, Aberystwyth.

Aeth **John**, trydydd fab yr Hendre i'r banc, a bu'n gweithio yn Llundain am gyfnod a chredwch neu beidio priododd hwn hefyd ei gyfnither sef Elizabeth Edwards, Siop Bryn Saith Marchog. Ni chawsant blant. **Anne Jane** (1869-1948) oedd merch hynaf Hugh Roberts a daeth hi'n wraig Tir Barwn, Betws GG, drwy briodi Edward (Teddy) Roberts. Mwy amdanyn nhw yn y bennod am Lanfihangel Glyn Myfyr. Hen lanciau oedd y tri mab arall, **William, Hugh** a **Henry** a buont yn ffermio Fferm y Bryn. Ganwyd **Mary Catherine** y seithfed plentyn yn 1874 ac wedi priodi Benjamin Jones, Llannerch Gron, aethant i fyw i'r Gwrych Bedw, Llanelidan. Ganwyd naw o blant iddynt: fy nhad, Alun, oedd y trydydd.

A phwy oedd y John a Frances Jones oedd yn lletya yn yr Hendre? Ceir portread llawn iawn ohono fo yn *Y Greal* 1889, 1890, 1891 ac 1892 gan y Parch W T Davies *(John Jones Pandy'r Capel a'i Amserau)*. Yr oedd John Jones yn un o sefydlwyr Pandy'r Capel, wedi symud i'r Hendre Isa tuag 1815 o'r Tŷ Gwyn, Bryneglwys a chyn hynny o Lanarmon yn Iâl. Yr oedd ganddo ddwy chwaer o leiaf: Jane a Mary. Priododd Jane fab John Williams, Plas Lelo a byw yng Nghil Haul, cyn symud i'r Maerdy Uchaf. Cawsant saith o blant gan gynnwys y Parch Robert Williams, Hengoed a Mary, gwraig William Edwards, Llwyn y Brain ac aeth y gweddill i fyw i'r Clytir a'r Wern, Llanbedr DC. Priododd Mary, chwaer arall John Jones â Robert Lloyd, Pant y Gynnau, rhieni Llwydiaid Tŷ Brith. Yr oedd Robert Lloyd yn frawd i Ann, fy hen-hen-nain, gwraig Edward Williams, Gwrych Bedw. Bu farw eu tad, Robert Lloyd arall, yn 1844 ac yn ei ewyllys gadawodd bymtheg punt y flwyddyn i'w wraig Elinor, pedwar ugain punt i'w fab John Lloyd, Plas Adda, naw deg o bunnau i'w ferch

Anne Williams, Gwrych Bedw, decpunt i Anne, merch John Lloyd, Plasadda, decpunt i Elinor Lloyd Williams, merch Anne ac Edward Williams, Gwrych Bedw a decpunt hefyd i Anne Williams, merch ei chwaer Elinor Jones, Bryngwyn, Clocaenog. Yn 1858 priododd Anne, Bryngwyn, â Henry Davies, Hewlfawr, Derwen. Gadawodd bopeth arall i'w fab Robert Lloyd gan gynnwys holl elw'r Pandy. Tystion yr ewyllys oedd Hugh Davies, Penybryn, Robert Griffiths, William Edwards a Robert Jones.Yr oedd ei eiddo yn werth £234/8/6 – sef anifeiliaid, offer fferm a dodrefn. Yn 1849 prynodd y mab, Robert Lloyd, Bantygynnau, Tŷ Brith, Y Felin a'r rhes tai yn y Pandy oddi wrth Syr R W Vaughan y Rhug am £1,350. Swm enfawr!

Gwraig gyntaf John Jones yr Hendre Isa, oedd Margaret Morris o Fryn Saith Marchog a chawsant bump o blant: bu farw un bachgen bach yn ifanc iawn, aeth **Thomas** i fyw i'r Groes Gwta, Nantglyn ac ef oedd tad Mary Harriett a briododd ei chefnder John Edwards, Siop Bryn Saith Marchog (Siop Llanelidan wedyn) a Margaret Catherine, gwraig William Davies, Rhydonnen, Llanychan. Priododd **Margaret** a **Mary**, dwy ferch John Jones yr Hendre, ddau frawd sef John a Robert Edwards, Llwyn y Brain: John yn ffermio'r Tyddyn Isa a Robert yn fasnachwr llwyddiannus yn Siop Bryn Saith Marchog. Mwy amdanynt yn y man. Ond dyma enghraifft berffaith o berthnasau'n priodi ei gilydd blith draphlith ac yn ymblethu. Dywedir bod hyn yn arferiad cyffredin ymhlith y Bedyddwyr ac ymddengys bod aelodau Pandy'r Capel wedi cofleidio'r arferiad gydag arddeliad ac yn ddigon â drysu unrhyw un sydd yn hel achau.

Y WERN DDU

Joseph Davies	pen	49	ffermwr	Gwyddelwern
Winifred "	gwraig	47		"
Joseph "	mab	22		"
Ellis J "	mab	17		"
Margaret "	merch	13		"
Edith M "	merch	4		"
William "	mab	10		"
Johnathan "	mab	27	draper	"
Anne "	merch-yng-nghyfraith	22		"
Robert Th "	ŵyr	8 mis		"
Winifred Roberts	morwyn	14		"
Hannah Griffiths	morwyn	15		"
Peter Hughes	gwas	16		"
Martha Jones	ymwelydd	64		"

Dyma deulu arall fu'n gysylltiedig â'r achos Wesleaidd am flynyddoedd lawer. Yn wir, yr oedd Winifred uchod yn wyres i Ellis Jones, Wern Ddu, oedd yn gyfaill mawr i Edward Jones, Bathafarn. Yr oedd gan Ellis Jones ddau fab – **Philip** a fu'n ffermio'r Wern Ddu (ei ferch Margaret wedi priodi Mathew Williams, masnachwr o Lerpwl; ei ferch Sarah wedi priodi Samuel Morris, masnachwr o Fanceinion a Winifred uchod a briododd â Joseph Davies, Rhydmarchogion) a **John** fu'n fasnachwr ac a adweinid fel 'John Jones Rochdale'. Mab i'r John hwnnw oedd Syr James Edward Jones oedd â dwy ferch, a mab oedd yn fyddar. Sefydlodd hostel ym Manceinion *The Ellis Llwyd Jones Hostel'* – lle i athrawon y byddar i aros. Fe'i gwnaed yn farchog fel cydnabyddiaeth am ei waith. Bu farw yn 1923. Gadawodd y swm o £3000 i sefydlu ysgoloriaeth flynyddol i blant ysgol Gwyddelwern oedd ar fin cychwyn yn yr ysgol uwchradd, ysgoloriaeth sydd yn dal mewn bod ac a enillwyd yn 1952 gan Helen fy chwaer. Mae tabled er cof amdano y tu mewn i'r ysgol. Bu Joseph Davies (uchod) yn bregethwr lleyg am drigain mlynedd. Ganwyd ef yn Rhyd y Marchogion, Llanelidan ac yr oedd ganddo chwaer o'r enw Ruth. Pan oedd hi'n ugain oed yr oedd hi ar ei gwely angau a dyma pryd yr aeth yr hwsmon i'r berllan a hithau'n storm fawr o fellt a tharanau ac y cyfansoddodd yr emyn

Er nad yw 'nghnawd ond gwellt
A'm hesgyrn ddim ond clai
Mi ganaf yn y mellt
Maddeuodd Duw fy mai,
Mae Craig yr Oesoedd dan fy nhraed
A'r mellt yn diffodd yn y gwaed.

William Jones oedd enw'r hwsmon a'i enw barddol oedd Ehedydd Iâl. Yr oedd gan Ruth, gyda llaw, efaill o'r enw Elizabeth a briododd Thomas Williams o Lanfyllin. Cafodd Joseph Davies, Rhydmarchogion, addysg dda mewn ysgol yn Wrecsam, Ysgol Holt efallai. Y prifathro yn y fan honno ar un adeg oedd y Parch Ebenezer Powell oedd wedi priodi Marianne, chwaer Thomas Gee. Yn 1853 priododd Joseph â Winifred, merch Philip Jones, Wern Ddu a chawsant ddeg o blant. Priododd y mab hynaf, **Joseph**, â Kate Evans o Langower, chwaer i G Pierce Evans, Meyarth, a buont yn byw yn y Tŷ Nant ond bu ef farw yn 38 oed yn 1895. Yr oedd ganddynt ddwy ferch: Winifred a Katie. Priododd Winifred â Parry Jones, Maes Gwyn y Felin a byw ym Maes Gamedd ac yno fagu pedwar o blant: Glyn Raymond Jones, Bryn Brith (tad Gwenda Parry Lloyd, sydd yn y Maerdy Bach heddiw, sef mam-yng-nghyfraith y

Prifardd Iwan Llwyd) Elwyn, Myra a Hilda Parry Jones sydd yn byw yn Erw Goch, Rhuthun ac a anwyd ddydd Calan 1910. Daeth Katie yn wraig i Charles Hollister Jones, Pant y Gynnau ac ymfudodd y teulu hwn i Seland Newydd. Priododd **Ellis J** â Maggie Williams, Foel Isa, Corwen yn 1889 ac wedi ffermio'r Pistyll Gwyn aeth y teulu hwn hefyd i Seland Newydd. Mab arall y Wern Ddu oedd **Jonathan Davies**, dilledydd, Commerce House, Corwen ac fe'i dilynwyd yn y busnes gan ei fab R Ifor Davies. Merch Botegir oedd gwraig Jonathan. Bu farw eu merch, Anne Winifred Glynne Jones, Llangollen, fis Mawrth eleni yn 104 oed.

Aeth **William** i Dde Affrica ac yn 1898 ceir cofnod amdano yn priodi Margaret Bernie yno yn Berkley East. Bu farw yn 33 oed yn 1903 o glefyd Brights gan adael gweddw a dau blentyn bach. Yr oedd yn un o arweinyddion tref Aliwal yn y Cape. Ym mis Mawrth 1892 bu farw **Ruth Jane**, merch y Wern Ddu a phriod y Parch W Caenog Jones, Llanfairfechan, yn 36 oed a bu farw ei chwaer **Margaret** hefyd yn ifanc. Pedair oed oedd **Edith** yn 1881 ac yn y man daeth yn wraig i Ernest Hughes, Hendre Bryn Cyffo. Yn 1906 priodwyd Frederick Deener, mab hynaf J Plenderleith, Watling Street, Llundain a South Woodford, Essex, a Winifred Bertha, merch Mr a Mrs J P Davies, Gorffwysfa, Queenstown, De Affrica sef wyres i Joseph Davies, Wern Ddu a'r diweddar John Simon, Gorffwysfa, Rhuthun. Y mae teulu'r Wern Ddu wedi cyrraedd y mannau hynny nas cyrhaeddir gan relyw teuluoedd y fro. A gallaf dystio i hynny. Fis Tachwedd 2000 yr oeddwn mewn cinio mewn gwesty yn Llandudno ac yn eistedd wrth ochr gŵr ifanc hollol ddieithr i mi – meddyg a fagwyd yn Dumfries a'i hyfforddi yng Nghaeredin. Eithr sicrhaodd fi mai Cymro ydoedd o ran gwaed a'i hen daid a nain yn dod o Wyddelwern. Cododd fy nghlustiau. Teulu Wern Ddu meddai. Ernie Hughes oedd enw'r meddyg a gor-ŵyr ydoedd i Ernest Hughes, Hendre Bryn Cyffo ac Edith Davies y Wern Ddu. Ofnaf i mi roi tipyn o sioc iddo oherwydd medrwn enwi brodyr a chwiorydd ei hen daid a nain a phwy oeddynt wedi'i briodi. A chwarae teg iddo; yr oedd yn gwybod stori Ehedydd Iâl.

CLEGIR MAWR

Edward Roberts	pen	51	ffermwr	Gwyddelwern
Jennett "	gwraig	36		Betws GG
Anne M "	merch	9 } efeilliaid		Gwyddelwern
Jane C "	merch	9 }		"
Elizabeth "	merch	7		"
John "	mab	5		"
Robert "	mab	4		"

Edward	"	mab	2	"
Owen	"	mab	1	"
John Hughes		gwas	21	"
Cadwaladr Price		gwas	13	Betws GG
Jane Thomas		morwyn	17	Gwyddelwern
Catherine Roberts		morwyn	15	"

Pumed mab John a Jane Roberts y Clegir Mawr oedd Edward uchod ac yr oedd dau o'i frodyr wedi ymfudo i Awstralia, ond ni wn ddim am eu hynt na'u helynt yn anffodus. Brawd arall iddo oedd fy hen daid, Hugh Roberts, Hendre Isa, ac yr oedd ganddynt un chwaer, Catherine, a briododd John Lloyd, Cae Gwyn, Gyffylliog, ac wedi ffermio Cae Du, Bryneglwys am gyfnod aeth y ddau i Waunynog, ac yna i Lodge Farm, Dinbych. Yr oedd eu mab hynaf Robert a fu farw yn 1917 yn ŵr blaengar yn Ninbych ac ar ddiwrnod ei angladd yr oedd y siopau oll wedi'u cau a thyrfaoedd yn sefyll o bobtu'r strydoedd. Yr oedd yn gynghorydd ac yn yr adroddiad am ei gladdedigaeth yn y *Free Press*, 8 Rhagfyr 1917, ceir rhestr hir o holl bwysigion y dref oedd yn cerdded y tu ôl i'r arch. Brawd iddo oedd John Owen Lloyd, Fferm y Copi (adawodd ffortiwn helaeth) ac yr oedd un o'u chwiorydd (Annie Mary) wedi priodi Henry Parry a mudo i Dakota.

O blith yr un ar ddeg o blant Edward a Jennett Roberts, Clegir Mawr, priododd **Jane** gyda John Roberts, Bryn Dreiniog; **Elizabeth** â John Jones, Tŷ Cerrig (dyma rieni Annie Roberts, Bryn Beuno gynt; y Parch Glyn Jones, Abergynolwyn, awdur *Bachgen Bach o Felin y Wig*, Ethel Vaughan Jones, Merllyn Gwyn, Glanrafon, Janet Thomas, Pwllglas ac i Huwcyn oedd yn arfer bod yn ganwr penillion reit dda, medde nhw. Yr oedd Huwcyn yn helpu fy nhad ar y fferm yng Nghefnmaenllwyd cyn iddo briodi – h.y. fy nhad – ac un noson, a Huwcyn allan, dyma fy nhad yn cloi'r drws heb feddwl a bu rhaid i Huwcyn gysgu yn y bing. Mi fonodd am fisoedd a'i gwadnu hi i'r Alban lle bu'n bostman a phriodi Albanes.) Wedyn **John** a briododd Jane Hughes, Poplars Farm, Redditch, merch David Hughes, Cefn Post, Llanfihangel, teulu a fudodd i Loegr ddechrau'r ugeinfed ganrif. Mab iddyn nhw yw David Roberts, Penbont, Corwen (tad Gareth sydd yn rhedeg y Swyddfa Bost ar y sgwâr yn Rhuthun a Gwenda sydd yn rhedeg cwmni Fflic ac wedi priodi Jonathan Jones y Bwrdd Croeso sydd yn frawd i Jenny Ogwen sydd yn fam i Rhodri welir ar y rhaglen 'Animal Hospital' hefo Rolf Harris sydd wedi priodi Alwen sydd a'i gwreiddiau ym Mhentrellyncymer) a dwy o'u merched oedd Maud Saunders Davies ac Edna, priod W H Jones, Coedladur mab Tai Mawr, Llangwm (tad y Parch John Lewis Jones, tad-yng-nghyfraith Dr. Deri Thomas a brawd y bardd Robert Eifion a'r Parch Dewi Jones, Llanbedr y Cennin). Bu **Owen** yn ffermio yn y Tai Teg ac y mae ei wyres Nan (merch Iorwerth Roberts a Dilys Vaughan Evans gynt) wedi priodi Bryn Edwards, Gwrych Bedw, Llanelidan – ei fam (Renee Yaxley) yn ferch y Sychnant a'i dad (Hugh Ellis Edwards) yn fab Highgate. Plentyn ieuengaf Edward a Jennett Roberts oedd **Hugh** (1883-1966) a fu'n ffermio yn Nhy'n Celyn, Gwyddelwern, tad Emyr a briododd â Dilys, Cefn Bodig, Parc y Bala ac y mae eu mab hwythau wedi priodi Rose, merch i Trebor Edwards, y canwr o Ben y Bryniau.

HENDRE BRYN CYFFO

John Hughes	pen	39	ffermwr	Gwyddelwern
Martha Lloyd "	gwraig	37		Corwen
Sarah Anne "	merch	16		Ysgeifiog
Hugh "	mab	13		"
Maurice R "	mab	10		Gwyddelwern
Margaret U "	merch	8		"
James "	mab	5		"
John Lloyd "	mab	2		"
Mary Agnes Jane "	merch	3 mis		"
Margaret Williams	morwyn	21		Dinbych
Thomas Davies	gwas	23		Gwyddelwern
Ellis Roberts	gwas	22		Dolgellau

Mab Dafydd Hughes, Bonron oedd John Hughes a'i wraig Martha yn ferch Bryn Brith; bu hi farw cyn diwedd y flwyddyn – mab Blaen Iâl, Bryneglwys oedd ei thad Thomas Roberts. **Thomas David** oedd eu mab hynaf ond mabwysiadwyd ef gan Mr a Mrs Thomas Roberts, Bryn Brith, ei ewythr a modryb, ar ôl iddynt golli eu mab John Lloyd, 23 oed, mewn damwain fis Mehefin 1878 pan aeth ei ferlen yn erbyn coeden. Yn ôl yr hanes yr oedd y ferlen hon yn un fuan iawn a dywedid ei bod yn medru mynd o Fryn Brith i Orsaf Corwen mewn saith munud a hanner. Hyfforddwyd Thomas yn filfeddyg ac yn 1902 priododd ag Elsie Collett, MRCVS. o Woodstock. Plant eraill Bryn Brith – heblaw am John Lloyd a Martha – oedd Mrs Jones Lloyd, Lerpwl, Mrs Davies y Lodge, Dinbych a Mrs Simon Williams, Penybont, Corwen. O'r plant uchod: aeth **Hugh** i'r America ac yr oedd **Maurice** yn ffermwr a phorthmon llwyddiannus a ddiweddodd ei oes yn y Tyisa, Corwen. Aeth **James** i fyd busnes a daeth yn un o gyfarwyddwyr cwmni enwog John Lewis – cwmni sydd ag iddo enw da hyd heddiw ac yn gwerthu nwyddau dan y label Jonelle ac yn ymffrostio yn y slogan *'Never knowingly undersold'*. Aeth **John Lloyd** i'r weinidogaeth (Wesle wrth gwrs!) ac yn 1943 etholwyd ef yn Llywydd y Gymanfa. Merch John Owen, Glanalwen oedd ei wraig a chawsant un ferch sef priod Frank Owen, yr arwerthwr o Gorwen. Gyda llaw, rhieni Frank Owen, y Parch Hugh Owen, Llandudno a Jane Jones, Angharad, oedd y pâr cyntaf i briodi yng nghapel Wesle'r pentref a hynny fis Gorffennaf 1878. Yn 1910 bu priodas fawr arall yn y Capel Wesle sef eu merch Gwen Angharad Owen, a Robert James Jones, Tŷ Ucha, Llangollen, masnachwr yn Honda, De America. Y gwas priodas oedd Edward Jones (brawd) a'r morynion Sara a Mary Pugh Jones (nithoedd) Peggie Francis a Nellie Parry Jones (cyfnitherod). Yr oedd y baneri allan yn y pentre a phawb ar ben eu drysau. Yr oedd R J Jones yn ewythr i Hywel Hughes, Bogota, ac ato fo yr aeth HH gyntaf. Brawd i RJ oedd John Ifor Jones, Colombia. Priododd ei ferch ef, Mary Pugh Jones, â Percy Goronwy Thomas, darlithydd ym Mangor ac wedyn yng Ngholeg y Brenin, Llundain ac awdur cyfrolau ysgolheigaidd ym maes llenyddiaeth Saesneg. Priododd **Margaret** (merch Hendre Bryn Cyffo uchod) gyda'r Parch Rhys Jones ac **Agnes** gyda Herbert Jones, Caenog. Ganwyd mab arall yn Hendre Bryn Cyffo yn 1893 sef **Ernest**, Cynghorydd Sir a phregethwr lleyg a phriododd ef Edith, y Wern Ddu.

Fu bywyd ddim yn fêl i R J Jones a Gwen Angharad yn Honda. Cafodd ei herwgipio gan wylliaid ac aed ag o i'w saethu. Yr oedd yn sefyll yn disgwyl yr ergyd pan gyrhaeddodd y Conswl Prydeinig ar wib wyllt ar gefn ei geffyl a'i ryddhau. Mae'n swnio'n union fel un o ffilmiau'r Gorllewin Gwyllt. Ymddeolodd i Gorwen lle bu'n arwain y côr ac yn gweithredu fel Ynad Heddwch. Bu farw yn Primavera, Corwen yn 85 oed yn 1941. Digwyddodd rhywbeth tebyg i Teleri, merch Hywel Hughes, pan herwgipiwyd hi a'i mab Owen yn y '70au.

YR OROR

John Davies	pen	55	Ffermwr	Bala
Mary "	gwraig	49		Llanuwchllyn
Thomas "	mab	24		Llanfor
John "	mab	20		Corwen
Robt Ellis "	mab	18		Llandderfel
Evan "	mab	16		"
Mary Cath "	merch	11		Gwyddelwern
Margaret "	merch	8		"
Dd Timothy "	mab	6		"
Edward "	mab	3		"
Mary Edwards	morwyn	22		"

Un o denantiaid stâd y Rhiwlas yn Nhy'n Llwyn, Llanfor, oedd John Davies ond wedi Etholiad gythryblus 1859 cafodd ei droi allan a symudodd i Wernbrychdwr ac yr oedd yn flaenor yng nghapel Glanrafon cyn symud i'r Oror. Ceir yr hanes yn llawn yn *Cymru* 1909 wedi'i ysgrifennu gan ei fab Edward (oedd yn 3 oed uchod) sef Edward Davies, Maes Sied, Bodffari yn ddiweddarach. Rhoddwyd enwau Cymraeg tlws ar blant Edward Davies – Rhiannon, Llio, Eifiona, Rhirid, Ieuan, Peredur, Gwyn – a mynd yn ôl i'r hen ddull Cymreig o enwi gan roi iddynt y cyfenw ap Iorwerth, arferiad arloesol yr adeg honno. Yr oedd Mary, gwraig John Davies, yn chwaer i William Williams, Ffynogion. Priododd eu merch Margaret (8 oed uchod) â P L Roberts, adeiladydd, San Francisco, a bu David Timothy, y degfed allan o 12 o blant, yn fasnachwr te yn Lerpwl, Caer a Wrecsam. Bu farw yn 1943 yn 69 oed.

Heblaw am Anne a Jane y Clegir Mawr yr oedd hefyd ddau bâr arall o efeilliaid yn y plwy sef Edward ac Anne Edwards, Llwyn y Brain (blwydd) a Nelly a Dolly Bowyer (2) o 3 Beuno Terrace. Gwerthwr glo o'r Waun oedd tad y ddwy olaf. Mae ei gyfenw'n awgrymu dau beth i mi sef mai gwneud bwa ar gyfer rhyfela a hela oedd ei hynafiaid pell ac mai yn y Rhos yr oedd ei wreiddiau. Ar y tir yr oedd y rhan fwyaf o drigolion Gwyddelwern yn gweithio ac eraill yn cyflenwi anghenion cymdeithas wledig. Henry Hannam, Ty'n Llan oedd y gof a John Lloyd, Gefail y Bryn yn gwerthu glo. Wedyn ceir Evan Roberts, y cigydd, William Davies y llifiwr, Thomas Davies y teiliwr, Elizabeth Davies yn cadw'r Cocoa Rooms, dau dafarnwr, David Owen, brodor o Dywyn, yn brifathro a Thomas W Vaughan o Dalgarth, Sir Frycheiniog oedd y ficer. Disgrifir David Roberts, Blue Bell fel cyn-filwr 56 oed, wedi bod yn y Crimea efallai ac y mae'n siwr bod ganddo fo lawer o hanesion gwaedlyd i'w hadrodd. Yr oedd Edward Lewis Hannam, Ty'n Llan yn 14 oed yn 1881 ac yn 1904 cafodd ddirwy am roi dŵr yn y llaeth.

Ble bynnag y mae llyn mewn afon y tebygrwydd yw y ceir yno hefyd bandy a chapel Bedyddwyr. Yr oedd hyn yn wir am Bandy'r Capel lle'r oedd Joseph Luke Jones, brodor o Benmachno, yn cadw ffatri wlân. Yn yr afon gerllaw y bedyddiwyd fy nhad, fy nain, fy hen nain a'm hen hen nain ynghŷd â nifer fawr o weddill fy nheulu. Y mae bron pob bedd ym mynwent Pandy'r Capel yn cynnwys perthynas i mi, teuluoedd Llwyn y Brain, Hendre Isa, Pant y Gynnau, Tŷ Brith, Gwrych Bedw, Glyn Mawr, Siop y Bryn.

Diddychymyg oedd yr enwau a röddid ar y plant – Jane a Mary, Thomas a John oedd crynswth y trigolion, yn union fel yn Llangwm a phentrefi eraill y fro. Cawn un Llewelyn, un Rhys, un Ifor, dau

Gadwaladr ac un Gwen. Erbyn diwedd y ganrif yr oedd enwau Cymraeg megis Eurwen ac Olwen ac Emlyn a Gwilym yn dechrau disodli'r enwau Beiblaidd a brenhinol oedd wedi bod mor boblogaidd. Dywed y Dr John Puleston Jones yn rhywle mai dylanwad mudiad Cymru Fydd fu ar rieni diwedd yr 1890au ac a barodd iddynt newid y patrwm. Ymysg yr ychydig enwau anghyffredin yng Ngwyddelwern yr oedd Priscilla ym Maes Gamedd y Plas ac Ariminthey ym Mhetrual. Ond fel ym mhob plwy arall yr oedd y Jonesiaid a'r Dafisiaid yn bla ac yn ddigon o boen i unrhyw un sydd yn chwilio am John Jones yn eu hachau. Heblaw am ambell eithriad megis Oliver Goodfellow o'r Alban, cipar yn Angharad; Thomas Atcherley o Groesoswallt, cipar yng Nglan Clwyd a theulu o Stocktons a fewnlifodd o Swydd Gaer i Fryn Halen, yr enwau arferol oedd i'w gweld yng Ngwyddelwern yn 1881 fel yn y rhan fwyaf o bentrefi cefn gwlad Cymru.

Yr oedd yna John Jones yn Nhy'n Celyn ac yn y Caenog, dau ym Mhandy'r Capel ac un ym Maesgamedd Uchaf, dau yn y Clegir Ucha; John Jones yng Nglanrafon ac yn y Pentre ac yn y Siop, un arall yn 4 Ffolt Terrace a Llidiart y Gwynedd, un yn Hendre Isa a'r Hendre a Siambar Wen. Yr oedd dau o'r plwyfolion wedi'u geni yn America sef Robert B Lloyd 3 oed, ŵyr i Mary Lloyd, Tŷ Capel, wedi'i eni yn Brooklyn a Susannah Owen, 10 oed, Petrual, a anwyd ym Mhennsylvania, merch William Owen o Wytherin oedd wedi priodi gwraig o Sandwich, Swydd Caint. Mae'n amlwg iddynt deithio tipyn. Yn ôl Robert H Williams, Cwm Bychan, Gwytherin, mewn llythyr yn Y Bedol, y pedwerydd o chwech o blant i William a Jane Owen, Foty Bach, Gwytherin, oedd tad Susannah. Tŷ siambar tua milltir a hanner o'r pentref mewn pant ar fynydd Hiraethog oedd Foty Bach. Y farn yw iddynt ymfudo i'r America rywbryd rhwng 1861 ac 1871. Ond ni wyddys pam y daethant yn ôl.

Mary Lloyd (69), gweddw Robert Lloyd, Pant y Gynnau (a merch John Jones, Hendre Isa) oedd yn y Tŷ Brith hefo'i dwy ferch, Elinor a Mary Jane. Priododd Mary Jane â Henry Jones, Tyisa'r Cefn, Pwllglas ac Elinor â Thomas Davies, Llwyn y Brain (mab Jane Edwards, Tŷ Mawr Morfudd a Thomas Davies, Pont Swil) a aeth yn weinidog gyda'r Bedyddwyr Saesneg i gapel Bethel, Sgwâr Mount Stuart, Dociau Caerdydd. 'Bethel' oedd enw barddol Thomas Davies ac enillodd nifer o gadeiriau gan gynnwys cadair Corwen 1894 am awdl 'Eiddigedd', cadair Colwyn 1898 am awdl 'Tlodi', cadair Colwyn 1899 am awdl 'Goleuni y Byd', cadair Bae Colwyn 1899 am awdl 'Purdeb' ac yn goron ar y cyfan Cadair Genedlaethol Eisteddfod Abertawe 1907 am awdl ar y testun 'John Bunyan' gan guro R Williams Parry. 'Yncl Cardiff' oedd enw fy Nain arno er na soniodd erioed ei fod yn blentyn siawns ac yn hanner brawd i'w thad. Beth bynnag am hynny, ef oedd bardd y teulu a dibynnid arno am gerddi coffa. Mae gen i sampler a weithiwyd gan Muriel Jones, Alafowlia, Dinbych, chwaer fy nain, o gerdd a ysgrifennwyd gan Bethel er cof am ei mam, Mary Hughes, Bryntangor, Bryneglwys. Pan oeddwn yn blentyn yr oedd y sampler yn y llofft bellaf yn Green Isa, Trefnant, lle'r oedd Taid a Nain yn byw, ac fe'i darllenais ganwaith er i mi bendroni llawer uwch ystyr rhai o'r llinellau:

Mae llwybrau Rhagluniaeth dan len
Yn ardal Bryn Tangor
A hiraeth yn plygu ei phen
Ar risiau yr allor
Mae'r aelwyd yn wag heb y fam
A'r briod dwymgalon
A chariad yn gofyn paham
Y dygwyd ei goron.

Ymdeithia ochenaid drwy'r tŷ
Yn ysig amdani
Ond llifa ei gwên oddi fry
Yn ffrwd o oleuni,
Os ydyw yr eglwys yn brudd
Am aelod mor ffyddlon,
Mae'r Iesu yn sychu ei grudd
A melys adgofion.

Ymdroelled yr awel yn fwyn
O gwmpas ei beddrod,
Derbynia y fangre o swyn
Ei bywyd disorod,
Diolchwn am gynyrch ei ffydd
A choethder ei meddwl,
Mae heddiw yn canu yn rhydd
Dan wybren ddigwmwl.

Yr oeddwn yn gwybod y darn ar fy nghof yn ifanc iawn a'r hyn a wnaeth yr argraff ddyfnaf arnaf oedd y ffaith bod enw Bryn Tangor wedi cael ei gynnwys mewn darn o farddoniaeth! Marw o'r cryd melyn wnaeth hi.

Ceir adroddiad manwl am weithgareddau Eisteddfod Abertawe yn y *North Wales Times* 24 Awst 1907 a datgenir cryn lawenydd bod Bardd y

Gadair yn frodor o Bandy'r Capel. Dyfed, Pedrog ac Elfyn oedd yn beirniadu a ffugenw'r bardd buddugol oedd 'Mayflower'. Yr oedd y llwyfan mor fawr fel bod rhaid cael dau arweinydd: yr oedd Gomer, gweinidog gyda'r Bedyddwyr ar un ochr a Penar, gweinidog gyda'r Annibynwyr yr ochr arall. Dyna Gomer yn cyhoeddi enw'r enillydd mewn llais fel taran – ac yn ychwanegu gyda phwyslais cryf mai gweinidog gyda'r Bedyddwyr ydoedd Thomas Davies (fel Gomer ei hun) a bu cryn chwerthin. Wedyn yr oedd gofyn i Penar gyhoeddi o ochr arall y llwyfan ac ef a gariodd y dydd (ebe'r gohebydd) sef pwysleisio mai'r enillydd 'yw Thomas Davies, gweinidog yr Efengyl' a chafodd gymeradwyaeth wresog. Gwisgwyd y bardd gan Faeres Abertawe, cyflwynwyd y dystysgrif iddo gan weddw Watcyn Wyn a chanwyd cân y cadeirio gan Ben Davies, Treorci. Cyhoeddwyd llun o'r bardd yn ei gadair yn y *Western Mail*. Un bychan, eiddil ydoedd. Bardd Oes Fictoria oedd yr hen 'Yncl Cardiff' ac nid oes fawr neb yn ei gofio, er i mi gael cryn bleser o weld bod Alan Llwyd wedi cynnwys dau gwpled o'i eiddo yn *Y Flodeugerdd o Epigramau Cynganeddol*:

O! mae llawer offeryn
Yn llaw Duw i ennill dyn.

Nid yw'r gorau'n dechrau'i daith
Heb adnabod anobaith.

Y mae ei gapel, Bethel, Sgwâr Mount Stewart, wedi'i ddymchwel erbyn hyn. Nid nepell y mae adeilad y Cynulliad. Ac y mae'r tŷ fu'n gartref iddo ar y Windsor Esplanade erbyn heddiw yn werth ffortiwn gan ei fod ar fin y Bae. Diogelwyd yr organ bîb fawr a godwyd yng nghapel Bethel er cof amdano ynghŷd â'r gadair safai yn y Sêt Fawr. Mae hi gen i erbyn hyn – cadair dderw braff ac arwydd yr Orsedd arni ond ni wn ym mha Eisteddfod yr enillwyd hi.

Yn ôl yr hanes yr oedd Eisteddfod Abertawe yn un ddidrefn iawn, yn rhedeg yn hwyr a'r gynulleidfa yn un anodd ei thrin. Er enghraifft, nid oedd neb yn gwrando ar Pedrog yn darllen beirniadaeth yr unawd soprano a cherddodd i ffwrdd wedi gwylltio. Neb yn gwrando ar y cantorion, dim ond clebran a cherdded o gwmpas a'r swyddogion a'r stiwardiaid yn eistedd yn sgwrsio a chymryd dim sylw. 'Fedrai hyd yn oed arweinydd profiadol fel Llew Tegid ddim cadw trefn ac ni chafodd llywydd y dydd wrandawiad chwaith. A phan oedd un côr yn canu bu damwain yng nghefn y pafiliwn a syrthiodd rhyw dri chant o bobl ar eu cefnau i lawr i dwll mawr pan fethodd y llawr â dal y pwysau. Cludwyd

41

nifer i'r ysbyty a'r côr yn dal i ganu! Gyda llaw, gwelais yn rhywle mai'r Haleliwia Corws a ganwyd yn angladd y Llew yn 1928. Yr oedd yn frawd i'r Parch Penllyn Jones, i hen daid Mici Plwm, ac i Owen C Jones a aeth i'r Wladfa. Mae yno chwyn sydd yn dipyn o niwsens – a enwyd ar ôl Owen C Jones sef Wansi.

Ond yn ôl i'r Llan. Robert Edwards, gŵr gweddw 51 oed, oedd yn cadw Siop Bryn Saith Marchog, mab Hen Ddewin Llwyn y Brain (a brawd i Jane Hughes, Tŷ Mawr Carrog, hen nain fy mam ac i Ann Roberts, Hendre Isa, nain fy nhad). Cyhoeddwyd cofiant iddo yn 1909 gan y Parch W G Owen (Llifon) yn *Y Greal*. Yr oedd yn aelod o Gyngor Sir Meirionnydd ac yn un o warcheidiaid Undeb Corwen yn ogystal â bod yn ddiacon yn y Pandy 1866-1908. Priododd ferch John Jones, yr Hendre Isa. Yr oedd yno bump o blant adre y noson honno yn 1881 sef Margaret Harriet (21) Ann Jane (16) Mary (11) Elizabeth (9) a Thomas Christmas (7). Priododd **Margaret Harriet** â'r Parch David Williams, a anwyd yn Nwrnudon, Cwm Peniel, Llanuwchllyn yn 1854, ac awdur *Cofiant Cynddelw* a *Chofiant J R Jones, Ramoth*. Bu'n weinidog yn Llangollen a Llanon. Yr oedd ganddo frawd o'r enw George oedd yn weinidog Salem pan anfarwolwyd y capel hwnnw gan yr arlunydd Curnow Vosper, a chwaer o'r enw Eleanor oedd yn cyhoeddi barddoniaeth dan yr enw 'Abigail Uwchllyn' yn *Y Frythones* ac ati. Gyda llaw, nid oedd Sian Owen a'i siôl enwog o Dy'n y Fawnog yn y capel. Gwnaeth Vosper lun ohoni ar wahân a'i gosod yng nghanol y llun wedyn.

Fel y soniais eisioes, daeth **Ann Jane** (16 oed uchod) yn wraig i'w chefnder Robert Owen Roberts, yr Hendre Isa ac **Elizabeth** yn wraig i'w frawd John. Priododd **Mary** (11 oed uchod) ei chefnder David Edward Jones, Pwll Du, Llanelidan cyn symud i Benffordd Ddu a magu dau o blant, Edward Clwydwyn a Marian Jones. Bu farw Marian yn 1994. Hyfforddwyd ei brawd Clwydwyn (neu Clwyd fel yr adweinir ef, ac a ddathlodd ei ben-blwydd yn 95 oed fis Mawrth eleni) fel deintydd yn Lerpwl a phriododd ag Eleanor Dwyryd. Bu'n ddeintydd i Gyngor Addysg Meirionnydd am flynyddoedd cyn ymddeol. Ganwyd iddynt dri o blant – Shôn Dwyryd sydd yn byw yn Rhuthun, Ann Clwyd Hackney yn Llwyngwril a Catrin Rutherford yn Llanegryn. Mae mab Ann, Sion Rhys, yn swyddog uchel gyda'r Gwarchodlu Cymreig ac ef gafodd yr anrhydedd o ddarllen neges o Bosnia yn y Gymraeg mewn cyngerdd arbennig ym Mhafiliwn Rhyngwladol Llangollen Nadolig 1996 er budd plant dioddefus Bosnia. Mae ganddo frawd o'r enw Gwion Dwyryd. Y mae gan Catrin ddau o blant, Tristan a Tesni ac y mae gan Shôn ac Eirlys Dwyryd un ferch, Elin, sydd yn athrawes mewn ysgol Gymraeg yn y

Barri. Teulu dawnus iawn yw hwn – fel nifer o ddisgynyddion Hen Ddewin Llwyn y Brain. Ceir tipyn o gefndir y teulu Dwyryd yng nghyfrol gyntaf Aled Lloyd Davies *Canrif o Gân* yn olrhain hanes Cerdd Dant gan mai taid arall Shôn, Ann a Catrin oedd Ioan Dwyryd a chwaer i'w mam yw Gwenllian Dwyryd sydd wedi dysgu ugeiniau i dynnu mêl o'r tannau.

Fferylliaeth oedd dewis faes **Thomas Christmas Edwards**, plentyn ieuengaf Siop y Bryn, a threuliodd ran helaeth o'i oes yn Llundain ac yn ogystal â fferyllu yr oedd hefyd yn selog iawn yng nghapel y Bedyddwyr Cymraeg yn Stryd y Castell (capel Lloyd George) y tu ôl i Oxford Street ac ar y llain fowlio ym Mill Hill. Bu farw yng nghartref ei chwaer Mary, Penffordd Ddu gynt (a fu byw i fod bron yn gant oed) yn Sant Meugan, Rhuthun yn 1951. Yr oedd gan Robert Edwards, y Bryn, ddau fab arall sef **Robert Henry** (a gymerodd y busnes drosodd ar ôl ei dad) a **John Edwards**, Siop Llanelidan. Fel ei dad bu R H Edwards yn Gynghorydd Sir ac yn ddiacon am flynyddoedd maith a bu fyw i ddathlu ei benblwydd yn 95 oed. Yr oedd ganddo un ferch, Enid, a briododd â Derfel Thomas, Siop Cyffylliog, o linach cipar y Palé, a mab iddynt yw Neville Thomas, QC sydd yn byw ym Mhlas Glan Severn, Aberriw.

Edward Jones oedd yn ffermio ym Maes Gwyn y Felin, fferm ar y dde ychydig cyn cyrraedd y Plough ar y ffordd i gyfeiriad Corwen. Bu ef farw 16 Ionawr 1914 yn 83 oed. Sarah oedd enw ei wraig ac yr oedd hi'n ferch i John a Betsen Evans, Hendre Forfudd oedd wedi symud yno o Dyddyn Inco, Llandderfel tuag 1820. Yr oedd yno bump o blant adre ym Maes Gwyn noson y Cyfrifiad sef John William (12) Elizabeth (8) Margaret Louisa Matilda (5) Lloyd Albert Edward (3) a Parry Theophilus Rymund (7 mis). Buont yn fwy anturus na'r rhelyw wrth enwi'r plant! Priododd **Elizabeth** â'r Parch J W Lloyd a **Margaret** gyda D O Ellis, Glyn Ceiriog, brawd i dad Islwyn Ffowc. Priododd **Parry** â Catherine, (Katie) Tŷ Nant (wyres y Wern Ddu) a mynd i ffermio Maes Gamedd Bach ac aeth **Lloyd** i Bant y Gynnau ar ôl priodi Katie, Plas Madog, Parc, yn 1898 (bu hi farw Ionawr 1963) ac yr oedd iddynt ddau fab, Haydn, Pant y Gynnau a Tegid, Castle Park, Rhuthun. Merch i Haydn Jones yw Margaret, Rhiwbebyll, Llangwyfan, ei phriod Rod Williams yn wyneb a llais cyfarwydd ar y cyfryngau fel arbenigwr y byd amaeth ar staff Banc y Midland. Symudodd **John William** i'r Cilan, Llandrillo wedi priodi Ellen Jones, Llechweddalchen, Llanuwchllyn, a nhw oedd rhieni Iorwerth Jones, Bron Dyffryn a Rhydyfen, Ieuan Jones, Cilan, Aneurin Jones, Penyfed ac Eluned Roberts, Rhuthun, a thaid a nain Rhiannon Jones, Tŷ Brith, Pentrecelyn, Buddug Haf Jones, Rhydonnen, Llanychan, Selwyn Jones, Penycae, Gwenda Rees, Llandeilo, Alice Davies, Bae Penrhyn,

Rhian Bellis, Gellifor, Elen yn Ynys Manaw a Hywel a Gareth Roberts. Yr oedd yna hefyd ferch o'r enw **Catherine** ym Maes Gwyn y Felin a phriododd hi â'r Parch W W Lloyd a fu'n weinidog yng Ngwyddelwern, Bethesda a Wrecsam.

Y mae rhai o atgofion tu hwnt o ddifyr Lloyd Jones, Pant y Gynnau ar gof a chadw a dywed mai o Dy'n Llechwedd yr oedd ei daid, William Jones, wedi mynd i Faes Gwyn y Felin yn 1822. Mae hefyd yn adrodd hanes codi'r rheilffordd o Wyddelwern i Gorwen ac yn dweud i Faesgwyn gael colled ac anhwylustod oherwydd i'r rheilffordd fynd drwy ardd a thir y lle. Aeth John, brawd Edward Jones, Maesgwyn i weithio ar y rheilffordd yn Warrington ac aeth brawd arall, Robert, i Ddolwerfyl yn y Betws. Yr oedd Mary, eu chwaer, wedi priodi John Baines, Hafoty Wen, Bryneglwys a mynd i fyw i Eirianallt yn y Berwyn, Llangollen ac wedi hynny i Dŷ Newydd Morfudd yng Ngharrog a'u mab Thomas fu yno ar eu holau, cerddor da. Priododd â Margaret, chwaer yr Athro E O Davies, Coleg y Bala. Mab iddynt fu yno wedyn sef John Ahilud a merch Llwyn Ithel oedd ei wraig ef sef chwaer y ddau fardd W D ac Ithel Williams. Meibion i John Ahilud yw'r bardd Ifor Baines a'r artist Glyn Baines. Merch i Ifor yw'r llenor Menna Baines. Nid wyf erioed wedi clywed am neb arall yn arddel yr enw 'Ahilud' ond fe'i ceir yn y Beibl yn 2 Samuel ac ef oedd tad Jehosaffat.

Yr oedd merch arall i John a Betsen Evans yn byw yn yr Hendre, sef Sydney, hefo'i gŵr David Williams (genedigol o Dy'n y Fron, Glanrafon, yr un teulu â'r bardd W D Williams) a thri o blant: John William (10) David Richard (6) ac Elizabeth Catherine (3). Priododd **John William** â Margaret Jones o Lawrybetws a mynd i ffermio'r Tyfos, Llandrillo, a magu chwech o blant (yn cynnwys T J Williams a fu'n ffermio yno ar ôl ei dad a Glyn a foddodd pan aeth y llong ryfel *Bonaventure* i lawr); aeth **David Richard** i weithio yn y Gyfnewidfa Ŷd yn Lerpwl a daeth **Elizabeth Catherine** yn wraig i'r Parch John Foulkes Ellis. Y mae Rhiannon Grey Davies, Garth, Llangollen, yn ferch i'r olaf. John Foulkes Ellis oedd yr hynaf o naw o blant Aberwheel, Glyn Ceiriog ac Edward Ifor, tad Islwyn Ffowc oedd yr ieuengaf. Mab i chwaer iddynt oedd Iorwerth Lloyd, llyfrgellydd yn Nolgellau a phlant i Ruth, chwaer arall, oedd Dewi a Gwilym Lloyd, dynion busnes o Aberllefenni a Llundain. Yr oedd yna hefyd chwaer o'r enw Olwen oedd wedi dyweddïo gyda John Goronwy mab Grace a David Jones, Rhospengwern ond fe'i lladdwyd o wythnos cyn y cadoediad yn 1918.

Erbyn 1891 yr oedd rhyw 650 yn byw yn y plwy a phawb namyn rhyw ddeugain yn siarad Cymraeg. Ymysg yr uniaith Saesneg yr oedd Emilee Hughes, gwraig y gorsaf-feistr, oedd wedi'i geni yn Alcaster,

Norwich ac Anne Dinah Jones, gwraig y ficer, brodor o'r Wyddgrug. Yn y Grove House yr oedd Thomas Hughes yn byw, mab y Parch David Hughes, Pentre Isa, Bryneglwys. Yr oedd ei daid, Humphrey Hughes, wedi symud o Blas Adda, Corwen, i'r Cae Du, Bryneglwys yn 1831. Cofrestrydd Geni, Priodi a Marwolaeth oedd Thomas Hughes ac yr oedd ei wraig Jane Jones, Cysulog, wedi marw ym mlodau ei dyddiau a gadael nifer o blant ifanc yn amddifad o fam. Yr oedd gan Thomas Hughes saith o frodyr. Ymfudodd tri ohonyn nhw i Galiffornia, bu un arall, y Parch John Elias Hughes, yn weinidog yn Llundain (collodd fab yn y Rhyfel Mawr a gwelir ei enw ar y gofgolofn yn Rhuthun). Meddyg yn Rhuthun oedd y brawd ieuengaf sef Dr Job Medwyn Hughes. Yr oedd gan Thomas Hughes amryw o blant. Priododd ei ferch Lydia gyda Thomas Garmon Roberts o Fetws y Coed ac yr oedd ei thair chwaer yn gweini arni sef Jennie, Grace a Lizzie. Bu farw Thomas Hughes yn 1901. Gweler mwy am yr Huwsiaid yn hanes Corwen a Bryneglwys.

James Phillips, brodor o Benbre ger Llanelli, oedd yr ysgolfeistr 32 oed, a'i wraig Catherine o Aberdaron. Yr oedd yno bedwar o blant ar y pryd ac yn ddiweddarach (yn 1901) ganwyd Dilys a ddaeth yn wraig i Robert Edwards, masnachwr yn Nhrem y Foel, Rhuthun, mab John Edwards, Siop Llanelidan (gynt o Siop Bryn Saith Marchog) a Mary Harriet Jones, Groes Gwta, Nantglyn, merch Thomas Jones, Hendre Isa. Yr oedd Robert Edwards wedi rhoi ei fryd ar yrfa yn y banc ond bu rhaid iddo ddod adre i ofalu am y busnes yn Llanelidan pan laddwyd ei ddau frawd, Hywel a Glyn, yn y Rhyfel Mawr (a Bethel, bid siwr, yn cyfansoddi cerddi coffa trymaidd ond diffuant amdanynt). Ganwyd tri o blant i Robert a Dilys Edwards sef Hywel, Philip a Rhian. Bu Philip yn gapten y *Britannia*, llong y teulu brenhinol ac y mae wedi derbyn rhyddfraint Dinas Llundain ymysg nifer fawr o anrhydeddau eraill gan gynnwys Cymrodoriaeth Coleg Wadham, Rhydychen, lle bu'n byrsar 1984-94. Gwen Lloyd Bonner o ardal Rhuthun yw ei wraig. Y mae enw mab y prifathro ar y gofgolofn ryfel yn y pentre sef James John Arthur Phillips a fu farw yn 31 oed o ganlyniad i glwyfau yn y rhyfel.

William Williams oedd yn rhedeg y Post. Yr oedd hefyd yn grydd. Ei wraig gyntaf oedd Jennett Roberts, Fedw Arian ger y Bala a'r ail oedd Mary Lloyd, merch Sarah a Hugh Lloyd, Tyddyn Bychan. Yr oedd William Williams yn daid i'r diweddar Barch Gwilym Ceiriog Evans. Bachgen tu hwnt o boblogaidd oedd 'Gwil Cei' a fu farw mor ddisyfyd ac anhymig yn 1995 pan oedd yn Warden Trefeca. Evan Davies y slater oedd yn byw ym Mryn Lein ac yr oedd ganddo fab, Godfrey, y ddau yn ddynion mawr tew. Priododd Godfrey â Mary Bowyer a oedd yn wraig weddw erbyn hyn ac yn gwerthu glo yn yr orsaf. Byddai ganddi ful i gario'r glo. Wedi priodi Mary rhoddodd Godfrey'r gorau i'w grefft fel saer ac aeth i'r busnes glo – yn ogystal â bod yn glochydd y llan am flynyddoedd lawer. Cadwai Godfrey'r mul yn y fynwent a phan ddaeth Deddf Llywodraeth Leol i rym yn 1894 un o'r pethau cyntaf a wnaeth y Cyngor Plwy oedd gwahardd y mul o'r fynwent. Yn wir, dywedid am flynyddoedd lawer mai'r unig beth a wnaeth y Cyngor Plwy erioed oedd troi mul Godfrey o'r fynwent. Ar 23 Mai 1908 yr oedd Godfrey'n eistedd ar garreg fedd yn arolygu dau oedd yn torri bedd newydd pan syrthiodd oddi arni yn farw. Megis caneri oddi ar glwyd.

Yn Nhy'n Llechwedd cawn Joseph Davies a'i deulu ac yr oedd yno bump o blant, yn eu plith Joseph 14 oed. Priododd hwn â Margaret Evans, merch Tŷ Isa'r Llyn. Nhw oedd rhieni'r Parch Tudor Davies, Aberystwyth, ac Emrys Davies, Sycharth, Betws GG gynt, tad y newyddiadurwr Hywel Trewyn. Yr oedd Hen Ddewin Llwyn y Brain yn hen daid i Margaret.

Richard Lloyd Jones a'i wraig Mary Adelaide (merch Pen y Bont, Carrog oedd yn gyfnither iddo) oedd yn y Maerdy Mawr ac yr oedd eu mab Thomas Lloyd yn ddwyflwydd. Hwn oedd ein postman ni ers talwm ac yr oedd yn byw yn Nhyddyn Cochyn. Mary Ellen Atkinson oedd ei wraig. Yr oedd ganddynt dair merch, Muriel, Beryl a Norah Adelaide a dau neu dri o feibion hefyd. Rwyf yn ei weld rwan yn dod i lawr y Boncyn Eithin ac yn dweud wrth fy mam ei fod wedi rhedeg bob cam am fod ganddo lythyr pwysig iddi. Fo oedd ein papur newydd. Mab oedd ei dad, Richard Lloyd Jones, i John Jones, Plas yr Esgob, Llanelidan a Thŷ Brith, Clocaenog wedi hynny. Yr oedd gan John a Jane ei wraig o leiaf ddeg o blant: **Jane Anne**, **John Maurice**, **Sarah Mary**, **Edward Stephen** (Leyland Arms), **Margaretta** (Cae'r Delyn), **Richard Lloyd** (Maerdy Uchaf), **Emma**, **Sophia** (gwraig Edward Henry Edwards, Tŷ Newydd, Clocaenog), **Hugh a Thomas**. Gweler hefyd y bennod ar Glocaenog.

Cafodd Richard Lloyd a Mary Adelaide o leiaf wyth o blant ar ôl Thomas Lloyd y postman sef **Maurice Glyn** a briododd Gwyneth Roberts o Landrillo oedd yn athrawes yng Ngwyddelwern, merch iddynt yw Eira, un o gyfarwyddwyr a rheolwr gorsaf radio Sain y Gororau; **Jane Olive** a briododd David Howell White, rhieni Meirion, Hywel, Berwyn a Mary; **Richard Trevor; James Gwilym** (ficer a briododd Olwen Thomas), **Doris Louie** (priododd Roland Nathaniel Lloyd, mab John Foulkes Lloyd y Siop – brodor o Fryneglwys ac ystlyswr ym mhriodas y Parch J E Meredith ac Elizabeth Jones, Cwm Cynllwyd), **Edward Stephen** (priododd Edna Margaret Goodwin, Ty'n Fedw adweinid fel Daisy), **Huw Norman** (priododd Elen Jones) a **John Maldwyn** (priododd

Zyporah – 'Porah' – Davies).

Teulu arall lluosog oedd tylwyth John Wynne, Y Pentre, ei wraig, Elizabeth, yn ferch i John ac Anne Winifred Roberts, Tir Barwn a ganwyd iddynt ddeg o blant: **Dora** (1881-1963) a briododd y saer Henry Hughes (rhieni John Wynne Hughes y Gro a'r diweddar Cynhafal Hughes); **Annie** (1883-1940) a briododd Edward Davies, mab Edward ac Eleanor Davies, Tai Ucha, Cerrigydrudion; **Lizzie** (1885-1929) a briododd David Humphreys a fu'n brifathro ym Melin y Wig a Dinas Mawddwy, brodor o Fryn Arwest, Bryncrug – dyna pam y galwyd eu merch yn Arwesta. Bu hi farw yn Nepal yn 1995; **Maggie** (1887-1966) oedd yn byw yn y Gro ac wedi colli ei choes mewn damwain hefo pwlpar maip pan oedd yn eneth fach. Yr oedd yn deilwres o fri a chofiaf fynd i'r Gro hefo fy nain oedd yn gyfyrderes iddi a Nain yn cael dillad newydd o waith Anti Maggie Wynne; **John** (1889-1973) a briododd Mary Lloyd; **Robert** (1892-1960); **Jennie** (1893-1987) a briododd W J Looker athro o Abertawe; **Harriet** (1895-1970) a briododd Alun Roberts; **Edith** (1897-1986) a briododd J Jones, Cysulog a **Hywel** (1899-1969). A sôn am Nain yn cael dillad newydd: yn ystod y rhyfel mi fyddai'r ddau drempyn, Jo Philbin a Llwyd y Gwrych, yn rhoi eu tocynnau dogni dillad iddi i ddiolch am ei charedigrwydd yn rhoi bwyd iddynt.

Naw oed oedd William Davies, Tyddyn Fatw yn 1891, bu farw yn 1966. Yr oedd yn llenor da ac yn ddyn busnes craff (anaml iawn y mae'r ddau beth yn mynd hefo'i gilydd) ac aeth i bartneriaeth hefo John Morgan yn Nhreferwyn, Corwen. 'Rwyf yn meddwl mai gor-wyres iddo yw'r seren deledu Ffion Dafis adweinir fel 'Ffion Gwallt'. Credaf hefyd mai brawd iddo oedd Edward Davies, Bryn Mawndy. Yn 1943 dirwywyd ef 10/- am fynd i angladd mewn car a defnyddio petrol. Nid oedd wedi deall y ffurflen Saesneg a dderbyniodd oedd yn hysbysu pobl mai ar gyfer mynd i ffair ac unrhyw bwrpas amaethyddol arall yr oedd petrol ac nid i gymdeithasu, nac i fynd i'r capel nac angladd. Yr oedd cymaint yn cael eu dal fel y bu rhaid symleiddio'r ffurflen. Ni soniwyd am ei chael yn Gymraeg. Hefyd yr oedd llawer o ffermwyr adeg y rhyfel yn gorfod ymddangos o flaen eu gwell am beidio â phlannu digon o datws ac esgeuluso mynd i ymarfer hefo'r Hôm Gard gan bledio prysurdeb, wyna, godro a chadwraeth y Sul. Caent eu cosbi ribidires. Cyfnod cythryblus oedd hi onide. Yn 1891 yr oedd W T Williams, Tan y Fron yn 25 oed, yn fab i Evan ac Elizabeth, y ddau o Lanfor. Dysgodd lawer o blant i ganu. Yr oedd ganddo bump o blant: Dafydd, Evan (Tŷ Hen), Robert (Ty'n y Fron), Elizabeth, a Mary McShea a fu'n athrawes yn y fro. Yn y Fron Heulog, Llanynys y ganwyd o ac yr oedd wedi symud i Dan y Fron yn 1865. Ef piau'r pennill:

Hen ardal sy'n annwyl i'm calon
Gaf heddiw yn destun i'm cân,
Rwy'n caru ei merched a'i meibion
Sy'n rhodio yr hen lwybrau glân,
Mae'i chaeau a'i bryniau a'i choedydd
Yn mynd yn fwy swynol o hyd,
A chredaf pe chwiliem y gwledydd
Na chawn i le tebyg drwy'r byd.

Yr oedd chwe phâr o efeilliaid yn y plwy: Edward James a Sarah Grace (7), plant Thomas Hughes, Grove House; John a Catherine (3), plant John a Dorothy Ann Roberts, Craig Lelo; Edward ac Ann (11) plant Edward a Mary Edwards, Llwyn y Brain (aeth Edward i fyw i Dŷ Coch, Llanynys, taid i Eryl sydd yno ar hyn o bryd a thaid hefyd i Haydn sydd wedi priodi Ann, Bryn Llefrith, Trawsfynydd, wyres Gwilym Eden); Samuel a Joshua (7) meibion William Davies y llifiwr; Elizabeth a Harriet Jones (28) Cae Einion a William a Susannah Roberts (8) Hafod Las. Brawd i'r ddau olaf oedd Hugh Roberts, tad y Parch Henry Roberts, Dinbych. Yr oedd ganddynt chwaer hefyd sef Catherine Elizabeth a fu farw yn 91 oed yn 1946 a hi oedd mam Robert Jones, Merllyn, William Jones, Penrhiw a Mrs Annie Berwyn Roberts, mam y nofelydd Selyf Roberts. Y person hynaf yn y plwy oedd Robert Williams (86), tad-yng-nghyfraith Edward Roberts, Clegir Mawr a'r ddau ieuengaf oedd Laura Magdalen Phillips, Tŷ'r Ysgol (2 fis ac a fu farw yn 6 oed) a David Williams, Swyddfa'r Post (mis oed).

Cefais fy magu yn y plwy hwn ac y mae edrych drwy ffurflenni'r Cyfrifiad yn dwyn atgofion diddiwedd i mi am y trigolion yn nyddiau heulog fy mhlentyndod pan oedd bron bawb yn glên er bod ambell sarff yn Eden. Yr wyf yn cofio'r bobl oedd yn byw yn y ffermydd a'r tai yn y pentre, 'rwy'n cofio pob coeden a charreg a nyth, pob ffos a phont a chamfa, pob cymeriad amheus a lle'r oedd pob clagwydd a bwch gafr yn byw. 'Roedd dysgu gwybod beth i'w osgoi'n rhan o dyfu i fyny.

Yn y cyfnod hwnnw, diwedd y 40au, R D Jones, 'Dic y Dreth' oedd yn byw yn Grove House ac yr oedd yno fachgen bach o'r enw David Bryan. Yn ddiweddarach ganwyd babi arall a'i enwi yn Roger Spencer. Prin y meddyliodd yr un ohonom y byddai Roger yn gwneud ei farc fel fferyllydd ac yn sefydlu Cwmni Penn a gwneud ei ffortiwn. Gwnaed rhaglen deledu amdano a'i dangos ar S4C yn 1995. Yn ddiweddarach penodwyd ef i Fwrdd yr Iaith ac ar Fwrdd Llywodraethwyr y BBC ac enillodd Wobr Person Busnes y Flwyddyn yn Eisteddfod Genedlaethol Llanelli 2000. Lewis Davies oedd yn Nhŷ'r Ysgol, gŵr gweddw a brodor o Aberllefenni. Cofiaf bod ganddo ferched o'r enw Morfudd a Gwenllian ac Ellen (cafodd Helen fy chwaer ddol arferai berthyn iddynt a'i galw'n Gwenno) a mab o'r enw Llewelyn Glyn a fu'n brifathro yn Llandrillo. Sgŵl Coch oedd ein henw amharchus ar y prifathro a hynny oherwydd lliw ei wallt ac er ei fod yn fistar corn arnom yr oedd hefyd yn ddyn clên iawn a byddai'n gadael i mi fynd â bagied o lyfrau adre i'w darllen a byddwn yn cerdded fel malwen mewn col tar i fyny'r Deunant, i fyny cae Maesgamedd y Plas, heibio Bryn Du a'r Cae Bach lle bu farw Bell y gaseg ac adre gan ddarllen bob cam. 'Chwynodd o erioed pan arferwn sefyll ar ben cadair a chwalu fel iâr mewn tomen wrth edrych am lyfrau yn y cwpwrdd. Clywais yn ddiweddar mai'r rheswm dros ei dymer ddrwg ysbeidiol oedd ei fod yn dioddef o malaria, canlyniad ei wasanaeth yn y rhyfel.

Dilys Roberts, merch Cadogan, Carrog, oedd yr athrawes pan euthum i'r ysgol gyntaf erioed. Bu'n athrawes yno am flynyddoedd a bu farw fis Mehefin 1986 ym Mae Colwyn. I ni, blant yr ysgol, yr oedd Mis Robes yn hollwybodol, yn hollalluog ac yn fythol ganol oed. Cofiaf ei gweld am y tro cyntaf erioed; gwraig fain, osgeiddig, sbectol, gwallt cyrliog tenau ac yn glên tu hwnt. Yr oedd ei henw, Dilys, yr enw harddaf yn yr iaith a dyna'r enw a roddwyd ar ddolis y pentref gan un genhedlaeth ar ôl y llall. Byddai'n dod i'r ysgol ar ei beic bob cam o Garrog. Yr oedd ganddi chwaer o'r enw Brythonig, enw hyfryd i Gymraes, er nad yw i'w glywed yn aml y dyddiau hyn.

Yr oedd yn frenhines yn yr ystafell honno yn yr ysgol. O gwmpas y wal yr oedd hi wedi gosod posteri o'r Wyddor gan gychwyn gydag A am Afal yn y gornel dan y ffenest a gorffen efo Y am Ysgol uwch ben y silff ben tân y tu ôl i'r bwrdd du simsan. Dysgwyd yr Wyddor ar amrantiad yn ei chwmni. Y tu ôl i'r gadair yr eisteddwn arni yr oedd y wal yn llawn o gasgliadau o gardiau sigarennau o adar a blodau gwyllt ac wyau adar – casgliad fyddai'n werth ffortiwn erbyn heddiw. Ys gwn i ble'r aethant? Ond yr oedd yn ffordd dda o ddysgu am y bywyd gwyllt oedd o'n cwmpas ym mhobman. Yr oedd casglu cardiau sigaret yn boblogaidd a chofiaf hel lluniau sêr Hollywood allan o bacedi sigarennau o'r enw 'Turf'. Roeddwn i'n nabod wynebau Ida Lupino, Edith, John a Leonard Barrymore, Maureen O'Hara a Margaret Lockwood cyn erioed weld wynebau arwyr fy ngwlad fy hun – T Gwynn Jones, D J Williams, Cynan ac ati. Er nad oeddwn erioed wedi bod yn y pictiwrs yr oedd y sêr yn fy nghyfareddu.

Yr oedd gan Dilys Roberts gwpwrdd mawr yn y wal ac ni fu Ogof Aladin erioed yn llawnach o drysorau cyfrinachol na'r cwpwrdd pren hwn yn ysgol y llan; cofiaf yr ŵy estrys oedd yn llwyddo i'n syfrdanu bob tro yr edrychem arno; carlwm wedi'i stwffio a'i ddannedd cochion yn ysgyrnu arnom; edafedd o bob lliw, clai a thywod a llyfrau. Ar ddiwrnodiau gwlyb neu ŵyl caem blymio i'r cwpwrdd a mwynhau ei gynnwys. Cefais f'atgoffa'n ddiweddar o rywbeth arall oedd yn mynd â'n bryd sef cnocell y coed wedi'i stwffio a'i gadw mewn câs gwydr. Y mae'r cyn-brifathro Ifor Owen yn cofio clywed dau'n ei drafod ac un yn dweud mai 'woodpecker' ydoedd a'r llall yn mynnu mai 'peckwooder' ydoedd.

Dysgu caneuon, a hithau ar yr harmoniwn mawr – canu Breuddwyd y Frenhines, Cwyd Dafydd Bach a Wennol, Wennol, Ble Rwyt ti'n Mynd? nes bron ffrwydro yn ein hawydd i'w phlesio. Dysgu darllen heb yn wybod a ffurfio llythrennau mewn blwch o dywod, a'r tywod fel sidan rhwng ein bysedd. A diwrnod pwysig fyddai Diwrnod Mynd am Dro. I ffwrdd â ni ar ôl cinio blasus Mrs Kenrick i hel cnau a chrabas, mwynhau'r bywyd gwyllt a dysgu peth wmbredd wrth holi. Dros bont y lein a heibio Hendre Bryn Cyffo i fyny am Lidiart y Gwaenydd a Nant Erw Haidd gan hel blodau i Mis Robes ac addurno ein hunain â chadwyni o lygad y dydd a lluchio caci mwci at ein gilydd. Mynd ag anrhegion iddi o jeli llyffant a phlu'r gweunydd, wyau wedi'u chwythu a mes a moch coed. Ar goll mewn byd o hud a lledrith wrth ddarllen am Briallen a Cawr Triphen a Cyw Byw; dysgu diddiwedd a mwynhau bod yn ei chwmni. Ac os oedd 'Mis Robes yn deud' nid oedd gan fam na thad na phregethwr obaith ein darbwyllo o unrhyw beth arall. Yr oedd gair Dilys Roberts yn efengyl!

Athrylith o athrawes oedd hi ac ni all neb fesur ei dylanwad. Cysegrodd ei hoes i ddysgu plant a hynny ar gyflog cywilyddus o fychan ac heb hawl i briodi. Ei hanfarwoldeb yw bod cynifer o hen blant Ysgol Gwyddelwern yn ei chofio gyda diolchgarwch a pharch. Mae yna athrawon athrylithgar ar hyd a lled Cymru heddiw hefyd. Mae yna blant sydd – ac a oedd – fel fi – yn mwynhau pob munud o'r ysgol ac yn elwa ac yn hanner addoli eu hathrawon. Yn anffodus nid yw cyfaddef hyn yn beth trendi i'w wneud ac y mae'r cyfryngau wedi cyflyru plant a'u rhieni i ddirmygu eu hathrawon.

A dyna ddiwedd y bregeth am y tro . . .

Nid nepell o'r ysgol yr oedd Mrs Evans yn cadw siop y pentre a swyddfa'r post, gweddw Gwilym Evans y postman a mam Wengar, merch oedd yn gweddu i'w henw ac yr oeddwn yn ffrindiau mawr hefo hi. Mab Robert Evans y postman, Sulien Buildings, Corwen, oedd Gwilym Evans a bu farw yn 46 oed yn 1941. Ail-briododd Mrs Evans â rhyw Mr Clegg a symudodd i ardal Rhiwabon a welais i byth mo Wengar wedyn. Y teulu Frodsham a'u holynodd, Cymry Cymraeg ar waethaf yr enw a daeth eu merch Iris yn wraig i Gwilym Ceiriog Evans, oedd yn byw drws nesaf a chawsant ddwy ferch, Gwawr ac Eurgain. Y drws nesaf yr ochr arall, yn Aran House (lle'r oedd Owen a Jabez Roberts, dau gefnder i fy hen daid Hugh Roberts, yn byw yn 1891, y ddau wedi gwneud traed moch llwyr o'u fferm Tŷ Cerrig Pencoed, yn ôl Lloyd Jones, Pant y Gynnau) yr oedd Mrs Kenrick yn byw hefo'i chwaer. Yr oedd hithau'n weddw ifanc a hi oedd cogyddes yr ysgol – cofiaf hyd heddiw am ei phwdin syrup. Yr oedd ganddi fab peniog iawn o'r enw John Edward Arthur a fu'n feddyg teulu yn Llanrwst am flynyddoedd ac yn Gadeirydd Awdurdod Iechyd Gwynedd. Kenrick Kenrick oedd enw ei dad. Yr un enw â'm hen-hen-hen-hen daid o ardal Llantysilio yn Iâl, ac erbyn i mi fynd ati i chwilota darganfum bod yna berthynas bell – andros o bell – rhyngom. Mae Islwyn Ffowc Elis a'i frawd Bryn Kenrick Ellis hefyd yn yr un llinach.

Mrs Guthrie wyf i'n ei gofio yng Nglan y Wern a'r peth syfrdanol amdani hi oedd nad oedd yn siarad Cymraeg (er mai un o Garrog oedd ei thad) a syllem arni gyda diddordeb. Bywyd digon unig oedd yna, yng Ngwyddelwern y 40au, i unrhyw un oedd yn uniaith Saesneg a phan ddaeth y plant cadw, yr ifaciwis o Lerpwl a Phenbedw, buan iawn y daethant yn siaradwyr Cymraeg rhugl. Cofiaf enwau rhai ohonyn nhw hyd heddiw – Joe Shields a Bobby Peacock, Gwen Bilson, Sheila Smith a Hilary Berry.

Symudodd y teulu Davies o Dy'n Llechwedd a daeth Alun a Hannah Jones a'u pedwar plentyn yno – Glyn, Megan, Mair a Gwyneth – Glyn erbyn hyn yn Gynghorydd ac yn ohebydd i'r papur bro. Teulu gweithgar a chlên iawn. Yr oedd yna ddwy ferch alluog yn Nant Erw Haidd, Gwen a Nest, a'u tad John Arnon Jones wedi marw'n athro ifanc. Yr oedd gan Nest wallt trwchus o liw'r mêl a chafodd yrfa lwyddiannus fel fferyllydd cyn ymddeol i Lanelwy. Pan oedd hi yn y chweched dosbarth yn Ysgol Ramadeg y Merched y Bala a minnau yn y dosbarth cyntaf yr oeddem ill dwy yn lletya ym Mron Wylfa ar y Stryd Fawr hefo hen ferch o'r enw Kate Morris, merch Edward Morris y Plase. Cafodd Nest ei dal yn gwneud ei gwaith cartref yn y gwely yng ngolau cannwyll a chafodd notis i ymadael. Yr oedd yr wythnosau canlynol a minnau yno ar fy mhen fy hun yn rhai hynod o anhapus ac wedi erfyn a strancio cytunodd fy rhieni i minnau hefyd ffarwelio â'r tŷ mawr, oer hwnnw. Bywyd digon unig oedd ar yr hen Fiss Morris druan, gallaf werthfawrogi hynny heddiw, gan mai gofalu am Catherine Evans, hen wreigan orweddiog, fyddai hi rownd y ril. Yr oedd Miss Evans, fel y galwem hi, yn ferch i'r Parch Owen Evans a fu'n weinidog Kings Cross. Yr oedd yr hen Kate yn mwynhau gwrando arnaf yn darllen yn uchel iddi a chofiaf inni fynd drwy *Madam Wen* a *Chreigiau Milgwyn* – y ddwy ohonom yn ein dagrau uwch ffawd Gwen wedi iddi golli Moi yn y Rhyfel. Bob tro y gwelaf y ddau lyfr arbennig yna byddaf yn cofio am y llygedyn o dân a minnau'n rhynnu wrth eu darllen a 'nhraed yn y popty. Wedi marwolaeth Kate Morris prynwyd Bron Wylfa gan Annie, gweddw Caradog Pugh a bu hi a'i merched, Beti a Carys, yn byw yno am gyfnod a'r Parch W J Edwards yn lletya yno pan ddaeth i'r ardal gyntaf. A phwy fyddai wedi dychmygu y byddwn yn dod yn ffrindie hefo Sian Wyn Siencyn, wyres i Grace Wynn Gruffydd, awdur *Creigiau Milgwyn*!

Hywel Parry wyf i'n ei gofio yn y Wern Ddu – mab Cefn Coch, Llanelidan, ei dad, John Lloyd Parry, yn fab Llain Wen, Pentrecelyn a'i fam yn ferch Plas Einion. Yr oedd gan Hywel Parry fab, Francis (un difyr odiaeth ei sgwrs) a merch o'r enw Audrey a chofiaf fel doe pan ddaeth Audrey i ysgol y llan ar ei diwrnod cyntaf, yr un diwrnod â Phyllis Vaughan Jones o'r Gwynfryn yn y Pandy. Yr oedd gan Audrey lygaid trawiadol a ringlets trwchus tywyll a Phyllis ringlets trwchus golau. Daeth Audrey'n ddirprwy brifathrawes yn hen ysgol fach y llan ac y mae wedi priodi Llewelyn, mab yr Henblas, Llangwm. Yr oedd Phyllis yn eneth fach bropor iawn ac yr oedd yna ryw swyn arbennig yn perthyn iddi oherwydd ei bod yn cael ei magu gan ei thaid a nain gan bod ei mam wedi marw. Mab y Leyland Arms, Llanelidan oedd ei thaid, Edward Llewelyn Vaughan Jones. Wrth ddarllen stori *Teulu Bach Nant Oer* wyneb Phyllis oedd gan Eiry fach yn fy nychymyg. Merch i William Owen Hughes, y saer, Tŷ Gwyn, a'i wraig Mary Anne Atkinson, oedd ei mam Phyllis Grace. Chwaer i'w mam oedd Cora, mam Gwenda Lloyd, Maerdy Bach ac yr oedd Hywel, tad y ddau frawd adwaenir yn Rhuthun fel John a Richard Halifax, yn frawd iddi. Daeth profedigaeth fawr i ran teulu Tŷ Gwyn yn 1932. Ddiwrnod y trip Ysgol Sul i'r Rhyl boddwyd dau o fechgyn ifanc y pentre sef Stanley Hughes, Tŷ Gwyn a Rhys Emlyn Roberts (20 oed) Llewelyn Terrace, wrth iddynt fynd i drafferth yn y dŵr dan y Pier. Ychydig wythnosau'n ddiweddarach yr oedd y wasg yn llawn o hanes dau arall a foddodd yn afon Clwyd wrth Glan Clwyd, Bodffari. Y ddau oedd James Emyr (14) mab y Parch Eifl Hughes a Thomas (15) mab John Roberts, Ffriddoedd. Drwy'r oesoedd y mae dŵr a thân wedi hawlio bywydau.

Hywel Davies oedd yn Nhŷ'n y Fedw ac yr oedd ei wraig Winifred yn ferch i John Jones, Plas yr Esgob, Llanelidan a Janet Ellen Roberts, Bacheirig (merch Robert Roberts, Siamber Wen) ac yn chwaer i'r Dr Trefor Jones (awdur *Llwybr Serch* a *Iechyd yng Nghymru* – Cyfres Pobun rhif IX). Ganwyd dwy ferch i Hywel Davies a'i wraig, Gwennol Haf a fu farw'n bump oed ar yr union ddiwrnod y ganwyd fi, a Myfanwy, sydd yn byw yn yr hen gartref heddiw.

Gwilym a Dora Williams oedd yn y Bryn Dicws (hi yn ferch y Llety ac yn chwaer i'r Parch Gwynoro Thomas) ac yr oedd ganddynt fab o'r enw Everett (er ein bod ni blant yn hynod amharchus ac yn tueddu i roi glasenw ar bawb ac Efi Befi oedd Everett) a merch o'r enw Eirlys Rhiannon. Mae ganddi hi ddawn lenyddol ac wedi ennill nifer o wobrau dros y blynyddoedd. Priododd ag Euryn Wyn Tomos gynt o Lwyn Onn, Bryneglwys. Mae ganddynt dri o blant, Nia yn bennaeth yr Adran Gymraeg yn Ysgol Brynhyfryd, Rhuthun, Gerallt yn dwrne yn y dre a Hywel yn feddyg. Mwy am y teulu Tomos yn y bennod ar Fryneglwys. Bu farw John Thomas, Llety, tad Dora Williams a Gwynoro Thomas, dan amgylchiadau trychinebus. Yn 1906 cafodd ei saethu ar ddamwain gan y cipar, Robert Roberts, y Plough. Ceisio saethu ci gwallgof yr oedd o, ond neidiodd y ci amdano ac fe wyrodd yr ergyd ac anafu John Thomas. Bu farw o tetanus. Effeithiodd hyn yn fawr ar y cipar yn ôl yr hanes. Mae gen i ryw fath o gof am ferch o'r enw Llewela yn y Llety. Priododd â Jack Martin oedd yn gyfarwyddwr ffilmiau ac yr oedd Laurence Olivier yn eu priodas. Merch i'r Parch Gwynoro Thomas yw Elwern Jones, y Rhyl, gweddw'r Parch W O Jones a fu'n weinidog yn Saltney a Rhuthun. Mae ganddi hi ddiddordeb mawr mewn achau ac y mae'n un o hoelion wyth Cymdeithas Hanes Teuluoedd Clwyd.

Pedwar tŷ oedd yna yn Ffolt Terrace a chofiaf Aneurin a Muriel Davies yn y tŷ pen – hi'n ferch i Lloyd Jones y postman, ac yr oedd ganddynt ddau o blant, Brenda ac Arwyn. Cofiaf hefyd Aaron a Myfi Roberts yn symud y drws nesaf – ef yn frawd i'r Parch Moses Meirion Roberts oedd yn bwriadu ysgrifennu hanes Gwyddelwern ond a fu farw cyn cyflawni'r dasg. Tybed beth a ddigwyddodd i'r holl ddeunydd a gasglodd? Merch yr Hafod, Corwen oedd Myfi ac yr oedd yn gantores dda. Yr oedd yna wraig dalsyth yn byw yn y Blue Bell, pawb yn ei hofni ond yr oedd bob amser yn gofyn i mi sut oedd fy nhad a hynny oherwydd iddi fod yn ei ddysgu yn Ysgol Llanelidan. Byddai wyneb fy nhad yn troi pan ddywedwn wrtho bod Mrs Jones yn holi amdano oherwydd, yn ôl yr hanes, yr oedd hi'n athrawes lem – creulon hyd yn oed. Byddai'r gansen fel trydedd law ganddi. Un tro trawodd un o'r plant mor egr fel y malwyd ei horiawr aur a dechreuodd grio. Gwaeddodd y plant Hwre! Priododd â Price Jones, Ty'n y Mynydd, Llanelidan, ond bu ysgariad hynod o chwerw a cheir yr hanes ym mhapurau'r cyfnod. Ni fuont gyda'i gilydd yn hir ond ganwyd iddynt ferch o'r enw Rosamond a chofiaf hi fel rhywun *glamorous* anghyffredin iawn yn y dyddiau hynny: hynny yw, yr oedd yn gwisgo colur a byddem yn syllu arni mewn rhyfeddod.

Yn byw ym Maes Gwyn y Felin yr oedd Emyr Foulkes Ellis a'i wraig Jennie. Yr oedd hi yn ferch i Thomas Roberts, Plas Bonwm, Corwen, pencampwr mewn treialon cŵn defaid sef mab i John ac Ann Roberts, y Cymo, Llandysilio – ei fam yn ferch Tŷ Cerrig, Glyndyfrdwy, oedd wedi priodi yn 17 oed a chael peth wmbredd o blant. Magwyd Margaret, ei merch hynaf, yn y Siambr Wen, Glyndyfrdwy hefo'i thaid a nain ac wyres iddi sydd yn byw yno heddiw – Margaret a'i gŵr Gwylfa Evans. Yr oedd Emyr Foulkes Ellis yn gefnder i Islwyn Ffowc. Mae ei ferch, Anwen, yn byw yn Tai Mawr, Maerdy. Un o feibion Aberwheel, Glyn Ceiriog oedd taid arall Anwen. Mae ei merch Manon wedi priodi mab i Ceinlys, Cefn Griolen, Llanelidan gynt – un o or-wyresau'r hynod Gomer Roberts y byddaf yn tynnu sylw ato yn y bennod am Lanelidan. Sydd, unwaith eto, yn profi bod teuluoedd y fro hon fel rhaff o wynwyns ac yn peri bod ar bobl ddwad ofn dweud gair am neb gan na wyddant am y cysylltiadau!

Gŵr o'r enw Mr Howells oedd yn byw yn Nhy'n Llan ac yr oedd arnom ei ofn. Yr oedd Ty'n Llan yn dŷ hynafol iawn, yr hynaf yn y pentre meddir, ac yr oedd yno berllan oedd yn ddigon i demtio'r plentyn mwyaf ufudd yn y byd. Ambell waith byddai rhywun wedi mynd ag afal neu ddau a byddai Mr Howells yn gweiddi a bytheirio digon i godi'r meirw yn y fynwent y tu ôl i'r Rose a Crown. Wrth weld dyrnau Howells yn codi a'i draed yn dawnsio byddai holl blant y pentre yn gwasgaru i bob cyfeiriad. Sam Evans oedd yng Nglan Aber, dyn dall, ei ferch Lilian yn ei dywys o gwmpas, ei fab Bowen wedi bod yn gaplan yn y rhyfel ac yn cydoesi â 'Nhad yn Ysgol Ramadeg Dinbych. Byddai Bowen Evans yn ymweld â'n cartref yng Nghefnmaenllwyd yn rheolaidd ac yr oedd yn llawn straeon cyffrous am y rhyfel. Yn anffodus caem ein gyrru i'r gwely a chollwyd y cyfle i glywed hanes y rhyfel o lygad y ffynnon. Bu Bowen Evans yn athro hanes yn Luton weddill ei oes. Merch White y ffariar o'r Stamp oedd ei fam. Yr oedd yna lwyni sbriars y tu allan i Lanaber a byddem yn cuddio a llardio ynddyn nhw – a Sam Evans yn gweiddi.

Hugh a Gwen Roberts oedd yn Nhy'n Celyn. Mab Clegir Mawr oedd o, nai i fy hen daid, ac yr oedd ei fab Emyr yn gwerthu llaeth o gwmpas y llan – ac yn dod â llefrith i'r ysgol. Ar fy niwrnod cyntaf yn yr ysgol dyma fo'n gofyn i Miss Dilys Roberts fy rhoi ar ben cadair i ganu a dyma fi'n canu nerth fy esgyrn fy mhen 'Bwrw Glaw yn sobor iawn/Wel dyma bnawn anghynnes/Swatio dan yr ambarel/A cherdded fel brenhines.' Mae gen i ddarlun clir yn fy meddwl o'r amgylchiad.

Peggy Goodman oedd yn byw yn Angharad ac yr oedd hi'n wraig anarferol iawn gan ei bod yn llysieuwraig, yn gwisgo sandalau haf a gaeaf ac yn cerdded i bob man. Diflannodd un diwrnod yn y 60au ac er chwilio dyfal ni chafwyd hyd iddi hi na'i chorff yn unlle. Clywais ei bod yn dod o deulu cefnog iawn. Walker oedd ei henw morwynol, sef teulu chwisgi Johnny Walker. Yr oedd ei mam wedi ei chladdu ym mynwent y llan ac un diwrnod aeth Peggy Goodman â'r addurniadau gwydr Fictoraidd – sef y *cloches* – oddi ar ei bedd er mwyn tyfu letus ynddynt! Yn ystod fy mhlentyndod cynnar, Thomas a Rosina Jones oedd ym Mryn Golau. Brodorion o Lyn Ceiriog oeddynt, ef yn fab y Berllan Helyg. Symudodd y ddau, ynghŷd â'u mab Burton, i'r Tyddyn Isa, Rhewl. Dilynwyd nhw ym Mryn Golau gan Tudor a Helen Vaughan Jones, ef yn fab y Siambar Wen, Llanelidan, a'i wraig wedi'i magu yn y Foty lle trigai'r bwch gafr brawychus. Mab y Waen Ucha, Hiraethog ac wedi hynny o Faes Tyddyn, Clawddnewydd oedd ffermwr y Caenog, Bobi Williams. Byddaf yn sôn mwy am ei deulu yn y bennod ar Glocaenog. Yr oedd Bobi Williams wedi priodi Ceinwen Roberts, Waen Rhydd, Llanelidan (a fu farw'n sydyn ac yn ifanc) ac yr oedd ganddynt ddau o blant, Ann a Wyn. Mae Wyn yn ffermio'r Caenog heddiw ac Ann yn y Cernioge Bach ar yr A5.

William Edwards oedd yn Highgate a'i wraig oedd Marged Elin, merch Hugh ac Annie Jones, Cwm, Llanelidan – Annie yn chwaer i fy nhaid Gwrych Bedw. Ail ŵr i Marged Elin oedd William Edwards; ei gŵr cyntaf oedd ei frawd John Ellis Edwards (genedigol o Tai Ucha, Corwen) a fu farw yn 1922 a'i gadael gyda phedwar o blant ifanc iawn i'w magu: **Annie Gwyneth** (priod y Parch O J Evans a mam Gwyn sydd yn adnabyddus i lawer yng Ngogledd Cymru fel llawfeddyg yn Ysbyty Gobowen); **Mair Eluned** (priod y diweddar Meirion White, Corwen); **Hugh Ellis** (priod Renee Yaxley, Sychnant ac a fu'n ffermio Gwrych Bedw) a **John Emyr** (Cernioge Mawr). Mab o'r ail briodas yw **Gwilym Thomas**, ei wraig Rhian yn ferch Carrog Ucha. Mab Gwilym sydd yn Highgate heddiw.

John a Susannah Evans oedd yn y Bryn Du. Yr oedd yno bump o blant: John Hugh, Mair Eluned (a fu farw o'r diciâu yn 27 oed) Tecwyn, Gwenfyl a Goronwy. Byddwn yn cerdded i'r ysgol yng nghwmni'r ddau ieuengaf. Cofiaf i ni, blant, gael gêm o ddraffts yn ein hosan un Nadolig ond ychydig iawn o gyfle gawsom i chwarae oherwydd byddai John Evans, Bryn Du (oedd yn ŵyr i David Hughes, Pencoed Ucha) yn dod am gêm hefo Nhad yn gyson yn ystod misoedd y gaeaf. Fel llawer tad a brynodd drên trydan i'w fab ac yna ei hawlio iddo ei hun, dyna hefyd oedd y tu ôl i'r weithred o brynu'r drafftiau. Bu llawer o dynnu coes ynglŷn â hyn pan wawriodd y peth arnom. John ac Anwen oedd enwau plant y Maerdy Bach – John wedi priodi Gwenda Parry Jones, Bryn Brith ac Anwen wedi priodi Ifor Jones, Melin Nantclwyd (fu farw'n sydyn fis

Ionawr 2000). Teulu clên iawn. Mab-yng-nghyfraith i John a Gwenda yw'r Prifardd Iwan Llwyd.

Trefor Parry oedd yn Nhŷ Ucha'r Llyn a'i fab Ifor erbyn hyn yn un o bileri'r fro ac wedi priodi Menna, Carrog Ucha oedd yn yr un dosbarth â mi yn yr ysgol yn y Bala. Mae Ifor a Menna bob amser i'w gweld wrth y clwydi wrth fynedfa'r Eisteddfod Genedlaethol bob blwyddyn, de a gogledd. Brawd ei dad, Hugh T Parry oedd yn yr Hendre a'i ferch Mair Haf wedi priodi Iorwerth y Gelli, nid nepell o'r Bala, mab William Roberts y canwr penillion o'r Fedw Arian a'r Berth. Yr oeddwn yn mynd yn aml i Fryn Llan lle'r oedd Timothy Jones yn byw – ei ferch Glenys yn ffefryn mawr hefo'r plant. Byddai'n gwneud doli glwt i mi bob hyn a hyn. Priododd hi Frank Yaxley'r Sychnant a'i chwaer Eurwen â Maldwyn Vaughan Evans, un o deulu cerddgar y Gro. Cofiaf ddau beth yn arbennig am Timothy Jones. Yr oedd ganddo bob amser gnwd gwych o bys pêr oedd yn arogldarthu dros y llan a chefais ganddo ellygen enfawr felys un tro ar fy ffordd i'r ysgol. Fe'i rhoddais yn fy nesg ac edrych ymlaen gyda'r dŵr yn llifo o nannedd tan amser chwarae – i ddarganfod bod y beren wedi diflannu ac fe nadais mewn siom dros y lle. Wedi tipyn o holi a stilio cafwyd hyd i'r drwgweithredwr sef Gwen Bilson, un o'r efaciwis oedd yn aros ym Mryn Beuno, ond yr oedd yn rhy hwyr, yr oedd wedi'i bwyta. Mae'r siom yn dal i serio. Ys gwn i ble mae'r hen sguthan.

Annie ac Edward Price Roberts y cigydd oedd ym Mryn Beuno ac yr oedd ef yn frawd i'r cigydd Thomas Ellis Roberts, Pengwern, Corwen, oedd wedi priodi Catherine (gynt o Gae Llewelyn a Llan Carrog) oedd yn chwaer i 'nhaid. Meibion Pengwern oedd Gwylfa Roberts a fu'n brifathro yng Ngwyddelwern, Sarnau a'r Bala (a thad yr artist Iwan Bala) ac Aled Ellis Roberts a fu'n rheolwr banc yng Nghorwen a Rhuthun a mannau eraill. Yr oedd ganddynt hefyd chwaer, Iona Mair, athrawes a fu farw'n ifanc yn 1980 sef priod John Walter Williams, y Bala, a mam Armon a Prys. Yn Beuno Terrace yr oedd fy ffrind Beryl yn byw a chychwynnodd y ddwy ohonom yr ysgol yr un diwrnod. Mae Beryl wedi aros yn ei bro a'i gwasanaethu mewn amrywiol ffyrdd. Yn yr un rhes o dai yr oedd y teulu Edwards, teulu mawr a chofiaf Morfydd yn arbennig, geneth beniog iawn. Teulu Harry Jones wedyn, y fam wedi marw a'r ferch hynaf Huldah yn gofalu am ei thad a thri brawd pan nad oedd hi fawr hyn na phlentyn ei hun, un o'i brodyr, Albert, wedi ennill y glasenw 'Plygs' am ryw reswm. Yr oedd Gwyddelwern yn dra enwog am ei lasenwau. Pwy sy'n cofio pwy oedd Chinee a Sam Buck a Sblewc a Pry Copyn?

Ar ben y rhes yr oedd Beryl a Medwyn Jones yn magu llond tŷ o blant, Sylvia, Dorothy a Marina oedd y tair hynaf. Yr oedd Beryl yn ferch i Lloyd Jones y postman, Tyddyn Cochyn, a bu farw'n ifanc. Ivy House wedyn: Thomas Roberts yn ei gadair olwyn am flynyddoedd a'i wraig eiddil wydn yn ei wthio o gwmpas ac yn magu pedwar o blant – y mab hynaf Wyn (Wynwyns) a foneddigaidd agorodd giât haearn buarth yr ysgol i mi a 'nharo dan fy nhrwyn ac y mae'r graith i'w gweld hyd heddiw; yr ail fab, Denis, wedi priodi Grace, y llenor ac un o sgriptwyr 'Pobol y Cwm' ac yn byw yn Nefyn yn hen gartref Elizabeth Watkin Jones, awdur *Luned Bengoch* a'm cyfareddodd ers talwm. Brawd i Tom Roberts oedd Eric, Foel Bach a chwaer iddynt oedd Lena Davies oedd yn magu llond tŷ o fechgyn yn ymyl Capel Moreia. Cofiaf y braw pan fu farw un ohonyn nhw, George, o *tetanus*, neu *lockjaw* fel y dywedem. Leslie Griffiths wedyn ac yr wyf yn ei gofio yn Nhan y Rhiw ac yr oedd ganddo flodau digon o ryfeddod yn ei ardd fach a'r blodau wal yn llesmeiriol. Yr oedd Dei Williams, London House, yn cerdded atom i Gefnmaenllwyd bob bore i weithio ar y fferm. Mab Bryn Rug oedd o, un bychan, ffraeth, wedi priodi clamp o Saesnes, Mrs Kinton. A Mrs Kinton fu hi hyd yn oed ar ôl priodi Dei. Yr oedd hi'n cael sigarets i 'nhad yn ystod y rhyfel a byddwn yn galw yno ar fy ffordd adre o'r ysgol ac yn dweud '*Sigarets to Dad plis*' ac yna '*Thenciw*'. Dyna'r unig Saesneg oedd gen i. Un o gymwynasau mawr Dei oedd dod â'r *Picture Post* inni. Dysgais lawer wrth draflyncu pob gair ac astudio pob llun. Lluniau gwych oedden nhw hefyd a byddwn yn eu torri allan a'u cadw'n dwt – gallaf eu gweld rwan yn llygad fy meddwl – Hitler, George Bernard Shaw a'r Dywysoges Margaret Rose, y Dionne quins, Al Capone, Ethel Barrymore, Bob Hope. Mawrion y cyfnod. Byddai Beryl a fi yn hel lluniau o'r teulu brenhinol ac yn eu gludio mewn llyfr lloffion hefo blawd a dŵr. Yr oedd gan y teulu brenhinol fystique yr adeg honno ac ni wyddem ddim am y traed o glai.

Ychydig iawn o ddeunydd darllen oedd ar gael – yn enwedig yn Gymraeg. *Sunny Stories, Girls' Crystal* yn Saesneg, *Cymru'r Plant* a *Thrysorfa'r Plant* yn Gymraeg – a'r Diddanion yn yr olaf yn cyflenwi jôcs i mi gael eu dweud wrth Taid – yr oedd ei weld yn chwerthin yn bleser pur. 'Sgenti stori i mi?' oedd ei fyrdwn bob tro y gwelwn ef. Ac os byddai rhyw arlliw grefyddol neu foesol ar y stori, gorau oll. Beth am y bachgen yn cael ei anfon i hel wyau fore Llun (gan nad oedd hel wyau ar y Sul yn cael ei ganiatau) ond baglodd ar ei ffordd yn ôl a'i fasged yn llawn. Ei fam yn gofyn 'Dorrodd rhai o'r wyau?' 'Do, Mam, dau . . . ' 'O! ddim rhy ddrwg felly!' ebe hithau. ' . . . ar bymtheg' ychwanegodd y crwt. Sgrechiodd y fam 'Beth? gwerth deunaw o wyau wedi malu, y coblyn diwerth . . . ' ' . . . ar hugain, Mam' gorffennodd y llanc druan cyn ei gwadnu hi. Dyna i chi enghraifft berffaith o stori Gymraeg. Wnâi hi ddim gweithio yn Saesneg.

Dyddiau diniwed iawn oedden nhw – er bod yna rai pethau y dylem gywilyddio yn eu cylch. Pwy 'all anghofio Lisi Ann yn Nhŷ'r Fynwent yn tremio ar y byd o dan ei het a honno wedi colli ei rhuban. Huw Dau Lais oedd llysenw ei thad (a hynny oherwydd y byddai ei lais yn torri ar ganol brawddeg) ac yr oedd ei mam yn lithpio. Pan ofynnwyd iddi beth oedd enw ei merch hynaf ei hateb oedd 'Thwthana Elithabeth'. Ninnau, blant y fall, yn gwneud ati. Yr oedd Lisi Ann yn edrych ar ôl ei thad yn ei henaint ac yr oedd yna stori enllibus amdani oherwydd dywedid na fyddai'n prynu gwlân cotwm eithr hel y fflwff dan gwely. Pan ddywedodd Gwil Cei (Y Parch Gwilym Ceiriog Evans) wrthyf ei fod wedi ymweld â Lisi Ann ar ei gwely angau ac iddi wenu arno fe deimlais hwrdd o gywilydd a hiraeth wrth gofio fel y byddem yn ei herian a chwerthin am ei phen. Ond y gwir oedd, yr oedd arnom ei hofn. Ofn sydd wrth wraidd pob rhagfarn.

Nid oedd yno dŷ gweinidog yn 1891 ond cofiaf y Parch Seth Pritchard ym Mryn Myfyr yn nyddiau fy mhlentyndod – ei ferch Margaret yn athrawes werth chweil (meddai Helen fy chwaer) ei fab Gwynn yn gerddor dawnus a'r mab arall Elfyn – wel, gŵyr pawb am allu Elfyn Pritchard ac am ei waith dros y diwylliant brodorol, prifathro, awdur, golygydd *Allwedd y Tannau*, Cadeirydd Pwyllgor Llên Eisteddfod Genedlaethol 1997 a llawer iawn mwy. Yr oedd Elfyn yn cael ei ddefnyddio fel esiampl o beth allai ddigwydd oherwydd pan oedd yn fachgen bach yr oedd wedi cael ei daro i lawr gan gar modur a'i frifo'n reit ddrwg. Caem ein siarsio i fod yn ofalus yn y llan. O gofio mai rhyw un car yr wythnos âi heibio, nid oedd hynny'n anodd.

John Hughes y saer oedd yn Elwern Villa, mab John Hughes, Isfryn a bu yntau'n weithgar yn ei fro ei hun – Wesle arall! Bu farw yn 1982. Athrawes o Sir Drefaldwyn oedd ei wraig a chredaf ei fod yn frawd i Mrs Jones, Bryn Llan, ac yn ewythr i Esther Isfryn a fu'n dysgu'r piano i ugeiniau o blant y fro. Heblaw am Bryn Du a Bryn Golau, ein cymdogion agosaf oedd teulu Thomas Jones yr Oror – ef yn un o 17 o blant Nant y Fedw, Llanelidan. Ei ferch hynaf, Ella, aeth â fi i'r ysgol y diwrnod cyntaf, bu ei fab Elwyn yn gweithio yng Nghefnmaenllwyd (fe'i cofiaf yn rhoi fforch drwy ei droed), priododd ei ferch Mair â Bobby Peacock, efaciwi a benderfynodd aros yn y fro, ac yr oedd Gwyneth yn gydymaith cyson ar ddyddiau Sadwrn pan aem ar anturiaethau i Fynydd y Cwm. Yr oedd eu mam wedi'i magu yn y Foty, Llanelidan ac yn gantores dda iawn. Byddai'n dod i helpu Mam i olchi ac ati ond sut ar y ddaear yr oedd yn cael yr amser, ni wn, a hithau a chwech o blant i'w magu.

Yr oedd yna eisteddfod flynyddol lwyddiannus iawn a byddai'n cael ei chynnal yng nghapel Moreia gyda bwyd bythgofiadwy yn y festri. Llewela Roberts oedd yn cyfeilio bob tro a Llwyd o'r Bryn yn arwain a'r un hen wynebau'n cystadlu. Nid bod neb yn malio nac yn cwyno. Cofiaf rai ohonyn nhw'n dda. Ymhlith yr adroddwyr yr oedd Mair a Gwenfyl, Bryn Du, bob amser yn edrych yn ddwys ac yn ennill llawer. Un arall ffyddlon oedd 'Berwyn' a pan fyddid yn galw ei enw yr oedd y plant yn llawn chwilfrydedd oherwydd yr oedd o yn ddall ac angen cymorth i esgyn y llwyfan. Cadwaladr Roberts oedd ei enw iawn ac yr oedd yn byw yng Nghynwyd. Ffefryn mawr arall oedd Dei Preis, Bodffari, gyda'i adroddiadau doniol a'i wên anferth. Pan fyddai ef yn cychwyn ar ddarn allan o *O Law i Law* neu *William Jones* byddem yn setlo i lawr gyda boddhad i fwynhau ein hunain, bobl bach. Gwnaed rhaglen deledu am Dei a bu farw fis Mai 1998. Ymhlith y cantorion yr oedd Penri Vaughan Evans (aeth ymlaen i ennill yn y Genedlaethol) Goodman Evans (wrth ein boddau'n ei wylio fo'n canu gan ei fod yn ymsythu ac yn gwneud munude a cheg twll tin iâr) Glenys, Sarnat Gwyn, Myfanwy, Bryn Gwenallt, Trebor Edwards, Myfi'r Hafod, Jack Price, W R Davies, Llwyn Ucha. Capel Moreia dan ei sang a'r angar yn llifo i lawr y ffenestri.

Y tu allan i'r Capel Wesle gerllaw yr ysgol y mae yna golofn a'r geiriau hyn arni:

Teyrnged Cyngor Plwyf Gwyddelwern i'r bechgyn a syrthiasant yn y
Rhyfel Mawr 1914 – 1919
'A ddug angau, ni ddwg anghof'

	Oed
1915	
R Lewis, Beuno Terrace	21
J J Phillips, Council School House	31
1916	
D Roberts, Maesgamedd Isa	20
E Roberts, Wernddu	22
W Jones, Tan y Bryn	23
R Jones, Forge	22
P Davies, Bryn Celyn	26
R H Roberts, Hendre Isa	22

1917

R P Jones, Glan Afon	27
E Jones, Hafod Las	33
W F Weeks, Station House	24
H E Davies, Fron Beuno	22

1918

T Atkinson, Folt Terrace	24
J O Jones, Beuno Terrace	34
D Ellis, Bryn Brith	25

1919

E Lloyd, Bryn Llan	34

'Eu henwau'n perarogli sydd
A'u hun mor dawel yw'

Hefyd i'r bechgyn syrthiodd yn rhyfel 1939-45

1939

E Williams, Glan Afon	19

1944

G T Hughes, Ivy House	26

1945

R G Williams, Glan Afon	20

Dadorchuddiwyd y golofn yn 1921 gan Joseph Davies, Wern Ddu, cyn iddo fudo i'r Alban. Dyna bentref bychan yn colli ugain namyn un o lanciau ym mlodau eu dyddiau ond yr adeg honno ni wyddwn i ddim am galedi bywyd rhai o'r bobl a welwn yn feunyddiol ac ni ddychmygais y byddai ffurflenni swyddogol a lanwyd yn 1881 ac 1891 yn dwyn cymaint o atgofion am rai o'r hen drigolion. Yn gymysg â siom colli'r afal ac ofn bwch gafr dreng y Foty, a brathiadau Robin y Gyrrwr yn yr haf (i ble'r aeth yr hen bry annifyr hwnnw tybed– ni chlywais sôn amdano ers talwm) yr oedd yna hefyd oriau o wynfyd – dyddiau hel llus, chwarae hefo dolis Glenys a Iona, Gwylfa, diwrnod dyrnu ym Maes Gwyn Ucha, mynd am dro at y Goeden Ddu, neidio ffosydd y Maerdy, darganfod jobyn wyth, chwarae pêl a sgipio, chwythu wyau adar a chinio ysgol Mrs Kenrick, wrth gwrs. Heb sôn am gwpwrdd llyfrau diwaelod y Sgŵl Coch. Byd diflanedig.

Corwen – Calon Edeyrnion

Un o nodweddion cyfareddol Corwen yw afon Dyfrdwy sydd yn llifo ar hyd cyrion y dref ar ei ffordd o Lyn Tegid wedi galw yn Llandrillo a Llangar cyn mynd ymlaen i Langollen ac i Gaer. Os ydych yn hoffi sefyllian a syllu i lawr i'r dŵr, neu hyd yn oed chwarae Pw Stics, y mae Corwen yn lle delfrydol gan bod yma ddwy bont, un ar yr A5, y Ffordd Dyrpeg neu'r Holihed fel y'i gelwir a'r llall ar y ffordd gefn wrth y Trewyn a Than y Gaer. Gall fod yn afon chwyddedig iawn hefyd a chofiaf eneth fach o'r enw Enfys yn mynd ar goll rywbryd yn niwedd y 40au a'i chorff yn cael ei ddarganfod yn yr afon ymhen rhai wythnosau. Cysegrwyd yr eglwys i Mael a Sulien ac y mae'r cofrestri plwy'n mynd yn ôl i 1667 ac ar Fai 29ain y flwyddyn honno bedyddiwyd Mary merch Thomas Pierce ac Alice; Mehefin 13eg claddwyd Robert John Cadwalader ac ar Ionawr 5ed priodwyd Samuel Thomas o Langollen a Jane merch John Griffith. 'Roeddynt yn hynafiaid i rywun.

Bu'n dref farchnad brysur dros y canrifoedd ac yn fwrlwm o ddiwylliant ag iddi le pwysig yn hanes eisteddfodol Cymru. Bu Twm o'r Nant ac eraill yn talyrna yn nhafarn yr Owain Glyndŵr a cheir hanesion am ffraeo arswydus ymhlith y beirdd: yn eu plith yr oedd Peter Llwyd o'r Gwnodl a Jonathan Hughes, un o Feirdd y Gofeb ac un o gyndeidiau Cliff, fy ngŵr. A dyma lle y cynhaliwyd Eisteddfod yr Urdd am y tro cyntaf, yn 1929. Bu'r Pafiliwn mawr pren (a godwyd yn 1913) yn ganolfan i bob math o weithgareddau a phery felly hyd heddiw. Cofiaf fynd yno i wrando ar Aneurin Bevan yn areithio a chofiaf hefyd yr Wythnos Ddrama oedd yn achlysur cyffrous dros ben. Eisteddfod Genedlaethol, areithiau gwleidyddol, dawnsio, paffio, cneifio, cyngherddau pop: mae Pafiliwn Corwen wedi gweld y cwbl.

Cynhelid Eisteddfod fawr yng Nghorwen yn flynyddol yn ystod y 19eg ganrif ac yn 1881, ychydig fisoedd wedi'r Cyfrifiad, ar Awst 1 a 2, cafwyd gŵyl lwyddiannus a'r torfeydd wedi medru mynd yno oherwydd bod y 'cwmni ffordd haiarn wedi gwneyd y cyfleusterau teithio yn beth y gellid ei ddymuno' meddai adroddiad yn *Y Faner*. Cafwyd anerchiadau gan Charles Edwards, Dolserau a fu yn Aelod Seneddol dros Windsor, a'r Milwriad Wynne Lloyd a fynegodd ei falchder bod yr eisteddfod yn magu yr ymdeimlad o genedlaetholdeb Cymreig. Yn Saesneg y dywedodd hyn. Saesneg oedd iaith swyddogol eisteddfodau'r oes honno. I ddweud rhywbeth pwysig, rhaid oedd ei ddweud yn Saesneg, dyna oedd y gred. Telynor swyddogol yr ŵyl oedd Edward Wood, Telynor Meirion, oedd yn byw yng Nghorwen ar y pryd, a chafwyd datganiad ganddo ar y delyn deires. Byddaf yn dod yn ôl ato fo a'i ach.

Yn ôl adroddiad *Y Faner*, 'Cafwyd difyrwch anghyffredin gyda chanu pennillion gyda'r tannau. Prif gystadleuaeth y dydd . . . oedd yr un gerddorol am y wobr a 21 punt a thlws i'r arweinydd. Y dernyn i'w ganu oedd 'He smote'. Daeth dau gôr i'r maes – un o Ddolgellau dan arweiniad O O Roberts, a chôr Acrefair dan arweiniad Mr Gabriel . . . Rhoddwyd y wobr i gôr Acrefair . . . '. Daeth Seindorf Bres Rhuthun hefyd i'r brig. Enillwyd y Gadair gan Taliesyn Hiraethog a'r ddau feirniad oedd Elis Wyn o Wyrfai a Tafolog. Y testun oedd 'Ioan ar Ynys Patmos'. Nid wyf erioed wedi gweld y gerdd fuddugol ond o gofio bod melodrama Oes Victoria yn ei anterth y mae'n siwr bod yna sôn am y march gwelw elwir Marwolaeth ac am frwydr Armagedon. Mae'n fwy na thebyg ei bod yn awdl annarllenadwy.

Daeth ymwelydd i Gorwen un tro a gofyn faint o feirdd oedd yna yn Sir Feirionnydd a dyma'r ateb a gafodd ar ffurf englyn:-

111, 2, 999, 10, – 444,
555, 15, 15, 15,
888, 888, 12, 12, 12,
222, 111, 999, 10.

Datgelir yr ateb ar ddiwedd y bennod!

Y tŷ mwyaf yn y fro yw Plas Rhug. Yn yr ardd y mae olion hen gastell lle y carcharwyd Gruffydd ap Cynan tuag 1077. Yr olaf o Fychaniaid y Rhug oedd Robert Vaughan ac ef oedd y perchennog olaf i fedru siarad Cymraeg. Bu farw yn 1859. Ceir hanesyn ar lafar gwlad amdano, ei fod wedi colli dafad ac aeth i chwilio amdani. Ar y ffordd cyfarfu ag un o'i denantiaid a gofyn iddo, 'John, weles ti ddafad a V ar ei chefn hi?' Yntau'n ateb, 'Naddo wir, Syr Robert, weles i rioed yr un ddafad a fase'n medru eich cario chi.' Cafodd y Syr fwynhad enfawr o'r ateb ac yn wobr am ei ffraethineb gostyngwyd rhent John i'r hanner am flwyddyn. Ni wn pa John oedd hwn. Yr oedd yna filoedd o Johns yng Nghorwen a'r cylch yr adeg honno.

Noson Cyfrifiad 1881 yr oedd tri ar hugain o bobl yn y Plas, pymtheg yn Waterloo House a deuddeg yn Nant Fawr. Dyma fel y cânt eu cofnodi:

PLAS RHUG

Charles Wynne	pen	33	Yr Anrhydeddus. YH	Llandwrog
Frances G "	gwraig	25		Hong Kong, China
Robert V "	mab	3		Corwen
Gwendoline F "	merch	1		"
Laura C Bradford	ymwelydd	26	Merch i fonheddwr	Ceylon
Frederick G Wynne	"	27	Yr Anrhydeddus	Llandwrog
Repentance Taylor	morwyn	52	Howsgipar	Greenhalgh
Eliza Puckett	"	31	Morwyn y merched	Llundain
Sarah Jones	"	24	Nyrs	Y Waun
Ellen Griffiths	"	22	Morwyn nyrsyri	Llandwrog
Charlotte Parker	"	32	Morwyn aelwyd	Bangor is y Coed
Ann Griffiths	"	18	Morwyn tŷ	Porthmadog
Ellen Lewis	"	17	"	Llanfachreth
Julia Hudson	"	23	Morwyn cegin	Yarmouth
Mary Williams	"	19	Morwyn scylyri	Llandwrog
John Evans	gwas	20	Footman	Rhuthun
Albert E Weston	"	19	Is- "	Northampton
Owen Parry	"	28	Coitsmon	Caergybi
Thomas Hughes	"	19	Gwastrawd	Lerpwl

Heblaw am yr uchod yr oedd yno hefyd nifer o staff oedd yn byw allan o'r Plas, er enghraifft, George Evans y garddwr yn y Stabl; James Bennett y garddwr a'i deulu yn Nhy'n yr Ardd; Charles Gregory, y bwtler a'i deulu, yn y Lodge; Hugh Jones, y cipar yn y Kennels. Mab oedd Charles Wynne y Sgweier i Spencer Bulkeley Wynne, 3ydd Barwn Niwbwrch ac ŵyr iddo oedd Michael Wynne, Arglwydd Newborough a fu farw fis Hydref 1998. Yr oedd iddo hanes rhamantus. Dywedid bod ganddo hawl i esgyn i orsedd Ffrainc. Fel hyn y bu. Ym mis Ebrill 1773 ganwyd mab i wraig Lorenzo Chiappini, ceidwad carchar Neuadd y Dref Modigliana yn Tuscany. Yr un noson yn yr un lle ganwyd merch i Ddug a Duges Orleans. Ychydig ddyddiau'n ddiweddarach dychwelodd y Dug a'i wraig i Baris. Gyda mab.

Ym mis Chwefror 1786 gwelir y canlynol yng nghofnodion y Conswl Prydeinig yn Tuscany: 'Ar yr 11eg o'r mis hwn arwyddwyd cytundeb o briodas rhwng yr Arglwydd Newborough (sydd wedi trigo yma ers 1782 heb fawr neb yn sylwi arno) a chantores ifanc rhyw 13 oed, merch i blismon.' Daeth y ddau yn ôl i Lynllifon a chyflwynwyd Maria Stella, y briodasferch nad oedd fawr mwy na phlentyn, i bobl Caernarfon fel 'Iarlles Modigliana, nith y Cadfridog Lorenzo Chiappini . . . '. Ceir llun olew ohoni ym Mhlas Rhug wedi'i beintio yn 1802. Wyddai hi ddim mai merch i frenin ydoedd nes iddi dderbyn cyffes gwely angau ei 'thad' yn 1821. Yr oedd Maria Stella yn 51 oed cyn i'r llys barn yn yr Eidal orchymyn newid y cofnodion i ddangos mai merch ydoedd hi i Ddug a Duges Orleans ac mai hi oedd etifedd gorsedd Ffrainc.

Yn 1830 esgynnodd 'mab' y Dug i orsedd Ffrainc fel y brenin Louis-Philippe, ei 'dad' wedi mynd yn aberth i'r gilotin yn 1793. Yr oedd Louis-Philippe yn anghyffredin o dywyll ac fe wyddai ei elynion beth oedd wedi digwydd yn yr Eidal a'u henw arno oedd y 'Brenin Chiappini'. Maria Stella oedd mam yr ail a'r trydydd Arglwydd Newborough ac y mae ei llinach heb ei dorri gan ei bod yn hen hen nain i'r Wynne presennol yn y Rhug.

Yr oedd Michael Wynne (neu Micky fel y gelwid ef), 'gwir frenin Ffrainc', yn un o'r rhai a fentrodd ei fywyd pan groesodd bum gwaith i achub milwyr yn Dunkirk ac yn nes ymlaen enillodd y DSC (*Distinguished Service Cross*) cyn cael ei ddal a'i garcharu yng Nghastell Colditz. Llwyddodd i ddarbwyllo'r awdurdodau ei fod wedi gwallgofi a chafodd ei ryddhau. Bu'n gadeirydd ac is-lywydd Cymdeithas Colditz. Hyd yn oed wedi ei farwolaeth yn 81 oed yn 1998 llwyddodd i greu hanes gan i'w lwch gael eu saethu allan o ganon a'i wasgaru ar dir y Rhug. Yr oedd gair da iddo fel meistr tir. Y rhyfeddod yw, os rhyfeddod hefyd, bod bytheiaid y wasg a theledu Lloegr wedi llwyddo i anwybyddu hanesyn mor rhamantus. Dim ond yng Nghymru y sylweddolwyd bod yma stori ddiddorol.

Mab arall i Charles H Wynne oedd Rowland Tempest Beresford Wynn fu'n gweithio i'r BBC ac yn 1943 priododd ag actores o'r enw Eleanor Mary Tydfil Smith-Thomas. Ei henw llwyfan oedd Eleanor Fayre. Rhaid cyfaddef na chlywais erioed sôn amdani.

Sylwer yn y Cyfrifiad uchod mai yn Llandwrog y ganwyd Charles Wynne a'i frawd Frederick – rhaid cofio mai'r un teulu â Wynniaid Glynllifon ydyn nhw a bod iddynt linach gadarn Gymreig yn ogystal â gwaed brenhinol Ffrainc! Bydd y rhai sydd yn gyfarwydd â'r gyfrol *Y Pentre Gwyn* gan Anthropos yn cofio ei ddisgrifiad o'r ymweliad blynyddol â Phlas Rhug neu Blas Marian fel y'i gelwir yn y llyfr. 'Fûm i erioed i mewn yn y plas ond y mae yna ddau beth ynglŷn ag o sydd yn fy nghyfareddu sef Capel y Rug a saif ar ochr y ffordd nid nepell o'r fan lle mae ffordd Caer yn ymuno â'r A5 yn Nhy'n y Cefn. Y mae'r capel yn werth mynd i'w weld. Ac yn y gwanwyn y carped o glychau'r gog dan y coed sydd yn cuddio'r plas oddi wrth deithwyr yr A5 rhwng Ty'n y Cefn a Phont y Rug wrth yr hen Ffatri Laeth.

NANT FAWR

Godfrey Roberts	Pen	50	Ffermwr	Corwen
Ellen "	gwraig	43		Llanfor
Robert "	mab	21		Corwen
Catherine "	merch	17		"
Owen "	mab	15		"
David "	mab	13		"
Elizabeth "	merch	12		"
Jane Ellen "	merch	9		"
Hugh "	mab	6		"
Evan "	mab	4 } efeilliaid		"
Mary "	merch	4 }		"
John "	mab	2		"

Yr oedd Godfrey Roberts yn fab i Robert ac Elizabeth Roberts, Tŷ Cerrig Pen Coed ac yn gefnder i fy hen daid Hugh Roberts (Clegir Mawr). Ddeng mlynedd yn ddiweddarach yr oedd y teulu hwn yn byw yn Nhy'n Llan, Llanferres, yng nghysgod yr eglwys ar y briffordd rhwng Rhuthun a'r Wyddgrug. Claddwyd Godfrey a'i wraig ym mynwent Rhiw Iâl, Llanarmon. Aeth y mab hynaf, **Robert Ceridwyn**, i'r weinidogaeth. Bu farw **Catherine** yn 1889 yn 25 oed; aeth **Elizabeth** i Lerpwl; bu **Jane Ellen** yn cadw'r Swyddfa Bost yn Henllan; bu **Hugh** yn ffermio Ty'n y Caeau, Cilcain ar ôl priodi Sarah Mabel Jones, Nant Meifod, Llansansior; a bu **John** yn cadw siop groser yn Love Lane, Dinbych. Yr oedd yno ddwy set o efeilliaid: yr oedd gan Jane Ellen efaill o'r enw **Richard Godfrey** ond ni wn ble'r oedd y noson arbennig hon. Daeth **Evan**, efaill **Mary**, yn ddyn busnes llwyddiannus yn cadw siop a phopty Leamington Stores ar waelod Stryd y Ffynnon, Rhuthun, lle mae siop gigydd y Brodyr Jones a siopau eraill heddiw. Priododd â Hannah, merch John Jones, Tywysog, Graigfechan, gwerthwr glo a fu farw yn 1929 yn 82 oed. Mab-yng-nghyfraith arall i John Jones, Tywysog, oedd John Williams, Siop Graigfechan a chafodd hwnnw brofiad annymunol iawn yn 1936 pan saethwyd ef a'i fab Tecwyn (a gollodd ei fraich yn ei sgil) a'r plismon lleol Ellis Moss, gan ddyn o'r enw Edward Herbert Clarke. Wedi dyddiau Evan Roberts bu Leamington Stores yn cael ei redeg gan ei ddwy ferch a'i fab-yng-nghyfraith Trefor Lewis Jones ac yna gan ei wyres Glenys Whittingham, Fferm Llanbedr, tan ganol y 1980au. Brodyr i Godfrey Roberts oedd Owen a Jabez Roberts, Tŷ Cerrig Pen y Coed (wedi hynny yn Arran House, Gwyddelwern) ac yr oedd ganddynt

65

hefyd frawd, Evan, yn byw yn y Waen Fawr hefo Geunor ei wraig a phump o blant yn 1881: Mary (15) John (13) Annie (11) Robert (9) a Jennet (6). Wn i ddim byd amdanyn nhw. Efallai bod bywyd yn rhy fyr i geisio dyfalu beth a ddigwyddodd i ddisgynyddion cefnder fy hen daid . . . er cymaint y demtasiwn.

WATERLOO HOUSE

Owen Lloyd	Pen	47	Dilledydd a groser Penmorfa	
Laura	"	gwraig	39		Penmachno
Edith I	"	merch	10		Corwen
David C	"	mab	8		"
Laura K	"	merch	6		"
Owen A	"	mab	2		"
Harriet E	"	merch	8 mis		"
James D Edwards	gwas	27	Yn y siop	Llangefni
Thomas Roberts	"	18	"	Gwyddelwern
David	"	"	18	"	Corwen
Thomas A Williams	"	16	Clerc	Rhuthun
Alice E Jones	morwyn	17	Gwneud hetiau	Cynwyd
Winifred Thomas	"	21	Cogydd	Llandderfel
Mary I Edwards	"	16	Morwyn	Corwen
Phabe Jones	"	14	Nyrs	Llantysilio

Bu Owen Lloyd yn ddyn dylanwadol iawn yn y dref, ym myd crefydd ac fel Ynad Heddwch. Yr oedd yn hanfod o deulu Hendre Arddwyfaen yn wreiddiol. Merch i'r Parch Dafydd Dafis, Penmachno, ac wedyn y Bermo, a ysgogodd Ddiwygiad 1859, oedd Laura Lloyd. Yn ddiweddarach bu Owen Lloyd yn cadw Swyddfa'r Post yn y dref. Collwyd tri o'i blant o'r clefyd coch ond daeth y gweddill ymlaen yn dda yn y byd. Yn 1896 priododd ei ferch **Edith** gyda milfeddyg o'r enw Hugh, mab Evan Richards, Fron Haul, Ffestiniog. Aeth **David Charles** yn feddyg ac wedyn i'r weinidogaeth (ei wraig oedd Lily Williams, Tan y Coed, Llanwrda) a mab arall, **Frank,** i Lundain lle bu'n Ysgrifennydd Cyffredinol y British & Foreign Marine Insurance Company. Mae ŵyr iddo, Rupert Lloyd, yn byw yn Ne Lloegr ac yn dangos diddordeb ysig yn hanes ei hynafiaid. Yn 1898 bu priodas fawr pan unwyd **Laura Kate** a Thomas Eyton Jones, mab Caenog, Gwyddelwern. Bu holl staff y Caenog a Waterloo House yn gwledda drwy'r min nos. Yr oedd gan Owen Lloyd hefyd fab o'r enw **Alun Owen** a phriododd ef â Minnie Beatrice, merch Lewis Parry, fferyllydd yn Wrecsam. Bu ef farw yn 1964 ac yr oedd yn Gynghorydd a blaenor ac yn organydd capel Seion, Corwen. Un o'i blant yw'r Dr Glyn Lloyd. Priododd **Harriet Ellen** (Nellie) ag Aneurin Arthur Rees, twrne yn Lerpwl a buont yn byw yn y Rhyl.

Rhaid bwrw cip ar rai o'r dynion busnes eraill yn y dref. Roedd John Owen, Gate Goch, yn gwerthu te a Robert Hughes, Ty'n y Cefn yn gwerthu llyfrau. Mae'n siwr bod Anthropos yn nabod hwn gan mai pentref Ty'n y Cefn oedd *Y Pentre Gwyn* a gyhoeddwyd yn 1909. Robert David Rowland oedd ei enw er na wyddys fawr ddim am ei fywyd cynnar. Mae gen i gof clir o eistedd ar y Boncyn Eithin yn darllen *Y Pentre Gwyn* ac yn cael fy swyno'n lân ganddo. Cofiaf ddotio at hanes y bechgyn yn eistedd a'u traed yn yr afon er mwyn dal annwyd gan obeithio y byddai eu lleisiau cryg yn golygu y medrent ganu bâs o hynny ymlaen, gymaint oedd eu hawydd am ganu yn y côr. Mae'n debyg mai hwn oedd y llyfr cyntaf i mi ei ddarllen oedd yn sôn am rywle oedd yn gyfarwydd i mi ac mai dyna pam y gwnaeth gymaint o argraff.

Mary Humphreys, gwraig weddw, oedd yn cadw siop fara'r Queens ac yr oedd ganddi dri o blant gartref sef Annie (25) Harriet (23) a William E (17) oedd yn gigydd. Bu John Kerruish, brodor o Ynys Manaw, yn pobi yno am dros ddeugain mlynedd. Yn byw yn un o'r tai ar y London Road yr oedd athro 30 oed, William Vinton o South Shields, Swydd Durham. Daeth Harriet y Queens yn wraig iddo a chawsant chwech o blant – Anne, Evelyn, Bert, John, Billy ac Olga. Y mae Anne wedi cyhoeddi cyfrol o'i hatgofion am Gorwen. Magwyd nhw'n uniaith Saesneg. Nid oedd cwrs addysg yng Nghorwen wedi rhedeg yn esmwyth bob amser ac yn y *Llangollen Advertiser* yn 1871 deuthum ar draws y gerdd a ganlyn dan y teitl 'Helynt Bwrdd yr Ysgol' –

Mae cynhwrf rhyfeddol yn awr drwy y wlad
Trigolion yr ardal a geir yn ddwy gâd,
Mae rhai am Fwrdd Ysgol, a'u hymdrech yn fawr,
Ac eraill yn wyllt am ei gadw i lawr.

Rhag ofn cael y Bwrdd maent mewn dychryn a braw
Defnyddiant bob cynllun i'w gadw ef draw,
Ar ôl pob rhyw gynllun hwy dybiant heb feth
Y llwydda eu hamcan drwy fwgan y dreth.

Tramwyant yr ardal drwy ymdrech a chwys
Traddodant eu neges yn ddoniol, ar frys,
Ac weithiau gofynant yn ystod eu hynt
'A hoffech chwi dalu rhyw swllt yn y bunt?'

Dychrynir llaweroedd drwy eiriau fel hyn,
A'u llaw yn eu llogell edrychant yn syn,
Yn gynt na rhoi 'chydig at dreulion y Bwrdd
Dewisant roi llawer i'w gadw i ffwrdd.

Ond Bwrdd sydd yn d'od er y rhwystrau i gyd,
O weithdy John Bwl, er mawr fendith i'r byd,
Fe'i gwelir y 'Nghorwen yn gwneuthur mawr les,
A phawb yn 'i weled yn llawn gwerth ei bres.

Corwenfab

Ym Mount Terrace yr oedd Samuel Jones yr ironmonger yn byw gyda Jemima ei wraig a phump o blant: Harriet (10) Elizabeth (8) Annie G (5) Amelia Blodwen (2) a Jemima (1). Daeth Amelia Blodwen yn wraig i fab John Evans y crydd sef Christmas Evans – gŵr a roddodd wasanaeth anhygoel ym maes cerddorol y fro. Dysgodd grefft ei dad ond fel postman gwlad yr enillai ei fara beunyddiol a byddai bob amser yn cario crystyn o fara yn ei boced gan fod arno andros o ofn cŵn. Llwyddodd i ennill ALCM a dysgodd gannoedd o blant i ganu ac i ganu'r piano, y ffidil a'r soddgrwth. Ef roddodd wersi i fy mam ac yr oedd hi'n sôn llawer amdano ac am y cyfnod pan fu'n canu yn ei gôr plant. Cyfansoddodd nifer fawr o donau a chantata o'r enw 'Croeso Haf'. Bu farw yn 85 oed yn 1975.

Gof gwyn oedd Robert Roberts, 1 Ty'n y Cefn (ac yn arddel yr enw barddol Eryr Alwen) a chanddo ferch o'r enw Catherine Jane oedd yn galw'i hun yn Eirianwen. Bu hi'n brifathrawes yng Ngherrigydrudion a bu farw yn 1939 yn 69 oed. Dywed Anthropos bod Robert Roberts yn ddyn hynod o drwsiadus. 'Braidd na ddywedem ei fod yn arfer gwisgo siwt dydd Sul ar ddiwrnod gwaith, er fod ganddo 'ffedog wen' a phâr o wydrau ar ei lygaid,' meddai. Yr oedd Robert Roberts yn daid i Gomer Roberts, Cefn Griolen, a fagwyd yn y Tyddyn Ucha, Llawrbetws. Mwy amdano fo yn y man. Masnachwr arall oedd John Jones, High Park, taid i'r diweddar Gynghorydd Llewelyn Jones. Byddai'n gwerthu glo o'r seidin ger Ty'n y Gotel lle'r oedd gan yr LMS adeilad pren i gadw nwyddau amaeth a phont i bwyso glo. Un o Langwm oedd Jennett ei wraig ac yn 1881 yr oedd ganddynt chwech o blant: John William (14) Elizabeth Janet (12) Robert H (11) Catherine (8) Evan (6) a Walter (4). Hefyd yn byw yno yr oedd ei dad-yng-nghyfraith, yntau hefyd yn John Jones ac yn cael ei alw'n bartner. Mab i Walter oedd Llewelyn Jones.

Yr oedd yna un ar ddeg yng Nghae'r Delyn sef Robert David Roberts, masnachwr a thrafeiliwr, genedigol o Langwm, a'i deulu. Un o Salford oedd ei wraig. Gweithio i David Jones a'i Gwmni, Lerpwl, oedd R D Roberts ond pan fu farw David Jones (oedd yn frodor o Landderfel ac yn frawd i Thomas Jones, Bryn Melyn) fe gymerwyd y busnes drosodd gan y teulu Roberts. Bu R D Roberts yn Uchel Siryf Sir Ddinbych yn 1904. Yr oedd David Jones yn flaenor yng nghapel Princes Rd., Lerpwl a gadawodd arian sylweddol i achosion crefyddol. Er enghraifft, gadawodd £4000 i'r Genhadaeth Dramor a dros £12,000 i amrywiol achosion crefyddol eraill ynghyd â rhai miloedd i'r Cyfundeb. Arian anhygoel yr adeg honno. Prynodd blas Bryn Dedwydd, Dinmael yn 1884 a bu farw yn 1888. Bu farw Thomas a Catherine Jones, Berth Lafar ger y Bala yng Nghae'r Delyn yn ystod yr 80au ond ni fedraf ddarganfod beth oedd y cysylltiad teuluol, os oedd un. Mab iddyn nhw oedd yn rhedeg tafarn Owain Glyndŵr sef John Arthur Jones ac yr oedd ganddo dri o blant a deg o staff. Yr oedd aelodau eraill o'r teulu'n ymwneud â thafarnau – ei chwaer Catherine, er enghraifft, yn cadw'r Royal yn Llangollen a phriododd â George Newberry, Castle Hotel, Bishops Castle. Ond ni wn beth oedd barn eu hewythr, y Dr Arthur Jones, gweinidog Ebeneser, Bangor, amdanynt chwaith. Ganwyd ef yn Llanrwst o deulu'r Esgob William Morgan ac yr oedd ei wraig yn ferch i Twm o'r Nant. Yr oedd yno gryn nifer o dafarnau yng Nghorwen; Jane Edwards oedd yn cadw'r Cross Keys a David Jones o Lantysilio yn y Royal Oak; William a Margaret Roberts yn Commercial House a Thomas Roberts (porthmon o Fryneglwys) yn cadw'r Crown; William Williams (o Lwyngwril) yn y Nag's Head; Lewis Williams (o Ddarowen) yn yr Harp a John Hughes yn yr Eagles.

Un ffaith sydd yn haeddu cael ei nodi yw cymaint oedd yn cael eu cyflogi gan gwmni rheilffordd y GWR. Does ryfedd i rywun ddweud mai God's Wonderful Railway oedd ystyr y llythrennau. Ymysg gweithwyr y lein cawn John Davies, Bryn Awel, gŵr o Sir Drefaldwyn oedd yn arolygydd; John Lloyd, Hill Street yn glanhau'r injian drên; Charles Roberts, gyrrwr trên (ac yr oedd ganddo ferch o'r enw Minerva a aeth i Ysgol Dr Williams, Dolgellau ac ennill ysgoloriaeth i Rydychen); William Jones, plismon ar y trenau a Samuel Morris, y gorsaf-feistr, brodor o Whittington, Swydd Amwythig, sef y Dref Wen yn yr hen farddoniaeth Gymraeg y canodd Tecwyn Ifan mor hyfryd amdani. Heblaw am y rhain yr oedd o leiaf ddeugain o deuluoedd eraill yn dibynnu ar y GWR am eu bywoliaeth.

Yr oedd rhai cymeriadau'n sefyll allan. Dyna i chi William Peake, beiliff y Llys Sirol, dyn amhoblogaidd iawn ar ambell achlysur mae'n siwr; Elizabeth Hearne, sydd yn cael ei disgrifio fel cyn-delynores – a minnau'n meddwl nad oedd telynorion byth yn ymddeol, dim ond bod eu tannau'n torri; Jonathan Davies, Commerce House, y dilledydd, mab y Wern Ddu, Gwyddelwern, Weslead pybr a disgynydd o deulu Rhyd y Marchogion, Llanelidan; Humphrey Rees y sadler, Reliance House. Ef oedd tad Caradog Rees a fu'n cadw siop ddillad yn Ninbych am flynyddoedd lawer a'r lle y prynais siwt i fynd am gyfweliad gyda Phwyllgor Addysg Llundain yn 1957! Edward Wood oedd yn Yr Hen Loc Yp, telynor anwyd yn Llanbedr Pont Steffan, yn byw hefo Sarah ei wraig a phedwar o blant, Winnie, Melissa, Edward a William, yn cael eu disgrifio fel cantorion. Yr oedd y rhain yn ddisgynyddion uniongyrchol i Abraham Wood, Brenin Sipsiwn Cymru. Adwaenid Edward Wood fel Telynor Meirion ac ef a ddysgodd yr iaith Romani i Dr John Sampson o Brifysgol Lerpwl, yr awdurdod ar hanes y Sipsiwn a'r dyn y gwasgarwyd ei lwch ar y Foel Goch uwch ben Llangwm yn 1933. Yr oedd criw mawr o Sipsiwn ynghyd â Dora Yates a'r arlunydd Augustus John yn bresennol yn y ddefod (ac Emrys Llangwm yn fachgen bach) a bu cryn gyfeddach ddiwetydd. Y mae Anthony Sampson, awdur *The Anatomy of Britain*, yn ŵyr iddo a chyhoeddodd gofiant i'w daid yn 1997. Priododd Edward Wood ddwywaith sef gyda Mary Ann a Sarah, dwy ferch i John Roberts, Telynor Cymru. Yr oedd dawn gerddorol disgynyddion Abraham Wood yn rhywbeth i ryfeddu ato. Y mae yna lun enwog o John Roberts, Telynor Cymru, a'i naw mab yn eistedd mewn hanner cylch gyda thelyn bob un yn diddanu'r Frenhines Victoria yn y Palé, Llandderfel yn 1889. Cyhoeddwyd y llun gyntaf yn yr *Illustrated London News*. Yr oedd Edward Wood hefyd yn un o'r cwmni. Yr oedd ganddo ddeg o blant o leiaf. Priododd Winnie â Charles Davies a William â Gertrude Pollock. Bu farw Edward Wood yn 1902 yn 39 Mount Street y Bala. Byddaf yn sôn mwy am yr Wdiaid.

Ymysg y bobl broffesiynol rhaid cyfeirio at Robert Lewis, gweinidog y Wesleaid oedd â merch o'r enw Dora Nesta; William Richardson, ficer Eglwys Mael a Sulien, brodor o Landudoch, Sir Benfro; a Hugh Williams o Gemaes, Sir Drefaldwyn, Arolygydd yr Heddlu. Yr oedd yno ddau gwmni o feddygon sef James R Walker ym Mhlas yn Dre, brodor o Ddinbych a rhes o lythrennau ar ôl ei enw. Ei wraig oedd Anne, merch John Roberts, Bryn Dedwydd, Llangwm. Yr oedd eu mab Horatio hefyd yn llawfeddyg ac yn Rhuthun yn 1892 priododd ag Elizabeth Pahud o'r Swisdir. Yn y Terrace yr oedd D R Jones, meddyg teulu, brodor o'r Bala ac yn lletya yno yr oedd Howell White, hefyd yn feddyg teulu. Aelod o deulu Rhyd y Glafes oedd ef ac yn 1912 fe'i lladdwyd pan daflwyd ef oddi ar ei geffyl. Yr oedd yn frawd i Thomas White y milfeddyg, i David White, Rhydyglafes, i Edward White, Cwrt, Llandegla, i Mrs Pritchard,

Cynwyd Fechan, ac i Mrs Edward Jones, Plasacre'r Bala. John Pugh o Ddolgellau oedd Rheolwr Banc Gogledd a De Cymru a Chadeirydd y Clwb Criced. Evan James oedd enw'r twrne ac yr oedd yn byw yn Brookside hefo'i wraig Rose (o Rhuthun) a chwech o blant – yn cynnwys Bridgettha (9) Llewelyn (7) a Norene (2).

Nid athro oedd yn byw yn y British School House eithr Thomas Griffiths y teiliwr. Mab Llechwedd Cilan, Llandrillo oedd o a'i wraig Elizabeth yn dod o Langollen. Yr oedd yno dri o blant – Mary (6) Griffith (4) ac Anne (2) ac athro 22 oed yn lletya yno – Evan R Davis o Risca, Sir Fynwy. Erbyn 1891 yr oedd y teulu wedi symud i Plas Onn Terrace a dywedir mai un o Lanarmon oedd Elizabeth Griffiths ac yr oedd yno ddau fab arall erbyn hyn sef Llewelyn (9) a Taliesin (7). Yn nes ymlaen ganwyd Kate. Priododd hi â'r Parch John Tudno Williams a nhw oedd rhieni Gwilym Tudno, Llewelyn Tudno a'r Parch Arthur Tudno Williams. Priododd Arthur Tudno â Primrose oedd yn chwaer i Syr Dafydd Hughes Parry. Yr oedd Thomas Griffiths y teiliwr ac Elizabeth ei wraig, felly, yn hen daid a hen nain i'r Athro John Tudno Williams, Aberystwyth, i Mair Tudno Lloyd, Caint ac i Einir Wyn, Cae Du, Abersoch, golygydd 'Gwreiddiau' – cylchgrawn Cymdeithas Hanes Teuluoedd Gwynedd. Y mae Rhys, mab Mair Tudno a David Lloyd, wedi priodi Mari, merch Morien Phillips a Morfudd Maesaleg – a dyna ni'n ôl yn y fro hon unwaith eto!

Yr oedd yna ffermydd yn y cyffiniau hefyd, wrth gwrs. Simon Williams, oedd ym Mhen y Bont, mab Pentre Derwen a brawd Henry Williams, Plas y Ward, ac wedi priodi Ann, merch Thomas Roberts, Bryn Brith (Blaen Iâl gynt). Bu eu mab Owen yn porthmona gyda'i gefnder Maurice Hughes, Hendre Bryn Cyffo, am flynyddoedd. Yr oedd gwraig Maurice Hughes yn ferch i William Williams, Syrior, Llandrillo. Dywed Gomer Roberts yn ei *Atgofion Amaethwr* (Cymdeithas Hanes Sir Feirionnydd) bod Simon Williams wedi mynd ag ugeiniau o filoedd o ddefaid a gwarteg i Essex, Northampton a Chaerlyr yn ystod ei oes. John Lloyd oedd yn Rhydyfen. Yr oedd hwn yn frawd i Robert Lloyd, Pant y Gynnau, Gwyddelwern. Bu farw yn 92 oed yn 1895. Un o Lanelidan oedd Margaret Evans ei wraig. Bu farw eu mab Robert ar sgwâr Corwen yn 75 oed. Thomas Evans oedd yn y Groes Lwyd ac yr oedd ganddo ef a'i wraig Margaret Jane (née Bowen Glanaber, Gwyddelwern) fab naw mlwydd oed o'r enw Samuel. Hwn oedd Sam Evans, Glanaber, y soniais amdano yn y bennod flaenorol. Dywed Lloyd Jones, Pant y Gynnau yn ei atgofion, mai lle sâl am fwyd diwrnod dyrnu oedd y Groes Lwyd a hynny oherwydd mai 'torthau llawr popty yn droedfedd neu ragor o hyd oedd yno a phawb i daenu eu menyn eu

71

hunain, a photes mewn tancard'. Nid oedd dynion wedi arfer gorfod gwneud peth mor elfennol â thorri brechdan a rhoi menyn arni! Lle digalon oedd y Wyrcws, yr Union House. Y Mistar oedd Edward Williams a'i wraig Grace yn gweithredu fel Matron. Yr oedd yno 57 o 'inmates' yn amrywio o blentyn tri mis oed i rai dros oed yr addewid a chryn ddwsin o blant dan ddeg oed. Yn yr oes honno yr oedd mamau dibriod a'u plant yn cael eu hanfon i'r wyrcws neu i'r seilom. Anodd dychmygu'r anobaith oedd o fewn ei furiau. Yr oedd y gair 'Wyrcws' yn ddigon â chodi braw ar unrhyw un yr adeg honno – ac ymhell i'r ugeinfed ganrif hefyd.

Yr hynaf yn y fro oedd Anne Jones, 92 oed, Ty'n Llidiart, genedigol o Landderfel. Yr oedd John Hughes, Trewyn Bach a Robert Lloyd, Pentre Trewyn ill dau yn 85. Y rhai ieuengaf oedd Mary Davies, Fron Hyfryd (pythefnos) Edward Edwards, Fron Deg a Maria Rees, Reliance House (mis). Rhestrir tri phâr o efeilliaid: Evan a Noah, meibion naw oed Evan a Mary Jones, Fron Deg; Thomas ac Elin (3), plant Robert a Mary Rowlands, Tai Capel Bach ac Evan a Mary Roberts, Nant Fawr y soniais amdanynt eisoes.

Erbyn 1891 yr oedd gan Charles a Frances Wynne y Rhug saith o blant a'r cyfan yn uniaith Saesneg. Lle arall oedd yn cyflogi nifer helaeth o staff oedd y Rhagat lle'r oedd Thomas Vosper yn byw, brodor o Ddyfnaint a pherchennog llongau. Yr oedd ganddo dri mab, Norman, Gerald a Frank ac y mae cysylltiad rhwng y teulu hwn a Vosperiaid Plas Coch, Llanychan: credaf mai mab i'r Norman Vosper uchod oedd Lyn Vosper, Plas Coch a briododd ag Amice Anderson yn Llanbedr DC yn 1951. Y mae hi erbyn hyn yn byw yn Llawog, Llanynys. Yr oedd y diweddar Denis Vosper, A.S. – Arglwydd Runcorn wedyn – hefyd yn aelod o'r teulu. Ei wraig ef oedd Helen Graham, Plas yn Rhos, Gellifor. Deuthum i'w hadnabod hi, nid oherwydd ei bod yn dod o ffarm gyfagos ond oherwydd ei bod ar y Fainc yn Llys Ynadon Willesden yng ngogledd orllewin Llundain hefo fy ngŵr! Cynt y cyferfydd dau ddyn na dau fynydd meddai'r henair. Chwaer iddi oedd Marigold Graham fu farw yn 1998. Amgylchynnir Plas yn Rhos gan goed talgryf wedi eu plannu ar batrwm y llongau ym Mrwydr Trafalgar.

Enwir nifer o bregethwyr yn y plwy neu oedd ar ymweliad (gan mai'r Sul ydoedd). Yn aros ym Melin y Ddwyryd yr oedd y Parch Humphrey Ellis, 79 oed o Langwm. Ef fedyddiodd Hugh Evans, Cwm Eithin. Soniais amdano yn y bennod gyntaf. Yn 1887 yr oedd Humphrey Ellis wedi bod yn weinidog am hanner can mlynedd a chafwyd cyfarfod teyrnged iddo yng nghapel Penybont, pan gyflwynwyd iddo bwrs o arian, sbectol aur a phortread ohono mewn olew sydd yn ddiogel yn nwylo ei

72

ddisgynyddion meddir wrthyf. Yn byw yn Siop y Ddwyryd yr oedd John Pritchard, brodor o Landdeiniolen, gweinidog gyda'r Annibynwyr a'i fab Thomas yn cadw'r siop. John Lloyd o Landdewibrefi oedd y ficer a James Matthias yn gofalu am y Bedyddwyr, ei fab Evan yn bobydd. Yr oedd yr enwog Hywel Cernyw yn gofalu am y Bedyddwyr hefyd a Chapel Cernyw y gelwir ei gapel yng Nghorwen hyd heddiw. Mab ydoedd i Moses a Mary Williams, Pentre, Llangernyw. Bu'n olygydd *Seren Gomer* a'r *Greal* a chyhoeddodd amryw o lyfrau. Cyflwynwyd Gradd Ddoethuriaeth er Anrhydedd iddo gan Brifysgol Cymru yn 1932. Bu farw yng Nghorwen fis Mai 1938 yn 92 oed. Yn cadw llygad ar y Calfiniaid, ac yn byw yn y Fron Deg, yr oedd David Hughes, mab Humphrey Hughes, Cae Du, Bryneglwys (gynt o Blas Adda). Yr oedd ganddo fo a Lydia (merch Tŷ Cerrig, Bryneglwys a'r gyntaf i gael ei bedyddio yng nghapel Sion, Bryneglwys yn 1823) nifer o blant: **Thomas** a briododd Jane Jones, Cysulog ac a fu'n byw yn Grove House, Gwyddelwern; **David** aeth i'r Unol Daleithiau, adweinid ef fel 'Ialydd' ac yr oedd ganddo *ranch* o fil o aceri; **Margaret Elizabeth; John Elias** aeth i'r weinidogaeth ac a fu farw yn 1910; **Humphrey** aeth i'r Unol Daleithiau; **Robert Evan** aeth i'r Unol Daleithiau; **James** a briododd Kate Ellen Griffith; **William Gladstone** a briododd Elizabeth Bryn Williams, Canonbury, Llundain; **Lydia; Jane Anne** a briododd William Thomas ac yn olaf **Job** sef y nodedig Ddr J Medwyn Hughes, Rhuthun. Yr oedd Robert brawd y Parch. David Hughes hefyd yn byw yng Nghorwen hefo'i wraig Winifred (Evans gynt) a'u mab Edgar.

Y person hynaf yn y plwy oedd Winifred Humphreys, 92 oed, (adwaenid fel Gwen, fel y rhan fwyaf oedd wedi cael eu bedyddio gyda'r enw Winifred – y ffurf Saesneg ar Gwenfrewi) mam-yng-nghyfraith Evan Jones, Geufron Bach. Yr wyf yn amau'r ffigwr braidd gan mai yn 1818 y ganwyd hi a bu farw yn 96 oed yn 1904. Yr oedd gŵr Winifred, Edward Humphreys, yn frawd i fy hen-hen-nain, Jane Roberts, Clegir Mawr – plant David Humphreys a Catherine Owen, Geufron Bach. Bu farw David Humphreys fis Mawrth 1839 yn 78 oed ac yn ei ewyllys gadawodd ei ffrâm gwely a'r gwely plu a'r holl ddillad gwely a deugain punt i'w ferch Catherine a phopeth arall i'w fab Edward. Yr oedd Catherine wedi cael plentyn siawns a enwyd yn Emma yn 1834. Tybed a oes disgynyddion i Emma o gwmpas yn rhywle? Tystion yr ewyllys oedd John Hughes, Tŷ Mawr a David Jones, Llechwedd y Coed. Lladdwyd Evan Jones, Geufron Bach yn 1907 pan syrthiodd o ben sied wair.

Ymysg y babanod ifanc ceir John H Roberts, pythefnos oed, mab Maurice a Jane Roberts, Glyndŵr Terrace, dyn insiwrans; Mary, merch bedwar mis oed i Richard ac Anne Newnes, cigydd; Catherine E, dau fis, merch John a Jane Griffith, postman; Thomas, deufis, mab John ac Alice Jones, Ty'n Celyn, Tre'r Ddôl, ffermwr. Yr oedd yr efeilliaid Evan a Noah Jones, erbyn hyn yn 18 oed, Evan yn cario'r post a Noah yn llifiwr. Yr oedd yna ddau bâr arall o efeilliaid: Hugh a Maggie (6), plant Thomas Williams, garddwr gweddw yn byw yn Adderley; a Hugh H a Lewis E, meibion blwydd oed i John a Mary Edwards, ffermwr, Blaen Ddôl. Yr oedd John Edwards a'i bedwar brawd, Edward, William, David a George, yn bencampwyr ar aredig, cau a chloddio, gwneud teisi a'u toi, gwneud rhaffau gwellt a gwair a gwneud ffyn, gan ennill gwobrau lu yn ystod degawd olaf y bedwaredd ganrif ar bymtheg. Yn ei gyfrol *Hogyn o Gwm Main* y mae W H Jones yn dweud bod yr efeilliaid Huw a Lewis yn 'gymeriadau doniol ac annwyl, yn byw mwy yn y gorffennol ac yn smocwyr trwm' – bob amser hefo'i gilydd yn ôl y sôn. Yr oedd y ddau mewn rhyw bicil o hyd a dywed W H Jones mai'r tro olaf iddo'u gweld hefo'i gilydd oedd ar fore oer o Ionawr ddiwedd y 50au, eu hwynebau a'u dwylo'n sgriffiniadau. Ymddengys eu bod wedi cerdded rhyw filltir dros eira trwchus i 'mofyn ysgol yr oedd arnynt ei hangen. Er mwyn munud o egwyl rhoddwyd yr ysgol i lawr ar ben Ffridd Llechwedd ac eisteddodd y ddau arni am smôc a ffwrdd â hi, a hwythau arni, i lawr y goriwaered a thrwy wrych o ddrain ac i lawr y llechwedd serth i gyfeiriad Ty'n y Wern a stopio yn y diwedd mewn twmpath o eithin. Dau enaid hoff cytun ac yn swnio'n ddigon tebyg i Laurel a Hardy!

Yr oedd un arall o deulu peniog Rhyd y Glafes yn byw yn Glyndŵr Terrace sef Thomas White y milfeddyg, ei wraig Dorothy yn ferch Tyisa, Llanfair DC. Bu hi farw yn 100 oed 11 Ebrill 1933 yn Prince of Wales Cottage, Cynwyd. Yn 1891 yr oedd ganddynt ddau o blant – Catherine (19) a Thomas R P (16). Merch arall iddynt oedd gwraig Sam Evans, Glanaber, Gwyddelwern. Yr oedd gŵr o'r enw William Strong, brodor o Ddyfnaint yn gweithio ar y lein, yn byw yn Sgwâr y Frenhines. Yr oedd ganddo fab o'r enw William a fu'n tiwnio pianos Edeyrnion am flynyddoedd lawer. Ceir stori amdano yn cerdded i fuarth fferm Highgate un bore ac yn cyfarch y perchennog: *'Good morning! I'm Strong'*. *'So am I'* oedd ateb William Edwards. Yn byw ar ei ben ei hun ym Mronhyfryd yr oedd y Parch Lewis Davies, gweinidog gyda'r Annibynwyr a brodor o Droedyraur, Sir Aberteifi. Ond cafodd gwmni yn y man drwy briodi Catherine (Kate) Brithdir, modryb Dei Ellis, y bardd o Benyfed. Lewis a Kate Davies oedd rhieni'r nofelydd Elena Puw Morgan.

Yn byw yn Northyn Terrace yr oedd Hugh Morris, saer maen 61 oed, a anwyd yn Rhuthun ac a adwaenid dan yr enw barddol 'Rhuddfryn'. Dywedir ei fod yn gywyddwr da. Bu farw yn 1908. Yr oedd ei wraig Ellen yn ferch i Iolo Gwyddelwern a chawsant bump o blant – aeth un mab, Lewis, i'r weinidogaeth ac yr oedd un arall, Hugh, yn byw yng Nghesail y Berwyn – ef oedd ysgrifennydd Eisteddfod Corwen 1919 pan enillodd fy mam a'i chwaer Megan ar y ddeuawd dan 12 oed. Yn yr un Eisteddfod cafodd Alwen Ellis, Rhydyfen yr ail wobr am adrodd dan 12 oed. Nid oedd modd i Morfydd ac Alwen, y ddwy yn naw oed, wybod y byddai mab y gyntaf yn priodi merch yr ail yn 1974.

Yr oedd gan 'Rhuddfryn' frawd o'r enw John Morris oedd yn byw yn Rhuthun, adeiladydd llwyddiannus a thad-yng-nghyfraith i Francis Dowell. Bu farw yn 1902 yn 78 oed. Ni wn ym mhle y ganwyd Iolo Gwyddelwern. Ei enw bedydd oedd Edward Evans (1786-1853) a dywedir bod ganddo awen barod a'i fod wedi gadael llawer o gynnyrch mewn llawysgrif. Bu farw yn Heol Clwyd, Rhuthun.

Deg oedd oedd Owen Ellis Roberts, mab Ellis a Ruth Roberts, Rock Terrace. Hwn ddaeth yn enwog wedyn fel 'Caerwyn'. Yn Eisteddfod yr Wyddgrug 1923 ef ac Ap Melangell oedd y ddau wahoddwyd i siarad wrth agor yr Orsedd. Yn Eisteddfod Abertawe 1926 galwyd arno i roi anerchiad barddonol hefo Brynfab a Gwilym ap Lleision ac ym Mangor yn 1931 darllenodd gerdd o'i waith ei hun:

Beth ddywed Tom Richards ac Elfed
Neu Gwylfa neu Doctor Lloyd,
Fe synnech gynifer sy'n chwannog
Am wybod i sicrwydd ei hoed,
Mae'n gwisgo mor ifanc a meinwen
Mewn gwyrddlas a glas a gwyn,
Mae'n llawn o ddireidi'r Awen
Faint tybed ei hoed erbyn hyn?

Ymddengys fod oed yr Orsedd yn poeni pobl ac mai dyna ystyr y gerdd uchod. Hynnny yw, yr oedd yn dechrau gwawrio arnynt mai creadigaeth Iolo Morganwg yn 1792 oedd yr Orsedd ac nid defod oedd yn mynd yn ôl i'r Oesoedd Tywyll. Yn ôl yr hanes yr oedd gan Gaerwyn lais main ac fe luniodd W D Williams yr englyn hwn amdano:

Caerwyn, ei wedd fel ceriwb – sŵn y llais
Yn llyfn fel esoliwb,
A'i dôn fel rhedli'r Ddaniwb
Yn dod drwy ryw denau diwb.

Yr oedd Corwen yn niwedd y 19eg ganrif yn dref brysur dros ben gyda pheth wmbredd o bobl ddwad, nifer fawr iawn wedi dod o Loegr yn sgil y rheilffordd. Yr oedd rhai cannoedd yn dibynnu ar y GWR am eu bara menyn ac er nad oedd y cyflogau'n fawr yr oeddynt yn sefydlog. Golygai hynny bod angen yr holl wasanaethau ar eu cyfer ac yr oedd yno nifer fawr o siopau a thafarnau i'w plesio. Yr oedd yno hefyd ddiwydiant argraffu prysur a phapur newydd *Yr Adsain* yn ddylanwadol ac yn cynnig gwaith i nifer o gysodwyr ac ati. Daeth *Yr Adsain* i ben rywbryd yn ystod 40au'r ganrif hon ac y mae bron yn amhosibl cael gafael ar ôl-rifynnau. Yn 1891 yr oedd un o argraffwyr y dre, Lloyd ap D Jones, wedi gwneud enw iddo'i hun drwy ddyfeisio yr hyn a elwid yn *'Lloyd's Indelible or Waterproof Black Ink'*.

Wrth gofio Corwen fy mhlentyndod yr hyn a ddaw i'r meddwl yw'r llain fowlio yn y Maes Coffa lle byddai fy nhad yn mynd yn aml ar nos Sadwrn ac yn mwynhau gêm neu ddwy hefo Hywel Davies, Bryn Gwenallt, Bobi Caenog a Tudor, Bryn Golau a chriw o hen ffrindiau. Byddai fy mam, a phedwar o blant wrth ei chynffon, yn picio i mewn i siop Chwech a Dime a siop lyfrau Trefor Preis, i'r Commerce House am ddilledyn neu ddau ac i siop esgidiau Elsie Plack yn XL cyn anelu am y Pengwern, cartref ei modryb Catherine, am baned. Cawn innau yn y fan honno focsied o *Dandy* a *Beano* i'w darllen. Gwefr fythgofiadwy. Nid yw plant heddiw'n sylweddoli pa mor gyffrous oedd cael deunydd darllen toc wedi'r rhyfel gan fod llyfrau'n brin. Lleufer yn wir yw llyfr da. Ac yr oedd comic yn well fyth, er nad oedd plant yr Ysgol Sul i fod i ddarllen y fath sothach. Ond yr wyf yn digwydd credu bod darllen sothach yn well na pheidio darllen dim byd o gwbl. Ac o sôn am Hywel Davies credaf mai ef yw'r bachgen dwyflwydd oed yng Ngwern y Pandy yn 1891 hefo'i rieni John ac Elizabeth Davies a thri brawd – John T, Samuel a James a dwy chwaer, Elizabeth a Harriet (a briododd R T Jones, groser o Abercynon). Yr oedd gan Elizabeth, y fam, frawd o'r enw David Hughes, adeiladydd llwyddiannus yn Wallasey. Bu iddo 16 o blant a phan fu farw yn 1944 yr oedd cyfanswm oed ei blant yn 653 a dywedid yn y wasg bod hynny yn record ar y pryd.

O gofio dylanwad y rheilffordd ar Gorwen addas yw terfynu gyda phennill a welir ar garreg fedd gyrrwr trên ym mynwent y dre:

His last drive is over, death has put on the brake,
His soul has been signalled, its long journey to take,
When death blows the whistle, the steam of life fails,
And his mortal clay shunted till the last trumpet calls.

O ie, rhaid datgelu'r ateb i'r cwestiwn – faint o feirdd sydd ym Meirion – sef:

Tri un, dau, tri naw, deg, – tri pedwar,
Tri phump, tri phymtheg,
Tri wyth, tri wyth, tri deuddeg,
Tri dau, tri un, tri naw, deg.

yn gwneud cyfanswm o ddau gant pedwar deg a phedwar!

Carrog a Glyndyfrdwy – Bro Owain

Llansantffraid yw enw gwreiddiol yr ardal ond pan wnaed y rheilffordd rhoddwyd yr enw Carrog ar yr orsaf – enw a gymerwyd o dai ffermydd y cylch – Carrog Ucha, Carrog Isa a Charrog Bach. Yn ôl cofnodion yn dyddio o 1293 yr oedd amryw o deuluoedd wedi sefydlu yno yr adeg honno. Hen gynefin felly – a chynefin hardd iawn hefyd gyda'i hafon a'i moelydd. Ac yr oedd pethau reit od yn medru digwydd yno weithiau:

Neidiodd llyffant ar un naid
O Lansantffraid i Lunden!

Ond y mae yna rigwm arall hefyd, llai adnabyddus:

Yn Llansantffraid mae chwech o bethe,
Trol Blue Bell a mul y pentre,
Geifr Tŷ Mawr a chwid Froneinion,
Ci Ty'n Llwyn a gâst y person.

Mae'n amlwg mai am Garrog y mae'r pennill yna'n sôn ond rhaid cofio bod mwy nag un Llansantffraid yng Nghymru: mae un yn Nyffryn Conwy, un arall yn Nyffryn Ceiriog a cheir hefyd Lansantffraid ym Mechain yn Sir Drefaldwyn. Santes oedd Ffraid a hi oedd Bridget neu Brigid y Gwyddelod.

Un o'r anfanteision wrth geisio olrhain hanes teuluoedd y fro yw bod rhai o'r cofrestri plwy ar goll. Dywedir iddynt fynd gyda'r afon ar 24 o Ragfyr 1601. Mae'n amlwg bod y Ddyfrdwy'n medru bod yn elyn yn ogystal â ffrind. Deuthum ar draws y ddau rigwm hwn yn ddiweddar:

Dyfrdwy'n codi'n glompen
I fynd â defed Corwen
I wneyd potes cynes coch
I blant a moch Llangollen.

Dyfrdwy, Dyfrdwy fawr ei naid
Aeth ag eglwys Llansantffraid
A'r llyfrau bendigedig
A'i gwpan arian hefyd.

sydd yn cadarnhau'r gred mai gyda'r afon yr aeth y cofnodion gwerthfawr ac sydd yn golygu, mae'n debyg, na chaf byth wybod enwau fy hynafiaid oedd yn byw yn Nhŷ Mawr Morfudd nac olrhain achau Edward Edwards, Llwyn y Brain chwaith. Y tri chofnod cyntaf yw: 7 Ebrill 1682 claddwyd John Griffith; 6 Awst 1682 bedyddiwyd Edward mab Thomas ap Thomas John ac ar 27ain Chwefror 1682 priodwyd Hugh Davies, Cae Pant, Llandderfel ac Elizabeth Williams o Garrog.

Yn 1881 yr oedd yno bump dros eu pedwar ugain: Elizabeth Evans, Tŷ Du yn 81; Edward Jones, Penarth yn 82; Edward Lloyd y Sun yn 82; John Jones, Carrog Isa yn 83 a Robert Hughes, Bryn Tirion yn 84. Y rhai ieuengaf yn y fro oedd babi wythnos oed heb ei enwi, merch Edward a Margaret Edwards, Tan Llan, babi deuddeg diwrnod oed heb ei enwi, mab Margaret Blease, Carchardy, a Margaret Evans, Pen Lan, pythefnos oed. Yr oedd dau bâr o efeilliaid sef David C a Sarah, plant 6 oed Robert a Sarah Jones, Tan y Graig, a John a Mary Jones, 14 oed, Penrallt.

Ymysg y tai llawn cawn y Blue Bell, Pen y Bont a Tŷ Cerrig. Fel hyn y maent yn cael eu cofnodi:

BLUE BELL

Amos Williams	Pen	41	Gwyliwr afon/ Tafarnwr	Llanelidan
Mary "	gwraig	41		Corwen
John "	mab	16		"
William "	mab	15		"
Sephorah "	merch	13		"
Keziah "	merch	10		"
Alice "	merch	6		"
Rowland "	mab	4		"
Arthur "	mab	3		"
Gabriel "	mab	11 mis		Corwen
Margaret Jones	mam-yng-nghyfraith	80	cyn-dafarnwraig	Llanfair DC
Margaret "	chwaer-yng-nghyfraith	55		Derwen
Hugh Roberts	lletywr	23	Crydd	Gwyddelwern

Cadw llygad ar yr afon Ddyfrdwy doreithiog oedd Abel Williams, mae'n debyg, a hynny oherwydd ei bod yn denu potsiars liw nos. Yr oedd hefyd yn dafarnwr ac yn gwerthu glo yn ogystal â bod yn bysgotwr wrth natur. Byddai'n gwneud ei wialen a'i blu ei hun ac yn nabod pob modfedd o'r afon. Deuai llawer o Saeson i'r ardal i bysgota ac Amos Williams fyddai'n eu tywys o gwmpas. Yr oedd ei wraig Mary hefyd yn dipyn o gymeriad a byddai'n casglu llysiau ac yn gwneud eli a ffisig ar gyfer pob math o glwyfau. Byddai'r hogiau lleol yn prynu taclau pysgota gan Amos – prynu tri bach am geiniog i ddal yslywen, un bach am geiniog i ddal brithyll. Wedi dal yr yslywod byddent yn eu gwerthu i Mary am geiniog neu ddwy a byddai hi'n gwneud olew allan o'u crwyn i wella'r clyw. Enwau diddorol gan ddwy o'i ferched: Sephorah a Keziah. Sephorah neu Sipporah oedd enw gwraig Moses – merch Jethro. Mae'n siwr eich bod yn cofio Moses yn bugeilio defaid ei chwegrwn pan welodd y berth yn llosgi ond heb ei difa. Un o ferched Job oedd Keziah a dyma'r enw roddodd Susannah Wesley (mam John a Charles) ar ei phedwerydd plentyn ar bymtheg.

PEN Y BONT

Hugh Jones	Pen	58	Ffermio 157 erw	Corwen
Mary "	gwraig	48		Llansilin
Annie "	merch	20		Corwen
Edward "	mab	18		"
Hugh "	mab	17		"
Richard "	mab	11		"
John M "	mab	9		"
Thomas S "	mab	8		"
Amy E "	merch	3		"
Cath J Owens	morwyn	18		"
Griffith Williams	gwas	21		Salop

Yr oedd teulu Hugh Jones wedi bod yn ffermio yma ers dyddiau Owain Glyndŵr meddir. Yr oedd yn Gynghorydd Sir ac yn Rhyddfrydwr selog. Mary Richards o'r Berth Lwyd, Llansilin oedd ei wraig a chawsant naw o blant. Yn eu plith yr oedd **Mary Adelaide**, y ferch hynaf oedd wedi priodi Richard Lloyd Jones, Maerdy Mawr, Gwyddelwern, oedd yn gefnder iddi; **Edward Price** (1863-1950) a briododd Mary Edwards y Wenallt ger y Bala yng nghapel y Bedyddwyr, Llangollen ddiwedd 1891. Gweinyddwyd y briodas gan Llifon. Wedyn bu'r ddau (oedd yn ifanc iawn) yn ffermio Cileurych a chawsant nifer o blant – yn eu plith yr oedd Hugh Emlyn Jones, Pwll Naid, Llanelidan; Haydn Jones, Bryntangor, Bryneglwys a Beryl Powell, Cileurych ac y mae nifer o'u disgynyddion wedi arddel yr enw Hugh/Huw – Hugh Gaerwyn Jones, Fferwd, Llansannan, Huw Gwyn Jones, Fferm Five Fords, Wrecsam, Hugh Vernon Jones, Fferm Pentrecelyn, a'i fab Huw Emyr. 'Rwy'n hoffi dilyniant o'r fath. Gyda llaw y mae'r gantores Awel Haf Powell yn or-wyres i Edward Price Jones a Guto Pryce, un o'r Super Furry Animals yn or-ŵyr iddo; **Hugh** a briododd Ada Wilcox yn 1914;

Hugh a Mary Hughes, Bryn Tangor, Bryneglwys yn 1911

Gweinidog a Blaenoriaid Capel Sion, Bryneglwys yn 1926. Yn sefyll: Michael R. Thomas, Llwyn Onn; John Hugh Jones, Pwll Pridd; David Roberts, Tŷ tan Derw; John Salisbury Davies, Plas yn Rhos; Edward Jones, Tal y Bidwel Fawr. Yn eistedd: Elizabeth Lloyd, Hendreforfydd Bach; y Parch. J.T. Williams; E. W. Thomas, Llwyn Onn.

Teulu Cwm, Llanelidan. Yn sefyll: Gwilym; Florence; Ted; Tom;
yn eistedd: Marged Elin; Annie Jones; Hugh Jones a John.

Y Parch. Thomas Davies – 'Bethel' – a fagwyd yn Llwyn y Brain, Bryn Saith Marchog. Bardd Cadeiriol Eisteddfod Genedlaethol Abertawe 1907 ac awdur marwnadau dirif i aelodau'r teulu.

*Alun Jones, Gwrych Bedw a Robert Vaughan Jones, Siambr Wen yn nyddiau
ysgol. Yn 1929 aeth y ddau i Ganada hefo'i gilydd.*

Aduniad disgynyddion Hugh a Mary Hughes, Bryn Tangor yn 1990.

Teulu Cae Llewelyn 18 Medi 1907. Yn sefyll: Thomas (Y Manor); John (Tan y Gaer); Charles (Parchg); Edward (Tal y Bidwel Fawr a Green Isa); Evan (Rhyd y Creuau). Yn eistedd: Jennie (Pwll Naid); Margaret (Wrecsam); John Jones (1857-1920); Margaret Jones (1857-1926); Annie (Wrecsam); Mary (Llyn, Llangollen). Tu blaen: Sarah (Wrecsam); Catherine (Penguern,

Diwrnod agor Capel Cefnywern 1909.

Rhes ôl: John Lewis, Groeswen; Robert Wynne, Tŷ'n y Pant; John Edwards, Highgate; Hugh Hughes, Bryn Tangor; Peter Hughes, Cae Haidd; Richard Wynne, Rhewl Felyn; Stephen Evans, Tŷ'n y Pant; Gomer Roberts, Cefn Griolen; Hugh Jones, Cwm.

Ail res: Pryce Jones, Tŷ'n y Mynydd; ???; John William Roberts, Cefn Griolen; Price Williams, Cefnywern; William Jones, ???; David Owen Roberts, Cefn Griolen; John William Price, Hafod y Fedlwyn; Ieuan Hughes, Bryn Tangor; John T. Jones, Cwm; Ellis Edwards, Highgate; William Edwards, Highgate; ???; ???; Tom Jones, Cwm; John Williams, Cae Haidd; ???;

Rhes nesaf: Sarah Jones, Tŷ'n y Mynydd; ???; ???; ?Baines, Cae Du; Marged Elin Jones, Cwm; Kate Roberts, Cefn Griolen; Muriel Hughes, Bryn Tangor; Gruffudd Hughes; John Evans, Tŷ'n y Pant; Y Parch R. J. Jones.

4ydd res: Betsen Evans, Tŷ y Pant; Susannah Wynne, Rhewl Felyn; Mrs Edwards, Highgate; Maria Jones, Bryn Ysguboriau; Ann Williams, Cefnywern; Annie Jones, Cwm; Margaret Roberts, Cefn Griolen; Mary Hughes, Bryn Tangor; ? Williams, Cae Haidd; Elin Lewis, Groeswen; Mrs Roberts, Bryn Cyne; ???; ???;

5ed res: Gwladys Wynne, Rhewl Felyn; Bessie Edwards, Highgate; Olwen Price, Penrhiw; Ann Jane Price, Penrhiw; Olwen Hughes, Bryn Tangor; Kate Wynne, Rhewl Felyn; Maggie Lewis, Groeswen; ???; Sally Humphreys, Tŷ'n y Groes; ? Baines, Cae Du; ???; ???;

Rhes flaen: Ethel Wynne, Rhewl Felyn; Trefor Wynne, Rhewl Felyn; Gwilym Jones, Cwm; Florence Ann Jones, Cwm; Kitty Jones, Bryn Ysguboriau; Ted Lloyd Jones, Cwm; John W. Roberts; John Baines, Cae Du.

89

Teulu Elizabeth a John Wynne, Y Gro. Yn sefyll o'r chwith: Robert, Lizzie, John, Maggie, Hywel, Jennie. Yn eistedd: Dora, Betsi Wynne, John Wynne, Annie. Ar y llawr: Edith a Harriet.

Disgynyddion Margaret a John Hughes, Clegir Isa yn 1988. Rhes ôl: Gordon
Coslett Thomas, Vancouver; Hefin Williams, Rhydaman.
Ail res: Vernon a Beverley Coslett Thomas, Vancouver; Eirlys Williams,
Rhydaman; Jack a Betty Hutchinson, Vancouver.
3ydd res: Barbara Meredith; Joyce Thomas, Vancouver; Oliver Hughes,
Llangwm; Evelyn Steele, Massachussetts; Glenys Williams, Y Rhyl; Muriel
Daunt-Smyth, Dulyn; Gwilym Williams, Y Rhyl; Emyr P. Roberts, Dinmael.
Rhes nesaf: Jane Hughes, Llangwm; Mary Meredith; Valmai Webb, Carrog;
Rowenna Williams, Rhuthun; Mair Roberts, Dinmael;
Enid Eccles, Rhuthun y tu blaen.

Disgynyddion John a Margaret Jones, Llan, Carrog gynt o Gae Llewelyn, Llandysilio, ym Mhlas Llanbedr DC Hydref, 1988

Y Rhiw, Pwll-glas. Codwyd y tai tua 1906 gan John Jones, Llannerch Gron.

Thomas Tudor Roberts, Tir Barwn ac Elizabeth Anne Hughes, Tŷ Mawr Morfudd, a phedwar o'u plant tua 1902 yng Nghanada. Lladdwyd John yn y Rhyfel Mawr; Thomas Edward, Jane Anne ac Elizabeth Myrtle.

Hugh Roberts (1833-1923) seithfed mab John a Jane Roberts y Clegir Mawr. Bu'n ffermio'r Hendre Isa a Phant y Gynnau

Edward ac Ann Edwards (née Dafis) Llwynybrain – cyn 1865.

Richard Lloyd a phriododd yntau ferch o'r enw Mary Edwards hefyd, merch Parc Llwydiarth, Pont Llogel a ganwyd iddynt dri o blant: Nesta Drusilla a briododd Howell Williams, Doris Myfanwy a briododd Peter John Thomas a Gwladys Blodwen a briododd John Youds oedd yn olffiwr proffesiynol. Y mae plant Nesta yn yr UDA. Mab i Doris Myfanwy a Peter John Thomas yw Peter Llewelyn Thomas a fu, fel ei dad, yn cadw siop dillad dynion yn Ninbych a'i wraig Glenys yn wyres i Edward Lloyd y gof, Dinbych, fu farw yn 95 oed yn 1937, un o bedwar plentyn ar ddeg i John Lloyd y gof, Bryn Saith Marchog; **John Maurice** oedd y plentyn nesaf a phriododd ef â Mary Maria Edwards, Tan y Coed, Carrog, fu farw yn Alwen Cottage, Ty'n y Cefn, yn 1955. Ganwyd iddynt un ferch, Lois Nean, yn 1915. Wedyn daw **Thomas Stephen** a fu'n byw ym Mhenybont a'r ieuengaf o'r teulu oedd **Amy Elizabeth** fu farw yn 1961.

TŶ CERRIG

Evan Evans	Pen	59	Ffermio 144 erw	Bryneglwys
Elizabeth "	gwraig	56		Gwyddelwern
Richard "	mab	27		"
William "	mab	20		"
Dora "	merch	18		"
George L "	mab	14		"
Robert Jones	gwas	24		Bryneglwys
Elizabeth Hughes	morwyn	28		Cynwyd
John L Jones	ŵyr	4		Bryneglwys

Mab John a Betsen Evans, Hendre Forfudd (a elwid hefyd yn Tŷ Du) a cyn hynny o Dyddyn Inco, Llandderfel, oedd Evan Evans a bu'n byw am gyfnod yn Angharad, Gwyddelwern. Ymysg ei blant yr oedd **Evan** a briododd Dorothy Elizabeth Lloyd, Tal y Bidwel Bach, Bryneglwys; **Richard** sef tad Augustus Lloyd Evans a symudodd o Hendre Forfudd (lle mae ei fab heddiw) i fyw i'r Hendre Wen yn Rhuthun (Kitty, Maes Tyddyn oedd ei wraig); Lloyd Asquith a fu'n ffermio Hendre Isa, Llanelidan, ei ferch Helena wedi bod yn athrawes yn Ysgol Twm o'r Nant am flynyddoedd a'i fab Eifion yn ffermio Summerhill, Tremeirchion; a Doris Augusta (fu farw fis Mawrth 2001) gwraig Gomer Roberts, Cefn Griolen, Llanelidan. Priododd **Dora/Dorothy** â William Williams, Cae Crwn, Bryneglwys a chollwyd un o'u meibion yn y Rhyfel Mawr. Bu farw **George**, mab arall Evan Evans yn 1932 ac ef oedd tad George Caradog (a foddodd yn bedair oed yn 1909); Helena a briododd Emlyn Evans; Lloyd, a fu'n ffermio Cae Crwn; y Parch Herbert Evans a fu'n weinidog eglwys St John Street, Caer; Elizabeth Jane a briododd y Parch J Alun Lloyd, Mochdre; Gwenda; Owen a fu'n ffermio Cae Crwn a John Lewis a ymfudodd i Seland Newydd. Ganwyd merch o'r enw **Margaret** hefyd i Evan ac Elizabeth Evans a phriododd hi â Walter Septimus Davies, y ddau yn byw yn y Ddwyryd yn 1891. Bu ef farw yn Ty'n Llwyn, Carrog yn 1941 yn 80 oed. Y mae'r Cynghorydd W Rhys Webb yn ŵyr iddynt.

Dyn pwysig yn y fro oedd Edward Phillips, Glanllyn, a'i uchelgais oedd agor chwarel lechi. Yn ôl yr hanes yr oedd yn eistedd o dan goeden ar lechwedd Penarth un diwrnod yn y gwanwyn pan ganodd y gog uwch ei ben. Penderfynodd agor y chwarel yn yr union fan ac erbyn 1870 yr oedd hi mewn llawn gwaith a chynifer â thri chant yn gweithio ynddi. Edward Phillips oedd y prif oruchwyliwr ac fe'i dilynwyd gan ei fab Thomas L Phillips. Caewyd y chwarel yn 1928.

Un arall o golofnau'r gymdeithas oedd Edward Jones, Park Shop, groser oedd yn gwerthu pob math o bethau eraill hefyd – dillad, esgidiau a blodiau er enghraifft. Yr oedd yn 'aelod anrhydeddus' o Glwb yr Odyddion ac ar ddydd Iau cyntaf mis Mehefin am flynyddoedd lawer cynhelid gŵyl. Cychwyn o'r ysgol a cherdded i'r eglwys i gynnal gwasanaeth crefyddol, pawb yn cario baner, seindorf arian a phlant wrth eu bodd. Byddai'r seindorf yn chwarae y tu allan i Park Shop ac Edward Jones yn rhoi darn o gacen i'r plant. Cinio wedyn yn ysgubor y Grouse a phwdin reis i'r plant. Yn 1891 yr oedd Edward Jones yn 51 oed, ei wraig Jane yn 49 a'i fab John O yn 19. Yr oedd y Parch W G Owen, gweinidog y Bedyddwyr ac arweinydd eisteddfodau yn lletya yno. Ei enw barddol oedd Llifon ac yr oedd yn frawd i Alafon (Owen Griffith Owen), awdur y geiriau 'Glân geriwbiaid a seraffiaid' a genir ar y dôn 'Sanctus'. Ganwyd y ddau ym Mhant Glas, Eifionydd – pentre Bryn Terfel. Bu Alafon yn gweithio yn chwarel Dorothea ac wedyn yn glerc yn chwarel y Braich, Llandwrog, cyn penderfynu mynd i'r weinidogaeth ond yn wahanol i'w frawd aeth ef at y Methodistiaid Calfinaidd a bu'n weinidog ar gapel Ysgoldy, Llanddeiniolen weddill ei oes. Bu'n olygydd *Y Drysorfa* 1913-16. Priododd Llifon â merch i'r Parch Hugh Jones, prifathro Coleg y Bedyddwyr yn Llangollen.

Yn y Tŷ Du (neu Hendre Forfudd) yr oedd Elizabeth Evans, 80 oed (Betsen) gweddw John Evans oedd wedi symud o Dyddyn Inco, Llandderfel tua 1818-20. Mab Evan ap Elis a Jane Roberts oedd ef a Betsen yn ferch i Hugh Evans a Mary, Nant Lleidiog, plwy Llanfor. Yr oedd ei hwyres Elizabeth Lloyd (30) yn byw hefo hi sef merch Elizabeth a Morris Lloyd, Llandegla, ond yr oedd wedi colli'i mam yn ifanc iawn a magwyd hi hefo'i thaid a nain. Bu Elizabeth Lloyd yn flaenor ym

Mryneglwys ac yn wir hi oedd y ferch gyntaf i gael ei hordeinio'n flaenor yn Henaduriaeth Dwyrain Meirionnydd, a hynny yn 1925. Yr oedd hi ymysg pedwar blaenor newydd ym Mryneglwys a ordeiniwyd y diwrnod hwnnw: y tri arall oedd John Salisbury Davies, Plas yn Rhos, David Roberts, Tŷ Tan Derw (mab y Tŵr Maen yn ardal Trawsfynydd) ac Edward Jones, Tal y Bidwel Fawr – sef fy nhaid. Yr oedd gan John a Betsen Evans ddeg o blant o leiaf. Soniais eisoes am dair o'r merched sef **Sarah**, gwraig Edward Jones, Maes Gwyn Felin, Gwyddelwern, **Sydney**, gwraig David Williams, Hendre, Gwyddelwern ac **Elizabeth**, gwraig Morris Lloyd, Llandegla. Chwiorydd eraill iddynt oedd **Ann**, gwraig Thomas Jones, Maes Gwyn y Felin a fu'n ffermio yr Hen Hafod, Llanfor; **Margaret** a briododd ddyn o'r enw Stretch oedd yn byw yn Bournemouth; **Jane** a briododd ddyn o'r enw Renshaw o Fanceinion a **Mary** a briododd William Evans, Rhos Afr, Bryneglwys.

Magwyd ambell fardd yn y fro – Eos Iâl a Iorwerth Goes Hir, Dewi Ffraid, Ap Carrog a Berwynydd. Yn byw yn 5 Sun Terrace yr oedd Evan Lewis Hughes, 19 oed, gof yn chwarel Penarth ac a adwaenid fel Ieuan Dyfrdwy. Ef piau'r pennill

Mae cnwd o wallt fel hanner nos
I'r eneth dlos yn goron,
A than y nos o wallt mae grudd
Fel hanner dydd yn union.

Digon henffel. Isaac Roberts oedd enw Ap Carrog (1864-1929) adeiladydd aeth i fyw i Lerpwl lle bu'n bencampwr am chwarae biliards. Cododd dai yn Wavertree ac Anfield.

Yr oedd Iorwerth Goes Hir wedi marw yn 1880. Tŷ Cynnes oedd ei gartref ac yr oedd yn fab i Sem ac Anne Jones, Tŷ Tan Derw, Bryneglwys (Anne yn ferch i Edward y Clochydd Mawr fu farw 1826). Yr oedd ganddynt wyth o blant – yn eu mysg David Jones, dyn busnes llwyddiannus yn Huyton a briododd ag Elizabeth, merch Robert Morris y crydd, Penlan, Carrog, ac enw eu cartref yn Lerpwl oedd Tŷ Cynnes; a Shem a briododd â Mary, merch Siambr, Llangwm. Priod Iorwerth Goes Hir oedd Mary Roberts, Cae'r Beudy, Llanelltyd a chawsant bedwar o blant: David, Edward, Jane Anne a Margaret. Cigydd oedd Edward Jones, gŵr Margaret a buont yn byw yn Rhoslannerchrugog lle magwyd eu saith mab: **Ben Maelor** a fu'n brifathro Ysgol Ramadeg y Bechgyn y Bala ac wedyn yn Gyfarwyddwr Addysg Sir Feirionnydd; **Daniel Bertram** a fu'n brifathro Ysgol Ramadeg Abergele ac a fu farw yn 1971 wedi bod yn Gadeirydd Pwyllgor Addysg Sir Ddinbych, yn Ynad

Heddwch, yn Llywydd Undeb Cymru Fydd; **Ellis** a fu'n brifathro yn Blaina, Sir Fynwy; **David** a fu'n brifathro yn Epsom; **Ioan** a fu'n dal swydd bwysig yn Somerset House; **Ted** a fu'n Ysgrifennydd Pwll Glo Gresford ac **Emrys**. Pwy ddywedodd bod athrawon yn tyfu ar y coed yn y Rhos? Efallai eu bod nhw ond yng Ngharrog yr oedd gwreiddiau'r rhain!

Gwraig weddw oedd Winifred Roberts, Pant Tywyll ac yr oedd ganddi fab o'r enw Richard (oedd yn 34 yn 1891) a dywedir ei fod yn un o gymeriadau'r ardal. Hoffai lymaid yn awr ac yn y man ac os digwyddai yfed mwy na'i arfer taflai ei het i'r tŷ yn gyntaf. Os byddai'r het yn cael aros yn y tŷ gwyddai Richard y câi fynd i mewn ond os byddai'n dod yn ôl fel bwmerang gwyddai ei fod mewn helynt a'i fam fel draenog.

Cymeriad arall oedd Edward Evans Ufflon Ddarne. Dyn bychan tew, prin ei Saesneg. Yr oedd yn Rhyddfrydwr i'r carn ac un tro yr oedd yn cerdded i Lyndyfrdwy i bleidleisio mewn etholiad. Wrth y Mownt daeth Dr Hindley, yr ymgeisydd Toriaidd heibio yn ei gar a chynnig lifft i Edward os gwnai o bleidleisio iddo fo. 'No! myn Ufflon Ddarne! I'll walk it!' Mwynhaodd y Dr yr ateb a rhoi lifft iddo beth bynnag. Yr oedd Ann Davies, Cross Terrace, yn gwerthu fferins ac yn llenwi'r papur trionglog heb eu pwyso tra byddai siopwyr eraill yn torri fferen yn ei hanner neu dynnu un allan os byddai dros y pwysau. Fel y gellid disgwyl heidiai'r plant i siop Ann. Hugh Price oedd yn cadw'r felin flawd ac yr oedd ganddo chwech o fulod i gario'r blawd i'r ffermwyr. Ambell dro byddai mul yn taflu llwyth ac yn gwneud y nadau mwyaf torcalonnus fyddai'n atseinio dros yr afon. Bu Hugh Price farw yn 53 oed yn 1892 dan lawdriniaeth yn Ysbyty Lerpwl. Un arall gafodd lasenw oedd Richard Williams adwaenid fel 'Dic Satan'. Pan oedd yn blentyn yr oedd yn un drwg am grwydro i bobman a byddai ei fam yn chwilio amdano ac yn gofyn i bawb 'Ble mae'r Satan bach?'

Ardal gyfangwbl Gymraeg oedd hi, wrth reswm, ac y mae'r cyfenwau'n adlewyrchu hynny. Ond yr oedd rhai eithriadau. Dyna David Breeze, saer maen ym Modorlas a brodor o Sir Drefaldwyn fel y mae ei enw'n awgrymu. Enw'r gorsaf-feistr oedd Frederick Wright. Yr oedd yno hefyd athro o'r enw Thomas Myddleton – un o Ddinbych wrth gwrs! Priododd ag un Miss Griffiths, Four Crosses yn 1911 a bu'n brifathro yn Ysgol Plasadda weddill ei oes. Un o Swydd Norfolk oedd John Spencer y cipar a'i wraig o Ardal y Llynnoedd. Yn amlach na pheidio, ym mhob ardal, pobol ddwad oedd y ciperiaid. Efallai ei bod hi'n swydd rhy dejws i'r brodorion!

Y mae ambell fferm â hanes hen iddi. Ty'n Celyn, er enghraifft. Gŵr gweddw o'r enw Robert Roberts oedd yno yn 1881 ond yn niwedd y

18fed ganrif yno y gwelwyd dechreuadau'r achos Calfinaidd a Blanche Morris yn eu croesawu i'w chartref. Yr oedd gwraig Tan y Graig yn byw mewn arswyd rhag ofn i'w gŵr ymuno hefo'r 'hen bethe rhyfedd ene'. Hynny yw, y Calfiniaid.

Yn 1832 y codwyd capel i'r 'hen bethe rhyfedd' a rhoddodd teulu Tŷ Mawr Morfudd fenthyciad o £400 i dalu amdano. Swm enfawr yr adeg honno. Yr un teulu oedd yno yn 1881 sef Robert a Jane Hughes a'u plant. Mab Hugh ac Elizabeth Hughes, Tir Barwn, Betws GG, oedd Robert ond pan fu farw ei fam ar enedigaeth plentyn cymerwyd ef i'w fagu gan frawd ei fam, Hugh Hughes, Tŷ Mawr Morfudd. Merch Edward Edwards, Hen Ddewin Llwyn y Brain, oedd Jane Hughes a hi oedd mam y bardd 'Bethel' y soniais amdano eisoes. Ganwyd pump o blant i Robert a Jane. Bu farw **Mary Jane** yn ddwyflwydd oed ond yr oedd y pedwar arall adre noson y Cyfrifiad: **Hugh** (21) **Edward** (19) **Robert** (17) ac **Elizabeth Ann** (12). Y mab hynaf, Hugh, oedd fy hen daid a fu'n ffermio Bryn Tangor, Bryneglwys hyd ei farwolaeth yn 1937. Bu'r ddau fab arall yn ffermio'r hen gartref Tŷ Mawr. (Y mae'r lle'n dal yn y teulu, gyda llaw). Priododd Elizabeth â'i chefnder Thomas Tudor Roberts, Tir Barwn. Aeth T T Roberts i Ganada yn 1882 ac ymuno â'i frawd John yn Portage la Prairie. Ei swydd gyntaf oedd cogydd ar y rheilffordd – y Grand Trunk Pacific Railway – oedd yn cael ei chodi ar y pryd. Bu mewn nifer o sefyllfaoedd peryglus – bleiddiaid, Indiaid, tywydd garw. Ymunodd Elizabeth ag o a ganwyd iddynt wyth o blant: John Hughes (1893) Robert (1894) Jennie (1896) Thomas Edward (1898) Leslie Hugh (1900) Elizabeth Myrtle (1901) Llewelyn (1902) a Harold (1909). Lladdwyd John pan oedd yn gwasanaethu gyda'r Canadian Scottish yn Ffrainc yn 1916, bu farw Robert yn ddwyflwydd oed o sgaldio a bu farw Llewelyn yn fabi. Bu farw Myrtle ar yr 8fed o Fehefin, 2001 ar drothwy ei 100fed oed, ac y mae disgynyddion y gweddill (y chweched genhedlaeth erbyn hyn) yn dal mewn cysylltiad â'u tylwyth yng Nghymru a'r enw Morfudd yn cael ei ddefnyddio yn eu plith o barch i'r hen aelwyd. Hiraethodd Elizabeth am fryniau Morfudd weddill ei hoes a phan ddaeth adre ganol yr 1890au oherwydd bod ei mam yn sâl cafwyd cryn drafferth i'w pherswadio i ddychwelyd i Ganada.

Ymfudodd nifer o Batagoniaid i ardaloedd Glyndŵr, Bangor a Llewelyn yng Nghanada ac yn 1903 symudodd T T Roberts i'r ardal a chodi tŷ i'w deulu yn Assiniboia, North West Territory a galw'r hendref yn Fairy Lake Farm. Ei or-ŵyr sydd yno heddiw. Y siop gyntaf yn y fro, a'r unig un am filltiroedd, oedd eiddo *'Thomas T Roberts, General Merchant, HQ for Dry Goods, Boots, Shoes, Groceries, Flour and Hardware, Bangor'*. Cyn bo hir agorwyd siop arall gan Coslett Thomas oedd wedi mudo o'r Wladfa. TT oedd yn gyfrifol am gychwyn tîm pêl-droed, codi capel a dechrau côr a'i frawd Hugh, wedi gadael Cymru yn 1909, yn edrych ar ôl cyfrifon y busnes. Yr oedd gan Hugh dair merch, Gwervil, Margaret a Bronwen. Priododd Margaret â Stanley Havard, bu farw Bronwen o'r diciâu yn 1918 a phriododd Gwervil â Ceitho Williams. Yr oedd hi'n ddall ac yn gerddorol iawn. Yn 1910 aeth Jennie Hughes o'r Clegir Canol, Melin y Wig yn athrawes i Ysgol Dewi Sant, Bangor, Sask., a phriododd â Thomas Coslett Thomas, ac y mae eu disgynyddion yn Vancouver yn ymwelwyr cyson â'r 'Hen Wlad'. Yr oedd TT yn ŵr cyfrifol iawn erbyn hyn, yn flaenor ac yn Ynad Heddwch. Bu farw yn 83 oed ar 16 Mawrth 1948 a'i wraig Elizabeth (80) oed dridiau'n ddiweddarach. Yr oeddynt ymysg arloeswyr gwlad fawr Canada.

Catherine Evans weddw oedd yn ffermio Nant Fadwen a'i mab Edward (33) yn cael ei ddisgrifio fel pregethwr. Yn ôl cofnodion E W Thomas o gapel Sion, Bryneglwys, rhoddodd Edward Evans y gorau i bregethu ac yr oedd yna awgrym bod yna rhyw ddrwg yn y caws. Dywed ffynhonnell arall ei fod yn haeru bod ganddo radd MA ond nad oedd hynny'n wir. Jonathan ac Ursula Hughes oedd yn Nhy'n yr Ardd. Cyn hynny dyma gartref David Hughes 'Eos Iâl' awdur y garol 'Ar gyfer heddiw'r bore' ac un o hynafiaid Buddug Medi, y Bala.

Yr oedd perthnasau eraill i mi yn y Tŷ Cerrig sef Thomas a Margaret Jones, fy hen hen daid a nain. Mab Bryn Helme, Glyndyfrdwy oedd ef a hithau'n ferch i John Jones, Rhos y Maerdy, Cynwyd, lle sydd yn furddun ac yn gut defaid ar dir Rhyd y Glafes erbyn hyn. Gwneud hoelion oedd gwaith John Jones. Yr oedd mab a merch Tŷ Cerrig adre sef Margaret (23) a John (21) hefyd eu hŵyr Charles Jones (2) ac wyres, Margaret Roberts (7). Aeth Charles i'r weinidogaeth a bu'n Llywydd y Gymanfa ac yn bregethwr poblogaidd hefo'r Wesleiaid ac yn gyfaill mawr i Tegla Davies. Cyn mynd i'r weinidogaeth bu'n gweithio mewn siop ddillad yn Llangollen. Priododd â merch o deulu'r Carringtons, Coedpoeth a chawsant ddau o blant – Megan a fu'n cadw siop fawr yng Nghairo ond a gollodd y cyfan adeg Rhyfel Suez a Hywel Glyn a orffennodd ei yrfa fel rheolwr banc yn Llangollen. Merch y Cymo oedd Margaret a phriododd Stephen Richards, Allt y Celyn, ei dad o Lansilin ac yn frawd (rwy'n meddwl) i wraig Pen y Bont, a'i fam o Langadwaladr. Mae disgynyddion Margaret a Stephen yn dal yn y Siambar Wen a'u gor-wyres Menna Young wedi bod yn brifathrawes Ysgol Llandysilio yn Iâl a Llansantffraid ym Mechain ac yn awr yn ardal Wrecsam a'i brawd Meurig yn cadw siop bapurau newyd̂d ar Heol Clwyd, Rhuthun – lle byddaf yn gwario ffortiwn! Aeth Thomas, mab Thomas a Margaret Jones, Tŷ Cerrig i chwilio am ei ffortiwn yn Ne Affrica a synnais yn fawr weld cyfeiriad ato yng nghofiant T I Ellis i'w dad Thomas Edward Ellis, y Cynlas. Pan oedd Tom Ellis yn ceisio adennill ei iechyd yn hindda De Affrica daeth gŵr bonheddig ato gan ddweud yn Gymraeg yr hoffai ysgwyd ei law. Thomas Jones Tŷ Cerrig oedd hwnnw. Gweithio gyda chwmni Beyer a Peacock oedd o.

Ceir adroddiad yn y *Llangollen Advertiser* fis Mawrth 1896 yn dweud bod athrawon Ysgol Glyndyfrdwy yn awyddus i ddysgu'r plant am ryfeddodau byd natur ym mhellafoedd byd. Daeth ymwelydd i'r ysgol, y Dr W P Le Fenvre ac yr oedd wedi dod ag anrheg yno oddi wrth un o'r hen blant – y rhag-ddywededig Thomas Jones – bob cam o'r Cape Colony sef casgliad o wahanol nadroedd, dant cobra, genau goeg, pryfed cop enfawr, locustiaid, tarantiwla, a mantis. Yr oedd yn gasgliad mawr a rhyfeddol. Beth ddaeth ohono tybed?

Soniais am y milfeddyg Thomas White yn y bennod am Gorwen gan mai yno yr oedd yn byw yn 1891 – ond ddeng mlynedd cyn hynny wele ef a'i deulu ym Mhlas Isa a nodir bod y pedwar plentyn (Mary, Dorothy, Catherine a Thomas) oll wedi'u geni yn y Stamp, Cynwyd. Heblaw am ei waith fel *vet* yr oedd hefyd yn ffermio 212 acer – fferm fawr mewn termau Cymreig. Wrth fynd drwy wasg y cyfnod sylwais bod Thomas White yn bur hoff o fynd â phobl i'r llys barn. Ymddengys bod nifer fawr o ffermwyr yn amharod i dalu iddo am ei waith ffariar. Ef oedd yr unig FRCVS yn Edeyrnion yr adeg honno ac yn medru gofyn am fwy o ffi i gydfynd â'i gymwysterau efallai. Dywed Gomer Roberts yn ei atgofion bod White yn cael trafferth i wneud bywoliaeth allan o filfeddyga oherwydd bod yna nifer o ffariars gwlad yn barod i wneud y gwaith am ddim – pobl megis Ifan Llwyd, Cwm, Glyndyfrdwy, Robert Edwards, Ty'n Llechwedd, Betws GG a Rhys Jones, Llysan, Betws GG.

Anne Parry oedd gwraig fferm y Llan, ei phriod Godfrey oddi cartref y noson honno, mewn ffair yn rhywle efallai gan ei fod yn bencampwr ar fridio defaid ac yn ennill llawer gwobr yr adeg honno. Yr oedd dau fab yno sef William (2) a Thomas Ll (10). Priododd William ag Elizabeth Jane Evans, Tir Llannerch; graddiodd Thomas Llewelyn yn MD o Gaeredin a hwyliodd i'r Cape Colony yn 1894. Mab arall oedd Godfrey a briododd â Sarah, merch ieuengaf John a Margaret Jones, Cae Llewelyn (ond y Llan wedyn). Bu farw Godfrey o peritonitis yn fuan wedi geni ei ferch Alwena yn 1923 ac fe'i bedyddiwyd hi ar ei arch. Priododd Alwena â'r Parch Gwynfryn Evans a fu'n weinidog yn Garston, Lerpwl a Moelfre, Ynys Môn. Yr oedd gan Godfrey ddwy chwaer: Sarah a fu fyw i fod dros ei chant a Dora a briododd ag Evan Jones, Llan, Carrog a buont yn ffermio Rhyd y Creuau, Betws-y-coed. Cawsant ddau fab, y diweddar Godfrey, Rhydorddwy Wen ger Dyserth a Philip, Rhyd y Creuau. Bu farw Dora yn

97 oed Noswyl y Nadolig 1998. Ac yna ychydig cyn y Nadolig flwyddyn yn ddiweddarach fe laddwyd Hayley, ei gor-wyres 14 oed, mewn damwain car ddifrifol yn ymyl Llanrwst. Darganfûm yn ddiweddar bod yna gysylltiad rhwng y teulu hwn â Mary Anne Parry, nain fy ngŵr. Be nesa?

Yn 1891 yr oedd dwy anarferol yn byw yn Laburnum Cottage sef Christine Disere, *Professor of French*, genedigol o Wlad Belg a Minnie Meredith, *Professor of Music*, o Swydd Berkshire. Yn rhif 4 Park Terrace yr oedd Robert Jones a'i deulu niferus. Chwarelwr oedd Robert Jones ond yr oedd wedi teithio tipyn mae'n amlwg oherwydd yr oedd ei drydydd plentyn, Seth, 5 oed, wedi'i eni ym Mhennsylvania. Hugh Hughes oedd yn Nhan y Coed, mab hynaf Tŷ Mawr Morfudd, wedi priodi erbyn hyn (ei wraig oedd Mary Hughes, Tŷ Helyg, Bryneglwys a chyn hynny o Gwmhwylfod, Cefnddwysarn.) Yr oedd yno fachgen bach dwyflwydd oed o'r enw Robert, wedi'i enwi ar ôl ei daid. Cafodd ei ladd yn Ffrainc fis Medi 1917. Cyhoeddwyd casgliad o'i lythyrau yn Nhrafodion Cymdeithas Hanes Sir Feirionnydd 1994. Ddeg diwrnod ar ôl y Cyfrifiad ganwyd merch yn Nhan y Coed a'i galw yn Elizabeth Jane, ar ôl ei dwy nain. Hon oedd fy annwyl Nain, mam fy mam. Ysgrifennais bortread ohoni yn *Defaid yn Chwerthin* (Gwasg Gomer 1980). Ganwyd pedwar arall yn ddiweddarach sef Muriel (Alafowlia, Dinbych) Ieuan (Tyddyn, Pentrecelyn a'r Glyn, Dinbych) Olwen (Bryn Awel, Graigfechan) ac Eurwen (Bryn Bedw, Llangynhafal).

Evan T Jones oedd yn ffermio Fron Newydd hefo'i wraig Eliza a phum merch – Margaret (9) Mary (4) Harriet (3) Sarah (2) ac Esther (8 mis). Yn ddiweddarach symudodd y teulu hwn i Dderwen ac yno y ganwyd Gladys ddaeth yn wraig i Emlyn Roberts, Hendre Isa, Gwyddelwern. Bu hi farw'n ifanc gan adael dau o blant – Eirlys ac Elwyn.

John David Thomas oedd yn Nhan y Graig. Yr oedd yn frawd i E W Thomas, Llwyn Onn, Bryneglwys. Meibion oedd y ddau i Michael Thomas, Ty'n Rhedyn, a Jane Roberts, Coed Iâl. Yr oedd Michael Thomas yn un o ddeuddeg (o leiaf) o blant John Thomas, Ty'n Rhedyn a Margaret Williams, Arddwyfaen. Yr oedd gan J D Thomas, Tan y Graig, un ar ddeg o blant – gan gynnwys dau fab o'r enw Micel John a Micel Defi. Yr oedd Micel John wedi'i glwyfo'n ddrwg yn y Rhyfel Mawr a chollodd ei goes. Nai iddynt yw Edward Beech Rogers y twrne sydd yn byw yn ardal Birmingham. Yr oedd teulu Tan y Graig a Llwyn Onn wedi bod yn fwy anturus wrth enwi eu plant, rhaid addef, oherwydd gwelir yn eu plith Leah a Thelwall a Morfudd ac Ivor a Letitia.

Erbyn 1891 yr oedd Thomas a Margaret Jones, Tŷ Cerrig, wedi symud i'r Siamber Wen, a Margaret a Charles, eu hŵyr a wyres i'w canlyn. Cefais y fath wefr Galan Mai 2000 o ymweld â'r Siamber Wen a chlywed tic yr hen gloc mawr oedd yno yn eu cyfnod nhw a syllu drwy'r ffenest ar foelydd Morfudd, yr union olygfa a welai fy hen hen daid a nain yn yr 1890au.

Yn byw yn Dee Cottages yr oedd William Williams, gweinidog gyda'r Methodistiaid Calfinaidd. Dyma'r un fu'n gyfrifol am y gyfrol werthfawr *Hanes Methodistiaeth Dwyrain Meirionnydd* – heblaw am y ffaith ei bod yn drysorfa o wybodaeth am deuluoedd y fro y mae hefyd yn ddogfen bwysig gan ei bod yn portreadu dull o fyw sydd bron wedi diflannu'n llwyr. Ganwyd William Williams ym Mhantycelyn (yn addas iawn) Rhostryfan yn 1835 a chafodd ei addysg yn Ysgol Clynnog dan ofal Eben Fardd. Bu farw yn 1908. Yr oedd yno deulu mawr hefyd ym Mhlas Newydd sef George a Mary Davies a'u chwe phlentyn: Mary Ruth (9) Margaret (8) George (6) William Robert (5) Dora (2) ac Anna (10 mis). Disgynyddion y teulu hwn yw Eirlys Hughes, y Bala (melys ei thelynegion) a'i diweddar frawd Aled Vaughan (y darlledwr) a Delyth Rhiannon, Clegir Canol, Melin y Wig, gynt o'r Wern Henaidd, Llanelidan.

Yr oedd Grace Jones y Giât yn frodor o Lanuwchllyn ac yn chwaer i John Richards, Bwlch y Fwlet, Edward Richards, yr Hen Afr (lle'r oedd yn byw, nid disgrifiad ohono) James Richards, Ysgubor Gerrig, Jane Edwards, Tŷ Gwyn, Rhyduchaf a Mary Craven, Penbedw. Yr oedd Edward Richards yn daid i Glyndwr Richards a fu'n brifathro Ysgol Dewi Sant y Rhyl ac yn adroddwr a beirniad o fri. Chwaer i Glyndwr oedd Jennie a briododd y Parch Byron Hughes. Mae eu mab Emyr wedi priodi Mair sydd yn chwaer i'r Parch W J Edwards, Caerfyrddin gynt o Lanuwchllyn.

Yr oedd bron bawb yng Ngharrog a Glyndyfrdwy yn siarad Cymraeg. Yr eithriadau oedd y teulu Cruickshank yn Riverdale, tri chipar (Donald Grant, John Cadwaladder a John Little) a'r ficer Rees Jones, brodor o Langeitho a'i wraig Edith o Birmingham. Y bobl hynaf yn y fro oedd Robert Roberts, Garth (82) Anne Jones, Groesfaen (90) Ellen Evans, Tyisa (86) Jane Lloyd, Dewis Dyddyn (89). Ymysg y genhedlaeth newydd yr oedd Edward, wythnos oed, mab John a Winifred Jones, Wharf Cottages; Thomas Evan, mab mis oed Evan ac Anne Williams, Tŷ Gwyn, a merch wythnos oed heb ei henwi yn y Fedw Isa. Yr oedd dau bâr o efeilliaid: Susannah a Winifred, merched blwydd oed William ac Elizabeth Davies, Smithy Cottage; a Mary a Sarah (16), merched Thomas a Mary Edwards, Tŷ Cerrig.

Yr oedd yna John Jones, labrwr yn y chwarel, yn lletya yn yr Efail,

John Jones yn was yn y New Inn, John Jones yn ffermio Carrog Isaf, un arall yn y Nant, John Jones, mab Thomas a Catherine Jones, Cwm Isaf, John Jones, creigiwr yn Nhŷ Lawr, un arall yn y Tŷ Cerrig (ei wraig Mary yn ferch Penlan, Llanarmon Glyn Ceiriog), John Jones, llysfab David Roberts, Afon Ro, John Jones yn ffermio'r Groes Faen, John Jones, milwr, mab Thomas a Jane Jones, Tanllan, John Jones yng Ngharreg Afon ac un arall yn Ngharreg Afon Bach ac ym Mhenarth, John Jones yn Wharf Terrace, ac un arall yn y Tyddyn Uchaf.

Yr oedd ambell un wedi dod o bell – megis Isabella Lloyd, Sun Inn o Ynys Manaw, Florence Agnes Liddell, Ty'n Llwyn, o Dde Cymru Newydd a'i mab Henry Drayton Liddell wedi'i eni yng Nghanada, ac Isabel Cruickshank, Riverdale, a'i phlant Ellen (25) Isabel (18) Marian (16) a Frederick (14) oll wedi'u geni yn St John, New Brunswick, Canada. Ar y llaw arall yr oedd yn braf canfod ambell i enw Cymraeg yma ac acw: Tabitha Ceridwen merch John a Margaret Davies, Toll Bar; Rhonwen, Myfanwy a Caradog Llewelyn, plant Edward Maurice a Margaret Jones, Tŷ Du, Llewelyn a Tudur Aled, plant Margaret Roberts, groser, Dee Mount a Mair Jones, wyres saith oed John ac Ellen Griffiths, Ffatri.

Yng nghanol pentref Carrog, mewn llecyn hyfryd yn edrych i lawr ar yr afon islaw, y mae'r Gofeb i'r rhai gollodd eu bywydau yn y ddau Ryfel Byd a'r enwau canlynol arni:

Capt   Ronald M T Rose Lloyd, York and Lancaster Regt. (mab y Rhagat)
Pte   Herman Hill Jones, Australian Exped Force (mab y ficer)
"   William S Roberts, New Zealand Exped Force
"   T Ogwen Davies, Canadian Exped Force

"   W George Parry, Denbighshire Yeomanry
"   Caradoc Jones, Royal Welsh Fusiliers

"   Llewelyn Hulse   "   "   "
"   Owen Roberts   "   "   "
Gr   Isaac Hughes, Royal Field Artillery
"   Robert Hughes, Royal Garrison Artillery (mab Bryntangor)

1939-1945

Capt   Charles J C Hindley, 25th Indian Div
A.B.   Glyn Thomas, Royal Navy
Gnr   Robert Astley, Royal Artillery

Nid oedd unlle yn ddiogel yr adeg honno – ddim hyd yn oed bentref tawel a diarffordd Carrog a moelydd Morfudd. Cyrhaeddodd y dwrn dur y mannau mwyaf heddychol.

Llanfihangel Glyn Myfyr – Pont y Bedol

Y peth cyntaf a'm cyfareddodd wrth chwilota drwy Gyfrifiad Llanfihangel Glyn Myfyr oedd enwau rhamantus rhai o gartrefi'r fro – enwau'n adlewyrchu rhyw hen hen hanes a chwedlau aeth yn angof. Dyna i chi Foty Llechwedd Gaer, Tyddyn Tudur a Chefn Ceirch, Pant y Mêl, Peder a Dime a Charreg Berfedd, Cysulog, Hafoty'r Gelynen a Rhos Cae Ceiliog. Fedrwn ni ddim fforddio aberthu rhai o'r hen enwau barddonol yma a gadael iddyn nhw gael eu llygru a'u hailenwi yn Craigside, Chez Nous neu hyd yn oed y chwerthinllyd Bwthyn Cottage a welais rywdro. Y mae enwau ein hen gartrefi yn rhan bwysig o'n treftadaeth.

Y mae plwy Llanfihangel yn cynnwys rhan o Fetws Gwerfyl Goch hefyd ac y mae'r eglwys wedi'i chysegru i Fihangel. Ceir cofrestri sydd yn mynd yn ôl mor bell â 1662 a'r cofnodion cyntaf yw am fedyddio John mab Thomas a Lowry Hugh ap Reignald, am gladdu Rice Foulkes y rheithor ac am briodas Edward ap Robert a Margaret ych Owen. Yn 1881 yr oedd naw yn byw yn y Tir Barwn, tri ar ddeg yng Nghefn Post a naw yn y Derwydd. Dyma'r manylion:-

TIR BARWN

John Roberts	Pen	55	Ffermio 160 erw	Gwyddelwern
Anne W "	gwraig	55		Llanfihangel
Hugh Hughes	brawd-yng-nghyfraith	50		"
John Roberts	mab	25		"
Elizabeth Wynne	merch	24		"
Robert Roberts	mab	20		"
Edward "	mab	13		"
Elizabeth Evans	morwyn	15		Cegidfa, Trefaldwyn
Robert Jones	gwas	18		Llanfihangel

Yng Nghilmaenllwyd, Glyndyfrdwy y ganwyd John Roberts a dywedir ei fod yn hannu o deulu Romani. Y mae yna lun ohono fo a'i deulu sydd yn dangos bod ganddo wallt fel y gigfran ar steil ringlets a modrwy yn ei glust – ac y mae hynny'n dweud rhywbeth wrthym gan mai pur anaml y gwelid penteulu mewn ardal wledig gapelgar megis y Betws yn gwisgo gwallt hir a chlustdlws! Y mae'r llun gwreiddiol ym meddiant ei or-or-wyres Evelyn Steel (née Travis) ym Massachussetts. Bu'n ffermio'r Oror, Gwyddelwern cyn priodi Anne Winifred (1826-91) y

Tir Barwn, merch Hugh ac Elizabeth Hughes a chwaer i Robert Hughes, Tŷ Mawr Morfudd, fy hen hen daid y soniais amdano yn y bennod flaenorol. Ni wn pam mai John Roberts gafodd y fferm oherwydd yr oedd yno fab, Hugh, yn byw gartref yn Nhir Barwn, 50 oed uchod. Cafodd John ac Anne Winifred saith o blant o leiaf:- **Margaret** (1853-1894) a briododd â John Hughes, Clegir Isa. Cawsant saith o blant: i) Annie (1881) priododd Maelor Jones a ganwyd iddynt un ferch o'r enw Enid; ii) Margaret (1883-1961) priododd David Jones, Arddwyfaen, Llangwm a ganwyd iddynt bedair merch (Eluned, Bronwen, Dilys ac Eirlys); iii) John Robert (1885-1963) a briododd â Winifred Williams a nhw oedd rhieni Ifor Ystrad Fawr, Llangwm; Eirwen, Aeddren, Llangwm; Mair, Heulfre, Dinmael a Robert Oliver; iv) Sarah Myfanwy (1886-1965) a briododd Henry Edenborough (merch iddynt yw Valmai Webb, Carrog); v) Catherine Winifred (1888-1980) a briododd Griffith Travis (rhieni Evelyn Steel a Rowena Williams); vi) Jane Alice (1890) a aeth i Ganada'n athrawes a phriodi Thomas Coslett Thomas oedd wedi'i eni ym Mhatagonia yn fab i Dafydd Coslett Thomas ac Eleanor oedd wedi mudo o Langadog, Sir Gaerfyrddin a chyrraedd Chubut yn 1875. Enw eu fferm oedd Tair Helygen ger Rawson. Yn ddiweddarach buont yn byw yn Nhrelew mewn tŷ a elwir heddiw yn Tŷ Lloyd – Auda Fontana, sydd yn westy. Yr oedd ganddynt wyth o blant sef William a briododd ag Elizabeth Jones a magu wyth o blant oedd ag enwau megis Buddug, Gweirydd a Lili; John a briododd Caroline Jones a magu naw o blant oedd yn cynnwys Thomas Coslett a briododd Jane Alice Hughes, uchod. Aeth teulu John a Caroline Jones i gyd i Ganada. Trydydd plentyn Dafydd Coslett Thomas oedd Mary Ann a briododd Hugh Samuel Pugh a bu'r ddau yn rhedeg y Tŷ Te cyntaf yn y Gaiman. Ganddyn nhw hefyd oedd yr oedd y gwesty cyntaf yn y Gaiman yn y fan lle mae'r Coleg Cerdd heddiw. Bu Butch Cassidy yn aros yno a gadawodd ferlen yn anrheg am ei fod wedi mwynhau'r bara brith gymaint. Pedwerydd plentyn Coslett Thomas oedd Evan, a'i wraig ef oedd Edith Williams o Drelew. Collwyd y pumed plentyn, Catherine, yn bump oed pan foddodd yn yr afon ger Tair Helygen. Wedyn daeth Elizabeth Ellen ac ymfudodd hi a'i gŵr George Williams i Awstralia ac yna Sarah Jane, gwraig Gwilym Williams a magu deuddeg o blant (David John, Philip, Rosa, Elen, Elizabeth, Lemuel, Nicholas, Edith, Gwladys, Donah, Manton a Sarah Jane). Ac yn olaf Joseph a'i wraig Sarah Ann a'u naw plentyn a aeth i Awstralia. Rhwng y rhain i gyd y mae yna ddigon o ddisgynyddion i lenwi Awstralia, Y Wladfa a Chanada. Seithfed plentyn Margaret a John Hughes y Clegir oedd Robert Oliver a laddwyd yn 1916 yn 24 oed.

Ond yn ôl at blant John ac Anne Winifred Roberts. **John** (aeth i Ganada), wedyn **Elizabeth**. Yr oedd hi wedi priodi John Wynne ac yn disgwyl ei phlentyn cyntaf (dyna pam yr oedd adre yn Nhir Barwn efallai yn hytrach na gyda'i gŵr yn Fferm y Gro) a ganwyd y plentyn, Dora (yr hynaf o ddeg) toc wedi'r Cyfrifiad. Henry Hughes y saer ddaeth yn ŵr i Dora a mab iddyn nhw oedd Cynhafal Hughes oedd yn saer crefftus ac yn mynd o gwmpas yn lladd moch. Ail blentyn Elizabeth a John Wynne oedd Annie (1883-1940) a fu'n byw yn y Pentre wedi priodi Edward Davies, Tai Ucha, Cerrigydrudion; wedyn daeth Lizzie (1885-1929) priod David Humphreys, prifathro ym Melin y Wig a brodor o Fryn Arwest, Bryncrug; wedyn daeth Maggie, (1887-1966) ac wedi iddi golli ei choes mewn damwain gyda phwlpar maip pan oedd yn eneth fach penderfynwyd na fyddai byth yn cael gŵr (syniad creulon) a chafodd ei hyfforddi fel teilwres yn Lerpwl; wedyn daeth John (1889-1973) a Robert (aeth i Manitoba) a Jennie (a briododd W J Looker) a Harriet (priododd Alun Roberts) ac Edith (gwraig J E Jones, Cysulog) a'r plentyn ieuengaf oedd Hywel (1899-1969) oedd yn byw hefo'i chwaer yn y Gro. Yn ôl at blant John ac Anne Winifred:-

Hugh, aeth i Ganada ac y mae iddo yntau hefyd ddisgynyddion lu yn cynnwys plant y bedwaredd genhedlaeth gydag enwau megis Bronwen a Lynwen.

Robert a anwyd yn 1861 ac a briododd ag Alice Hughes, merch Cefn Post. Mwy amdanyn nhw mewn munud.

Thomas Tudor a briododd ei gyfnither Elizabeth Ann Hughes, Tŷ Mawr Morfudd a mudo i Ganada. Gweler eu hanes yn y bennod ar Garrog.

Edward (Teddy) a briododd ag Anne Jane Roberts, merch Hugh Roberts, Hendre Isa, Gwyddelwern, a nhw eu dau a fu'n ffermio'r Tir Barwn ac yn magu teulu mawr yno: John Howell a fu'n rheolwr banc; Annie a briododd ag Oliver Thomas, Siop yr Hand; Hugh a briododd Florence Ann Jones, Cwm, Llanelidan; Iorwerth a fu'n rheolwr banc; Robin a fu'n ffermio Maes yr Onnen, Llandyrnog; Gwilym a fu'n cadw siop Melin y Wig; Doris a briododd Gwilym H Jones, Cwm, Llanelidan a ffermio'r Ystrad, Dinbych; Dilys a fu farw'n blentyn; Olwen a briododd Frank Powell a Phyllis a briododd Frank Owen o Langwm a ffermio'r hen gartref yn Nhir y Barwn cyn mudo i ffermio Red Hall yn ardal Penley ger Wrecsam; eu mab Gwyn sydd yno rwan.

CEFN POST

| David Hughes | Pen | 45 | Ffermio 140 acer | Llanfihangel |
| Winifred | " | gwraig | 43 | " |

Alice Thomas	mam-yng-nghyfraith	85	Gweddw	Cyffylliog
Alice Hughes	merch	14		Llanfihangel
Winifred "	merch	12		"
Catherine "	merch	11		"
Jane "	merch	10		"
Mary "	merch	8		"
John "	mab	6		"
David "	mab	4		"
James "	mab	1		"
Catherine Roberts	morwyn	28		"
William Owen	gwas	15		"

Ganwyd dau blentyn arall o leiaf sef Elizabeth a Hugh. Magwyd David Hughes, y tad, ym Mhencraig Fawr ac yr oedd ganddo bum brawd a dwy chwaer. Aeth ei frawd **Hugh** i Dai'n y Foel, Cerrigydrudion, priododd ei chwaer **Jane** â John Hughes, Tyddyn Tudur ac aeth ei frawd **James** (1843-1922) i weithio yn warws cwmni Morris a Jones yn Lerpwl a phriodi ag Anne o Lanfihangel-ar-Arth a oedd yn gweithio mewn siop yn Lerpwl am 3/11 yr wythnos. Mae'n amlwg ei bod hi'n ferch graff iawn (wel, Cardi oedd hi) oherwydd agorodd ei siop ddillad ei hun yn Old Hall Street (lle mae'r *Daily Post* heddiw) ac yn y man, wedi iddi briodi James Hughes, agorodd y ddau siop draper a ffynnodd honno yn aruthrol. Cawsant bump o blant – James, Thomas John, Hugh, Rachel a Winifred. Thomas John yw'r un a ddaeth yn enwog ac y mae ei siop, T J Hughes, Lerpwl, yn dal mewn bri gyda changen wedi agor yn Wrecsam yn 1999. Yn 1934, pan ar fordaith, syrthiodd o fwrdd y llong i'r môr gan adael gweddw ifanc a thair merch fach. Un ohonyn nhw yw Shirley Hughes, awdur nifer helaeth o lyfrau Saesneg i blant. Priododd â John Sebastian Papendiek Vulliamy a mab iddyn nhw yw Edward Vulliamy, gohebydd tramor i'r *Guardian* a'r *Observer*. Gwrandewais â diddordeb ar Shirley Hughes ar *Desert Island Discs* fis Mawrth eleni ac yr oedd yn swnio'n ddeallus a hawddgar iawn ond ni soniodd ddim o gwbl am ei chefndir.

Er i David Hughes a'i deulu fudo o Gefn Post i ffermio y 'Poplars' yn Redditch dewisodd eu plant wŷr a gwragedd o'r hen fro; **David** yn priodi Ruth Roberts, Tan y Graig, Pentrellyncymer, a byw yng Nghoed y Foel, Frongoch; **Jane** yn priodi John Roberts, Clegir Mawr a Bryn Halen ac wedyn Pen Stryd, Rhuthun (rhieni Maud Saunders Davies, Edna, priod W H Jones, Coedladur, un o feibion Tai Mawr ac awdur y gyfrol ddifyr *Hogyn o Gwm Main* (Llyfrau'r Faner 1985), y diweddar Edward

Roberts, Pistyll Gwyn, Ffordd Llanfair, Rhuthun a David Roberts, Penybont, Corwen) ac **Alice** (oedd yn 24 erbyn hynny) a briododd â Robert Roberts, Tir Barwn yn 1891 a magu saith o blant yn y Cefn Post. Annie oedd eu plentyn hynaf nhw a phriododd hi â mab Robert Roberts y crydd Cynwyd, sef Edward Stanton Roberts, llenor, ysgolor, Crynwr a phrifathro – bu'n brifathro Pentrellyncymer, Cyffylliog a Gellifor. Cawsant dri o blant – Hywel, Gwerfyl a Gweneirys – a rhoddwyd Iorwerth yn gyfenw iddynt. Priododd Hywel â Grace Roberts, wyres Robert Roberts, y sadler, Rhuthun; Gwerfyl â'r Arglwydd Bradbury (efallai eich bod yn cofio gweld ei lofnod ar bapurau punt Banc Lloegr) ac y mae hi'n byw ar Ynys Cyprus a Gweneirys â Tom Jones: a meibion iddyn nhw yw Trystan a Dylan Iorwerth.

Cafodd Stanton Roberts ei ladd mewn damwain yn Birmingham fis Awst 1938 tra'n treulio gwyliau ar fferm ei deulu yng-nghyfraith yn y Poplars. Aeth ar gefn ei feic i bostio llythyr a chafodd ei daro i lawr gan gar modur cymydog o ffermwr. Torrodd ei goes ac asgwrn ei ben a bu farw'n fuan wedyn. Cafodd angladd enfawr ac y mae ei fedd yng Nghynwyd gydag englyn o waith T Gwynn Jones ar y garreg:

Bydd dyner drosto weryd – un addwyn
    Bonheddig ei ysbryd;
    Dewraf fu drwy ei fywyd
    Un heb ofn dim yn y byd.

Ail ferch Robert ac Alice oedd Gwen (Winifred yn enw teuluol gyda llaw) a dywedir mai hi oedd cariad Dei Ellis, Penyfed, Y Bardd a Gollwyd, ac mai wedi iddi hi briodi Herbert Stevenson y diflannodd ef am byth. Yr oedd merch o'r enw Jane hefyd, er mai Sian yr oedd pawb yn ei galw, a phriododd hi ei chefnder Robin, Tir Barwn, ac wedi ffermio yn Lloegr am dipyn ymgartrefodd y ddau a'u merch Glynwen ym Maes Onnen, Llandyrnog; Eira oedd y ferch ieuengaf a bu hi'n byw yn y Tyfos, Llandrillo nes ei marwolaeth yn 1984.

Yr oedd cysylltiad rhwng teulu Cefn Post a theulu Tyddyn Tudur (lle ganwyd Owain Myfyr yn 1741) ac yn byw yno yn 1891 yr oedd:

John Hughes	Pen	57	Ffermwr	Llanfihangel
Jane "	gwraig	52		Cerrig
Jane Winifred "	merch	15		Llanfihangel
John Robert "	mab	12		"
Mary A "	merch	9		"

Sarah A "	merch	7		"
Sarah E "	morwyn	15		Brymbo
John Jones	gwas	16		Capel Garmon
William Rowlands	gwas	13		Llangwm

Yr oedd Jane y fam uchod yn chwaer i David Hughes, Cefn Post a John yn frawd i David Hughes, Pencoed Ucha. O'r plant priododd Jane Winifred â dyn o'r cyfenw Roberts a byw ym Mryn Celyn a Mary Alice naw oed uchod â D J Jones, Hafoty Tyisa yn 1906.

DERWYDD

Edward Evans	Pen	61	Ffermwr	Cerrigydrudion
Eleanor	gwraig	82		Llanfihangel
Catherine Jones	merch	37		"
Robert "	mab-yng-nghyfraith	35	Beiliff	Cerrigydrudion
Robert "	ŵyr	6		Llanfihangel
Eleanor	wyres	2		"
Catherine "	wyres	1		"
Edward "	ŵyr	1 mis		"
Peter Williams	gwas	18		Llandrillo

Bu'r ŵyr mis oed, Edward, yn ffermio Botegir cyn symud i Blas Ucha, Chwitffordd ac ef oedd tad Rhiannon Hardy o Galiffornia a fu'n Arweinydd y Cymry ar Wasgar yn Eisteddfod yr Wyddgrug 1991. Rwyf yn amau bod oed y fam, Eleanor, wedi'i gofnodi'n anghywir ar y ffurflen! Yr oedd yna gysylltiad rhwng y teulu hwn â'r rhai a ddaeth wedyn i Hendre Glan Alwen oherwydd yn 1898 priododd Eunice, merch y Derwydd â Richard Williams o Ddolbenmaen. Chwaer i Richard oedd mam Guto Roberts a oedd yn gymaint o ffefryn gan bawb – yn arbennig fel y Fo yn y gyfres 'Fo a Fe'. Cafodd Richard ac Eunice Williams naw o blant. Yn eu plith yr oedd: **Alwen** fu'n byw yn Nhalybont, Ceredigion; **Eunice Jane**, gwraig y Gwylfa, Gwyddelwern (mam Owen, Glenys a Iona); **Catherine Elin** a briododd Edward Beech, Tŷ Mawr, Bryneglwys a magu deg o blant yno; **Edward** (Ted) Pentre Derwen; **Mair** (Ynys Wyth); **Robert**, Ffynnon Wen, Cerrig ac **Isabella** (Edwards) Gaerfechan, Cerrig. Yr oedd hi'n nain i Sioned Mair, aelod o'r grŵp 'Sidan' ers talwm a phriod Russell Isaac ac i Griff Evans, rheolwr llawr rhaglenni teledu o Lundain (*Who wants to be a Millionaire* yn un ohonynt) ac a laddwyd mewn damwain car ddechrau 2001.

Gweithio ar y tir oedd y mwyafrif o'r trigolion. Y fferm fwyaf yn y plwy oedd Botegir lle'r oedd Margaret Jones yn ffermio 355 acer gyda'i dau fab William a Thomas a'i merch Annie. Yn 1894 priododd Thomas ag Emma Jones, Tŷ Brith, Llanelidan, a daeth ei chwaer Polly yn wraig i Jonathan Davies, Commerce House, Corwen. Deuthum ar draws hanesyn am wraig o'r Botegir a gollodd ei ffydd – nid oedd ei henw a'r dyddiad yn cael ei gofnodi. Am ryw reswm fe aeth meddyg â hi i weld ysgerbwd a dyma hithau'n cyfrif yr asennau a dweud mai ysgerbwd dynes ydoedd. 'Na' ebe'r meddyg, 'dyn ydio.' Llwyddodd i'w pherswadio bod gan ddyn a dynes yr un nifer o asennau er iddi daeru am dipyn bod Adda wedi colli un er mwyn creu Efa. Siglwyd ei ffydd yn yfflon. Celwyddau sylfaenol fel yna sydd wedi erydu crefydd a chyfrannu i'r anghrediniaeth gyfoes.

Ac wrth gwrs yr oedd yn gymdeithas hunan-gynhaliol: Cadwaladr Lloyd yn cadw swyddfa bost Rhiw Goch, gŵr a roddodd wasanaeth i'w fro fel arweinydd crefyddol a hyrwyddwr diwylliant; John Roberts y gof yn Nhan Rhiw, Robert Davies y saer ym Maes Draw, Griffith Jones y cigydd ym Mwthyn y Plas, Eleanor Jones y pobydd ym Mhen y Bont, Thomas Roberts y gwehydd yn y ffatri, Elliw Roberts, Neuadd Lwyd yn cario'r post rhwng Llanfihangel a'r Cerrig ac Edward Evan Jones, Cysulog yn gwerthu gwrtaith.

Nid oedd yno blismon. Yr oedd gweinidog yr Annibynwyr, Ellis Jones, yn byw yn Nhy'n y Mynydd hefo'i dad John Ellis 77 oed, sydd yn dangos bod yr hen ddull Cymreig o enwi yn dal mewn bod mor ddiweddar ag 1881 mewn rhai mannau. Isaac Jones o'r Wyddgrug oedd yr athro ac yr oedd yn lletya yn y Tŷ Isa hefo teulu Thomas Ellis. Jane Hughes oedd yn cadw tafarn y Crown ac yr oedd ganddi chwech o blant i'w cadw. Llewelyn oedd enw'r pedwerydd wyth oed ac ef oedd yr unig un yn y plwy ag iddo enw Cymraeg. Dim ond dau oedd dros eu pedwar ugain sef Jane Jones, Pen y Bont, tlotyn 83 oed a Robert Roberts, Cefn Ceirch yn 84. Yr ieuengaf oedd Edward Jones, Derwydd, mis oed a John Evan Roberts, Myfyr House yn 4 mis. Yr oedd trempyn o'r enw William Williams (69) yn cysgu'r noson honno yn sgubor Foty Gader. Nid oedd yn gwybod ym mhle y cafodd ei eni. Un o bobl yr ymylon.

Yn byw yn Foty Llechwedd Gaer yr oedd William Ellis a fu'n flaenor am ddeugain mlynedd ym Maes yr Odyn. Ef oedd tad Mair Alwen. Mewn erthygl yn *Cymru* Rhagfyr 1892 y mae Ap Uthr yn sôn am William Ellis a'i ddwy ferch, Catherine a Mary – 'gwybodus, synhwyrol, hyfwyn ac amhrisiadwy at bob gorchwyl teuluol. Yr oedd un ohonynt – Mair Alwen fel y mynnwn ei galw – yn feddiannol ar dalent farddonol'. Teulu diddan a chartref cysurus, meddai.

Ddeng mlynedd yn ddiweddarach John David Jones oedd yn ffermio

Cysulog ac yr oedd ganddo ef a Harriet Elinor a briododd ar 28 Ionawr 1888 (merch Penyfed a chwaer i fam Dei Ellis) ddau o blant bach – Elizabeth 2 ac Elinor 8 mis ac Elinor un ar ddeg oed o Langwm yn eu nyrsio. Priododd Elinor (y ferch) â Hugh Owen, Ty'n Llidiart, Corwen a bu farw yn 1944. Rice Jones oedd yn Tŷ Cerrig Llysan, ffariar a ffermwr ac yr oedd ganddo fo a Margaret ei wraig bump o blant yn byw adre fis Ebrill 1891 – Edward (31) John (27) Rice (23) Jane (21) ac Evan (17). Priododd Evan â Catherine Williams, Ystrad Fawr a mab i Rice oedd y nodedig J E Jones y Blaid. Yr oedd JE yn edmygu ei daid yn fawr gan ei fod yn un o Ferthyron y Degwm. Yn y gyfrol *Cwm Eithin* y mae llun ohonyn nhw a Rice Jones yw'r un barfog yn gafael mewn ffon fugail yng nghanol y llun.

Yn ffermio yn y Tyisa yr oedd Robert Owen (68) brodor o Drewydr, Sir Gaernarfon a Margaret ei wraig (42) o Langwm ac yr oedd yno dri o blant – Thomas (12), Keturah (8) a Hugh Parry (6). Yr olaf oedd y cymeriad rhyfeddol hwnnw, Huw Foel Grachen. Mae'n fwyaf enwog am ei ffraethineb ac am ei 'englyn' i'r wningen:

Tyrd, lwyden i'r fagl felen – osodwyd
Gan dad o Foelgrachen,
Dyro'th einioes lle mae'th angen,
A thaga dy hun cyn mynd yn hen.

Yr oedd yna adeg pan oedd pawb yn y fro'n gwybod yr 'englyn'. Ysgrifennwyd cofiant iddo gan ei fab yr Arolygydd Ellis Parry Owen ac y mae'n rhoi darlun llawn ac annwyl iawn o'i dad a'i gefndir. Yr oedd yn gymeriad ffraeth iawn ac y mae'r straeon amdano wedi mynd yn rhan o draddodiad llafar gwlad. Crydd y pentre oedd Robert Williams, Pen Isa'r Pentre. Ei enw barddol oedd Myfyr Alwen a bu'n dysgu solffa i blant y fro ac yn cyfansoddi cerddi ar bob math o achlysuron. Ceir llun ohono yn llyfryn Robin Gwyndaf ar Uwchaled yng Nghyfres Teithiau Llenyddol Cyngor Celfyddydau Cymru 1994.

Ann Jones, gweddw 76 oed, genedigol o Landderfel oedd yn Hafodwen – ei mab Thomas (38) wedi'i eni yn y Tai Ucha, Hafod Elwy, yr ieuengaf o bunıp o blant. Pan oedd yn ddeuddeg oed bu farw ei dad, ei chwaer a'i dri brawd. Yn 1906 priododd ag Elin Davies, Pentre, Tai Ucha a symud i Glan Clwyd Bella, Bodffari yn 1919. Yr oedd yn bencampwr ar fagu defaid a gwartheg. Bu farw yn 1927 yn 74 oed.

Allan o ychydig dros bedwar cant o drigolion dim ond un oedd yn methu siarad Cymraeg. Enw'r creadur unig hwnnw oedd Robert Morrison, peintiwr o Lerpwl oedd yn lletya hefo Robert Hughes y cigydd yn y llan. Ni wn pa un ai peintio tŷ neu beintio llun oedd rhawd y brawd. Y tri pherson hynaf yn y plwy oedd William Lloyd (96) Pant y Mêl Mawr, Dorothy Wynne y Gro (93) a Catherine Davies (92) Cae Lloi. Yr oedd tri baban ifanc – Margaret Ellen Hughes, 4 mis, wyres Evan a Margaret Jones, Hendre Cefn Post (Mrs Williams, Hengaer, yn ddiweddarach. Collodd ei mam ar ei genedigaeth 2 Rhagfyr 1890 a'i magu gan ei thaid a nain), Edith Jane Hughes, 2 fis, wyres Jane Hughes, Llechwedd Gaer a David, mab mis oed William a Janet WIlliams, Bryn Glas. Yr oedd yna hefyd fab mis oed heb ei enwi yn Nhy'n y Bryn. Yr oedd efeilliaid yn y Derwydd sef Catherine ac Edward Jones, 11 oed.

Ellen Jones oedd yn ceisio ennill ei chrystyn yn Nhy'n y Ffordd. Gadawyd hi'n weddw yn 1871 gyda naw o blant i'w magu. Bu farw yn 1904 yn 91 oed a'i theulu wedi chwalu – tri mab yn Iowa, merch wedi'i chladdu yn Wisconsin, merch wedi'i chladdu yn Llanfihangel, dwy ferch yn Llangwm, un yn Ninbych – a John adre hefo'i fam. John a Sinah Owen oedd yn Nhy'n Celyn. Mae'n rhaid bod John wedi marw'n weddol fuan oherwydd yn 1904 daeth Sinah yn ail wraig i Isaac Foulkes y Llyfrbryf. Prentisiwyd ef yn gysodydd gydag Isaac Clarke yn Rhuthun ond aeth i Lerpwl cyn ei gwblhau ac aeth i weithio yn argraffdy'r *Amserau*. Yn 1862 sefydlodd ei wasg ei hun a'r llyfr cyntaf a gyhoeddodd oedd Llyfr Emynau i'r Annibynwyr. Gwnaeth gyfraniad arbennig i'r byd cyhoeddi llyfrau Cymraeg a Chymreig ond y mae'n cael ei gofio'n bennaf am mai ef oedd cychwynnydd, perchennog a golygydd *Y Cymro* a daeth y rhifyn cyntaf o'r wasg 22 Mai 1890. Bu farw yn y Rhewl ar 2 Tachwedd 1904 a'i gladdu yn Llanbedr hefo'i wraig gyntaf. Ail-briododd Sinah wedyn â'r Parch W A Lewis, Lerpwl a bu hi farw yn 1937. Ni wn faint o blant oedd gan Isaac Foulkes ond gwn i'w ferch Fanny briodi'r Capten E A Stitch, Lerpwl ac i Enid, merch arall, briodi Llewelyn Jones, Pen y Waen, Llanbedr.

Dylid hefyd sôn am deulu Hafoty Llechwedd ac yn 1891 yr oedd y canlynol yno:-

Thomas Jones	pen	32	Ffermwr	Cerrigydrudion
Anne "	gwraig	32		Capel Garmon
William "	mab	10		Llanfihangel
John "	"	8		"
Winifred "	merch	7		"
Alice "	"	6		"
Thomas "	mab	3		"
Hugh "	"	1		"

ac fe anwyd chwech arall yn ddiweddarach. Bu farw'r fam yn 86 oed yn 1944 ac o'i phlant bu **William** yn byw ym Mlaenlliw, Llanuwchllyn; **John** yn Llangybi, Ceredigion; **David** yng Nghaerddunod, Llanfihangel; **Thomas** yn Awstralia; **Hugh** yn Lerpwl; **Robert** ym Mhentrefelin; **Annie** yn Blundellsands; merch yn y Tŷ Ucha; merch yn Acar Las, Saron ac **Elizabeth** yn wraig y Ffynogion. Cafodd hithau ddeuddeg o blant.

Un o nodweddion Llanfihangel Glyn Myfyr yw'r tro sydyn ar y ffordd o Glawddnewydd i'r Cerrig, wrth y Crown, wrth y bont. Ysgrifennwyd englyn gan Cadwaladr Llwyd iddi:

> Hanner O yn yr awyr – yw'n pont gain
>   Pant gwyd i draed-deithwyr,
> O'r graig ei chrog gamog yrr
> Am afon Glyn y Myfyr.

Rywbryd yn yr 1890au fe foddodd Isaac Breeze, gwneuthwrwr clociau a mab i blismon Cerrig, o dan y bont ac o ganlyniad yr oedd ar ferched ifanc y fro ofn croesi'r bont wedi nos a byddent yn gofyn i Robert Jones, sef Bob Traian, i'w hebrwng i'r Cerrig ac ati. Ond byddai eu cariadon yn eu danfon adre. Blinodd Bob ac ysgrifennodd fel hyn:

> Mae merched Llanfihangel
> Yn anodd iawn eu dallt,
> Mae nhw weithiau'n felys felys
> Ac weithiau yn bur hallt.

> Pan ânt i ryw Gymanfa
> Neu Steddfod neu i'r Ffair,
> Wel ni wnant edrych arnaf
> Mwy taswn das o wair.

> Ond nawr rwyf wedi dyfod
> I ddeall am eu *tricks*,
> Nad ydyw chaps Glyn Myfyr
> Yn ddim ond *walking sticks*.

Chwarae teg i Bob. Gwnaeth gyfraniad mawr i ddiwylliant y fro ac fel mae'n digwydd, y mae ei wyres yn byw y drws nesaf i mi.

Ardal hyfryd yw hon. Ac nid fi yw'r unig un sydd yn dweud. Bu William Wordsworth yno yn 1824 ac yr oedd ganddo hyn i'w ddweud:

117

A stream to mingle with your favourite Dee
Along the Glen of Meditation flows . . .
Or happ'ly there some pious hermit chose
To live and die, the peace of heaven his aim.

Llanelidan – Treftadaeth

Mae gen i ddiddordeb arbennig yn yr ardal hon gan fy mod wedi olrhain fy achau yma am tua pedair canrif ac yr wyf bob amser yn teimlo bod yna rywbeth gwerthfawr yn y tir dan fy nhraed yn y plwy arbennig hwn. Un o'r pethau mwyaf rhwystredig wrth geisio chwilio am fy hynafiaid yn Llanelidan yw'r ffaith bod ffurflenni Cyfrifiad 1841 ac 1861 wedi mynd ar goll. Sut a pham ni wn ond aeth fy nghalon i'm sgidie pan roddwyd y newydd trist i mi ryw ugain mlynedd yn ôl. Dyna enghraifft o fellten yn taro ddwywaith. Teimlais bod yna ryw gynllwyn i'm rhwystro rhag canfod fy hynafiaid ond deuthum i ddeall yn ddiweddarach bod pawb sydd yn olrhain hanes eu teulu yn teimlo felly!

Cysegrwyd yr eglwys i Elidan. Y cofnodion cyntaf yn y cofrestri plwy yw bedydd Maria merch Eubule Thelwall, Ysw. a'i wraig Susan ar 26ain Medi 1686; claddedigaeth Ephraim Thelwall, Ysw. ar 8fed Chwefror 1695 a phriodas John Gryffith a Gwen Robert yn 1697. Yn y fynwent o dan yr ywen gwelir bedd Coch Bach y Bala. Bedd arall gerllaw yw eiddo'r Parch John Morris, brodor o Glarach. Ef a gladdodd y Coch Bach yn 1913 a bu'n rheithor Llanelidan o 1891 (er mai ar ôl 3ydd Ebrilll y daeth, mae'n rhaid, oherwydd nid yw ar y Cyfrifiad) hyd ei farwolaeth yn 1937. Yr oedd yn ysgolor gwych ond gwnaeth nifer o elynion oherwydd ei ymlyniad cibddall wrth Eglwys Loegr a'i agwedd tuag at blant yr Ymneilltuwyr oedd yn mynychu'r ysgol eglwys leol. Dywedir hefyd bod yna ryw anghydfod rhyngddo ef ag Archesgob Llanelwy, A G Edwards, a ddaeth yn Archesgob cyntaf Cymru. Dyna'r rheswm, dywedir, pam na chafodd John Morris unrhyw ddyrchafiad er ei fod, yn sicr, yn fwy o ysgolhaig na nifer o'i gyfoeswyr a gafodd swyddi bras. Y mae Arglwydd Crughywel, Nicholas Edwards, a fu'n Ysgrifennydd Gwladol Cymru, yn or-ŵyr i A G Edwards, gyda llaw. Y mae gen i lythyr yn fy meddiant yn llawysgrifen gain yr hen John Morris, sef testimonial i fy nhad pan aeth allan i Ganada ddiwedd y dauddegau. Er mai Bedyddiwr oedd fy nhad, fe ysgrifennodd yr hen John Morris lythyr cyflwyno graslon iawn!

Heblaw'r eglwys yr oedd yno hefyd dri chapel sef Bryn Banadl (MC) Carmel (B) lle'r oedd fy nhaid Gwrych Bedw yn ddiacon, a Seion (W). Rhaid cofio hefyd am gapel bychan Cefn y Wern, y capel sinc, a godwyd yn 1909 er mwyn arbed taith hir i Lanelidan, Bryneglwys neu Wyddelwern. Ddiwrnod agoriad swyddogol y capel tynnwyd llun o'r holl aelodau ac yn eu plith y mae fy hen daid a hen nain (Hugh a Mary Hughes, Bryntangor) a rhai o'u plant. Gwelir hefyd nifer o deulu'r Cwm a Rhewlfelyn yn y llun. Y mae'r llun gwreiddiol yn yr Archifdy yn Rhuthun ac yn werth ei weld. Caewyd y capel yn 1995 a dim ond cragen sydd ar ôl. Er hynny byddaf yn mynd i'w weld yn achlysurol gan mai yno y dysgais ddarllen a chanu solffa, yno y byddwn yn cael *Cymru'r Plant* a'r *Drysorfa Fach* ac yno hefyd y gwelais Sion Corn am y tro cyntaf!

Yr oedd yna dai ffermydd oedd yn llawn i'r ymylon noson y Cyfrifiad. Pedwar ar ddeg yn y Siamber Wen, un ar ddeg yn y Leyland Arms ac yng Nghefn Griolen ac yng Nghaerddinen. Dyma fel y cofnodwyd nhw:-

SIAMBER WEN

Robert Roberts	pen	55	Ffermio 190 acer	Llansannan
Catherine "	gwraig	48		Llandderfel
Jannett Ellin "	merch	22		"
Jane "	merch	20		Gwyddelwern
David "	mab	16		Llangar
Robert E "	mab	11		Llanelidan
John "	mab	9		"
Wm Trevor Jones	mab	8		"
Ann "	merch	5		"
Mary Cath "	merch	3		"
Richard "	gwas	56	beiliff	Llanycil
Thomas Hughes	gwas	22		Llanelidan
Leonard "	gwas	19		"
Elizabeth Lloyd	morwyn	17		Clocaenog

O fewn deunaw mis yr oedd Robert Roberts wedi marw yn 57 oed. Merch Bryn Melyn, Llandderfel, oedd Catherine, ei wraig, ac yr oedd yn chwaer i Thomas a David Jones, yr olaf yn ddyn busnes llwyddiannus yn Lerpwl (y soniais amdano yn y bennod ar Gorwen) a'r blaenaf yn Gadeirydd Cyngor Sir Feirionnydd ac yn ddyn busnes llwyddiannus yn ardal y Bala. Bu farw Thomas Jones 8 Mai 1906 yn 69 oed. Yr oedd yn nodedig fel beirniad defaid a gwartheg ac y rhedeg busnes gwerthu hadau Jones & Son, Bala a Chorwen. Cymerodd ei fab, W T Jones drosodd ond bu farw yn 1903 ac ail-afaelodd Thomas Jones yn yr awenau. Yr oedd hefyd yn Ynad Heddwch ac yn un o gyfeillion mynwesol Tom Ellis, Cynlas. Merch y Cyffdy oedd ei wraig a chawsant saith o blant – heblaw am W T a Catherine yr oedd hefyd **John Morris** (hynafiad y diweddar Charles Morris Jones modurdy'r Henblas y Bala); **David Evan Jones** y cenhadwr o Lushai a briododd Katie merch Dr W Morgan Williams, fferyllydd yn Llansantffraid Glan Conwy, a **Janet Elizabeth** a briododd Robert Ellis, Bryn Bwlan, Llandderfel yn 1892. Buont yn ffermio Fferm Llantysilio ger Llangollen ond bu hi farw ar enedigaeth plentyn yn 1906.

Priododd **Jannett Ellin**, merch Robert a Catherine Roberts, Siamber Wen, â John Jones, Plas yr Esgob a nhw oedd rhieni'r Dr Trefor Jones, Rhuthun, Edward, Rhos Farm, Gellifor, Agnes, Cassie a Winifred Davies, Bryn Gwenallt, Gwyddelwern. Enillodd y Dr Trefor radd ddwbl yn y Brifysgol ym Mangor cyn mynd ymlaen i'r Ysgol Feddygol ym Manceinion lle bu'n llywydd y myfyrwyr. Dechreuodd ar ei waith fel meddyg ym Manceinion ond gweithiodd yn rhy galed a thorrodd ei iechyd a bu rhaid cefnu ar ei swydd. Rhoddodd ail gynnig arni a hynny yn Llanfyllin ond digwyddodd yr un peth eto a dychwelodd i Ddyffryn Clwyd lle y dechreuodd bregethu. Yr oedd yn llenor cymeradwy a chyhoeddodd nifer o bethau gan gynnwys *Ar Lwybr Serch*. Llawlyfr am ryw a phriodas ac ati ydyw ond pan roddwyd copi i mi i'w ddarllen yn bedair ar ddeg neu bymtheg yr oedd yr arddull mor gwmpasog fel nad oeddwn yn medru dirnad beth oeddwn i ddim i fod i'w wneud! Yr oedd yn ddyn a enynnodd barch anghyffredin yn ardal Rhuthun. Yr oedd ganddo syniadau blaengar hefyd. Pregethodd yn gadarn yn erbyn torri merched allan o'r Seiat, er enghraifft. Bu farw yn 1966 yn 79 oed.

Priododd y ferch arall, **Mary Catherine**, â Samuel Davies, Caesegwen, Clocaenog, a buont yn byw yn Nhy'n Celyn cyn symud i Blas Ashpool, Llandyrnog – a magu llond tŷ o blant – yn cynnwys Megan (Segwen, Llandyrnog) Ifor y *vet* Rhuthun a briododd ag Alwena Beech, Tŷ Mawr, Bryneglwys, (rhieni'r actor Gwyn Beech) Oswald (fu farw yn 1999), Gwynn (fu'n byw yn y Bala) Emlyn, Buddug, Myra a Falmai. Yn 1915 bu tân difaol yn Nhy'n Celyn pan aeth y cnwd i gyd ar dân. Cafwyd arwerthiant er mwyn ceisio helpu Samuel Davies a'i deulu a gwelwyd nifer o'r cymdogion yn talu prisiau da mewn cydymdeimlad. Er enghraifft, James Shaw yn prynu heffer a llo am £17; E Roberts, Stryd y Ffynnon, Rhuthun yn prynu heffer wag am £14/15/-; G T Evans, Llain Wen yn prynu dau lo bustach am £14 a Thomas Davies, Ty'n Celyn, Clocaenog yn prynu dwy heffer am bymtheg gini.

Mab i Robert a Catherine Roberts, Siambar Wen oedd **John Roberts** (9 oed uchod) Plas Einion. Yn 1938 syrthiodd yn farw ym marchnad Amwythig. Priododd **Robert E** (11 oed uchod) ag Alice Evans, Llain Wen, Pentrecelyn (teulu y byddaf yn sôn amdano ymhellach) a nhw oedd rhieni'r diweddar Oscar Roberts a fu mewn swydd uchel gydag United Dairies yn Llundain. Bu farw ei unig blentyn ef, Eric, mewn cwymp eira – afalans – yn yr Himalayas. Gweddw Eric yw Ann Mererid sydd yn rhedeg siop dynnu lluniau Elsa Frischer ar Sgwâr Rhuthun, merch y diweddar Barch John Evans, Gyffylliog. Nid oedd carwriaeth Robert ac Alice wedi cychwyn yn esmwyth oherwydd y mae gen i yn fy meddiant gopiau o ddau lythyr. Meddai'r gŵr ifanc ar 14 Ebrill 1893:

Annwyl Miss Evans
Maddeuwch fy hyfdra yn anfon y nodyn hwn attoch. Yr wyf wedi meddwl lawer gwaith siarad a chwi, ond rwan heb eich gweld ers wythnosau. A fyddai yn ormod i mi ofyn – A gaf fi ddod <u>yna ryw noswaith</u> er mwyn siarad y peth drosodd. Hyn yn fyr gyda'r cofion goreu.
R E Roberts
P.S.
Gair yn ôl os gwelwch yn dda. RER

Ymhen deg diwrnod dyma fo'n anfon llythyr arall:

Anwyl Miss Evans
Daeth eich llythyr i law yn ddiogel a da iawn oedd genyf ei gael, ond nid oeddwn yn hoffi yr attebiad oedd ynddo. Fel yr wyf fi yn deall eich llythyr, yr unig reswm sydd ynddo yn erbyn i mi ddyfod yna ydyw fy mod yn canlyn 'merch ieuanc arall'. Yr wyf yn addef fy mod wedi bod yn cadw cwmpeini i un arall, ac yn llawer rhy hir hwyrach. Ond yn awr yr wyf wedi tori pob cysylltiad a hi, pe heb hyny ni fuaswn yn ysgrifenu attoch o gwbl. Terfynaf gan ddisgwyl attebiad boddhaol.
Gyda'r cofion gorau attoch
Ydwyf
R E Roberts

Hyfryd onide? Llwyddodd y llythyrau cwrtais i ennill calon Alice ac fe'u cadwodd weddill ei hoes.

Priododd **Ann** (5 oed uchod) ag Edward Vaughan Jones, Plas yr Esgob ar 5 Ebrill 1904, mab i deulu oedd wedi symud i'r ardal o Foch y Rhaeadr wrth droed yr Arenig. Bu farw Ann cyn pen dwy flynedd gan adael bachgen bach ar ei hôl. Ail-briododd Edward gyda Susannah, merch y Leyland Arms, a symud i'r Siambr Wen lle magwyd eu pedwar plentyn – Beryl, Iorwerth, Tudor ac Emyr – yn ogystal â Robert (Bert) mab amddifad Ann, ac Olive, merch i hanner brawd Susannah. Brodyr i Olive oedd Evan Leonard Jones a fu'n athro yng Nglyn Llifon a'r Parch Herbert Jones a fu'n ficer Llanrhaeadr ar un cyfnod. Yn 1929 aeth Bert a'i gyfaill Alun, Gwrych Bedw (sef fy nhad) i Ganada i weld beth oedd gan y byd i'w gynnig gan ei bod yn ddirwasgiad ofnadwy yn y wlad yma. Wedi hwylio o Lerpwl ar y llong *Montroyal* am wythnos a glanio yn

Quebec, ffarweliodd y ddau â'i gilydd ar gornel stryd yn Regina ac ni welsant ei gilydd byth wedyn, er eu bod yn ysgrifennu bob Nadolig. Bu fy nhad yn gweithio yn y cynhaeaf gwenith yn Saskatchewan, yn pacio pysgod yn Winnipeg ac yn gwerthu bara ym Montreal cyn dychwelyd i Gymru a phrynu Cefnmaenllwyd, Gwyddelwern. Bu Bert yn gweithio ar Indian Reservation ac ni fu yn ôl yng Nghymru o gwbl. Mae ei ddisgynyddion wedi bod, sef ei ddwy ferch, Gwyneth ac Enid, a'u plant. Daeth Olive yn wraig i Ifor Price, Maes Truan a'u merch Iola sydd yn byw yno heddiw.

LEYLAND ARMS

Margaret Evans	pen	29	Ffermio (gweddw)	Llanelidan
Sarah A P "	merch	9		"
John "	mab	7		"
Robert H "	mab	5		"
Susan "	merch	1		"
Elizabeth Jones	morwyn	21	Morwyn llaethdy	Llanfair
Anne Edwards	morwyn	21		"
Jane Roberts	morwyn	14	Nyrs	Efenechtyd
Peter Jones	gwas	66	Beiliff	Llanfwrog
John Roberts	gwas	18		Llanelidan
Henry W Evans	brawd-yng-nghyfraith	40	Fferyllydd (gweddw)	"

John Evans oedd enw gŵr y tŷ ond gadawyd Margaret druan yn weddw ifanc iawn gyda phlant mân i'w magu. Yn eu plith **Robert Hugh** a briododd Charlotte Thomas, Garth Neuadd, **Sarah Alice** a briododd John Charles Miller, masnachwr gwin a **Susan(nah)** a ddaeth yn wraig y Siambr Wen. Erbyn 1891 yr oedd Margaret wedi ail-briodi ag Edward Stephen Jones (mab Plas yr Esgob a brawd i Richard Lloyd Jones, Maerdy Mawr, Gwyddelwern, aelodau o deulu Penybont, Carrog) oedd yn cadw'r dafarn ac yn ffermio ac yr oedd yno erbyn hyn bum plentyn arall: **Maurice Lloyd Jones** (8) (a briododd ag Emily Jones Roberts, merch tafarn y Tair Sguthan, Graigfechan a buont yn cadw'r dafarn yn Rhydymeudwy cyn symud i Rydonnen Isa, Llandysilio); **Margaret Jane** (6) (priododd Christmas Jones yr ysgolfeistr lleol); **Florence Anne** (5) (gweler isod) **Edward** (3) (priododd ef â Gwendoline Helena Vaughan Jones, Tal y Bidwel Bach, Bryneglwys – taid a nain Phyllis Pandy y soniais amdani dan hanes Gwyddelwern) a **Mabel** (1) a briododd Herbert Lloyd Jones, Brondderwen. Bu'r teulu Evans yn cadw'r dafarn tan yn weddol ddiweddar – credaf mai John y mab fu yno wedyn a magwyd teulu mawr arall yno – ymysg ei blant yr oedd Goodman (y canwr) Artemus (Rhydmarchogion) Haydn, Tom Henry, a fu'n byw yn Llundain ac yn drysorydd y Gymanfa Ganu fawr flynyddol am gyfnod hir, a Mair Eurddolen, a briododd Oswald Edwards, yr organydd gan wneud eu cartref yn Leyland, Sant Meugan, Rhuthun. Yr oedd plant y dafarn i gyd, gyda llaw, yn llwyr-ymwrthodwyr.

Yn Eglwys Llanbedr DC priododd Florence Anne (uchod) â Thomas Ellis Price, mab Edwin ac Ann Price, Pen y Rhiw, oedd yn athro ym Mhentrecelyn, ac ymfudodd y ddau i Iowa, UDA, yn 1912. Cafodd T E Price bortmanteau yn anrheg gan Ysgol Pentrecelyn. Buont yn briod am 70 mlynedd a bu ef farw yn 94 oed yn 1982 a hithau ar ddiwrnod ei phen-blwydd yn 99 oed yn 1986 yn Lime Springs. Yr oedd Thomas Price yn cadw siop enfawr yn Iowa a sefydlodd gôr meibion yn y dalaith. Brawd iddo oedd oedd John William Price, Maes Truan a chwaer iddo oedd Olwen Roberts, Clegir Ucha, Betws GG. Yr oedd J W Price yn daid i Iola sydd yn byw ym Maes Truan heddiw – fferm lle cynhelir cystadleuthau cneifio llwyddiannus iawn. Wyres arall i J W Price yw Gwenda Griffith (Penbont, Corwen gynt) sydd yn gweithio i'r cyfryngau (Cwmni Fflic) ac yn briod â Jonathan Jones, pennaeth Bwrdd Croeso Cymru a brawd i Jenny Ogwen.

CEFN GRIOLEN

John Jones	pen	41	Tenant ar fin symud allan	Maentwrog
Margaret "	gwraig	32		Llangower
William " ˙	mab	11		Llanycil
Jane "	merch	9		Llanelidan
Catherine "	merch	5		"
Margaret "	merch	3		"
Amelia Lewis	morwyn	24		"
Steven Jones	gwas	19		Bryneglwys
Robert Davies	gwas	14		Bala
Richard Roberts	pen	29	Tenant ar fin symud i mewn	Llanfor
Jane "	gwraig	30		Llangwm

Sefyllfa ddiddorol – dau deulu yno ar yr un pryd. Yr oedd John Jones a'i deulu ar fin symud i Segrwyd ger Dinbych. Mab William a Catherine Jones, y Fedw, Llanycil oedd o. Yr oedd Catherine ei chwaer wedi priodi Griffith Evans o'r Prys, Llanuwchllyn a fu'n byw ym Mryn Bedwog. Bu farw Catherine yn 36 oed yn 1871 a hi oedd nain Robert Evans,

Crynierth, Cefnddwysarn a John Evans, Meyarth, Derwen. Bu farw John Jones, Segrwyd yn 1912 yn 72 oed. Yr oedd yn ŵr cyfrifol, yn Gynghorydd Sir Ddinbych, yn flaenor ym Mheniel ac yn sefydlydd Cymdeithas Amaethyddol Dyffryn Clwyd. Bu ei fab **William** yn ffermio Plas Towerbridge, Llanbedr DC, priododd **Catherine (Kate)** â David Williams, Plas Capten a **Jane** â J E Jones, y Foel. Y mae disgynyddion Richard a Jane Roberts, y tenantiaid oedd yn symud i mewn i Gefn Griolen, yn dal o gwmpas – roeddynt yn daid a nain i Ceri Davies, Rhuthun, y ddiweddar Mair Eyton Jones, Ty'n y Wern a'r ddiweddar Myfanwy oedd yn byw yn yr Unol Daleithiau. Merch Maesmor Fechan oedd Jane Roberts ac yr oedd yn chwaer i wraig Thomas Thomas, y siopwr o Ddinmael ac i Margaret a briododd â Gomer Roberts, (Tyddyn Ucha, Llawr y Betws yn wreiddiol ond a oedd erbyn hyn yn byw yn y Cae Haidd.) Yn 1886 bu farw Richard Roberts, Cefn Griolen yn 34 oed gan adael gweddw a phedwar o blant ifanc iawn. Mewn ymgynghoriad â'r meistr tir (Plas Nantclwyd) penderfynwyd newid dwy fferm ac aeth Gomer a Margaret Roberts i Gefn Griolen a Jane Roberts a'i phlant i'r Cae Haidd.

Yr oedd Gomer Roberts yn ŵr blaengar yn y fro ac y mae ei gyfrol *Atgofion Amaethwr* a gyhoeddwyd gan Gymdeithas Hanes Sir Feirionnydd yn bortread amhrisiadwy o fyd amaeth hanner olaf y bedwar ganrif ar bymtheg. Yr oedd yn Ynad Heddwch, yn Henadur, yn Gadeirydd y Fainc, yn flaenor ac yn 1918 dyfarnwyd yr MBE iddo. Yr oedd hefyd yn un o sefydlwyr capel bach Cefn y Wern. Y mae gennyf yn fy meddiant lythyr a ysgrifennodd yn cymeradwyo fy nhad pan ymfudodd i Ganada yn 1928. Mae'n siwr ei fod yn meddwl yn hiraethus am ei fab ei hun, **Johnny**, a ymfudodd i Ganada yn 1912 ond a laddwyd yn y Rhyfel Mawr. Gosodwyd plac er cof amdano y tu mewn i gapel bach Cefnywern. Caf ar ddeall ei fod yn ddiogel yng ngofal y teulu gan bod y capel bellach wedi cau. Erbyn 1891 yr oedd yn y Cefn ferch o'r enw **Catherine**, blwydd oed, adweinid fel Kate a hon ddaeth yn wraig i John T Jones y Cwm, Eglwys Wen, Dinbych yn ddiweddarach – (a Chefnmaenllwyd cyn hynny) taid a nain Ann Jones-Evans, Llandyrnog, Menna Cunningham, Llysfasi, Llinos Lanini a Helen Mattison, yr Wyddgrug, Mair Jones yn ardal Colwyn a Hywel Wyn yng Nghaerdydd ac i Enid, Eirian, Dewi, Gwynfor a Bryn, plant Bodeiliog Isaf, y Groes gynt. Ganwyd mab arall yng Nghefn Griolen tua 1887 sef David Owen (yr oedd yn bedair oed yng Nghyfrifiad 1891) a phriododd ef â Sarah Evans, Bryn Du, Gwyddelwern. Plant iddyn nhw oedd Gomer Roberts, Cefn Griolen; Alun, Trefin, Rhuthun (cyfeilydd gwych am flynyddoedd yn eisteddfodau'r fro); John Ellis gynt o'r Parc, Bontuchel; Wyn, Plas

Trofarth a dwy ferch Margaret a Maud, teulu cerddgar a gweithgar a'u disgynyddion yr un modd.

Deuthum ar draws saga ryfeddol ynglŷn â chapel Bryn Banadl, yr hyn a elwid yn y wasg yn *'The Llanelidan Irreverence Case'*. Rywbryd yn 1894 cynhaliwyd cyngerdd yn y capel gyda Thomas Hughes, Grove House, Gwyddelwern yn arwain. Ymhen wythnos yr oedd adroddiad am yr achlysur yn y *Denbighshire Free Press* yn dweud bod pobl yn bwyta, taflu fferins o gwmpas, curo traed, gwisgo hetiau a smocio yn y capel yn ystod y cyngerdd. Os do fe, chwedl pobl Shir Gâr.

Yr wythnos wedyn dyma lythyr oddi wrth Thomas Hughes, Grove House a T O Jones, Pen y Parc, yn gwadu ac yn beio 'rhyw eglwyswr dienw' am sgwennu'r adroddiad celwyddog. Ond Golygydd y *Free Press* yn dweud ei fod wedi gwirio'r cyfan hefo'r awdur a bod y stori'n gywir.

Wythnos wedyn llythyr gan E P Jones, yr ysgolfeistr (eglwyswr) yn gwadu nad ef oedd awdur yr adroddiad a'r *Free Press* yn cadarnhau hynny.

Y bedwaredd wythnos rwan (ac mae'n siwr bod pobl yn ciwio i brynu'r papur erbyn hyn) dyma lythyr yn mynnu mai celwydd oedd y stori ac wedi'i arwyddo gan Joseph Evans, John Jones, Edward Evans a Thomas O Jones (blaenoriaid) John J Griffith (aelod) John Edwards (blaenor hefo'r Bedyddwyr) Robert Price a William Edwards (oedd wrth y drysau). Ymhen wythnos dyma lythyr gan un yn galw'i hun yn 'Observer' yn haeru nad oedd pawb a lofnododd y llythyr blaenorol yn bresennol yn y cyngerdd felly sut y medrent daeru bod y stori'n gelwyddog. Gwawriodd y chweched wythnos a dyma un o'r gynnau mawr yn tanio. Llythyr gan Gomer Roberts eisiau i 'Observer' enwi'r rhai nad oedd yn y cyngerdd. Nawfed wythnos: llythyr arall gan Gomer Roberts, eisiau ateb i'w gwestiwn. Tawelwch. Y ddeuddegfed wythnos a'r *Free Press* yn dweud mai dyma ddiwedd y stori. Ac am wn i, dyna fu. Yr ydym erbyn heddiw wedi anghofio cymaint o ddrwg-deimlad oedd yna rhwng yr Eglwys a'r Capeli cyn dileu'r Degwm a chyn y Datgysylltu.

CAERDDINEN

John Owen Williams pen		55	ffermwr 130 acer	Llanfair
Margaret Ll "	gwraig	48		Derwen
Edna Lloyd "	merch	11		Llanelidan
Ellis Lloyd "	mab	10		"
John Herbert "	mab	8		"
Margt Mary "	merch	7		"
Annie Humpleby		22	private governess	Leeds
Mary Jones	morwyn	19		Bryneglwys

John Hughes	gwas	23	Corwen
Edward "	gwas	17	Llanelidan
David "	gwas	24	"

Yr oedd hon yn fferm hynafol gyda thŷ braf a threuliais hafau gogoneddus yno pan oeddwn yn blentyn oherwydd yr oedd Megan, chwaer fy mam, wedi priodi Herbert Winston Williams, unig blentyn **John Herbert Lloyd Williams**, y trydydd plentyn ar y rhestr uchod. Yr oedd gan fy Modryb Megan bedair merch – Meta (Beech, Tyddyn, Pentrecelyn), Josephine (Evans, Cyffordd Llandudno), Iris (Lloyd, Llanelian) ac Elizabeth (Jones, Tan y Bryn, Pentrecelyn.) Yr oedd Meta, Josie a minnau tua'r un oed (hynny yw, rydwi ddeg mis yn iau na Meta ac wyth mis yn hŷn na Josie . . .) a byddem yn cerdded i'r Ysgol Sul heibio Pen y Cae, drwy Ryd y Meudwy, heibio Rhyd y Marchogion ac i gapel Seion y Wesleiaid lle byddem yn eistedd fel llygod yn nosbarth Mrs Powell, Ffynnon Milgi. Ynglŷn â'r tri phentyn arall restrir ar y Cyfrifiad uchod priododd **Edna** â Joseph Evans Roberts o Landyrnog a mab iddynt oedd yr Athro J Alun Roberts, Bangor. Yr oedd ganddi hefyd ferch o'r enw Josephine (enwyd ar ôl ei thad mae'n debyg) ac y mae ei gor-ŵyr, Philip Hughes, wedi priodi Teleri, Rhyd y Creuau, Betws-y-coed. Priododd **Mary Margaret** (adweinid fel Meta) â'r Parch Llewelyn Jones a threulio'r rhan fwyaf o'i bywyd yn Lloegr. Bu farw **Lloyd** yn hen lanc 44 oed yn 1915. Dyna pryd yr aeth ei frawd Herbert yn ôl i'w hen gartref gan symud o'r Tyddyn, Pentrecelyn. Bu farw gŵr Caerddinen, J Owen Williams, yn 89 oed yn 1913. Yr oedd ei chwaer Mary wedi priodi Robert Jones, Pwll Naid, wedi bod yn byw yn Fferm, Coedllai ac yr oedd ganddynt un ferch, priod y Parch. Afonwy Williams y Bermo. Chwaer arall iddo oedd Elizabeth gwraig Lewis Edwards, Pen y Graig. Mab iddyn nhw oedd William oedd ym Mhenygraig yn 1891 a'i wraig Margaret yn chwaer i John Jones, Llannerch Gron sef fy hen daid. Yr oedd ganddynt dri o blant sef Mary, Lewis a Margaret. Merch i Margaret (oedd wedi priodi Robert Jones, beirniad ceffylau nodedig) oedd Violet y rhoddir ysgoloriaeth er cof amdani yn yr Eisteddfod bob blwyddyn, rhodd ei diweddar briod W Towyn Roberts.

Bu Plas Nantclwyd yn drwm ei ddylanwad ar Lanelidan. Noson y cyfrif yn 1881 nid oedd y sgweier, Syr Herbert Naylor-Leyland gartref ond rhestrir ugain o staff y Plas – y rhan fwyaf yn estroniaid – Catherine Day, yr howsgipar yn dod o Lincoln, Aaron Fowenuker y coitsmon o Gernyw, William Cardo y garddwr o'r Alban ac ati. Yr oedd Syr Herbert yn Aelod Seneddol dros Southport ac yn treulio'r rhan fwyaf o'i amser yn ei gartref moethus, Hyde Park House yn Llundain. Yr oedd ei chwaer

Florence Mary wedi priodi Richard mab yr Arglwydd Chetwynd. Ei wraig oedd Jeanie, merch William Selah Chamberlain o Cleveland, Ohio, a ganwyd iddynt ddau fab: Albert Edward Herbert yn 1890 (a etifeddodd y teitl) a George Vyvyan yn 1892. Pan oedd y ddau yn ddisgyblion yn Eton yr oedd yna dri ditectif yn edrych ar eu holau ddydd a nos oherwydd aml fygythiad i'w herwgipio gan fod y teulu mor hynod o gyfoethog. Bu farw Syr Herbert yn 1899 o'r hyn a elwid yn '*tubercular laryngitis*'. Felly naw oed oedd yr aer, Syr Edward, pan ddaeth i'w etifeddiaeth. Priododd â Kathleen, merch yr Arglwydd Huntingdon. Lladdwyd ei frawd yn 1914. Bu hanes y Plas yn un brith ar adegau ond y mae'r teulu wedi datblygu i fod yn un mwy goddefgar yn ystod y chwarter canrif diwethaf. Ŵyr i Syr Edward yw Syr Philip sydd ym Mhlas Nantclwyd heddiw.

Ffermio oedd gwaith y mwyafrif, ond tenantiaid oeddynt bron i gyd a'r pentref a'r tir yn eiddo i un ai Stâd Nantclwyd neu Lwyn Ynn. Yn 1912 bu arwerthiant mawr ar Orffennaf 11 a 12 yng Nghastell Rhuthun pan werthwyd Stâd Llwyn Ynn oedd yn 2015 o aceri ac yn derbyn rhent blynyddol o £2059. Y diwrnod cyntaf gwerthwyd rhan Llanfair sef Plas Isa, Plas Einion, Pistyll Gwyn, Garret Bach, Pen Graig, Ty'n Llanfair, Hendre, Tŷ Newydd, Llanbenwch, Bryn Coch, Capel Farm a thyddynod amrywiol. Ar yr ail ddiwrnod gwerthwyd yr Efail, Ty'n Berllan, Y Faenol, Dingle, Tŷ Brith, Plas Onn, Cricor Mawr, Bodlywydd Fawr, Waen Rhydd, Sowrach, Bryn Cymau, Rhyd y Marchogion, Caerddinen, Bryndy a Ffynnon Tudur. Erbyn heddiw Ffynnon Tudur a Rhyd y Marchogion yw'r unig ddwy fferm lle mae disgynyddion y tenantiaid hynny yn dal i fyw ynddynt. Pennod drist yn hanes Llanelidan oedd honno pan oedd y Sgweier (Syr Vyvyan, ŵyr Syr Herbert a thad Syr Philip, y sgweier presennol) yn llosgi tai ffermydd hynafol a chadarn i'r llawr fel yr oedd y tenant yn marw neu'n ymadael. Yr oedd yn fandaliaeth llwyr yn ogystal â bod yn ffiwdalaidd.

David a Mary Price oedd yn ffermio yng Nghefn y Gader ac yr oedd ganddynt fab 8 oed o'r enw Lewis a bu ardal Llanelidan yn ffodus oherwydd tyfodd i fod yn photograffydd a dyna pam bod yna doreth o luniau o dai a phobl y fro ar gael. Ni wn faint a dynnodd ond y mae rhyw ddau neu dri gen i ac y maent yn bethau i'w trysori. Ymddangosodd nifer o luniau L E Price yn *Cymru* a *Cymru'r Plant*. Efallai mai ei lun enwocaf oedd hwnnw a dynnodd o angladd Coch Bach y Bala ym mynwent Llanelidan yn 1913. Tynnodd lun hefyd o'r das wair y neidiodd y Coch iddi wrth ddianc o garchar Rhuthun a bu cryn werthu ar y llun hwnnw. Yn bresennol yn y claddu ar 9 Hydref 1913 yr oedd Robert Price, Rhewl Goch, Richard Wynne, Rhewl Felyn, Daisy Price,

Rhewl Goch, Ruth Ann Jones, Gwyddelwern, Ann V Jones, Plas yr Esgob, John Evans, Leyland Arms, Charles Watsham, Llety, David Jones y cipar, Robert Lloyd, Hendre Cottages, Charles Williams, Wernfechan a'r Parch John Morris.

David Jones oedd yn ffermio 53 acer yn y Pwll Du. Mab Hewl Gauad, Llandrillo, oedd o a'i wraig Mary yn ferch i Edward Edwards, Hen Ddewin Llwyn y Brain. Yn nes ymlaen symudodd y rhain i Benffordd Ddu ac yr oedd ganddynt un plentyn, David Edward. Yr oedd David Jones a'i fab yn weithgar yn eu bro a dywed Pierce Owen yn ei gyfrol *Hanes Methodistiaeth Dyffryn Clwyd* i David Jones 'ddod i fyw i bwll' ac iddo fod yn fodi 'godi'r capel o'r pwll yr oedd ynddo.' Priododd David Edward â Mary, (a fu fyw nes bron bod yn gant oed) merch Robert Edwards, Siop Bryn Saith Marchog a mab iddynt yw Edward Clwydwyn Jones, Dolgellau, deintydd ysgolion Meirionnydd ar un adeg, a phriod Eleanor Dwyryd y delynores oedd yn ferch i Ioan Dwyryd, un o sefydlwyr y Gymdeithas Gerdd Dant. Gweler y bennod ar Gwyddelwern.

Fy hen hen daid oedd yn ffermio Gwrych Bedw, Edward Williams 73 oed, gyda chymorth ei frawd Henry oedd yn 60 a gwas a morwyn, Elias a Laura Jones. Gwelais un cofnod yn dweud bod Edward Williams yn flaenor yng nghapel Bryn Banadl ond nid yw Pierce Owen yn sôn amdano. Ei briod oedd Ann, merch Robert ac Elinor Lloyd, Pant y Gynnau a'u merch nhw, Elinor Lloyd Williams (1836-1895) oedd mam fy nhaid, Ben Jones, Gwrych Bedw. Yr oedd brawd a chwaer Elinor, Robert a Jane, yn byw yn Llangollen. Mab-yng-nghyfraith i Jane a'i gŵr David Edwards oedd y Parch J T Jones a fu'n weinidog yn Llansilin ac yr oedd ganddo ddau o blant, Emrys a Rhiannon. Priododd Robert ag Elizabeth ac yr oedd ganddynt dair merch: Elizabeth, Annie a Naomi. Priododd **Elizabeth** â Hugh Hughes a wyres iddynt yw Beryl Hefin Jones sydd yn byw yng Nghroesoswallt ac sydd yn ymddiddori yn hanes y teulu. Priododd **Annie** â William Williams oedd yn gwneud dodrefn i siop Browns yng Nghaer ac yr oedd ef a'i wraig a phedwar o blant (Lloyd, Hywel, Nesta a Gwilym) yn aelodau yng nghapel Cymraeg John Street, Caer. Priododd **Naomi** ag Edward Edwards, gŵr gweddw. Yr oedd ganddo fo ferch o'r enw Elin a phriododd hi ag Eben Parry o Gaernarfon a chael tri mab – Iorwerth, Emyr a Maldwyn – y ddau olaf yn gyfreithwyr adnabyddus.

Mab Tai Teg, Melin y Wig oedd John Lloyd, Glan Hesbin. Daeth ei ferch **Mary** yn wraig Siop Gyffylliog ac yn fam i Besi Maldwyn Williams, ac i Derfel a Goronwy a Dr J G Thomas Dinbych; priododd **Sarah**, merch arall Glan Hesbin, â Henry O Powell, Trewyn yn 1909, a **Grace**, merch arall, gyda Robert Jones, Pant Uchaf, Gyffylliog yn 1887. Aeth **John Lloyd**, mab Glan Hesbin, i ffermio ym Mhlas y Ddol, Corwen a phriododd mab arall, **Robert,** ag Alice Hughes, Hengoed. Maent yn olrhain eu hachau i'r un cyff â Morgan Llwyd. Teulu arall fu'n weithgar oedd Wynniaid Rhewl Felyn ac yn 1881 yr oedd Thomas Wynne yn weddw 76 oed, ei ferch Grace wedi priodi Robert Parry, Moelfre Fawr, Llangwm a'i ferch Gwen wedi priodi David Hughes, Pencoed Ucha mab Tyddyn Tudur, a'i fab Robert a'i wraig Anne (Price, Cefn y Gader gynt) yn magu teulu yn Rhewl Felyn sef Thomas (15) Richard (14) Catherine (11) a Robert (10 mis). Aeth Thomas i'r UDA a bu dwy o'i ferched (Edith a Lilian) drosodd yn gweld yr hen gartref yn 1933. Richard fu'n ffermio yno wedyn ac wedi priodi â Susannah Evans bu'r ddau yn magu teulu a fu'n addurn bro. Yr oedd Susannah, wrth gwrs, yn un o deulu mawr Llain Wen a dywedid ei bod hi a'i gŵr Richard yn ymweld ag un o'i brodyr a'i chwiorydd bob mis a bod hynny'n cymryd ymhell dros flwyddyn iddynt! (Gweler y bennod ar Lanfair.) Dilynwyd nhw ar y fferm gan eu mab Trevor. Muriel Williams, Ffordd Las, Bontuchel oedd gwraig Trevor Wynne a chawsant dri o blant: Elizabeth (Beti) sydd yn wraig Rhewl Wen heddiw ac wedi bod yn llywydd cenedlaethol Sefydliad y Merched; Susan Meryl a fu'n brifathrawes yn y Gyffylliog ac a fu'n byw ym Mhwllcallod, Pwllglas cyn ymddeol i'r dre a Richard sydd yn ffermio Tŷ Newydd, Llanfair DC a thir Caerddinen. Yr oedd gan Trevor Wynne dair chwaer – Ethel Edmunds, Pen y Maes, Clocaenog; Susannah Kate Jones, Clwydfro, Pwllglas (mam Enid a Charadog Wynne – Enid yn briod â David Salisbury Davies ac wedi bod yn byw yn y Deio, Bryneglwys ac yn fam-yng-nghyfraith i'r cerddor Robat Arwyn, a Wynne yn y Tŷ Brith, Pentrecelyn ac yn gryn arbenigwr ar wenyn a mêl) a Gwladys oedd yn athrawes. Caradog Owen Jones, Penparc oedd gŵr Kate a bu farw'n 43 oed fis Medi 1937. T O Jones, YH oedd ei thad-yng-nghyfraith a bu ganddo dri mab yn y Rhyfel Mawr – William H a laddwyd yn 28 oed ar 21 Mehefin 1917 a'i gladdu ger Ypres, Edward W a laddwyd 11 Ebrill 1918 yn 28 oed ac nid oes iddo fedd ac Idwal sydd a'i enw ar adeilad coffa yn Berk i'r de o Ypres hefo 11,400 o rai eraill. Un o'r Bala oedd eu mam a bu hi farw yn 72 oed yn 1931. Cafodd fywyd trallodus iawn: bu farw dau faban, collodd ferch yn ddeg oed a merch arall yn ugain oed, mab, Gwynoro, yn ddeg oed yn ogystal â cholli'r tri mab yn y Rhyfel. Yr oedd hi'n chwaer i John Williams, Pant y Celyn, David Williams y Gyffylliog a Mrs George Edwards, Garth Neuadd. Yr oedd y ddwy chwaer, Kate a Gladys, yn byw hefo'i gilydd ym Mhwllglas a bu'r ddwy farw yr un diwrnod. Yr oedd gan Trevor Wynne a'i chwiorydd frawd hefyd ond bu farw'n ddyn ifanc. John Tegid oedd ei enw, sydd yn ein hatgoffa bod eu gwreiddiau yn ardal y Bala (gweler hanes Llanfair).

Yn y Tyddyn Uchaf (a aeth ar dân yn 1899) yr oedd John Jones 70 oed, fy hen hen daid, a'i blant Price (31) Daniel (9) ac Elizabeth Elin (6 oed). Mary Garner ei drydedd wraig oedd mam y ddau olaf. Ei wraig gyntaf oedd Anne Williams, Bodlywydd Ucha. Cafodd hi o leiaf ddeg o blant a'r hynaf ohonynt oedd John Jones, Tanrallt, fy hen daid a briododd ag Elinor Lloyd Williams, Gwrych Bedw. Cafodd John ac Elinor un ar ddeg o blant: gweler y manylion yn y bennod ar Glocaenog.

Fel y crybwyllais uchod bu tân difaol yn y Tyddyn Ucha yn 1899. Y mae unrhyw dân yn drychineb ond meddyliwch am drafferthion ffermydd anghysbell – heb ddŵr mewn pibell ac heb ffordd i gael y frigâd dân yno. Anfonwyd teligram i Theodore Rouw, capten y frigâd yn Rhuthun ac fe'i derbyniwyd am 5.46 ac am 5.55 yr oedd y ceffylau wedi eu harneisio i'r peiriant ac i ffwrdd â nhw. Hefo Tegid Owen wrth yr awenau dywed adroddiad y *Free Press* 5 Awst 1899 eu bod wedi carlamu am dair milltir a thri chwarter a'u bod yn tywallt dŵr ar y tân am 6.20. Erbyn hyn yr oedd pedair tas fawr yn wenfflam a'r holl gutiau a thai allan wedi eu dinistrio'n llwyr. Yn waeth fyth, yr oedd y tŷ erbyn hyn wedi cydio ac yr oedd yna brinder dŵr a'r pwmp agosaf 180 llath i ffwrdd a bu rhaid rhoi'r gorau iddi am awr a gadael i'r dŵr gronni. Llwyddwyd i achub hanner y tŷ. Yr oedd y ffermwr, Price Jones, oddi cartref ond yn y tŷ yr oedd ei fam anabl a dau blentyn pump a thair oed, na wn pwy allent fod. Ni lwyddwyd i ddarganfod sut y cychwynnodd y tân ond fe gollwyd yr holl wair a gwellt gwenith, gwellt haidd a gwellt cymysg. Meistrolwyd y tân tua hanner nos. Eiddo Mrs Naylor-Neyland oedd y fferm ac yr oedd ganddi insiwrens ar yr eiddo. Eithr nid oedd y teisi wedi eu insiwrio ac yr oedd y golled i'r tenant yn tua £300 – ffortiwn. Nid wyf yn credu iddo byth ddod ato ei hun.

Yr oedd Price druan yn frawd i Margaret Edwards, Penygraig ac i fy hen daid John Jones. Wedi priodi bu John Jones yn byw yn y Graig Lwyd lle ganwyd y plant hynaf ac yna symud i Lannerch Gron, Pwllglas. Wedi ail-briodi cododd Tanrallt ger capel y Rhiw ynghŷd â'r rhes tai brics coch cadarn welir yn y Rhiw. Ef hefyd osododd y cwrs golff ym Mhwllglas. Yr oedd yn gwerthu glo o orsaf Nantclwyd ac yn flaenor yng nghapel y Rhiw. Yr oedd yn ysmygwr trwm, yn reidio beic i bobman, yn berchen gwallt coch ac yn dipyn o foi. Medde nhw. Gadawodd gryn dipyn o bres ond gan bod ganddo gymaint o blant ofnaf na welwyd yr arian yn 'llifo i lawr i'r genhedlaeth nesaf' ac aralleirio John Major.

Clywais lawer o sôn am Susan Ellis oedd yn dipyn o wrach wen. Ymddengys ei bod yn rhoi llwydni ar friwiau i'w gwella. Flynyddoedd lawer yn ddiweddarach fe wnaeth Alexander Fleming rywbeth digon tebyg a rhoddwyd yr enw penisilin ar y cyffur gwerthfawr hwnnw! Yr oedd yr hen Susan o flaen ei hoes. Ond pa un oedd hi? Yr oedd dwy Susan Ellis yn y plwy sef un 67 oed ym Mhant Rhedynog ac un arall, tlotyn 75 oed, ym mwthyn Brynhyfryd. Bu'n rhaid troi at draethawd Richard Wynne, Rhewl Felyn, 'Tai Adfeiliedig Llanelidan' a enillodd wobr iddo yng Nghyfarfod Llenyddol capel Bryn Banadl fis Ebrill 1920. O dan y pennawd 'Pant Rhedynog' ceir a ganlyn: 'Safai hwn yn yr un pant â Phlas yn Pant ar y ffordd sydd yn arwain o Nant y Fedw i Wern Henaidd. Bu William a Susan Ellis yn gwneud oil tra gwerthfawr yma a elwid yn Oil Susan Ellis. Bu hi fyw am flynyddoedd ar ôl ei phriod a bu'n ymladd yn galed iawn am ei thamaid.' Yn ôl yr hanes cafodd Thomas Christmas Edwards, Siop Bryn Saith Marchog, rysait cyffur Susan. Yr oedd ef yn fferyllydd yn Llundain ond ni wn pa ddefnydd a wnaeth ohono ac aeth ef â'r gyfrinach i'r bedd yn 1951.

Teulu blaengar arall oedd teulu'r Cwm. Yn 1881 yr oedd Thomas a Margaret Jones a'u mab a merch yno – Hugh yn 19 oed. Priododd ef ag Annie, merch hynaf John ac Elinor Lloyd Jones, Llannerch Gron. Ganwyd chwech o blant yn y Cwm ac y mae iddynt ugeiniau o ddisgynyddion – nifer fawr ohonynt yn arddel yr enw Lloyd sydd yn deillio o Robert Lloyd, Pant y Gynnau fu farw yn 1788. Nid wyf wedi llwyddo i fynd ymhellach na hynny. Mab hynaf Hugh ac Annie Jones y Cwm oedd **John** a fu'n byw yn ddiweddarach yn yr Eglwys Wen, Dinbych, priododd Kate Roberts, Cefn y Griolen; **Marged Elen** oedd y ferch hynaf a bu hi'n briod â dau frawd, John Ellis a William Thomas Edwards, Highgate ger Corwen; yna **Thomas** a fu'n ffermio Tŷ Newydd, Clawddnewydd ac Alafowlia, Dinbych a phriodi Muriel Hughes, Bryn Tangor, Bryneglwys; **Gwilym** fu'n ffermio'r Ystrad, Dinbych wedi priodi Doris, merch Edward ac Anne Jane Roberts, Tir Barwn, Betws GG; **Edward Lloyd** fu'n ymgynghorydd amaethyddol ac yn byw yn Aberteifi, Bryn Bedw, Llangynhafal a'r Ganllwyd ar ôl priodi Eurwen Hughes, Bryntangor, Bryneglwys (nhw yw taid a nain Nia Lloyd Jones, BBC a'i brawd Huw Edward) a **Florence Anne** a briododd Hugh Roberts, mab Tir Barwn – rhieni Gwyneth, Glan Hesbin, Llanelidan, Nora'r Gables, Llandyrnog a'r ddiweddar Gwerfyl Bennett. Ceir yma, ymhlith plant y Cwm, enghraifft o frawd a chwaer yn priodi brawd a chwaer a dau frawd yn priodi dwy chwaer.

Ym Mhen Rhiw yr oedd Meredith Jones yn ffermio gyda'i wraig Susan, ei fab Edward, ei wyres Margaret Anne (13) ei ŵyr Robert Roberts (7) a'i ŵyr John Meredith Jones (1) o Benbedw. Yr oedd Meredith, genedigol o Fryn Deulin, Derwen yn frawd i William Jones, Ehedydd Iâl.

Fe'i cafwyd yn farw gelain ar lawr y tŷ yn 1887 ac ni ŵyr neb hyd heddiw beth a ddigwyddodd iddo. Dyma fel y canodd Ehedydd Iâl iddo:-

Meredydd, fy mrawd, fu reolydd
Ar beiriant i ddyrnu yr ŷd,
Bu felly'n mysg llawer o ddynion
Wrth dramwy ar draws ac ar hyd;
Oferedd oedd codi i'w erbyn
I siarad, a cheisio rhoi sen
Roedd ganddo ef forthwyl, a llygad
At daraw yr hoel ar ei phen.

Fy mrawd gafodd afael mewn crefydd
Trwy gymorth Glân Ysbryd y Nef;
A chefais le i gredu fod crefydd
A gafael yn dyn ynddo ef;
Y newydd trwm am ei farwolaeth
A roddes im ddyrnod a chlwy
Bu agos i gleddyf llym alaeth
A hollti fy nghalon yn ddwy.

Dau yn unig oedd dros eu pedwar ugain: Lewis Edwards, Pen y Graig yn 84 (gweddw Elizabeth, Caerddinen) a rhyw greadur na wyddai neb ei enw nag o ble yr oedd yn dod ond yn cael ei ddisgrifio fel gyrrwr gwartheg 82 oed yn cysgu yn y côr yn Nantclwyd Ucha. Yr oedd Mary Alice Jones, Porchogo yn 4 mis oed a Margaret Williams, Sowrach yn fis. Ond y ddau ieuengaf yn y plwy oedd efeilliaid wythnos oed, heb eu henwi, mab a merch Robert a Mary Ellis, Bodlywydd Bach. O edrych ar Gyfrifiad 1891 gwelaf mai George a Mary oedd eu henwau.

Erbyn 1891 yr oedd fy hen hen daid Edward Williams, Gwrych Bedw, wedi marw ac yn byw yno yr oedd ei frawd Henry, hen lanc 76 oed ac yr oedd wyres Edward Williams a'i gŵr wedi symud yno sef Annie a Hugh Jones, (Cwm wedyn) ac yr oedd ganddynt ddau o blant – Marged Elen yn 2 a John Thomas yn 9 mis oed. Ymysg y tai llawn yr oedd y Swyddfa Bost, Trewyn ac Erw'r Geifr. Dyma'r cofnod:

SWYDDFA'R POST

John Edwards	pen	28	Siopwr	Gwyddelwern
Mary "	chwaer	21	Howscipar	"
Elizabeth "	morwyn	18		Derwen

133

Robert Wynne	ymwelydd	38		Gweinidog	Garth,
				Bedyddwyr	Llangollen
Margt H Williams	ymwelydd	31			Gwyddelwern
Robert H	"	"	2 fis		Llangollen
Anne J Edwards	"	26			Gwyddelwern

Mab Siop Bryn Saith Marchog oedd John Edwards ac yn ddiweddarach yn y flwyddyn priododd ei gyfnither Mary Harriett Jones, Groes Gwta, Prion. Yn 1891 yr oedd ei chwaer Mary yn cadw tŷ iddo ac yn y man priododd hi ei chefnder, David Edward Jones, Pwll Du, a buont yn byw ym Mhenffordd Ddu – soniais amdanynt eisoes. Yr oedd Anne J Edwards hefyd yn chwaer iddo a phriododd hithau ei chefnder R O Roberts, Hendre Isa. Ac yr oedd chwaer arall yno hefyd noson y Cyfrifiad sef Margaret Harriet, gwraig y Parch David Williams oedd yn weinidog yn Llangollen – awdur *Cofiant Cynddelw* ymhlith pethau eraill. Soniais amdano dan Wyddelwern. Cafodd John a Mary Harriet Edwards bump o blant sef Hywel (a laddwyd yn y Rhyfel yn 1917 yn 24 oed) Glyn (a laddwyd yn 1918 yn 23 oed) Blodwen (1897-1977) Kitty (1901-20) a Robert, Trem y Foel (1900-81) a briododd Dilys, merch James Phillips, prifathro Gwyddelwern.

TREWYN

Winifred Powell	pen	39	Gweddw	Bryneglwys
Mary W	"	merch	18	"
Jane E	"	merch	14	Llanelidan
Henry O	"	mab	13	"
John L	"	mab	11	"
Thos E	"	mab	9	"
Margt G	"	merch	8	"
Martha E	"	merch	6	"
Edith A	"	merch	4	"
Lewis H Ll	"	mab	1	"
John Hughes	gwas	53		"

Merch Owen Lloyd, Tal y Bidwel Bach, Bryneglwys oedd Winifred ac fel y gwelir yr oedd wedi cael ei gadael yn weddw ifanc gyda naw o blant. Yr oedd ei gŵr cyntaf, John Powell yn fab i Thomas Powell ac Elizabeth Williams, Bodlywydd Ucha. Yn ddiweddarach fe ail-briododd gyda David Price, Cefn y Gader, tad L E Price y tynnwr lluniau, a symudodd y ddau i Dal y Bidwel, ei hen gartref. Bu hi farw yn 1905 yn 54 oed. Bu ei dau fab, **Henry Owen** a **Lewis** yn ffermio Trewyn, priododd

Henry â Sarah Anne Lloyd, Glanhesbin yn 1909 ac aeth **John** i Rydmarchogion wedi priodi ag Elizabeth merch y Graig (ei chwaer Edith Catherine yn wraig i Herbert Williams, Caerddinen). Ganwyd pedwar o blant i John ac Elizabeth Powell Rhydmarchogion sef Gwen (Winifred) a briododd Artemus Evans, Leyland Arms, Robert Henry a briododd Hephzibah Jenkins o'r Rhyl, John aeth i ffermio'r Graig a Thomas Eyton a briododd Amy Beryl, merch Cileurych, Carrog. Bu farw **Thomas Ellis** yn 29 oed yn 1911. Priododd **Elizabeth** gyda Robert Jones y Forge, Bontuchel. Wyresau iddynt yw Morfudd a Menna Jones adweinir fel efeilliaid y Pandy, Idris sydd yn y Pandy heddiw a Mair, priod Myfyr Williams, Ffynogion.

ERW GEIFR

Lemuel Rogers	pen	45	Ffermwr	Llanelidan
Catherine "	gwraig	35		Cerrigydrudion
Sarah A "	merch	11		Clocaenog
Lewis "	mab	8		"
Kate "	merch	5		Llanelidan
John "	mab	2		"
Enoch "	mab	6 mis		"

Bu farw Catherine Rogers yn 80 oed ym mis Mehefin 1936. Yr oedd yn chwaer i Maurice Jones, Pen y Bryniau, Betws GG, i David Jones, Bryn Halen ac i William Jones, Ty'n Twll, Dinmael. Aeth ei mab Enoch i'r weinidogaeth a bu'n gwasanaethu yn Lerpwl ac yn Nhrefnant – fe'i cofiaf yno pan oedd fy nhaid, Edward Jones, Green Isaf yn flaenor. Ei frawd a'i chwiorydd oedd John Rogers, Penrallt, Mrs Evan Parry, Ty'n y Berllan, Mrs Howell Jones, Rhewl Goch a Mrs Hugh Edwards, Graig Isa. Meibion iddo yw Emlyn a Ronwy ac y mae ei ferch Menna wedi priodi John Meirion Hughes o Gorwen ac yn byw ym Môn.

Yn amaethu yn y Tyisa yr oedd Robert a Mary Jones a'u merch Margaret. Yr oedd eu mab Thomas Rhys ym Mhrifysgol Glasgow ar y pryd. Daeth yn enwog fel pregethwr a llenor dan yr enw Clwydydd. Yr oedd ganddo grwb ar ei gefn – effaith gwely tamp meddir. Ysgrifennodd ei atgofion am ei blentyndod, ei addysg ac am y gwahanol fannau lle bu'n bugeilio. Bu'n cyfrannu'n gyson i'r cylchgronau Cymraeg am flynyddoedd lawer a chafodd ei urddo'n aelod o'r Orsedd. Yr oedd ganddo chwaer, Margaret, a phriododd hi gyda Thomas H Edwards, Llwyn Derw a chawsant bedwar o blant, Albert, Glyn, Tecwyn a Marian. Bu farw Marian fis Mai 1999 yn 92 oed. Digwyddodd damwain anffodus iawn yn y Tyisa yn 1885 pan oedd Sarah Catherine, merch 13 oed i

Robert Roberts y teiliwr ar ymweliad yno – rywsut neu'i gilydd cafodd ei saethu'n farw. Priododd Clwydydd â Sarah o Langower oedd yn cadw tŷ i'w brawd J W Jones, prifathro Pentrecelyn. Brawd arall iddi oedd Robert Prys Jones, tad y bardd Eingl-Gymreig A G Prys-Jones. Mwy amdanyn nhw yn y bennod ar Lanfair.

Edward Parry oedd yn y Bryndy a dywedir bod ganddo wybodaeth helaeth am feddygyniaethau a llysiau a byddai'n arfer iachau defaid gwyllt. Yr oedd yn daid i Gwen Hughes, Rhewl y Pentre, Robert Roberts, Bylan a John Roberts, Waen Rhydd. Yr oedd hefyd, mi gredaf, yn un o hynafiaid fy hen ffrind coleg, Alwen Kemp, Caerdydd – Parry Siop Glyn Ceiriog gynt.

Gweithio ar y tir yr oedd y mwyafrif, wrth gwrs, heblaw am rai fel Leah Jones, Hendre Bach oedd yn gwneud crysau, Thomas Prichard y rheithor (brodor o Lerpwl); Edward Powell Jones yr ysgolfeistr; Edward Hughes, Henblas yn gwneud olwynion; Joseph Williams y melinydd a Price Jones, Bryn Dedwydd yn dal cwningod. (Credaf mai hwn oedd tad Thomas Jones, yr Oror oedd yn un o ddau ar bymtheg o blant.) Priod Thomas Jones yr Oror oedd Jennie, unig blentyn John Roberts y gof oedd yn byw yn y Foty. Allan o boblogaeth o ryw naw cant yr oedd pawb heblaw saith yn siarad Cymraeg ac yr oedd pump o'r rheiny o deulu George Hubbard o Swydd Norfolk, garddwr ym Mhlas Nantclwyd. Yr oedd tair set o efeilliaid: Emily a Kate Price, 7 oed, Tŷ Newydd; Frederick ac Edwin Hughes, 19 oed, Rhewl y Pentre a George a Mary Ellis, 10 oed, Bodlywydd Bach. Y bobl hynaf yn y plwy oedd Levi Davies, Cefn Rhydd a John Jones, Ty'n y Mynydd, ill dau yn 97; Edward Jones, Cae Newydd (96); Mary Griffiths, Pen y Cae (89) a Mary Williams, Padog yn 87. Y rhai ieuengaf oedd Thomas D Jones, Gwern Henaidd a Charlot Roberts, Bwthyn Ty'n Llwyn yn 2 fis, Annie Jones, Penrhiw, Hannah Jones Roberts, Maes y Groes a Margaret Anne Jones, Copi, i gyd yn 3 mis oed. Yr oedd tri bachgen o'r enw Goodman a thair geneth o'r enw Zipporah neu Sephorah.

Priododd Sephorah Williams yr Henfryn ag Enoch Jones, Pen y Cae. Nhw yw hen daid a hen nain Wyn a Glyn Jones, Ffynnon Tudur, y cigyddion yn Stryd y Ffynnon, Rhuthun, a Bronwen McGregor, Llidiart Fawr, Llangynhafal. Yr oedd Sephorah yn nith i'r Parch Thomas Williams, Llanwddyn, i Edwin Williams oedd yn genhadwr yn Awstralia, i Price Williams yr Henfryn oedd yn bregethwr lleyg ac i Mrs Williams, Bodlywydd Fawr. Price ac Anne Williams oedd yng Nghefnywern: dyma daid a nain Robert Price Williams neu fel y gelwid ef gan bawb – Bob Garej, y storiwr diddan a fu'n aelod o Barti Menlli. Yr oedd yna was bach ym Mhlas yr Esgob, Meredith Jones Roberts 14 oed.

Yn ddiweddarach bu ef yn ffermio'r Waen Rhydd. Plant iddo oedd Ceinwen Williams, Caenog, Gwyddelwern, Enid Watkin Jones, Rhewl, John Parry Roberts (a briododd Maria Olwen Baines, Penbedw, Bryneglwys – ei chwaer hi, Maggie, wedi priodi Robert Jones, Melin Nantclwyd a chwaer arall, Kate, yn wraig i John Salisbury Davies, Plas yn Rhos) a Howel Roberts, Waen Rhydd. Wyrion yr olaf sydd yno yn awr. Yr oedd gan Robert Jones naw chwaer, yn cynnwys Winifred a briododd y Parch Hugh Jones, Henllan a Polly priod Sydney Wolstencroft oedd yn cadw siop yn Ninbych.

Yr oedd yna gymeriad arbennig o'r enw Evan Davies yn byw ym Mhlas Onn ac yr oedd ganddo adroddiad go anghyffredin y byddai'n arfer ei lefaru ar aelwydydd y fro ddiwedd y ganrif ddiwethaf sef *Araith i'r Gwynt*. Hawdd dychmygu'r olygfa:

'Beth sydd yn cynhyrchu Gwynt? Mae'n debyg i awyr yn ysgythru i lanw'r gwagle. Pam mae Gwynt yn newid ei gyfeiriad? Dwn i ddim yn iawn, os nad mai rhedeg i'r glanne mae o fel mae afon yn dilyn ei sianel. Peth anweledig iawn yw'r Gwynt, yn siwr, neu mi fuaswn i wedi'i weld O, a finne wedi ngeni a magu yn ymyl Graig Adwy Wynt, ond fe glywes sŵn y Gwynt ac fe weles ei effeth lawer gwaith yn taflu'r yd a gwair ac yn lluchio glaw i'n hwynebe ac yn lluchio eira nes cau'r ffyrdd a chladdu defed a phobol cyn hyn.

Fe ysgydwa'r hen fôr yna yn 'i wely fel mam yn ysgwyd ei baban, ac fe luchia longe mawrion o'i flaen fel pluen a'u hyrddio nhw i ddannedd y creigie. A rhyfedd fod peth mor anweledig a di-sylwedd yn medru gwneud y fath wrhydri heb i neb ei weld O na hawl i'w alw i gyfrif na dweud wrtho am beidio, ond yr Hwn sydd yn dal y Gwynt yn ei ddwrn. Yr Hwn y mae Gwynt a'r môr yn ufuddhau iddo.

Fe fum i'n meddwl lawer gwaith, tase'r Gwynt yn sylweddoli a modd i minne gael gafel ynddo fe faswn wedi ei roi o flaen ei well ganwaith, a'i gosbi hefyd cyn hyn. Peth annibynnol a di-dderbyn-wyneb yw'r Gwynt. Tydi O yn gwneud dim gwahaniaeth rhwng y Tlawd a'r Cyfoethog: na, yr un fath yn union, fe daflith het y Gŵr Bonheddig oddi ar ei ben mor ddiseremoni â het y Dyn Tlawd.

Wel! er ei fod wedi gwneud llawer o gastie ar dir a môr, mae wedi bod yn was da i gymdeithas am ganrifoedd. Fe fuase'r byd ganrifoedd ymhellach yn ôl mewn gwareiddiad hebddo. Y Gwynt aeth â Columbus i ddarganfod America. Beth fase ni yn ei wneud heddiw tase'r America heb ei ddarganfod? Mi fasen yn sathru traed ein gilydd ac wedi llwgu cyn hyn. Y Gwynt fydde yn malu yn yr hen amser a rhaid cael y Gwynt i nithio'r yd cyn ei falu neu fe fyddai'n rhaid i ni fwyta ein hymborth trwy y manus a'r cwbl.

Y Gwynt fu yn anfon llu o Genhadon at filoedd o baganied ac a aeth â miloedd o Feible i dywyll leoedd y ddaear. Ond tydi stêm yn gyrru llonge heddiw, meddech chi, ac nid Gwynt. Ie, ond cofiwch, peth newydd ydi stêm. Mae y Gwynt wedi gwasanaethu y byd am ganrifoedd cyn sôn am stêm erioed. Fe fedr y Gwynt fynd â llwyth ar hyd y môr, heb na thamed na llymed, ond rhaid i stêm gael bwyd a diod. Y Gwynt oedd y Plismon anfonodd yr Arglwydd ar ôl Jona pan yn ffoi i Tarsus, ac fe ddaliwyd Jona druan ac fe'i rhoddwyd yng ngharchar ym mol y pysgodyn. Ond mae gennym sôn am rhyw wlad a phoethwynt ystormus yn rhuthro ar ei thrigolion. Gobeithio na fydd y Gwynt hwnnw ddim yn chwythu ar ben neb sydd yma heno.'

Dywedid bod Evan Davies yn cael gwrandawiad astud a chymeradwyaeth fyddarol oherwydd yr oedd pawb yn dotio at ei gof a gallaf ei ddychmygu'n rhoi perfformiad dramatig. Yr wyf wedi ceisio darganfod awdur y darn ond nid wyf fymryn callach. Gyda llaw, yr oedd y diweddar Ellis Davies, a fu'n Faer Rhuthun, yn fab iddo a Menai Edwards arferai redeg y Griffin yn Llanbedr DC yn wyres iddo.

Yr oedd adrodd darn o'r fath yn dilyn hen draddodiad y cyfarwydd ac yn ymarfer da i'r cof – yn union fel gorchest y storïwr yn cofio'r holl enwau yn y chwedl am Gulhwch ac Olwen – rhibidires ohonynt gan gynnwys Drem fab Dremhidydd oedd yn medru gweld gwybedyn yn symud ym mhen arall Prydain a Chlust fab Clustfeiniad oedd yn clywed morgrug yn symud ddeng milltir a deugain i ffwrdd! Byddai pobl yn mwynhau clywed sŵn y geiriau a champwaith y dweud. Yr oedd yna ddyn yn y Bala o'r enw Griffith Roberts neu 'Gwrtheyrn', meistr y tloty, yn enwog am un gân arbennig, ei *tour de force* fel pe tai sef 'Cân y Ffeiniaid' a gorfoleddai pawb pan fyddai yn ei chanu – ar dôn o'r enw 'Old English Gentleman' – heb dorri un o'r llinellau hir.

Haid o felltigedigion cythryblus gwrthryfelgar a bradwrus sydd yn
aflonyddu'r wlad,
Gan daflu masnach a phopeth arall i ddyryswch trwyadl trwy eu
hanystyriol frad.
Llu o ellyllon ffieiddiaf y pwll diwaelod wedi ymgnawdoli yng
nghyrff Gwyddelod yr Ynys Werdd,
Pa rai a gyflawnasant y cyflawniadau mwyaf dychrynllyd sydd yn
ddigon i daraw â mudandod tragwyddol hyd yn oed
beroriaethus feibion cerdd.
Dyna yw erchyll gymeriad y melltigedig Ffeiniaid ffôl.

Pentwr o ffyliaid yn meddwl goresgyn teyrnas lydan fawr fyd
    adnabyddus a di-ben-draw yr hen Johnny Bull,
Pryd y byddai yn rhaid i ymherodraethau cyfain a sefydlog wisgo'r
    cymeriad o fod yn hynod o ddwl,
Mae yr hen John Jones o Gymru yn edrych ar yr ynfydrwydd, a chan
    wres ei deyrngarwch,
Mae ei lygaid yn fflamio ac y mae'r gewyn cyhyrog yn gwlwm
    ar ei fraich.
Mae eisiau cael dilyn bras gamau Syr Watcyn dros donnau yr eigion
    ym mysg ei gyfeillion i chwynnu'r Iwerddon ac i ddwyn
    ar ei union ymwared o'i faich,
Mae ei waed fel dwfr berwedig dros anrhydedd ei hen wlad.

Byddai Gwrtheyrn yn synnu pe gwyddai bod helyntion Iwerddon yn dal gyda ni, er na fyddai ei eiriau'n gwbl dderbyniol heddiw chwaith. Y mae blas Fictoraidd cryf arnynt. Yr oedd, gyda llaw, yn dad-yng-nghyfraith i'r Parch Howell Harris Hughes ac ef oedd awdur *Pum Plwy Penllyn* sef hanes Gweinyddiad Cyfreithiau y Tylodion 1720-1897, cyfrol brin iawn.

Gwelais nodyn yn y wasg am Elizabeth Jones, Nant Bach, fu farw yn 1940 yn 84 oed. Nid oedd erioed wedi bod o Nant Bach heblaw i'r capel ac yr oedd ei mam, ei nain a'i hen nain wedi eu geni a'u magu yno. Yr oedd ganddi frawd o'r enw Simon yn byw yn y Copi ac yn gipar ar y stâd. Wyres iddo yw Kathleen Webb sydd yn hanesydd lleol ac yn gwybod mwy na neb am blwy Llanbedr DC. Yn Nhŷ'n y Ffordd cawn William a Martha Edwards. Gwerthu insiwrens oedd ef ac yr oedd ganddynt dri phlentyn ar y pryd – Edward E (10) Elizabeth (7) a Mary Eleanor (2). Hyfforddwyd yr olaf fel athrawes a bu'n dysgu yn Nantyr cyn priodi a magu eu theulu yn yr Hand, Glanrafon. Mab iddi oedd Gwilym Meredith Jones, awdur toreithiog, colofnydd cyson yn *Y Faner* ac enillydd y Fedal Ryddiaith yn Eisteddfod Genedlaethol Abertawe 1982. Bu'n brifathro yn Toxteth ac yr oedd ganddo hanesion anhygoel am yr ardal honno. Bu farw'n sydyn iawn ddiwedd yr 80au. Ef oedd *coll. son* Cliff fy ngŵr yn y Coleg Normal pan oedd y coleg hwnnw'n defnyddio'r syniad o gael hen law i gynefino'r myfyriwr newydd! Yn ysgrifenedig ar y golofn ryfel gerllaw'r eglwys y mae:

Adgof Uwch Angof
Er cof anwyl am y meibion o'r plwyf hwn a'r cylch a syrthiodd yn y Rhyfel Mawr 1914-18

George Vyvyan Naylor-Leyland, Nantclwyd Hall	22 oed
John Jones, Penfforest	31
James Morris, Pant yr Onn	29
William Edwards, Glasfryn	35
Edward Jones, Hafod Las	33
William Hugh Jones, Penparc	29
Hywel Edwards, Post Office	24
John Ellis Davies, Plas Onn	19
William Jones, Rhewl Pentre	29
Edward William Jones, Pen Parc	28
William Price Hughes, Tyddyn Ucha	24
John William Roberts, Cefn Griolen	34
Glyn Edwards, Post Office	23
Edward Jones, Pentre	37

ac yn 1947 ychwanegwyd tri arall:

Leslie Thomas Bevan, Llety	22
Robert Hughes, Rhydymeudwy	19
Robert John Jones, Maes y groes	20

Garw rhoi'r pridd i'r briddell
Mwyaf garw, marw ymhell

Ac ar garreg ar wahân y mae enw Alun Edwards, Pen y Bont, 27 oed.

Pentref yn perthyn i'r Sgweier oedd Llanelidan ac addysg ysgol eglwys a gafodd y plant am genedlaethau. Erbyn heddiw y mae nifer o'r ffermydd wedi diflannu a'r siop a'r ysgol a chapel Bryn Banadl wedi cau. Ond nid oedd hyd yn oed mab y sgweier yn ddiogel rhag picell y rhyfel.

Efenechtyd - Plwy Bach Taclus

Plwy bychan iawn yw hwn gyda'r enw anghyffredin. Bu cryn ddadlau ynglŷn â beth yn union yw ei ystyr ond derbynnir yn gyffredinol mai o'r gair 'Mynachty' y daeth – er bod hen ddogfen, cytundeb rhwng Reginald de Grey ac Esgob Bangor, yn haeru mai lleiandy oedd yma mewn gwirionedd. Cysegrwyd yr eglwys i Fihangel ac ynddi y mae bedyddfaen hynafol wedi'i naddu allan o foncyff. Y tu mewn hefyd y mae'r 'Maen Camp', carreg gron yn pwyso cant oedd yn cael ei defnyddio mewn mabolgampau ar wyliau mabsant.

Beth bynnag am hynny, pwy oedd yn byw yma ym mis Ebrill 1881? Y person hynaf yn y plwy oedd John Jones, Cae Mawr, dyn dall 84 oed oedd yn byw hefo'i wraig Elizabeth ac yr oedd hithau dros ei phedwar ugain. Rhai eraill dros eu pedwar ugain oedd Robert Hughes oedd yn lletya yn y Tai Isaf hefo John a Jane Jones a John Rowlands, ffermwr 81 oed wedi ymddeol yn y Tŷ Draw a brodor o Lanfaethlu ar Ynys Môn. Cafodd ef gryn sylw yn y wasg yn 1873 oherwydd i un o'i ddefaid ddod â phump oen. Ymysg babanod y fro yr oedd Morris, mab pedwar mis oed Morgan a Margaret Jones, Tan y Ffos; Anne, merch deufis oed John a Margaret Williams, Pen y Gaer a Thomas, hefyd yn ddau fis, mab John a Jane Jones, Tai Isaf. Yr oedd yr olaf yn un o wyth o blant. Gyda llaw, yn y Tai Isaf y cynhelid yr Ysgol Sul cyn codi capel y Rhiw yn 1828.

Daeth yr Anne deufis uchod yn wraig i Hugh Wynn Hughes, Penycoed. Yr oedd ganddi frawd blwydd oed o'r enw John Henry a fu, fel ei dad, yn flaenor yng nghapel y Rhiw. Priododd John Henry ag Ellen merch David Hughes, Pencoed Ucha a Gwen Wynne, Rhewl Felen, Llanelidan. Enghraifft arall o frawd a chwaer yn priodi brawd a chwaer sef: John ac Anne, Pen y Gaer yn priodi Hugh ac Ellen, Penycoed. Yn 1912 ymfudodd John Henry a'i wraig a'i blant i Awstralia lle bu'n ffermio mil o erwau yn Eidsvold, Queensland. Enw'r fferm oedd Gaergoed (ar ôl Pen y Gaer a Phen y Coed). Bu John Henry farw yn 1972 yn 93 oed. Yr oedd ganddo wyth o blant: **David**; **Megan** (priod James Jamieson a mam i Bessie, Olwen a Mary); **Gwenfron** (priod Eric Mossman a mam John); **Enid** (priod Bruce Jamieson a mam Theo, Henry a William); **Ieuan** (priod Beryl Shaterress a thad Pamela, John a Lester); **Clwydwen** fu farw'n 5 oed yn 1917; **Myfanwy** (priod Henry Farmer a mam Rob, Barry, Jean, Gwyneth, Frances a Jim) ac **Edna**. Y mae Megan, Ieuan ac Edna yn dal yn fyw ac yn dal i siarad Cymraeg er bod Edna wedi'i geni yn Awstralia – ac y mae yna dros ddau gant o ddisgynyddion erbyn hyn. Byddaf yn meddwl yn aml fel y tlodwyd cefn gwlad Cymru pan ymfudodd llawer o'r hufen i Awstralia, y Wladfa a'r Unol Daleithiau.

Y ddwy fferm fwyaf oedd Plas yn Llan (160 acer) a Phlas Efenechtyd (185). Yn ffermio Plas yn Llan yr oedd John a Gwen Bonner. Saeson oedd yn y Plas arall sef Abraham Harper o Cumberland a'i deulu o bedwar o blant. Nhw oedd yr unig rai anwyd y tu allan i Gymru heblaw am bedwar o blant Robert a Mary Roberts, Melin Einion a anwyd yn Lerpwl sef Hugh, Robert William, Richard Henry a Ruth Elizabeth, a Mary Ann Davies, gwraig y Parch Ebenezer Davies, Bryn Iach, oedd yn dod o Swydd Efrog.

Yr oedd naw yn y Pentre sef Robert ac Ann Jones a'u plant, ef yn frodor o Lanllyfni. Yn y Foxes yr oedd William Hughes, tafarnwr a gof, ei wraig a chwech o blant, morwyn o'r enw Ellenor Davies o Gerrigydrudion a phrentis gof o'r enw Robert Lloyd o Fryneglwys. Yr oedd gof arall yn y plwy hefyd sef John Roberts, Black Moor ac yr oedd ef a'i fab (John arall) yn dyblu fel cigyddion. Merch iddo oedd Anne a ddaeth yn ail wraig i John Jones, Llannerch Gron ac iddi hi y cododd ef Tanrallt wrth gapel y Rhiw. Cawsant un mab sef Howell. Priododd merch arall y cigydd, Catherine Mary, â Robert Owen, Penrhengoed.

Ymysg y swyddi eraill (heblaw am weithio ar y tir) yr oedd Elizabeth Hughes (o Gilcain) yn cadw Lodge Pool Park; Harriet Jones, Pen y Ffridd yn teilwra; Joseph Jones, Siop y Rhiw yn gweithio ar y lein; Edward Evans, Hendy yn saer maen; Evan Davies, Bryn Llan yn saer ac Evan Davies, Plas Bennet yn saer maen. Ac yn 14 oed yr oedd Robert Davies, Tan y Rhiw, yn *pupil teacher*. Y creadur bach. Ym Mryn Iach yr oedd y Parchg Ebenezer Davies, gweinidog gyda'r Annibynwyr ond wedi ymddeol. Bu farw yn 1882. Yr oedd yn FGS (Cymrodor o Gymdeithas Frenhinol y Daearyddwyr) a chafodd ei addysg yng Ngholeg Rotherham a'i ordeinio yn 1838 yn Stockport ac yn 1840 aeth yn genhadwr i New Amsterdam ac yna bu'n weinidog yn Llundain am 24 mlynedd. Cyhoeddodd gyfrol dan yr enw *Adfeilion Dinasoedd y Beibl*. Rhaid cyfaddef na welais erioed gopi ohono!

Thomas Jones oedd yn Rhuallt, gŵr gweddw 43 oed. Mab iddo oedd John Robert Jones a briododd Edna Lloyd Hughes, Bodeiliog ger Dinbych, merch Thomas Hughes, Pencoed ac Elinor Lloyd Jones, Llannerch Gron. Aethant i Dde Affrica lle mae eu disgynyddion hyd heddiw. Chwaer i J R Jones yw Rhoda Hughes, Pencoed gynt, ac wyr iddi yw Dafydd sydd yn byw yno heddiw.

Nid oedd gan drigolion Efenechtyd, fwy nag unrhyw blwy arall yr adeg honno, fawr o ddychymyg wrth enwi eu plant – yr un hen batrwm o enwau Beiblaidd neu deulu brenhinol Lloegr. Yr oedd yna Isabella ym Mhlas Efenechtyd ond Saesnes oedd hi. Charlotte hefyd, merch David Jones, Graig Madyn a Charlotte Anne merch Thomas Rowlands, Tŷ

Draw. Dim un enw Cymraeg heblaw Gwen Bonner a Morgan Jones. Ddeng mlynedd yn ddiweddarach yr oedd yno ddau ddwsin o drigolion uniaith Saesneg. Yn eu plith yr oedd James Shaw a'i deulu yn y Perthi Llwydion. Byw ar ei bres yr oedd o ac wedi'i eni yn Hayfield, Swydd Derby a'i wraig o Huddersfield. Yr oedd Thomas a Maria Ellis, Swyddfa'r Post, hefyd yn uniaith Saesneg. Maurice Jones, brodor o Bontfadog oedd yn ffermio ym Mhlas Efenechtyd hefo'i chwaer Mary a'i nith Lily. Peter Williams y gof oedd yn Lodge Pool Park ac Owen Williams, Tan y Ffos, yn gwneud olwynion. Mae'n debyg mai hwn oedd yr Owen Williams, adeiladydd, a fu'n byw yn ddiweddarach ym Minawel ac a fu farw'n 78 oed yn 1937. Collodd fab o'r un enw yn y Rhyfel yn 1916. Yr oedd ganddo bedwar mab arall sef Oliver, William, Oswald a John a dwy ferch, Olwen a Dorothy – a briododd Daniel Roberts, Felin Einion. Yr oedd Owen Williams yn daid i Medwyn Williams, Llys, Clawddnewydd, Ogwen Williams, Plas Chambers, Arthur Williams, Allt y Celyn, Glenys Williams, Maes Tyddyn a Catherine Jones, Maes Gwyn, Llanfihangel, ac eraill.

Rheithor y plwy oedd y Parch Elias Owen, 56 oed o Landysilio, Sir Drefaldwyn. Cyn dod i Efenechtyd bu'n brifathro yn Llanllechid (lle cafodd wraig) ac wedi ennill gradd o Goleg y Drindod, Dulyn, aeth yn gurad i Lanwnog, Sir Drefaldwyn, wedyn i Groesoswallt. Bu'n arholwr gwybodaeth ysgrythurol yn ysgolion eglwysig esgobaeth Llanelwy cyn cael ei benodi'n rheithor Efenechtyd. Yn 1892 aeth i Lanyblodwel sydd, ar waethaf ei enw telynegol, yn Lloegr. Dyna lle y bu farw yn 1899. Hynafiaethau a llên gwerin oedd ei brif ddiddordebau a chyfrannodd erthyglau lu i'r *Archaelogia Cambrensis* a chylchgronau eraill. Ei brif weithiau oedd *The Old Stone Crosses of the Vale of Clwyd* yn 1886 a *Welsh Folk Lore* yn 1896, traethawd a enillodd iddo wobr yn Eisteddfod Genedlaethol Llundain yn 1887. Enillodd £20 a Medal Arian a'r tri beirniad oeddynt y Canon Silvan Evans, Yr Athro Rhys ac Egerton Phillimore, golygydd *Y Cymmrodor*. Yn ei gyfrol y mae'n sôn am Edward Edwards, Llwyn y Brain, yn dadreibio'r corddi ym Mryn Mawn, Derwen, drwy ddefnyddio darn o griafolen. Fel hyn y mae'n dweud:

Mrs Susan Williams, Garth, a farm on the confines of Efenechtyd parish, Denbighshire, told the writer that Edward Edwards, Llwynbrain, Gwyddelwern, was famous for breaking spells, and consequently his aid was often required. Susan stated that they could not churn at Foel Fawn, Derwen. They sent for Edwards, who came, and offered up a kind of prayer, and then placed a ring made of the bark or of the wood of the mountain ash (she could not recollect which) underneath the churn, or the lid of the churn, and thus the spell was broken.

O! mi hoffwn wybod mwy am yr Hen Ddewin gan ei fod yn digwydd bod yn hen daid i fy nhad ac yn hen hen daid i fy mam. Hoffwn feddwl bod rhai o'i enynnau wedi goroesi yn y teulu, yr oedd fy nhad yn ddewin dŵr, fy mam yn berchen cof fel lastig ac yr wyf innau'n dotio ar gathod . . .

Yn ei gyfrol y mae Elias Owen yn diolch i nifer o bobl leol eraill am eu cymorth wrth gasglu'r hanesion ac y mae'n dyfynnu'r swyn arferai Richard Jones, Ty'n Wern, Bryneglwys, ei defnyddio yn erbyn clwy'r traed a'r genau:-

Yn enw y Tad a'r Mab a'r Ysbryd
Bod i grist Iesu y gysegredig a oddefe ar y groes,
Pan godaist Sant Lasarys o'i fedd wedi farw,
Pan faddeuaist Bechodau i Fair Fagdalen, a thrygra
wrthyf fel bo gadwedig bob peth a henwyf fi ag a
Croeswyf ✝ i trwy nerth a rhinwedd dy eiriau
Bendigedig di fy Arglwydd Iesu grist amen.
Iesu grist ein Harglwydd ni gwared ni rhag pop
rhywogaeth o Brofedigaeth ar ysbrydol, o uwch daiar
nag o is daiar, rhag y gythreulig o ddin neu ddynes
A chalon ddrwg a reibia dda ei berchenog ei
ddrwg rinwedd ei ddrwg galon ysgymynedig
a wahanwyd o'r ffydd gatholig ✝
trwy nerth a rhinwedd dy eiriau
Bendigedig di fy Arglwydd Iesu crist amen
Iesu grist ein harglwydd ni
Gwared rhag y glwy a'r bar a'r llid a'r genfigain a'r adwyth ---
a'r pleinied wiberon a'r gwenwyn deiarol
trwy nerth a rhinwedd dy eiriau
Bendigedig di fy arglwydd Iesu grist amen.

Yr oedd gan Elias a Margaret Owen deulu mawr, o leiaf ddwsin o blant, ac yr oedd naw ohonynt gartref noson y Cyfrifiad:

Thomas Edward Owen	mab		25	myfyriwr	Llanllechid
Susan Ellin	"	merch	22		"
Margaret	"	merch	21		"
Lizzie	"	merch	19		"
Myfanwy	"	merch	14		Ruthin

144

Gwendily	"	merch	11	"
Sarah Louisa	"	merch	10	Llanfwrog
Enid	"	merch	9	Efenechtyd
John L Morgan	"	mab	6	"
William Parry	"	ŵyr	3	"

Yr oedd y pum plentyn hynaf yn ddwyieithog a'r gweddill yn uniaith Saesneg. Yr oedd mab arall **(Elias)** wedi crogi ei hun ar goeden yng ngardd y Rheithordy fis Medi 1888 yn 23 oed. Yr oedd yn bêl-droediwr rhyngwladol. Ymddengys ei fod wedi methu ei arholiadau gradd BA yn Llanbedr Pont Steffan ac fe wnaeth amdano ei hun. Credaf mai ei fab ef oedd yr William, teirblwydd oed uchod. Priododd **Susan** â William Greengrass o Croydon a **Margaret** â'r Parch J J Jones, curad Nefyn, ond gynt o'r Eyarth, yn 1895.Yr oedd hefyd fab o'r enw **William P** oedd yn dwrne yn Aberystwyth ac yn bêl-droediwr da. Priododd ag Ethel Robinson, Plas Bodtalog, Tywyn yn 1892 a rhoddodd tad y briodferch fustach i'w rannu ymhlith y tlodion i ddathlu'r amgylchiad. Mab arall iddynt oedd y Parch **E J Owen**, ficer y Brithdir ger Dolgellau a chollodd ef ei fab, H E Malcolm Owen, yn y Rhyfel, pan fu farw mewn damwain awyren yn 19 oed. Yr oedd wedi gadael Ysgol Rhuthun yn 1915 ac y mae cofeb bres iddo yn Eglwys St Marc, Brithdir. Yn 1900 gosodwyd ffenest liw yn Eglwys Llanyblodwel er cof am Elias Owen.

Y drws nesaf iddynt ym Mhlas yn Llan oedd Gwen Bonner, gwraig weddw 58 oed yn ffermio hefo'i mab John William a'i nith Ada Jane. Merch William Jones, Llan Ucha, Bryneglwys, oedd hi a phriododd John Bonner, Cae Haidd, Llanelidan. Symudodd yn y man i Gaerfallen, Rhuthun, lle bu farw yn 80 oed yn 1912. Bu cryn gyffro yn 1914 pan welodd John Bonner awyren yn croesi Dyffryn Clwyd. Yr oedd yn ddigwyddiad mor anghyffredin ac ymddangosodd yr hanesyn yn y *Free Press*. Yr oedd John Williams yn dal ym Mhenygaer yn 1891. Yr oedd ei wraig Margaret yn ferch i Ann a Humphrey Evans, Tan Llan. Mab Penbryn Fawr, Cwm Celyn oedd Humphrey Evans ac Ann ei wraig yn ferch Coed y Mynach ac yn chwaer i fy hen-hen-nain, Elizabeth Hughes, Tŷ Helyg, Bryneglwys (1828-76). Yr oedd pedwar o blant ym Mhen y Gaer. Soniais eisoes am John Henry aeth i Awstralia ac Anne a briododd Hugh Wynn Hughes. Erbyn hyn yr oedd yno hefyd Humphrey (8) a Jennie (5). Priododd Humphrey â Lily merch Glan Clwyd, Rhewl a fu byw i weld ei chant oed a mwy a daeth Jennie yn wraig i Robert Williams, Graig Lwyd, Graigfechan.

Dyma deulu Fron Segur:

Henry Davies	pen	64	ffermwr	Derwen
Anne "	gwraig	58		Clocaenog
Robert W "	mab	29		"
Eliza "	merch-yng-nghyfraith	26		Derwen
Mary E "	morwyn	13		Efenechtyd

Ddeng mlynedd cyn hynny yr oedd y teulu hwn ym Mryngwyn, Clocaenog – Anne yn ferch y lle ac wedi cael arian yn ewyllys ei hewythr Robert Lloyd, Pant y Gynnau. Elias Williams a'i deulu oedd yn y Fron Felys. Un o'i ddisgynyddion yw Rhiannon Davies, Rhuthun, sydd wedi bod yn aelod o dîm *Y Bedol* o'r dechrau a hi sydd yn gofalu bod tanysgrifwyr ar draws y byd yn debyn eu copïau misol.

Ymysg y trigolion hynaf yr oedd Elizabeth Williams, Pwllglas (80) (a anwyd yn Llanycil); Ellen Vaughan (79) mam-yng-nghyfraith William Hughes, Fox & Hounds; Mary Jones (78) Tan y Rhiw a Mary Ann Davies, Bryn Iach, hefyd yn 78 oed. Un o Swydd Efrog oedd hi (gweddw'r Parch Ebenezer Davies) ac yr oedd ei chwaer Susan Burton (75) yn byw yno hefyd yn ogystal â nith, Anne Bradbury o Warwick. Hefyd yr oedd yno nyrs, gofalwr am y ceffylau a thri ymwelydd ifanc – Winnie, Gladys a Thinsley Williams, pump, tair a blwydd oed. Ganwyd Gladys ar Ynys Demarara, India'r Gorllewin, cartref y siwgr coch.

Yr ieuengaf yn y plwy oedd Margaret merch Goodman ac Ellen Roberts, Cae Mawr oedd yn 10 mis oed. Yr oedd hefyd hanner dwsin o blantos blwydd oed: Elizabeth Evans, Tai Isa; Evan Thomas Williams, Pen y Bryn; Margaret Ann Jones, Felin Einion; Thinsley Williams, Bryn Iach; Gwen Ellen Williams, Ty'n yr Onnen a John William Bonner, gornai Gwen, Plas yn Llan. Heblaw am yr eneth anwyd yn India'r Gorllewin yr oedd eraill wedi dod o bell: megis Robert Jones, Pentre, o Bwllheli; William Blore, Gate House o Gwm Dyserth ac Elizabeth Jones, Bryn Ffynnon bob cam o'r Bala. Lewis Jones oedd ei gŵr, Cynghorydd wedyn, ac yr oedd ganddynt ferch bymtheg oed, Margaret, ac yr oedd eu mab Thomas yn flwydd. Yn 1913 cafodd Thomas ei hun mewn sefyllfa annifyr. Yr oedd y Coch Bach wedi dianc o garchar Rhuthun ac fe ddechreuwyd chwilio amdano fore Mawrth 1 Hydref. Ar y nos Fercher gwelwyd cip o'r Coch gan Thomas Jones, Bryn Ffynnon, a Hugh Hughes, Pwllcallod ac fe wyddai pawb wedyn nad oedd wedi mynd ymhell. Aeth i Fryn Obwst a dwyn torth a *methylated spirits* ac yna aeth i guddio unwaith eto yng nghoed Nantclwyd. Yr oedd yn dal yn rhydd ddydd

Sadwrn Hydref 6; mintai yn chwilio amdano, yr oedd yn newynog – wedi byw ar fara a meths – a'r rhwyd yn cau. Yr oedd ganddo arian wedi'i guddio yn Llanfor ac yr oedd yn rhaid gwneud rhywbeth neu lwgu. Mentrodd i Gae Brenin i gardota ond mynd i chwilio am ei wn wnaeth gŵr y tŷ ac fe'i heglodd hi. Wedyn aeth i'r Graig a diflannodd gŵr y fan honno gan adael y drws yn agored. Credodd Jac mai mynd i 'nôl gwn yr oedd hwn eto ac i ffwrdd ag o. Fel mae'n digwydd, dywedir mai mynd i wneud tamaid o fwyd iddo oedd bwriad y ffermwr clên. Fore Sadwrn Hydref 6 yr oedd myfyriwr 19 oed o'r enw Reginald Jones Bateman, Eyarth, allan yn saethu petris. Ar y llethrau uwchben ffermdy Nantclwyd Isaf gwelodd greadur truenus yr olwg, yn gwisgo drôns, sach a chôt fawr, ac fe'i saethodd ac aeth yr ergyd drwy wythien fawr ei goes. Bu farw Jac Llanfor o sioc a cholli gwaed. Y cyfan oedd ganddo yn ei feddiant oedd cyllell, hanner gwellaif, potelaid o ddŵr, potelaid o meths a dwy gannwyll.

Er mai deryn brith iawn oedd yr hen Goch Bach, yr oedd yna dristwch hefyd oherwydd ei farwolaeth ddiangen a chryn dipyn o ddrwg-deimlad yn erbyn Reginald Jones Bateman ac aed â fo o flaen ei well. Mynnai ef mai amddiffyn ei hun ydoedd pan saethodd. Cafodd ei ryddhau ond mae'n siwr bod geiriau'r Barnwr Bankes yn atseinio yn ei glust weddill ei oes: 'Yr ydych yn cael eich rhyddhau. Nid wyf yn beirniadu'r bobl a benderfynodd na ddylid mynd ymlaen efo'r achos hwn. Mae'r amgylchiadau'n eithriadol iawn a diau fod doethineb wedi ei ymarfer. Ond dymunaf ddweud hyn. Ni ddylid meddwl eich bod wedi gwneud y peth iawn o dan yr amgylchiadau, ac er mai priodol iawn i chwi beidio â chael eich cosbi ni ddylid tybio fod eich ymddygiad yn gyfryw ag y gellid ei efelychu o dan amgylchiadau cyffelyb.'

Efallai mai cosb fwyaf Reginald oedd colli dau frawd yn y Rhyfel Mawr. Plwy bychan ie, ond yr oedd digon yn digwydd ynddo.

Derwen - I Fyny'r Allt

Lle anghysbell iawn oedd Derwen yn yr hen ddyddiau gan bod angen dringo allt serth i gyrraedd y pentre ac y mae'n debyg mai ffordd go arw oedd i fynd yno. Enw gwreiddiol y lle yw Derwen Anial a hynny'n cyfeirio at dderwen anferth unig yn y fynwent. Yr enw cyfatebol yn Saesneg fyddai Aintree. Yng nghanol y pentre y mae'r eglwys fechan hyfryd sydd wedi'i chysegru i'r Santes Fair ac y mae ynddi sgrin a llofft grog gwerth eu gweld – ac y mae'n werth edrych hefyd ar y groes Geltaidd yn y fynwent. Y cofnod cyntaf yn y cofrestri plwy yw bedydd Gwen ferch Griffith ap John ap William a Dowse ar 7 Chwefror 1632. Caewyd yr eglwys yn 1999. Nid nepell o'r groes deuthum o hyd i fedd fy hen-hen-hen daid Edward Edwards, Hen Ddewin Llwyn y Brain (1783-1868) a'i wraig Ann Dafis (1796-1865) merch Robert ac Elizabeth Dafis, Tŷ Ucha. Priododd y ddau yn 1825 yn Eglwys Gwyddelwern a ganwyd iddynt saith o blant: **Elizabeth** (priod Hugh Evans, Tyisarllyn, Gwyddelwern); **John**, Tyddyn Isa (priod Margaret Jones, merch John Jones, Hendre Isa); **Jane** (priod Robert Hughes, Tir Barwn a etifeddodd hen gartref ei fam, Tŷ Mawr Morfudd – Jane yn hen nain fy mam yn ogystal â chwaer i nain fy nhad); **Robert**, Siop Bryn Saith Marchog (priod Anne Jones, merch John Jones, Hendre Isa); **William**, Llwyn y Brain (priod Mary Williams, Maerdy Ucha); **Anne** (priod Hugh Roberts, Clegir Mawr, Hendre Isa a Phant y Gynnau – nain fy nhad) a **Mary** (priod David Jones, Penffordd Ddu, hen nain Shôn, Ann a Catrin Dwyryd).

Ymddengys mai tipyn o bagan oedd yr hen begor yr Hen Ddewin a byddai'n cynaeafa ar y Sul a phechodau cyffelyb. Pan fyddai ei wraig a'i blant yn dod allan o Bandy'r Capel byddai'n dweud wrth ei was 'Wardia Isaac' a byddent yn cuddio y tu ôl i'r ysgubau rhag i'r capelwyr eu gweld. Bu farw yn 1868 ac yn ei ewyllys gadawodd arian i'w blant a decpunt i'w ŵyr Thomas Davies sef y bardd 'Bethel'. Gadawodd hefyd bumed ran o fferm Ty'n y Fedw, Bryneglwys i'w fab John a'i etifeddion am byth. Nid wyf wedi medru darganfod sut bod gan Edward Edwards ran yn y fferm arbennig honno. Nid wyf chwaith yn gwybod pwy oedd o gan nad wyf wedi medru dod o hyd i gofnod o'i fedydd yn y cofrestri plwy. Efallai nad oedd ef ei hun yn gwybod oherwydd yn ôl Cyfrifiad 1851 cafodd ei eni yn Llansantffraid ac yn 1861 dywedir mai yng Ngwyddelwern y ganwyd ef. Teimlaf mai Llansantffraid sydd yn gywir gan fod ei blant wedi cael eu denu i'r ardal honno – Jane i Dŷ Mawr Morfudd a John i Bont Swil. Ym Mhont Swil y ganwyd 'Bethel' yn 1854. Plentyn siawns oedd o ond tybed pam iddo gymryd cyfenw ei dad? A oedd hynny'n gyffredin? Mae Edward Edwards yn cael ei gynnwys ymhlith Dewiniaid Meirionnydd yn *Atlas Meirionnydd* a olygwyd gan Geraint Bowen a cheir cyfeiriad ato hefyd, fel y gwelir uchod, yn y bennod ar Efenechtyd yng nghyfrol Elias Owen am lên gwerin Cymru. Bu farw Ann Dafis yn 1865 ac Edward Edwards yn 1868 ac y mae gen i lun gwerthfawr ohonyn nhw – hi yn ei bonet lês a'i siol ac yntau hefo cloben o ffon ac yn edrych sobred â sant a hylled â phechod.

Mewn bwthyn to gwellt o'r enw Bryn Golau ar dir y Gwerni y cynhaliwyd yr Ysgol Sul gyntaf yn y fro. Perchennog y tir oedd Henry Davies, brawd i Ann Dafis, Llwyn y Brain. Yn byw yn y Bryn Golau yn 1881 yr oedd Jane Jones, tlotyn 88 oed, yr ail hynaf yn y plwy. Yr hynaf oedd William Jones, Coed y Foel oedd yn 90 oed.

Nid oedd yno ffermydd mawr. Y fwyaf o ddigon oedd Plas yn Nerwen, 227 acer. Y perchennog oedd John V Williamson, brodor o Cumberland, ac y mae ei ddisgynyddion yn dal yn y fro. Yr oedd gan John Lloyd, Tai Teg 150 acer ac yr oedd yn ffermio hefo'i ddwy chwaer, Grace a Jane. Priododd John Lloyd ag A E Roberts, Plas yn Ddôl yn 1889. Y mae'r ddiweddar Besi Maldwyn Williams, merch Siop Cyffylliog, yn gosod cefndir y teulu hwn yn ei chyfrol ddifyr *Dwyn mae Cof* a gyhoeddwyd gan Wasg y Sir, y Bala, yn 1970. Yr oedd y teulu o linach Morgan Llwyd gan bod nain John Lloyd (Ellen Evans, Tyisa, Glyndyfrdwy a fu farw yn 95 oed yn 1900) yn ferch i John Lloyd o Drawsfynydd. Symudodd i Fryn Halen, Melin y Wig pan oedd yn 12 oed. Yr oedd yn chwaer i William Lloyd, Plas Coedrwg ac Evan Lloyd, Cwm Canol, Glyndyfrdwy. Y mae Eirwyn Davies, Caer, hefyd yn disgyn o'r teulu hwn. Mae ef wedi priodi Ella, Bryn Bedw, Llangynhafal sydd yn wyres i Hugh ac Annie Jones, y Cwm, Llanelidan. Mae'r ddau wedi magu pedwar o blant yn Gymry Cymraeg y tu allan i Gymru sef Bethan sydd yn feddyg yn Wrecsam, Carys sydd yn dwrne yng Nghaerdydd, Eleri sydd yn llawfeddyg yng Nghaerdydd a Dylan sydd yn beiriannydd sifil yng Nghaer. Teulu hyfryd ac annwyl. Mae gan Ella ddwy chwaer sef Gwenfron yn Rhuddlan, Anwen yn Ninbych ac y mae ei brawd Bryner ym Mhorthaethwy. Ef yw awdur y gyfrol fechan ar hanes Coleg Pencraig lle bu'n ddirprwy bennaeth. Mae ei wraig, Myra, yn medru olrhain ei hachau ymhell iawn – sef Morysiaid, Elor Garreg, Wiliamsiaid, Waen Ucha, Hiraethog a Huwsiaid Plas Adda. Merch iddynt yw Nia Lloyd Jones, BBC.

Ymysg y tai llawn yr oedd Tai Teg a Pentre. Dyma'r manylion:

TAI TEG

Henry Hughes	pen	39	Ffermwr/Saer	Cyffylliog
Anne "	gwraig	41		Derwen
Mary Cath. "	merch	13		"
Edward "	mab	11		"
Elizabeth "	merch	9		"
Henry "	mab	7		"
Margaret J "	merch	5		"
Dorothy Elinor "	"	2		"
William "	mab	3 mis		"
Henry "	nai	21		Llanrhaeadr

Yr oedd Henry Hughes, y tad, yn ieuengaf o ddeuddeg o blant. Bu farw ei fam ar ei enedigaeth a magwyd ef gan ei chwaer Margaret. Symudodd y teulu hwn i Barc Gwyn, Clawddnewydd yn ddiweddarach. O'r plant priododd **Elizabeth Ann** â Henry Roberts, Manceinion, adweinid fel 'Eryddon'. Cawsant ferch o'r enw Dyfyr (Bracegirdle). Daeth **Margaret Jane** yn wraig i Robert Davies a phlant iddyn nhw oedd Robert Elwy a Morwenna Davies. Bu Robert Elwy yn arwain côr llwyddiannus iawn yn Llanelidan, yn y 50au, ac y mae ei blant wedi etifeddu'r ddawn gerddorol hefyd – ei ferch Brenda wedi ennill am gyfansoddi emyn-dôn yn y Genedlaethol a'i fab Arwel oedd y baswr proffwndo yn Nhriawd Menlli. Priododd Morwenna â Glyn Davies a fu'n Faer Rhuthun. 'Glyn yr Hand' ydoedd i lawer – mab Thomas Davies, Cwmhwylfod. Yn 1904 priododd **Dorothy Elinor** ag Ellis Morris Williams, Moss Side. Aeth **William** i'r Unol Daleithiau a sefydlu yn Reno. Ddiwrnod olaf Mai 1906 priododd y mab **Henry** â Dora Wynne, Y Gro, wyres i Hen Sipsi Tir y Barwn. Hon oedd y briodas gyntaf yng nghapel Cynfal a chyflwynwyd Beibl a Llyfr Emynau iddynt. Cawsant chwech o blant. Bu eu mab John Wynne Hughes yn cadw Swyddfa'r Post yn Llangwm am gyfnod ac yr oedd ganddo bedair merch, Elena (sydd yn warden eglwys Betws GG), Nia sydd wedi priodi Arwel Tŷ Gwyn, Corwen, Einir (a fu'n briod â'r diweddar Ronnie Williams) a Llinos a fu'n briod â Dewi, Plas yr Esgob, Rhewl. Yr oedd eu mab arall, Cynhafal (1912-1991) yn saer coed crefftus ac yn ymgymerwr angladdau am flynyddoedd lawer. Yr oedd hefyd yn mynd o gwmpas ffermydd yn lladd moch ac yr oedd yn enwog am ei ffraethineb. Pan oeddem yn blant byddai'n bygwth rhoi rasel ddime inni a ninnau yn rhedeg oddi wrtho nerth ein traed ac yntau ar ein holau gan bod rasel ddime yn beth poenus iawn. Beth fyddai'n ei wneud oedd rhwbio ei wyneb, ac yntau angen eillio, yn erbyn ein croen tyner ni. Ew! yr oedd yn llosgi. Yr oedd ganddo fo efaill, Dorothy Wynne, fu farw'n wyth oed yn 1920. Y tri arall oedd Gwyneth, Henry a Myra. Wythfed plentyn Henry a Dora Hughes oedd **Alice Winifred** anwyd yn 1883. Priododd hi John H Jones, Bryn Gwrgi. Yn 1931 derbyniodd Henry a Dora Hughes lythyr llongyfarch oddi wrth y brenin Sior V am eu bod wedi priodi ers 65 blynedd.

PENTRE

Henry Williams	pen	38	Ffermwr 180 acer	Llanrhaeadr
Elizabeth "	gwraig	37		Llangollen
Owen "	mab	17		Derwen
Mary "	merch	15		"
Margaret "	merch	10		"
John Henry "	mab	8		"
Eliz Anne "	merch	5		"
Thomas "	mab	4		"
Robt Herbert "	mab	2		"
Emily "	merch	11 mis		"
Catherine Roberts	morwyn	18		Betws
Daniel Jones	gwas	19		Gwyddelwern

Yr oedd Henry Williams yn ŵyr i Henry Williams, Llwyn Onn, Bryneglwys a oedd wedi symud i Wern To, Llanrhaeadr YC yn 1822. Bu'r taid yn ŵr dylanwadol ac yn un o'r criw bychan gychwynnodd yr achos yng nghapel Sion Bryneglwys ac yn rhannol gyfrifol am godi'r ffordd dyrpeg o Glawdd Poncen i Landegla. Yr oedd yr ŵyr hefyd yn flaengar ac yn arweinydd mewn byd a betws fel blaenor ac Ynad Heddwch. Yn 1857 cafodd ei fam ei lladd gan yrr o wartheg ac yn 1859 priododd ei gweddw, Owen Williams, â Janet Roberts, Plas Llangwyfan. Erbyn 1891 yr oedd pedwar o blant eraill wedi'u geni sef Dorothy, Edith Ll, Richard T a Howel. Symudodd y teulu hwn yn ddiweddarach i Blas y Ward yn y Rhewl ac yr oedd Henry Williams yn flaenor yn Rhydycilgwyn pan oedd Emrys ap Iwan yn weinidog yno. Mwy amdanyn nhw pan fyddaf yn edrych ar blwy Llanynys.

Yr oedd yna orsaf yn Nerwen ac fe wnaeth hynny gryn wahaniaeth i'r trigolion mae'n siwr. Y Dr Beeching a'i lladdodd. John Lloyd Williams o Bwllheli oedd y gorsaf feistr 38 oed, ei wraig Maria o Langoed, Sir Fôn ac yr oedd ganddynt bump o blant. Gellir dilyn gyrfa John Lloyd Williams 'i lawr y lein' drwy sylwi ym mhle y ganwyd ei blant: Jane Ellen yn Llangwyllog, Môn, Maria a John Lloyd yn Llanwnog, Sir Drefaldwyn, Hugh Henry yn Whitchurch, Swydd Amwythig a Thomas Elias, 6 mis oed, yn Nerwen. Christmas Evans oedd yr athro ac yr oedd yn lletya ym

Mhlas Lelo hefo William a Ruth Jones. Yn y rheithordy yr oedd John Clement Davies o Nanhyfer, Sir Benfro, y pentref lle ceir ywen enwog sydd yn 'gwaedu' a chroes arbennig iawn yn y fynwent. Yr oedd un ferch, Elizabeth Clement, wedi'i geni yn y Bermo, merch arall, Emma Clement, yn Llanfair is Harlech. Athro mewn ysgol ramadeg oedd y mab Clement Todd. Bu'n brifathro ysgol Tŷ Tan Domen, y Bala, ond un pur aflwyddiannus yn ôl R T Jenkins. Priododd â Cecile Catherine Vincent Kerr, Maesmor, y ferch a anwyd ar Gibraltar ac aelod o'r teulu llawchwith y soniais amdanynt yn Llangwm.

John Edwards oedd yn ffermio'r Tyddyn Isa. Yr oedd yn fab i Hen Ddewin Llwyn y Brain ac yr oedd ei wraig, Margaret merch John Jones, Hendre Isa, wedi marw yn 1876. Tri o blant oedd ganddynt. Bu farw Edward yn 17 oed yn 1882 a phriododd ei fab arall, John Morris (1860-1934) â Maria a ganwyd pedwar o blant iddynt: Elizabeth priod John Roberts, Hendre Isa; Annie priod Hughie Roberts, Richard a Margaret. Margaret Anne oedd enw chwaer John Morris a daeth hi'n wraig i J Robert Owen, Tŷ Mawr, Bryneglwys a symud yn y man i'r Plase, Tŷ Nant. Eu dau fab oedd John William a Goronwy. Yr oedd perthnasau i John Edwards yn ffermio'r Glyn Mawr sef tri mab ei chwaer Elizabeth, Tyisa'r Llyn, Gwyddelwern – Hugh, Edward a John Evans. Y mae'r tri wedi'u claddu wrth y giât ym mynwent Pandy'r Capel. Nid oeddwn yn gwybod am fodolaeth eu mam nes i mi bwrcasu ewyllys Edward Edwards, Llwyn y Brain, o'r Llyfrgell Genedlaethol. Y mae ewyllysiau'n ffynhonnell werthfawr i haneswyr teulu. Priododd Edward, Glyn Mawr, â merch Llidiart y Sais a buont yn byw yn Nhyddyn Cochyn, Gwyddelwern. Nid wyf yn meddwl bod yna ddisgynyddion i'r tri brawd. Os na ŵyr rhywun yn amgenach, wrth gwrs. Yr oedd ganddynt frawd arall hefyd, Thomas, ac ymhlith ei ddisgynyddion ef y mae'r Parch Tudor Davies, Aberystwyth a Hywel Trewyn.

Enw a gysylltir â Derwen yw Dolben ac yn 1881 yr oedd saith o'r enw yn y plwy: Isaac Dolben, Pen y Banc, ei wraig Harriet, a thri o blant, Mary (8) Sarah (6) a Naomi (2), a Mary Dolben a'i mab William yn Sarnat Gwyn. Ceir y cyfeiriad cyntaf at Ddolben yn Nerwen yn 1784 ac y mae rhai'n dal yno hyd heddiw – fy hen ffrind ysgol Joan Hughes o Landrillo, er enghraifft, wedi priodi John Dolben, Glyn Bach, eu merch Rhian yn ferch-yng-nghyfraith i Gwyn ac Annie Evans, Gwasg y Sir a Neuadd y Cyfnod, y Bala.

Yr oedd Mary Roberts, Pen Rhos yn ddall ac Evan Roberts, y Bar yn gloff. Ymysg y rhai hynaf yn y plwy yr oedd William Jones (82), ewythr John Edwards, Tyddyn Isaf (brawd John Jones, Hendre Isaf mae'n debyg); a William Jones (90), tad Mary Griffiths, Coed y Foel. Yr oedd nifer o blant ifanc iawn yn y plwy ac yn eu plith ceir Evan Jones, Erw Lwyd (2 fis) John Morris Jones, ŵyr John Morris, clerc y plwy, Parc Bach (mis oed) a'r ieuengaf ohonynt i gyd oedd Evan Thomas, Minffordd, oedd onid wythnos oed. Yr oedd dau bâr o efeilliaid: Margaret a Dorothy, merched dwyflwydd oed Abraham ac Ellen Williams, Tyddyn Llan a Mary E a John H, plant tair oed Henry ac Elizabeth Hughes, Clawddnewydd House.

David Williams oedd y plismon lleol, Edward Edwards y gof, Joseph Davies yn gwneud olwynion a Griffith Hughes, Berthen Gron yn gyrru injian ddyrnu. Byw ar ei bres oedd Robert Roberts, Fron Dderwen, brodor o Bengelli ym mhlwy Llanycil. Bu'n flaenor am 53 blynedd. Mab-yng-nghyfraith iddo oedd y Parch John Williams, Ty'n Coed, Llandrillo. Yr oedd wedi colli ei wraig, oedd yn ferch i Edward Edwards, Tan y Gaer, Corwen – un o arweinwyr Methodistiaeth gynnar yn Edeyrnion. Edward Lloyd, Nant, oedd y cigydd. Daeth ei ferch, Margaret Jane, yn wraig i John Williams (1872-1944) adwaenid yn well fel J W Llundain. Masnachwr llechi ydoedd a brodor o Rostryfan ac yr oedd yn frawd i W Gilbert Williams, athro a hanesydd lleol cymeradwy iawn. Wedi cyfnod yn chwarel Braich aeth John i Lerpwl lle bu'n gwneud pob math o bethau: naddu meini melin, gweithio mewn ffowndri trwsio llongau, mewn ffatri gotwm ac yn warws Morris Jones, cyn penderfynu mynd i Lundain lle cychwynnodd ei fusnes llechi a thoi ei hun a hynny'n bur llwyddiannus. Ysgrifennodd ei hunangofiant *Hynt Gwerinwr* a chladdwd ef yn Llandwrog. Yr oedd yn godwr canu ac athro Ysgol Sul yng nghapel Cymraeg Willesden Green – y lle y bu Ysgol Gymraeg Llundain tan 1999 – mangre oedd o fewn tafliad carreg i 20 Grosvenor Gardens lle y bûm yn rhannu fflat a cholli cwsg a chwerthin yng nghwmni criw o ferched Shir Gâr yn y 60au.

Erbyn Cyfrifiad 1891 yr oedd pawb namyn deunaw yn siarad Cymraeg – tri ar ddeg o'r deunaw yn byw yn Derwen Hall lle'r oedd John Williamson yn ffermio. Yn ogystal â'r teulu yr oedd yno hefyd ddwy forwyn a thri gwas – Margaret Davies o Dderwen, Elin Jones o Glocaenog, Henry Davies o Lanelidan, Edwin Williams o Glocaenog a Thomas Roberts o'r Betws. Bu farw John Williamson yn 48 oed yn 1901 gan adael gweddw a naw o blant. Merch William Kellett oedd ei wraig a phriododd un o'i ferched ag aelod o deulu Evers-Swindell.

Mary Lloyd oedd yng Ngefail y Plas hefo'i nai Evan Roberts. Ef oedd y gof lleol ac y mae'n siwr fod yno le prysur iawn yn pedoli ac yn trwsio ac yn gwneud offer i ffermwyr y fro. Yng Ngefail y Bryn yr oedd cefnder Evan Roberts sef John Lloyd, tad a thaid y John a Sion Lloyd presennol. Teulu Llwydiaid Pant y Gynnau oedd y rhain ond yr oedd cymaint

153

ohonynt yn arddel yr un enw fel ei bod yn gytrin o anodd eu corlannu. Yn byw ym Mryn yr Efail yr oedd yr heddwas Thomas Thomas o San Dunwyd, Sir Forgannwg. Ddeng mlynedd yn gynt yr oedd hwn yn blismon yn Llanfair Dyffryn Clwyd ac yr oedd ganddo ddau o blant, Priscilla ac Aquila. Erbyn hyn y mae'r ddau wedi diflannu ond y mae yno Aquila newydd, dwyflwydd oed. Robert Williams oedd yn cadw'r Siop Uchaf gyda chymorth ei wraig Sarah o Landderfel a'i ferch Alice (24). Harriet Edwards oedd yn cadw tafarn y Cymro a Robert a Catherine Hughes yn y Swyddfa Bost. Cipar oedd John eu mab. Ddiwedd y 19eg ganrif yr oedd Robert Jones yn cadw tafarn y Blue Bell a chafodd ddirwy o £1 am agor y dafarn ddydd Nadolig. Yr oedd 14 yno yn yfed a chafodd pob un ddirwy o 10/8 sef Isaac Lloyd, Alltcelyn (labrwr), Ivor Jones, Pentre Derwen (labrwr), Henry Davies, Sarnad Gwyn (labrwr), John Jones, Lodge (labrwr), John Roberts, Llan (labrwr), John Jones, Penrhos (saer maen), Isaac Dolben, Cae Gwilym (labrwr), Ellis James, Hendre Isa (labrwr), Edward Jones, Penrhos (labrwr), William Jones, Hen Dollborth (teiliwr), Edward Roberts, Bryn (gof), Robert Morris, Forge (postman) a Thomas Jones, Fforest (plastrwr). Yn y llys barn dywedwyd eu bod i gyd wedi cael eu gwahodd i ginio a the yn ôl yr arfer ar ddiwrnod Nadolig a chollfarnwyd y plismon, John Davies, Clawdd, am fod yn rhy eger o lawer!

Dyma esiampl o un o gartrefi'r plwy:

HENLLYS

John Jones	pen	37	Ffermwr	Llanelidan
Janet E "	gwraig	33		Llandderfel
Edward "	mab	8		Derwen
Thomas T "	mab	4		"
Catherine M "	merch	3		"
Agnes "	merch	1		"
Elizabeth Evans	morwyn	16		Llandderfel

Mab Edward a Margaret Jones, Plas yr Esgob, oedd John Jones a'i wraig Janet Elin yn ferch Siamber Wen, y ddau o Llanelidan. Symudodd John Jones i'r Buarthe yn y Rhewl ac yno y bu farw yn 1926. Bu'r mab **Edward** yn byw yn Fferm y Rhos, Gellifor ac aeth **Thomas Trefor** yn feddyg a phregethwr adnabyddus. Bu mab **Catherine (Cassie)** sef John Trefor, yn cadw siop hen-bethau yn y Rhuallt. Ganwyd merch arall yn ddiweddarach sef **Winifred** a ddaeth yn wraig i Hywel Davies, Bryn Gwenallt, Gwyddelwern.

Yr oedd yna lond tŷ ym Mron Dderwen, Evan T ac Elizabeth Jones wedi symud yno o'r Fron Newydd, Llansantffraid ac yr oedd ganddynt un ar ddeg o blant yn amrywio o Margaret (19) i Hywel (5 mis). Ganwyd o leiaf un plentyn arall sef Gwladys a ddaeth yn wraig i Emlyn Roberts yr Hendre Isa.

Yn 1849 yr oedd Robert Lloyd, Pant y Gynnau (oedd yn frawd i fy hen-hen-nain Ann Williams, Gwrych Bedw) wedi ychwanegu at ei stâd drwy brynu Pant y Gynnau, Melin Gwyddelwern, Tŷ Brith a rhes o dai Pandy'r Capel a'r Pandy ei hun, oll am £1,350 oddi wrth Syr Robert Vaughan y Rhug. Bu farw yn 1876 a symudodd ei weddw a thair merch i'r Tŷ Brith, gan gynnwys Elinor a ddaeth yn wraig i Thomas Davies, y bardd 'Bethel'. Erbyn 1891 yr oedd Hugh Roberts (fy hen daid) wedi prynu Pant y Gynnau ac yn byw yno hefo Edward ei fab oedd yn 25 oed, gan adael gweddill y teulu yn yr Hendre Isa. Priododd Edward ag Elizabeth Jane Edwards a magu teulu mawr: **John Edward** a fu'n byw ym Mhen Stryd; **William** (Bryn Farm); **Mary** a fu'n byw yn Ffordd Maesglas, Rhuthun; **Hugh Lloyd**, cigydd yng Ngherrigydrudion; **Richard Owen**; **Anne** a briododd Tom Ingelby; **Kate** a fu'n byw yn y Pistyll Gwyn, Ffordd Llanfair; **Sarah** a briododd Emlyn Roberts, Hendre Isa ac **Elinir** a briododd John Lloyd y Gof, Bryn Saith Marchog. Yr oedd yna gaeau ym Mhant y Gynnau o'r enw Tir Neb, Tir Jenkin, Cae Gwilym a Thir Martha.

Yr oedd y rhai canlynol dros eu pedwar ugain: Grace Jones (85) mam weddw Jane Davies, Siambr Glaiar; William Roberts (84) Tai Teg Bach; Catherine Jones (83) Garth Wig; Henry Roberts (80) Glyn Bach; William Roberts (87) tad-yng-nghyfraith Edward Jones, Nant Marian; Elizabeth Davies (81) Commins; Anne Parker (84) a'i chwaer Catherine (82) Aber Clwyd; Winifred Jones (85) Cae Eithin; Henry Jones (81) Tyisa; Thomas ac Elizabeth Hughes, Foel Gilcen (ill dau yn 81) ac yn olaf Mary Davies (84) mam-yng-nghyfraith Morris Hughes, Hendre Derwen.

Yr oedd dau bâr o efeilliaid yn y plwy sef John a William, meibion 25 oed John ac Elizabeth Jones, Tŷ Uchaf (aeth eu brawd Richard i'r weinidogaeth) a David ac Edward, wyrion 8 mis oed John a Martha Jones, 2 Pen Rhos, saer maen. Y criw ieuengaf oedd John J Williamson (2 fis) Derwen Hall; Robert Davies (mis) Tŷ Coch; Janet Davies (2 fis) Bryn Meibion; Mary J Evans (2 fis) Pen y Banc.

Hugh a Mary Jones, pâr ifanc newydd briodi oedd yng Nglanaber, ef o Lanfwrog a hithau o Glocaenog. Ni wn faint o blant a gawsant ond Annie Jones, Parc Bach oedd un ohonyn nhw. Bu hi farw yn 1980 yn 82 oed. Merch iddi yw Glenys, cantores dda ac y mae ei merch hithau, Eirian, wedi priodi Merfyn mab Aled a Dorothy Ellis Roberts, Hafod Garreg, Llanfair DC, mab Pengwern, Corwen a merch Henblas,

155

Llangwm, ac y mae ganddynt bump o blant – Glesni, Betsan, Alaw Mai, Mared a Wiliam, sydd yn byw yn Llannefydd, cantorion bach da i gyd.

Gwelais gyfeiriad yn rhywle mai cyfansoddwr y dôn 'Dymuniad' oedd Robert Evans (1800-82) o Dderwen. Ond pwy oedd o? Yr oedd yna Robert Evans, 79 oed yn byw yng Nghoed y Foel yn 1881 ac ef yw'r unig Robert Evans yn Nerwen. Yna penderfynais edrych i weld beth oedd gan Huw Williams i'w ddweud amdano yn ei gyfrol *Tonau a'u Hawduron* ac ymddengys nad yw pethau mor syml â hynny! Dywed bod cryn ddadlau wedi bod ynghylch yr awduraeth. Dywedodd Ieuan Gwyllt mai R Williams oedd yr awdur; dywed Tanymarian mai ein cyfaill o Dderwen oedd yr awdur; ond dywed John Ambrose Lloyd mai rhyw Robert H Williams piau hi. Cafodd 'Dymuniad' ei thadogi hefyd ar John Williams, Dolgellau, Hugh Jones, Penybythod a dywedir mai enw arall arni yw 'Rhianva' a 'St Neot'. Eithr barn Huw Williams yw mai Robert Herbert Williams 'Corfanydd' yw'r awdur (1805-76) brodor o Fangor ond a fagwyd yn Lerpwl, dilledydd wrth ei waith. Felly y mae'n edrych yn debyg na all Derwen hawlio Robert Evans fel cyfansoddwr y dôn (rhif 201 yn Llyfr Emynau a Thonau y Methodistiaid Calfinaidd a'r Wesleiaid ac y cenir y geiriau 'Tyrd Ysbryd Glân i'n clonnau ni' arni.) Sylwaf hefyd mai fel Alaw Gymreig y disgrifir hi yn y Llyfr Emynau. Ni wn a yw wedi'i chynnwys yn y llyfr newydd gyhoeddwyd eleni.

Y mae ardaloedd Llangwm, Llannefydd a Llanarmon yn Iâl wedi tueddu i gael y sylw i gyd lle mae Rhyfel y Degwm yn bod ond efallai y dylwn ddweud bod Derwen hefyd yng nghanol y frwydr. Er enghraifft, yn 1890 fe fu cryn dipyn o atafaelu er mwyn sicrhau degwm i'r Parch Morgan Hughes, pan ddaeth Ernest E Craft yr arwerthwr degymol, yr Arolygydd Jones o Rhuthun, Mr Woodfield y prisiwr a dau feili draw i Dderwen. Yng nghartref Robert Lloyd yn y Tai Teg gwerthwyd tas wair a thas wellt am £4/8/-. Ond Craft dalodd oherwydd nid oedd un o'r dau gant ddaeth yno yn barod i brynu. Wedyn ym Mryn Dreiniog penderfynwyd talu £4/19/- am hwch perthynol i David Edwards. Nid oedd golwg o'r hwch yn unlle a dywedwyd wrth Craft y byddai rhaid iddo ef chwilio amdani. Nid oedd yn barod i wneud hynny ac aeth oddi yno'n waglaw. Yng Ngarwfynydd lle'r oedd Thomas Ellis yn byw yr oedd Craft eisiau codi £9 am chwech o wartheg ond nid oedd siw na miw ohonynt. Gwylltiodd Craft a chwarddodd pawb am ei ben. Ym Mronderwen methwyd â dod o hyd i fustach a thair heffer gwerth £10/5/5 a phawb yn cymryd arnynt chwilio amdanyn nhw ac yn crafu eu pennau a chwerthin i fyny eu llewys. Aeth Craft oddi yno wedi gwylltio. Felly y profodd trigolion plwy Derwen mai trech gwlad nag arglwydd. Enillwyd Rhyfel y Degwm gan amaethwyr o'r fath. Ac os cewch gyfle, ewch i fyny'r allt i'r pentre er mwyn i chi gael gweld golygfa syfrdanol o fynyddoedd y Berwyn a chofio dewrder ffermwyr y fro.

Bryneglwys – Dyffryn Iâl

Dywed hanes wrthym mai lle anwaraidd iawn oedd Bryneglwys yn Iâl yn yr hen amser, cartref gwyliau mabsant ac oferedd a chwarae pêl-droed yn y fynwent, medd yr haneswyr lleol. Pan oedd Thomas Charles yn pregethu yn Eglwys Sant Tysilio yn 1783 ymosodwyd arno a'i labyddio. Dywedir mai'r ddau oedd yn arwain yr ymrafael oedd David Evans, Ty'n Rhos a John Roberts, Ty'n Fedw. Ond nid oedd Bryneglwys yn waeth nac yn wahanol i unrhyw blwy arall: yr oedd bron bob pentre'n mwynhau gŵyl fabsant a chrwth a thelyn cyn i Ddiwygiad neu ddau ddod â lladd llawer hen draddodiad.

Rhowch enw drwg i gi meddir. Cafwyd hanesyn cigog yn y *Denbighshire Free Press* yn 1890 gan un o'r colofnwyr cyson oedd yn galw'i hun yn 'John Adwaen Pawb'. Meddai:- 'Ar blatfform Dinbych fore dydd Llun Awst 11 gwelais nifer o las-hogiau, o Fryneglwys yn Iâl medde nhw, ar eu ffordd i'r Rhyl i gael diwrnod o seibiant ar lan y môr. Yr ydw i'n bur siwr y cawsen nhw lawer iawn mwy o fwyniant ac y buasen nhw yn edrych yn anrhaethol fwy gweddus pe gadawsen nhw lonydd i'r botel wisci hono yr oeddynt yn yfed ohoni ac yn ei phasio o law i law mor wynebgaled yng ngŵydd pawb. Be sy ar hogie yr oes yma deydwch? Y mae penglogau llawer o weision ffarmwrs Cymru cyn dywylled â bol buwch a meddyliwch am garsiwn fel hyn yn gadel cartre heb neb synhwyrol i ofalu amdanynt, ac yn yfed wisci ar blatfform railway rhwng wyth a naw yn y bore! Beth feddylia pobl ddieithr ohonom ni a'n barnu ni oddi wrth hogiach fel hyn?'

Yr wythnos ganlynol yr oedd dau lythyr yn y papur yn dweud nad o Fryneglwys yr oedd yr 'hogiach' yn dod. Awgrymwyd hefyd bod 'John Adwaen Pawb' wedi gofyn am ddiod o'r botel wisgi. Beth bynnag am hynny: mae'n rhaid ei fod wedi cael y sac oherwydd diflannodd ei golofn am byth.

Ond yn 1881 yr oedd achos y Methodistiaid Calfinaidd yn ei anterth a mwyafrif llethol o drigolion y plwy yn aelodau yng nghapel Sion neu yn mynychu'r ysgolion Sul yn y Cae Du a'r Cae Gwyn. Yn ôl Cyfrifiad 1881 yr oedd pawb namyn wyth wedi'u geni yng Nghymru. Yn Llundain y ganwyd Herbert W Jones, Tŷ Gwyn ac y mae'n cael ei ddisgrifio fel dyn yn byw ar ei bres. Un o Lanuwchllyn oedd Sarah ei wraig. Un o Lundain hefyd oedd Mathew H Jones, athro 39 oed oedd yn lletya yn Nhy'n y Wern. Brodor o Fanceinion oedd William Nailor y prifathro (26), ei wraig Caroline o Derby. Anodd ddychmygu pa fath o addysg oedd y plant yn ei gael gan athrawon uniaith Saesneg. Ond rhaid cofio bod Comisiynwyr y Frenhines wedi condemnio athrawon Cymru yn 1847 am eu diffyg gwybodaeth o'r Saesneg yn yr adroddiad a alwyd yn Frad y Llyfrau Gleision. Yr ateb, meddid, oedd cyflogi Saeson. A dyna wnaed yn amlach na pheidio. Yr oedd yna lawer o wirionedd yn y 'Llyfrau Gleision' ond fe adawsant flas drwg yng ngheg y Cymry am ddegawdau.

Yr oedd yna ddau gartref â deuddeg yn byw ynddynt sef Pentre Isaf a Bryn Tangor. Dyma'r manylion:

PENTRE ISAF

David Jones	pen	40	Ffermwr	Bryneglwys
Jane "	gwraig	36		"
Hugh "	mab	13		"
John "	mab	11		"
David "	mab	9		"
Mary E "	merch	7		"
Margaret J "	merch	6		"
Edward "	mab	4		"
Thomas "	mab	3		"
Susannah "	merch	2		"
Ann "	merch	7 mis		"
Edward Edwards	gwas	37		Corwen

Mab Hugh a Jane Jones y Nant oedd David Jones. Bu ei fab Hugh yn byw yn Nhŷ Capel Bryn Banadl, Llanelidan ar ôl priodi Mary Jones, Pwll Naid ac aeth eu mab John David i'r weinidogaeth. Adweinid ef fel y Parch J D Jones, Llangaffo. Ganwyd degfed plentyn y Pentre Isa yn 1884 sef Sarah a briododd Evan Davies ac a fu'n byw yn ardal Nantglyn, hynafiaid Gwen a fu'n ffermio Tŷ Newydd, Clawddnewydd hefo'i phriod Robert Hugh Jones.

BRYN TANGOR

John Williams	pen	45	Ffermio 400 acer	Llanrhaeadr
Anne "	gwraig	42		Gyffylliog
Meilir "	mab	21		Llanrhaeadr
Eliz A "	merch	17		Bryneglwys
Mary E "	merch	11		"
Edith "	merch	3		"
Gwen Salisbury	morwyn	17		Llansantffraid GD
Richard Humphreys	gwas	28		Llanelidan
Elias Jones	gwas	18		Llanfair
David Davies	gwas	22		Llantysilio

Gabriel Jones	gwas	36		Efenechtyd
Robert Davies	gwas	14		Llantysilio

Yr oedd Anne, y wraig, yn ferch Cae Gwyn, Cyffylliog ac yn chwaer i John Lloyd, Lodge Farm, Dinbych a Thomas Lloyd, Cotton Hall. Symudodd y teulu hwn i Gilgroeslwyd ger Rhuthun yn y man. Gan **Meilir** y mab yr oedd yr unig enw Cymraeg yn y plwy. Priododd ef â Mary Davies, Caesegwen, Clocaenog, chwaer i Samuel Davies, Plas Ashpool ac wedi hynny buont yn ffermio yn yr Erifiat, Henllan. Cawsant dri o blant – Annie, Ivor, a Margaret. Priododd yr olaf ag R Freeman Evans a fu'n Faer Dinbych yn y 60au. Bu farw Meilir yn Erifiat Isaf yn 92 oed. Priododd ei chwaer **Edith** â John Bryan, Maes Llan, Llanarmon yn Iâl (taid a nain Gaynor Bryan Jones) a'r chwaer arall, **Mary Ellen** ag Edward William Roberts, Blaen Iâl a mynd i fyw i Cae'r Delyn, Henllan. Augustus a Myfanwy oedd enw eu plant nhw.

Bryn Tangor oedd y fferm ail fwyaf yn y plwy. Yr oedd yn gartref hynafol. Ceir cofnod o John Wynn ap Ellis o Fryntangor yn priodi Margaret ferch William Lloyd ap Madoc Fychan o Lŷn, am eu mab Roger ap John Wynn yn priodi Helen merch Foulk Salusbury o deulu Llewenni a'u mab hwythau, John Wynn ap Roger yn priodi Elizabeth aeres Cefn Rug. Enw eu mab nhw oedd John Rogers. Sylwer fel mae'r cyfenw dull Seisnig wedi cael gafael. Ei wraig ef oedd Catherine o Blas Einion. Yn dair ar ddeg oed y mae eu merch Magdalene Rogers yn priodi Humphrey Hughes, Gwerclas, Barwn Cymer ac Edeyrnion oedd yn ddeg oed. (Rhaid cofio, tan 1929 yr oedd merched yn cael priodi'n 12 oed a bechgyn yn 14.) Yr oedd ef yn medru olrhain ei deulu i Rhodri Mawr, Brenin Cymru 843-847 a hithau i'r Ymherodr Siarlymaen, 800-814 O.C. Y mae Bryntangor yn lle pwysig yn hanes fy nheulu hefyd, fel mae'n digwydd, gan mai yma y ganwyd fy mam yn 1910. Ond o deulu gwahanol! Ni allaf arddel mai fi yw Barwnes Cymer.

Richard Jones a'i deulu oedd yn ffermio Ty'n y Wern. Yr oedd yno ferch 5 oed o'r enw Anne a daeth hon yn wraig i William T Jones, Pentre, Pwllglas, neu 'Timber Jones' fel y gelwid ef. Yr oedd yn ddyn busnes prysur, yn gynghorydd ac yn arweinydd côr llwyddiannus. Wythfed plentyn John ac Elinor Lloyd Jones, Llannerch Gron, oedd o. Dywedid nad oedd ef a'i wraig byth i'w gweld ar wahân. Cawsant saith o blant: **John** (a fu'n byw yn Ninbych); **Kate** (a fu'n byw ym Mhen Rhiw, Pwllglas); **Richard Lloyd** (a fu'n byw yn Nhy'n y Graian, Pwllglas); **William Trefor** (taid y gantores a'r gohebydd Nia Tudur ac a fu'n brifathro ym Mhandy Tudur. Bu farw 1993); **Jane Elinor** (a briododd Tom Wynne); **Thomas Price** a **Llewelyn** – adweinid yn Ninbych fel Llew

Mawr. Richard Jones, Ty'n y Wern oedd yr un a roddodd y swyn i'r Parch Elias Owen – gweler pennod Efenechtyd.

Llwyn Onn oedd y fferm fwyaf yn y plwy ac yn byw yno yr oedd Michael Thomas ac yr oedd ganddo ef a Jane ei wraig ddau fab, Edward William a John David. Bu'r teulu hwn yn un dylanwadol dros ben yn y fro, yn arbennig ym mywyd y capel a byd amaeth. Mab oedd Michael Thomas i John Thomas, Ty'n Rhedyn, Cerrigydrudion (ganwyd 1788 yn fab i Richard Thomas, Nant, Capel Garmon) a Margaret, ganwyd 1790, merch Thomas Williams, Arddwyfaen, Llangwm. Yn 1805 bu John Thomas yn cario cerrig hefo gwedd ei dad i godi'r capel yn y Cerrig. Ganwyd Michael Thomas tua 1820 a phriododd â Jane Roberts, Coed Iâl, Glyndyfrdwy. Yr oedd ganddo naw chwaer ac o leiaf bedwar brawd. Dyma'r wybodaeth sydd gennyf amdanynt:

Catherine (Kitty) (1816)

Eleanor (1816) (efaill) a briododd Robert Hughes, Llaethwryd

Margaret (1818) priododd Joseph Williams o Landrillo (Bryn Lluarth, Llanrhaeadr YC wedyn – hynafiaid Carys Roberts sydd yn gweithio yn Llyfrgell Rhuthun)

Gwen fu farw'n blentyn

Gwen arall (Ty'n Llan, Llandrillo)

Elizabeth (Betsi)(Hendrearddwyfaen)

Mary a briododd William Williams, Nant tan y Foel. Priododd John eu mab â Margaret Roberts y Clegir a Margaret eu merch â Moses Morris, Glyn Ceiriog. Mab-yng-nghyfraith iddynt oedd David Samuel Jones, Rhospengwern, Glyn Ceiriog.

Jane a briododd y Parch Robert Roberts

merch a briododd Dafydd Jones, Dolwerfyl

John a briododd ferch y Parch Dafydd Rolant, Llidiardau

Robert (Lake Crystal, UDA)

Thomas (Tanyfoel)

Richard (Llundain).

Y noson honno yr oedd yna ymwelydd pwysig yn Llwyn Onn: William Rees, gŵr gweddw 70 oed, pregethwr, ganwyd yn Llansannan. Dyna'r manylion moel. Ond i roi cig a gwaed amdano ceir darlun llawnach – llenor, bardd, newyddiadurwr, golygydd *Yr Amserau*, awdur *Llythyrau Rhen Ffermwr* ac awdl *Heddwch* sydd yn cynnwys y cywydd enwog i'r Gof Du yn chwythu'i dân dan chwibanu. Bu farw yn 1883 – Gwilym Hiraethog oedd ei enw barddol, wrth gwrs. Mae'n siwr bod yna sgwrs ddiwylliedig iawn ar aelwyd Llwyn Onn y noson honno. Yr oedd E W Thomas yn ŵr peniog, wedi cael addysg prifysgol, yr un flwyddyn â T E Ellis yn Aberystwyth. Y mae ei gofnodion o weithgareddau capel

Sion, Bryneglwys yn darllen fel nofel, bron na ddywedwn eu bod yn unigryw, ac y maent yn ddogfennau hanesyddol hynod o bwysig. Os hoffai unrhyw un eu gweld y maent ar feicroffilm yn yr Archifdy yn Rhuthun ac fe fu crynodeb ohonynt yn *Nhrafodion Cymdeithas Hanes Sir Ddinbych* 1997. Priododd ei frawd, J D Thomas, â Jane Jones, Hendre Arddwyfaen a magu teulu o dri ar ddeg o blant ym Nhan y Graig, Bryneglwys – yn eu plith y ddau frawd adwaenid fel Micel John a Micel Defi. Anafwyd Micel Defi'n ddrwg yn y Rhyfel Mawr a bu'n hynod o gloff weddill ei oes. Chwaer iddynt oedd Kate Ellen a briododd Edward Beech Rogers. Priododd E W Thomas, Llwyn Onn, â Jemima Roberts, merch Robert a Mary Roberts, Maes Gwyn a ganwyd iddynt saith o blant: **Mary Jane** (priod R W Jones, Pant Hoyw a fu farw ar enedigaeth plentyn yn 1922), **Letitia** (athrawes), **Michael Robert** (tad Euryn Wyn Tomos, Rhuthun ac Eirianwen a fu'n gapten tîm hoci Cymru), **Elsa** (priododd R J Evans, Llanuwchllyn), **John Wyn** (fu farw'n blentyn bach), **Morfudd Eluned** (priod Robert Morris Williams, Blaen Iâl) a **Janet Muriel** a fu farw yn 1900 yn dair awr oed. Bu farw Michael yn sydyn ar 4 Ionawr 1948 yn 58 oed a thrannoeth bu farw ei chwaer Letitia (Letta) yn 59 oed ac mewn llai na mis bu farw eu tad E W Thomas yn 90 oed.

John Hughes y drygist oedd yn byw yn y Llan Isa gyda'i drydedd wraig Elinor, brodor o Gaergybi ac un o ddisgynyddion y Jacobites aeth ar ffo yn ystod gwrthryfel 1715. Oherwydd eu teyrngarwch i James Stuart, The Old Pretender, bu rhaid i William Chambers o Causney Head yn yr Alban a'i frawd John ddianc am eu bywydau ac mewn cwch bychan llwyddodd y ddau i ddengid gefn nos nes cyrraedd Porthdinllaen ac yna i Fôn. Newidiwyd eu cyfenw i Edward a phriododd William â Margaret Hughes o Aberffraw. Dyma hynafiaid Elinor Hughes. Mab Humphrey a Jane Hughes, Cae Du (Plas Adda gynt) oedd John y Drygist, ac yr oedd yn Rhyddfrydwr selog – fel y mae enwau un o'i feibion yn awgrymu – sef Percy Gladstone. Aeth Percy i'r weinidogaeth ac ymfudodd i Seland Newydd. Y mae ei ferch Megan Barton yn ymwelydd cyson â Chymru ac yn ymchwilio'n ddyfal i'w hachau. Bu John Hughes yn byw yn Lerpwl am gyfnod ac ef oedd 'meddyg' y fro. Yr oedd ganddo bum brawd:

Y Parch David Hughes (Corwen wedyn – ei wraig Lydia oedd y gyntaf i gael ei bedyddio yng nghapel Sion, dyma rieni Dr J Medwyn Hughes a'r Parch John Elias Hughes ymysg eraill)

Humphrey Hughes, Rhos Isa, Llandegla a briododd Eleanor Jones, Rhosddigre. Gweler mwy o fanylion dan Landegla.

William Hughes, Berth, Pentrecelyn; priododd ef ag Elizabeth Salusbury, Bryntangor.

Robert Hughes (Relieving Officer Corwen a briododd Winifred Evans) **Thomas Hughes,** Pantglas, Bontuchel, a briododd Sydney Smith. Gweler Llanynys.

Mewn rhifyn o *Cymru* yn 1895 ceir Hanes Taith John Owen Ty'nllwyn i'r Amerig ac ynddo dywed 'Yn St Louis y cyfarfum â dau fab i'r Parch D Hughes, Bryneglwys; un wedi priodi. Maent mewn lleoedd cysurus yma, ond soniai yr hynaf am fyned i Kansas. Mae ganddo dir yno yn sefydliad y Parch R Wake.'

Ceir hanesyn reit ddoniol yng nghofnodion E W Thomas, Llwyn Onn, am Thomas Jones, Fron Goch. Yn 1881 yr oedd yn 60 oed, ei wraig Maria yn 63 a'u mab John yn 23. Mab ydoedd i John Jones y Clochydd ac yn feddyg esgyrn da fel ei dad ac yn athro Ysgol Sul penigamp. Unwaith pan yn gwrando ar fachgen yn dweud ei adnod yn bur glapiog, gwnaeth y sylwadau canlynol: 'Pryd y dysgest ti nene, heddiw ne neithiwr siwr gen i; cofia di, wnaiff nene mo'r tro. Pryd dywed fydd dy fam yn golchi? Dydd Llun ne ddydd Gwener? Os ydy hi'n gadel y golchi tan ddydd Gwener, hen slwt ydy hi, a dywed wrthi mod i'n deud hynny; mae rhai felly yn smwddio yn hwyr nos Sadwrn neu'n gwisgo dillad heb eu smwddio. A hen slwt ydw i'n galw bachgen ne eneth fydd heb ddysgu eu hadnod tan ddiwedd yr wsnos. Fedrwch chi ddim ei smwddio hi'n iawn, does yne ddim graen arni, ac adnod heb ei smwddio oedd gen ti heddiw. Mae pawb yn leicio cael crys glân ar ddydd Sul ond gwisgo crys budr ydw i'n galw deud adnod fel ene.' Anodd dychmygu neb yn dweud y fath beth heddiw mewn nac ysgol na chapel! Mi fuasai yna foni a phwdu a bygwth mynd â fo i'r llys am enllib a hawlio galanas a dal dig am genedlaethau a dwn i ddim be arall. Ond rhaid cyfaddef 'mod i'n dotio at y trosiad. Bu farw yn 1896 yn 74 oed ac mewn cofiant iddo ceir rhibidires o ansoddeiriau: 'Dyn gwisgi, gwynepgoch, bywiog, serchog, gwallt golau, taldra cyffredin. Afieithus. Direidus. Byddai'n trefnu chwaraeon i'r plant bob blwyddyn. Meddyg esgyrn medrus. Ddiwrnod ei angladd yr oedd 60 o blant yn cerdded o flaen ei hers.'

Brawd a chwaer oedd yn Nhy'n Celyn sef Maurice a Jane Jones yn ffermio can acer. Plant John a Sarah Jones oeddynt ac wyrion i Dafydd a Sian Jones, Tŷ Gwyn. Yr oedd Dafydd Jones yn ŵr dylanwadol ac wedi dod i fyw i'r Tŷ Gwyn o Dan y Graig, Rhiwaedog. Yr oedd ei ddau frawd, John Jones, Gwern yr Ewig a William Jones, Rhiwaedog, ymhlith sefydlwyr Methodistiaeth yn ardal y Bala ac yn fawr eu parch a'u dylanwad. Un o Gorris oedd Sian Evans, Tŷ Gwyn ac yr oedd ganddi hi a Dafydd saith o blant o leiaf: **Jannet** (gwraig Robert Parry rheolwr chwarel y Groes Faen, **David** (Tŷ Cerrig), **John** (Ty'n Celyn), **William** (Erw Ceiliogod), **Ann** (priod Morris Roberts, Blaen Iâl), **Jane** (Pentre

Bwlch) a **Sydney** (gwraig Evan Roberts, Tŷ Gwyn, rhieni Jane Beech a sefydlodd yr achos yn y Cricor). Yn byw yn Nhy'n Celyn hefo Maurice a Jane Jones yr oedd eu nith Kate Jones Shaw, dwyflwydd oed, merch eu chwaer Sarah a Thomas Shaw, Twll Farm, Bangor is y Coed. Yn 1915 priododd Kate y Parch J T Job, gŵr gweddw a brodor o Landybie, Sir Gaerfyrddin, bardd a enillodd y Gadair Genedlaethol deirgwaith a'r Goron yn 1900. Ef yw awdur yr emyn 'Cofia'r Byd O Feddyg Da' yn ogystal â deuddeg o emynau eraill yn Llyfr Emynau'r Calfiniaid. Ef hefyd yw awdur y delyneg hoffus 'Pwy yw Bugail y Briallu' a oedd yn ddarn adrodd poblogaidd iawn pan oeddwn i'n blentyn. Kate etifeddodd y ffifferm ac yn 1915 fe'i gwerthodd ac yn ôl adroddiad y wasg 'cafodd sêl dda iawn.'

Ddechrau'r ganrif ddiwethaf yr oedd Glwysfryn yn ysgrifennu ei atgofion am Fryneglwys yn y *Llangollen Advertiser* ac y mae ganddo hanesyn am Dafydd Jones, Tŷ Gwyn. Yr oedd o'n hoff iawn o holi a stilio'r plant:

'Pwy wyt ti?'
'Ble mae dy dad yn gweithio?'
'Ble ti'n mynd?'
'Oes ar rywun bres i dy dad?'
'Oes ar dy dad bres i rywun?'

Byddai Mrs Hughes, Glandŵr, mam Glwysfryn, yn dweud wrth ei phlant 'Siaradwch yn ddistawach yn raddol – mae o'n drwm ei glyw – mi gyll ddiddordeb.' Dyna ei chyngor i atal y busnesa!

Fy hen hen daid, Evan Hughes, a'i deulu oedd yn y Tŷ Helyg. Yr oedd yn weddw 54 oed ac yn ffermio 140 acer. Yno hefyd yr oedd ei ddau fab a thair merch: Mary (25) David (24) Robert (22) Annie (16) ac Elinor (12) a ganwyd y plant i gyd yng Nghwmhwylfod, Cefnddwysarn. Ni wn ble'r oedd Margaret y ferch arall y noson honno. Priododd Mary â Hugh Hughes, Tŷ Mawr Morfudd a ffermio Tan y Coed, Carrog cyn symud i Fryn Tangor a chawsant chwech o blant: **Robert** a laddwyd yn 1917 yn Ffrainc, **Elizabeth Jane** (fy nain), **Muriel** a briododd Thomas Jones, Cwm, Llanelidan a ffermio Tŷ Newydd, Clawddnewydd ac Alafowlia, Dinbych; **Ieuan** a fu'n byw yn y Tyddyn, Pentrecelyn sef tad Mair sydd wedi priodi â Silyn, mab Gwilym R Jones; **Olwen** a briododd â Haydn Jones, Cileurych, Carrog ac **Eurwen** a briododd ag Edward (Ted) Lloyd Jones, Cwm, Llanelidan. Am weddill plant Tŷ Helyg: arhosodd David yn y Tŷ Helyg ac yr oedd yn flaenor ac yn Ynad Heddwch; bu Robert yn cadw siop gigydd yng Nghoedpoeth ac Annie y drws nesaf iddo yn Siop yr Helyg yn cadw siop groser ac yn gwerthu 'pethau o'r wlad' – wyau a chig moch ac ati a bu Elinor (Lin) yn ei helpu cyn priodi ag Edward Hughes, Tŷ Mawr Morfudd. Yr oedd ganddynt hefyd chwaer arall o'r enw Margaret (Meg) a briododd adeiladydd o Goedpoeth o'r enw Samuel Moss ac aeth eu hunig blentyn, Gwenfron, yn genhades i China ar ôl graddio mewn fferylleg. Hwyliodd i Peking yn 1928 wedi derbyn Ysgoloriaeth Rockefeller gwerth £60 i ddysgu'r iaith cyn symud i Ysbyty Goffa MacKenzie yn Tsientsin. Bu hi farw yng Nghaerdydd yn 1991 yn 93 oed. Yr oedd Evan Hughes a'i wraig Elizabeth (fu farw yn 1876) wedi colli tri phlentyn yn eu babandod sef William, Anna a John. Mab Robert a Mary Hughes, Gelli Isaf ger y Bala oedd Evan ac Elizabeth yr hynaf o naw plentyn David a Margaret Williams, Coed y Mynach a Rhiwaedog. Chwiorydd iddi oedd Ann Evans, Tan Llan, Clocaenog, Elinor Lloyd, Hafodwen, Llanarmon Dyffryn Ceiriog a Grace Jones, Rhospengwern, Glyn Ceiriog.

Enw cyfarwydd yn y fro oedd Yale (neu Iâl). Yn wir, dyma'r enw cyntaf yn y cofrestri plwy cynharaf sydd ar gael sef bedydd Elisha Yale mab Thomas a Dortie ym mis Ionawr 1661. Ac yn byw ym Mhlas yn Iâl yn 1881 yr oedd William Corbett Yale, bargyfreithiwr, Ynad Heddwch a meistr tir, genedigol o Edeyrn yn Arfon. Yr oedd yna gysylltiad rhyngddo ef ac Elihu Yale, sefydlydd Prifysgol Yale yn yr Unol Daleithiau. Collodd ei fab, John Edward Ivor, yn 1896 pan fu farw o deiffoid yn Port Elizabeth, De Affrica, yn 38 oed. Bu William farw yn 1909 yn 84 oed a'i enw erbyn hynny oedd William Corbett Yale Jones Parry gan i'w ewythr, Syr Love Jones Parry, adael stâd Madryn iddo. Yr oedd Love Jones Parry, sgweier Madryn, wedi bod yn Aelod Seneddol dros Sir Gaernarfon. Oherwydd ei ddiddordeb yn y Wladfa y cafodd Porth Madryn ym Mhatagonia ei enw. Yr oedd William, Plas yn Iâl, wedi cael bywyd cyffrous. Ef oedd y comisiynydd cyntaf i gael ei anfon i feysydd aur Awstralia ac yr oedd hefyd yn bresennol yn Palermo pan ymosodwyd ar y lle hwnnw gan Garibaldi yn 1848.

John Jones oedd yn cadw'r siop ym Mrynhyfryd ac yr oedd ganddo fo a Diana ei wraig bump o blant – yn cynnwys merch fach 8 oed o'r enw Ruth Edith. Ugain mlynedd yn ddiweddarach priodwyd Ruth â'r Parch O R Owen, gweinidog Dolanog a Phontrobert, Sir Drefaldwyn. Ganwyd un ferch iddyn nhw – Dyddgu. Dyma Dyddgu Owen, awdur *Brain Borromeo* a nofelau eraill ac a fu farw Awst 1992. Yr oedd Tecwyn Lloyd yn ei hangladd ddiwrnod cyn iddo yntau farw. Lladdwyd O R Owen mewn damwain pan i farch yn tynnu cerbyd redeg drosto a bu farw ymhen deuddydd ar 28 Mawrth 1919 yn 49 oed a phan oedd Dyddgu yn 12 oed.

Shadrach Lloyd y saer oedd yng Nglandŵr. Yma y ganwyd Thomas Hughes adwaenid fel 'Glwysfryn' a ysgrifennodd nifer o erthyglau i *Cymru*. Symudodd i Lerpwl yn 1864. Yr oedd ei chwaer Elizabeth wedi priodi John Thomas, Cambrian Gallery, y ffotograffydd enwog a bu Glwysfryn yn datblygu lluniau iddo am flynyddoedd. Mab i John Thomas oedd Dr J Thelwall Thomas, tad Mrs Ifor Davies, Bronafallen, Cerrigydrudion, gynt. Y mae Huw Thelwall Davies, Uwchaled, Rhuthun ac Anne Francis Roberts, Wern Ucha, Rhuthun, yn or-or-wyrion i'r ffotograffydd enwog hwn.

Owen Lloyd oedd yn Nhal y Bidwel Bach a bu farw yn 1882. Yr oedd ei wraig Elizabeth, merch Cileurych, Carrog, wedi marw o'r frech wen fis Chwefror 1871. Priododd ei fab Robert William â Harriet, merch Cae ap Edward, Llanarmon yn Iâl a symudodd y ddau i Bant y Ffordd, Llanarmon. Merch i Owen Lloyd oedd Winifred Powell, Trewyn, Llanelidan ac wedi iddi ail-briodi â David Price, Cefn y Gader aethant i fyw i'r hen gartref yn 1896. Bu hi farw yn 1905 yn 54 oed.

Y person hynaf yn y plwy oedd Robert Lloyd, Bwthyn Llan Isa (85), brodor o Lanycil. Bu farw 18 Rhagfyr 1885 a chaiff ei ddisgrifio fel hen ŵr duwiol ond byr ei dymer. Ymysg y plwyfolion ieuengaf yr oedd Margaret, 11 diwrnod oed, merch William a Naomi Jones, Pwll Pridd; Winifred Jones, Erw Ganthreg, John Lloyd, Penrhos, ac Ann Jones, Pentre Isa, y tri yn saith mis; Elizabeth K Evans, Cae Crwn yn 2 fis, a John D Jones, Fron Goch yn fis. Yr oedd un pâr o efeilliaid yn y plwy sef Mary E a William O Jones, 7 oed, Pant Hoyw. Mudodd Moses a Jane Jones, Pant Hoyw, ac wyth o blant i Tŷ Isa, Llanarmon yn Iâl yn 1891.

Allan o ryw dri chant o drigolion yn 1891 yr oedd pawb namyn chwech yn siarad Cymraeg. Yr oedd hyd yn oed y meistr tir, William C Yale, yn siarad Cymraeg ond yr oedd wedi priodi Isabella o Gaeredin ac yn magu'r plant yn ddi-Gymraeg, un ohonynt, Margaret, wedi'i geni ym Melbourne. Mae'n debyg mai dyma'r cyfnod pan oedd Yale yn gweithio yn Awstralia. Yr oedd Melbourne yn ofnadwy o bell o Fryneglwys ganrif yn ôl.

Yr oedd Mary Lloyd, Wern Newydd, yn weddw 37 oed hefo pedwar o blant mân i'w magu – John (10) Kate (8) Richard (5) ac Ann Ellen (3). Ddiwrnod claddu ei phriod gwnaed casgliad o £1/13/10 er mwyn ei chynorthwyo hi a'r plant. Yr wyf yn cofio'r trydydd plentyn, y Parch Richard Lloyd, Trefnant, dyn hardd, gwallt fel sidan gwyn, llais fel triogl ac yn un da am wrando ar adnodau'r plant yng nghapel Cefn y Wern ers talwm. Cychwynnodd drwy weithio fel gwas bach yn yr Eagles Stores yn Rhuthun. Bu'n gaplan yn y fyddin hefyd. Byddai ei fam yn syfrdan pe gwyddai iddo adael dros ddwy fil o bunnau yn ei ewyllys i gapel Sion

Bryneglwys.

David Morien Davies oedd y gweinidog yn 1891, brodor o Langeler, Sir Gaerfyrddin, ei wraig Laura o Fangor ac yr oedd ganddynt chwech o blant – Gwilym, Myfanwy (fu farw ddiwedd y flwyddyn yn 16 oed) Nest, Arthur, Dilys ac Alun, y ddau hynaf wedi'u geni yn Gyffylliog a'r lleill yn Nantglyn. Dywedir bod D M Davies yn bregethwr da. Ond maith. Pan oeddwn i'n blentyn yr oedd yn rhaid dioddef a goddef pregethwr hir a sych. Heddiw byddai'r plant yn chwilio am swits i'w ddiffodd neu ei yrru *fast forward*. Yr oedd D M Davies yn un o dystion ewyllys fy hen hen daid Evan Hughes a fu farw yn 1893.

George ac Elinor Evans oedd yn Modlondeb ac yr oedd eu merch Eliza Jane yn flwydd. Daeth hi'n wraig i'r Parch John Alun Lloyd, Mochdre, genedigol o Gyffylliog. Ganwyd naw o blant i George a'i wraig gan gynnwys y diweddar Barch Herbert Evans, Caer. Mab Evan Evans, Hendre Forfudd oedd George ac ŵyr i John a Betsen Evans gynt o Dyddyn Inco. J R Owen a'i wraig Margaret Anne oedd yn byw yn y Tŷ Mawr. Yr oedd ef yn fab i William Owen, Plymog, Llanferres, gynt o Langwm a hithau'n ferch i John Edwards, Tyddyn Isa, Derwen. Mudodd y teulu hwn i fferm Tŷ Nant, Maerdy, lle mae eu disgynyddion hyd heddiw.

Yr oedd y drygist John Hughes, Llan Isa, wedi marw ac Elinor ei weddw yn byw yno hefo tri o'i phlant, Thomas Arthur (13) Percy Gladstone (11) a Kate Gladys (5). Dim ond un pâr o efeilliaid oedd yna sef Watkin a Winifred, plant 8 oed Evan ac Ann Jones, Rhos Afr. Yr hynaf yn y fro oedd John Rogers (79), gŵr gweddw yn 6 Pen Rhos a'r ddau ieuengaf oedd Jane Jones, Ty'n Wern (2 fis) a John David Roberts (3 mis) Glan y Wern. Yr enw olaf ar y rhestr yw Fred. Nid oedd yn gwybod ei gyfenw na'i oed na lle cafodd ei eni. Ond yr oedd yn ddwyieithog, yn cael ei ddisgrifio fel trempyn ac yn treulio noson y Cyfrifiad yn sgubor Cae Mawr, cartref Hugh a Magdalen Morris.

Collwyd nifer o'r bechgyn, y gwelir eu henwau yn y Cyfrifiad, yn y Rhyfel Mawr. Yn eu plith yr oedd David William, mab John a Miriam Davies, Pentre Bach a laddwyd yn Constantinople Awst 1919; William Jones Williams, mab William a Dorothy Williams, Cae Crwn, hi'n ferch i Evan Evans, Hendre Forfudd (torrodd ei chalon yn lân pan aeth ei mab ar goll fis Mai 1917); Hugh Price Hughes, Glanrafon a laddwyd yn Ffrainc 28 Mehefin 1918; John Jones, Ty'n y Mynydd a laddwyd yn Ffrainc fis Ebrill 1918.

Ganwyd fy mam ym Mryn Tangor a'i magu yn Nhal y Bidwel Fawr. Yr oedd ganddi feddwl mawr o'r lle ac o Fryneglwys. Dyna pam y galwyd fy mrawd ieuengaf yn Bryn. Soniai lawer am ddyddiau ei phlentyndod a chofiaf enwau rai o gaeau ei chartref – Cae Meredydd, Cae'r Delyn, Dadrodd, Tir Bica a Ffridd Royal Oak. Dyna dasg go anodd i'r rhai sydd yn esbonio enwau llefydd.

Y mae Bryneglwys yn lle oer iawn a'r cynhaeaf yn hwyr. Dywedid bod y ffermwyr yn arfer cario llawer o'r cynhaeaf wrth olau lleuad – yr hyn a elwid 'lloer naw nos olau'. Canodd un bardd anhysbys fel hyn:

Lloer hir i wŷr y Ddwyryd
A lloer gwŷr Iâl i gario ŷd.

Llandysilio yn Iâl - Ar Lan Hen Afon

Newidiwyd ffiniau Llandysilio a Bryneglwys yn 1927 ac yr oedd llawer o bobl oedd yn ystyried mai ym Mryneglwys yr oeddynt yn byw mewn gwirionedd o fewn ffiniau Llandysilio. Tysilio yw nawddsant y ddwy eglwys, sant o'r 7fed ganrif, mab Brochfael Tywysog Powys, a cheir eglwysi wedi'u cysegru iddo ar lan afon Menai (y lle a elwir weithiau yn Church Island) un arall yn Sir Benfro ac un yn Llydaw. Y cofnodion cynharaf yn y cofrestri plwy yw o fedyddio Elias plentyn siawns John Puleston, plwy Bangor Is y Coed a Susan Humphreys o Landysilio ar 3 Hydref 1677 ac o briodas Gabriel Williams, y Cymo a Catherine Williams ar 28 Hydref 1677. Y mae hwn yn blwy arbennig o hardd gydag afon Dyfrdwy'n ei ddolennu.

Ymysg y teuluoedd blaengar yn 1881 yr oedd un Maes Gwyn. Dyma'r manylion:

MAES GWYN

Robert Roberts	pen	60	Ffermio	Llandysilio
Mary "	gwraig	55		Llandderfel
David W "	mab	22		"
Jemima E "	merch	20		Llandysilio
John P "	mab	15		"
Louisa B "	merch	13		"

Ganwyd Mary Roberts yn y Derwgoed, Llandderfel, yn ferch i David a Letitia Lloyd. Daeth hi a'i gŵr i Dŷ Mawr, Bryneglwys o'r Oror, Gwyddelwern ac wedyn buont yn y Gelli Gynan, Llanarmon yn Iâl. Yr oedd gan Robert a Mary dri mab a phum merch. O'r meibion aeth **Robert Edward** i Walton ond bu farw'n ddibriod yn 34 oed; arhosodd **David William** i wasanaethu ei fro ei hun ac adwaenid ef fel D W Roberts, Blaen Iâl ac aeth **John Peter** hefyd i Lerpwl. Ef oedd tad Alwena Roberts, Telynores Iâl a gafodd ei galw yn Frenhines y Delyn. Dysgodd rai o'n prif delynorion – Mair Telynores Colwyn (priod Llanowain), Morfudd Maesaleg, Osian Ellis, Elinor Bennett, er enghraifft. Bu farw yn 1980. **Ann Magdalen** oedd y ferch hynaf ac ar ôl priodi Lewis Edwards aethant hwythau hefyd i Lerpwl ond bu hi farw yn 36 oed a bu Lewis yn weddw am dros hanner can mlynedd ac yn hael tu hwnt gan iddo anfon rhoddion lu i gapel Sion, Bryneglwys, er cof am ei briod; priododd **Mary Jane** â Thomas Francis Jones, Ty'n Rhos a **Letitia Janet** â Thomas Davies. Bu'r ddau olaf farw yn ifanc gan adael dau fachgen bach amddifad – Robert Lloyd Davies aeth i'r weinidogaeth a William Oliver Lloyd Davies aeth i Ganada wedi priodi Harriet Owen, Trwyn Swch, Cynwyd yn 1911. Magwyd y ddau gan eu nain ym Maes Gwyn. Priododd **Louisa Beatrice** (13 oed uchod) â Robert Hughes o Laneurgain oedd yn brifathro ym Mhentrefoelas a chawsant o leiaf chwech o blant: Thomas Glwysfryn (1895), Emlyn Owen (1897), Albert Edward (1899, tad Trebor Hughes a fu'n weithgar mewn amryfal feysydd yn ardal Rhuthun am flynyddoedd lawer, ei ferch Sian Eleri wedi priodi Tomos, cynhyrchydd gyda'r 'Byd ar Bedwar' a mab i Dyfnallt Morgan, enillydd y Goron yn Llangefni 1957, dyn difyr ei sgwrs), Ada Mary (1900) Ernest Lloyd (1901, a briododd Hilda Edwards, Garth y Groes, Llanelidan) a Gwilym Arthur (1903) a fagodd lond tŷ o blant, gan gynnwys Mona Williams, Plas Tirion, Rhuthun a'i wyth brawd, nifer o gantorion da yn eu plith. Merch arall Maes Gwyn oedd **Jemima Elizabeth** a ddaeth yn wraig i E W Thomas, Llwyn Onn, teulu nodedig iawn.

Ym Mhlas Isa yn Rhos yr oedd David Salisbury yn ffermio 128 acer gyda chymorth ei nai Edward Davies. Ganwyd David Salisbury (1823-1901) yn y Bryn Du, Gwyddelwern a daeth ef a'i dad John i fyw i Wern y Brain Isa yn 1853. Yr oedd ganddo frawd o'r enw Ebenezer a fu'n weinidog yn Iowa ac a fu farw yn Utica yn 1874. Yr oedd David Salisbury yn ganwr da iawn. Priododd ag Elinor Jones, Tyisa Rhos, gwraig weddw a fu farw Ionawr 1881 ychydig wythnosau cyn y Cyfrifiad. Priododd ei nai Edward Davies (mab ei chwaer Elizabeth) â Margaret Jane Roberts, merch John Roberts, Melin Blaen Iâl ac y mae eu disgynyddion yn dal yn y fro ac yn nodedig am eu doniau cerddorol – yn eu plith David, Tudor a Dilys Salisbury Davies a fu'n aelodau o Barti Menlli am flynyddoedd. Y mae Robat Arwyn, Llyfrgellydd Sir Ddinbych a cherddor dawnus, wedi priodi Mari, aelod o'r teulu hwn ac y mae'r Prifardd a'r cyn-Archdderwydd John Gwilym Jones, wedi priodi Avril, aelod arall o'r teulu.

Yn ffermio 98 erw yn Rhydonnen Ucha yr oedd Samuel a Grace Williams, brawd a chwaer, plant David a Margaret Williams, Coed y Mynach a Rhiwaedog ger y Bala. Bu farw Samuel yn fuan wedi hyn a'i gladdu ym mynwent Llanfor. Priododd Grace â David Jones o ardal Cefnddwygraig a symud yn y man i Rospengwern, Glyn Ceiriog. Priodwyd nhw yn y Capel Mawr, Dinbych, gan Thomas Gee a ganwyd chwech o blant iddynt: **Margaret** a briododd ddau frawd (Thomas a Daniel Hughes, Pen y Bryn, perthnasau i Geiriog); **Ellen** a briododd George Davies, Hafod yr Abad; **Annie** a briododd Claude Minton, athro o'r Rhos; **David Samuel** a briododd Jessie Morris o Lansilin ac o linach teulu Thomas, Ty'n Rhedyn, Cerrigydrudion; **John Goronwy** a laddwyd yn y Rhyfel Mawr wythnos union cyn y cadoediad – ei gariad oedd

Olwen Ellis, Aberwheel a **William Robert** a fu'n byw yn Llandegla. Yr oedd Grace Rhos Pengwern yn chwaer i fy hen hen nain, Elizabeth Hughes, Cwmhwylfod a Thŷ Helyg, ond bum mlynedd ar hugain yn iau na hi. Gweler stori Chwilio am Ann yn y bennod ar Glocaenog.

Yr oedd perthynas arall i mi yn Ty'n Twll sef Evan Jones 80 oed a'i wraig Elizabeth oedd yn 73 ac yr oedd hi'n wyres i Kenrick Kenrick. Yr oedd y ddau yn hen hen hen daid a nain i mi. Yr oedd eu merch Elizabeth (fu farw yn 1877) wedi priodi Edward Jones, Cae Llewelyn a hi oedd yr hynaf o'u deg plentyn. Priododd Margaret, ei chwaer hi, â Robert Jones, telynor preswyl yng Ngwesty'r Hand, Llangollen adweinid fel Telynor Tegid, a daeth ei chefnder Evan yn hen daid i Vera Savage a fu'n athrawes gerdd yn Ysgol Glan Clwyd. Gorwyrion eraill i Evan yw'r efeilliaid Tegla a Trefor Jones – Tegla wedi bod yn athro yn Llandegla a Trefor yn filfeddyg yn ardal Chwilog, Tegla wedi priodi Jean, Bryn yr Orsedd, Llanferres a Trefor wedi priodi Jane, Nant y Barcud, Llanuwchllyn.

Yr wyf wedi bod yn ceisio darganfod mwy am Delynor Tegid ond heb fod yn llwyddiannus iawn. Cefais hyd i hanes ei gladdu yn y *Llangollen Advertiser* 14 Ebrill 1905. Bu farw yn y Bala, bro ei febyd yn 72 oed. Ei brif ddiddordeb oedd y delyn deires a bu'n ei chanu am dros hanner canrif – chwarae o'r glust gyda llaw. Bob Nadolig byddai'n ymweld â thai mawr gogledd Cymru a bu'n delynor preswyl yng ngwesty'r Hand yn Llangollen am chwarter canrif ac enillodd wobr y Fonesig Llanofer (Gwenynen Gwent) am y perfformiad gorau ar y delyn deires. Bu hefyd yn diddori Carmen Sylva, Brenhines Romania ym Mhlas Mostyn a chyflwynodd hithau bortread ohoni ei hun iddo. Ys gwn i ble mae hwnnw? Yn anffodus bu'r telynor druan yn dioddef yn ddychrynllyd o'r cryd cymalau tua diwedd ei oes ac ni allai ganu'r delyn o gwbl. Aeth i'r drafferth o fynd ar bererindod i Dreffynnon i ymolchi yn Ffynnon Gwenffrewi ond nid oedd fymryn gwell. Claddwyd ef ym mynwent Llanfor. Yn ei gyfrol wych *Canrif o Gân: Cyfrol 1,* y mae Aled Lloyd Davies yn cyfeirio ato ac yn dweud ei fod yn ewythr i Ann Catherine Lloyd, Telynores Tegid (1895-1918) a hi etifeddodd ei delyn deires. Bu hi farw yn 28 oed a threfnodd Dewi Mai o Feirion Arwest yn Neuadd Buddug y Bala i godi cronfa i goffau amdani. Cymerwyd rhan gan Delynores Prydain (Freda Holland) Telynores Maldwyn, David Francis y Telynor Dall, Bob Tai'r Felin, Caradog Puw, W H Puw a'r teulu Goodwin o Dreuddyn.

Peter Morris oedd yn byw yn y Castell, chwarelwr wrth ei waith ac yr oedd ganddo fo a Jane ei wraig bum mab a merch yn 1881 – yr hynaf David yn 23 oed. Daeth ef yn un o arweinwyr capel bach Wesleaidd y

Rhewl, Llandysilio. Wyres iddo yw Eirlys Dwyryd. Yr oedd deg yn byw yn y Cymmo – John ac Ann Roberts (merch Tŷ Cerrig, Glyndyfrdwy) a phedwar o blant mân – Annie (5) Sarah (3) Mary (2) a Thomas (2 fis). Yr oedd eu plentyn hynaf, Margaret, yn cael ei magu gan ei thaid a nain yn Siambr Wen, Glyndyfrdwy a'i disgynyddion hi sydd yno heddiw: Margaret Evans yn or-wyres iddi. Daeth y bychan deufis oed i'w adnabod fel Thomas Roberts, Plas Bonwm, y pencampwr cŵn defaid cenedlaethol. Wyres iddo yw Anwen Jones, Tai Mawr, Maerdy ond a fagwyd ym Maes Gwyn y Felin, Gwyddelwern, ac a gofiaf yn yr ysgol fel geneth benfelen hynod o bropor.

Morris Jones oedd yn y Tŷ Newydd ac yr oedd ganddo fo a'i wraig Elizabeth (o Lanegryn) saith o blant, chwech wedi'u geni ym Metws GG pan oeddynt yn byw ym Modynlliw. Mab Caergai, Llanuwchllyn oedd o a'i ferch Emily oedd yr ieuengaf yn y plwy. Symudodd y teulu hwn i Fron Hen, Llanferres. Teulu o Landrillo oedd ym Maes yr Ychen sef y saer David Davies a'i deulu. Mab oedd ef i John Davies (1812-75) Brynhyfryd, Llandrillo a'i wraig Mary Hughes, Branas Lodge. Catherine (Williams) oedd gwraig Maes yr Ychen, wedi'i magu hefo'i thaid a nain yn Pantyffynnon Llechwedd Cilan. Yr oedd yno dri mab John Owen (6) Philip (4) ac Arthur Evan (6 mis). Priododd yr olaf gydag Annie, Cae Llewelyn a buont yn byw yn Court Road, Wrecsam lle y sefydlodd Arthur fusnes adeiladu llwyddiannus ac fe'i olynwyd gan ei ddau fab, Berwyn a Meirion. Y mae i Arthur ac Annie dri o wyrion – David, Philip (cyn-ddarlithydd yng Ngholeg Cartrefle a chyn-brifathro Ysgol Maes Garmon, Yr Wyddgrug, sydd wedi priodi Eira, gor-wyres i Hugh Jones, Penybont, Carrog) a'r Tad Abad Deiniol o'r Eglwys Uniongred Rwsaidd ym Mlaenau Ffestiniog. Erbyn 1891 yr oedd yna dri mab arall ym Maes yr Ychen sef David B (9) Howell (6) ac Ewart (5). Priododd yr olaf â Sarah, merch Thomas a Catherine Edwards, Gyfeilie, y fam yn ferch Cae Llewelyn.

Trigolion hynaf y plwy oedd Hugh Morris, Pant y Maen, 92 oed ac Evan Jones, Ty'n Twll y soniais amdano eisoes. Crydd oedd Hugh Morris ac yr oedd yn daid i Thomas Price, Prif Weinidog De Awstralia a anwyd ym Maelor View, Brymbo, yn fab i John a Jane Price, ond yn Lerpwl y magwyd ef. Dilynodd ei dad fel saer maen ac yr oedd yn gapelwr brwd ac yn weithgar gyda'r mudiad llwyr-ymwrthodol. Yn 1881 priododd ag Anne Elizabeth merch Edward Lloyd, masnachwr coed, a chyfnither i Alfred T Davies, Ysgrifennydd Parhaol cyntaf Adran Gymreig y Bwrdd Addysg. Ganwyd hwnnw hefyd yn Lerpwl. Bu'n gyfreithiwr ac yn aelod o Gyngor Sir Ddinbych ac ef a sefydlodd Sefydliad Coffa Ceiriog yng Nglyn Ceiriog. Urddwyd ef yn farchog yn 1918. Mudodd Tom ac Anne

Price a'u plentyn cyntaf-anedig a glanio yn Adelaide yn 1883. Bu'n naddu cerrig ar gyfer y Senedd-dy newydd ac ymhen deng mlynedd etholwyd ef yn Aelod Seneddol yn yr union adeilad yr oedd wedi helpu i'w godi: yn 1905 dewisiwyd ef yn Brif Weinidog De Awstralia. Ganwyd chwe phlentyn arall iddo ef ac Anne. Dywedid ei fod yn edrych yn debyg i Lloyd George a'i fod yn siarad fel seraff. Bu farw yn 1909 a chafodd angladd mawr, yr hyn a elwir yn *state funeral*. Mab iddo oedd John Ll Price, AS a fu'n cynrychioli De Awstralia yn Llundain.

Brodor o Lanfihangel yn Sir Aberteifi oedd John Samuel Jones y ficer a'i wraig Katherine Louisa wedi'i geni yng Nghaerlyr. Yr oedd ganddynt chwech o blant yn amrywio o Louisa Helen (12) i Ethel Nina yn flwydd. Yr oedd y pedwar hynaf wedi'u geni yn Llanuwchllyn. Ffermio oedd yn mynd â bryd y mwyafrif o drigolion y plwy, wrth gwrs, ond yr oedd llawer hefyd yn ennill eu bara yn y chwarel, yn y Foel Faen a Moel Fferna. Ambell bregethwr hefyd – Hugh Hughes o Sir Gaernarfon yn aros yn y Tyisa; y Parch William Powell, gweinidog Wesle o Benderyn, Sir Frycheiniog yn ymweld â Phentre Felin a Richard Winter, mab-yng-nghyfraith Morris Lloyd, siop Llandegla. Yr oedd nythaid o bobl Dyfnaint yn y fro – John Paul o Marytavy yn byw ym Mhentre Felin ac ef oedd rheolwr y Slab & Slate Company. Yr oedd yn Wesle brwd a chododd gapel Wesleaidd Saesneg yn Llangollen. Ceir ffenestri lliw er cof amdano ef a James Littlejohns yn y Neuadd Goffa. Yr oedd Emily Ann Littlejohns yn athrawes a'i thad yn asiant yn y chwarel; Mary Ann Littlejohn yn byw ar ei phres, genedigol o Tavistock a Roger Reddreiffe, clerc yn y chwarel, yn frodor o Marytavy. Ymysg y gweithwyr 'coler wen' yr oedd Edward Simon Roberts, athro o Rhuthun ac Edward Windsor, plismon o Welsh Hampton, Swydd Amwythig.

Allan o bron i naw cant o drigolion yn 1891 yr oedd bron i ddeg a phedwar ugain yn ddi-Gymraeg. Yn eu plith yr oedd yr athro a'i deulu – David Smith o Gastell Nedd a saith o blant yn dangos ym mhle y bu'n byw – Ethel Florence (12) anwyd ym Mhorthcawl, Gertrude Agnes (11) yng Nglan Tâf, Bertha Dora (8) ym Maentwrog, Willie A Ll (6) ym Mlaenporth, ac Edna Mabel (3) Maude (2) a Herbert Cecil (10 mis) yn Llantysilio. Ganwyd Charles Wilsone ac Annie ei wraig yn Singapore ac nid Saesneg na Chymraeg oedd eu hiaith eithr Scotch!

Yr oedd dau ddiddorol yn byw ym mwthyn Gaenen Hir ar Fferm Llandynan sef Ernest a Grace Rhys. Ganwyd ef yn Islington yn Llundain ond yr oedd ei wreiddiau yn Sir Gaerfyrddin ac yno y cafodd beth o'i addysg. Ef oedd golygydd cyntaf y gyfres enwog o lyfrau *Everyman's Library* a ddaeth â nifer o glasuron Cymru i sylw'r byd – Y Mabinogion er enghraifft. Bu'n olygydd cyffredinol tan ei farwolaeth yn 1946 yn 87 oed.

Heblaw am ei waith yn golygu rhai cannoedd o lyfrau yn y gyfres honno, cyhoeddodd hefyd nifer o lyfrau o'i waith ei hun megis *Welsh Ballads, The Whistling Maid* a *Readings from Welsh History* ac yr oedd yna ddarllen brwd ar ei golofn *'Welsh Literary Notes'* yn y *Manchester Guardian* bob dydd Sadwrn. Yr oedd yn siarad Cymraeg oherwydd i Hannah y forwyn ei siarad ag o ar y slei. Gwyddeles oedd ei wraig Grace, merch Bennett Little o Roscommon. Cyfarfu'r ddau mewn parti yng nghartref W B Yeats a phriodwyd nhw fis Ionawr 1891. Bu iddynt dri o blant – Brian, Megan a Stella. Cyhoeddodd Grace nifer o nofelau. Yr oedd y ddau yn hapus iawn yn eu bwthyn bach ar lannau Dyfrdwy (yn ôl cyfrol Ernest Rhys *Wales England Wed* gyhoeddwyd gan J M Dent 1940) ond gadael fu raid. Yn ôl y sôn yr oedd Theresa Mary Jones, gwraig y ficer a brodor o'r Unol Daleithiau, yn hynod o gas hefo Grace am ei bod yn meddwl nad oedd hi ac Ernest wedi priodi.

Fel hyn y canodd Ernest Rhys amdano'i hun:

Wales England wed: So I was bred. It was
London gave me breath,
I dreamt of love and fame; I strove
But Ireland taught me love was best,
And Irish eyes, and London cries,
And streams of Wales may tell the rest,
What's more than these I asked of life
I am content to have from Death.

Swnia'n ddyn dedwydd iawn. Yr oedd yn sicr yn awdur toreithiog. Gŵr o'r Rhyl oedd ysgrifennydd preifat Ernest Rhys sef William Hughes Jones, neu 'Elidir Sais' fel y gelwid ef oherwydd ei hoffter o siarad Saesneg hefo Cymry Cymraeg. Yr oedd ganddo frawd o'r enw Tom Elwyn a foddodd yn ystod brwydr Jutland yn y Rhyfel Mawr. Hwn oedd y 'Tom gwylaidd twymgalon' y canodd R Williams Parry amdano yn ei englyn enwog. Dau enwog arall oedd yn ymwelwyr cyson â'r fro oedd Henri Gastineau a'i ferch Maria, y ddau'n arlunwyr nodedig. Gwelir nifer o luniau Gastineau ar waliau cartrefi Cymru, llawer ohonynt wedi eu pwrcasu oddi wrth Olwen Caradoc Evans neu o Siop Griffs, Llundain efallai. Pan oedd Maria ar ymweliad â'r fro yn haf 1890 aeth allan i wneud darluniau o'r Eglwyseg yn y bore ac yn y pnawn penderfynodd yr hoffai weld yr haul ym machlud ar y mynydd rhwng Llandysilio a Bryneglwys. Ond yn ei brys fe syrthiodd a bu farw ar Foel Forfudd. Claddwyd hi ym mynwent eglwys Llandysilio.

Dyma fanylion ambell gartref arbennig yn 1891:

CAE LLEWELYN

John Jones	pen	32	Ffermwr	Llandysilio
Margaret "	gwraig	35		"
Margt Eliz "	merch	9		"
Anne "	"	7		"
John "	mab	6		"
Edward "	"	3		"
Thomas "	"	2		"
Evan "	"	8 mis		"
Joseph Rogers	gwas	18	gwas fferm	"
Eliz Ann Lloyd	morwyn	20		"

Fy hen daid oedd y John Jones uchod ac yn y ddeng mlynedd rhwng Cyfrifiad 1881 ac 1891 yr oedd wedi ennill gwraig a llond tŷ o blant! Merch Tŷ Cerrig, Glyndyfrdwy oedd Margaret ei wraig a chawsant un ar ddeg o blant: **Charles** aeth i'r weinidogaeth ac a briododd ag aelod o deulu'r Carringtons, Coedpoeth. Cawsant ddau o blant – Megan a fu'n cadw siop fawr yn Alexandria yn yr Aifft, ond aeth y cyfan ar dân adeg helynt Suez yn 1956, a Hywel Glyn a fu'n rheolwr banc yn Llangollen a mannau eraill; **Margaret Elizabeth** priod Walter Williams, Wrecsam, fu'n organydd capel Seion; **Annie** priod Arthur Davies, Maes yr Ychain, adeiladydd y soniais amdano uchod; **John** a fu'n ffermio Tan y Gaer, Corwen a Llawr Cilan, Llandrillo. Priododd â Jennie, merch y Felin, Bryneglwys a chawsant chwech o blant (Huldah, Nyrs Megan, Corwen, Eirwen (a briododd y Parch Meilir Pennant Lewis: mae Dr Paul Rowlinson, darpar ymgeisydd seneddol dros Blaid Cymru yn etholaeth Delyn yn fab-yng-nghyfraith iddynt) Llewelyn, Glyn a Meirion – yr olaf yn bencampwr mewn treialon cŵn defaid a chyn-gapten tîm Cymru); **Edward**, fy nhaid, a fu'n ffermio Tal y Bidwel Fawr, Bryneglwys a Green Isa, Trefnant. Priododd ag Elizabeth Jane, merch Bryn Tangor a chawsant bedwar o blant – Morfydd (fy mam) Megan (Caerddinen, Llanelidan) Roberta (priod y Parch Henry Roberts) a Hywel a fu'n ffermio'r Green Isa nes ei farw annhymig yn 1969; **Thomas** a fu'n ffermio yn Fferm y Manor, Wrecsam. Ei wraig oedd Dora Ellis o Flaen Pennant, Llandrillo. Cawsant bedwar o blant – Doris, yr efeilliaid Elwyn (Caergai, Llanuwchllyn) ac Emyr (Fferm Esless, Wrecsam) ac Eyton, (Ty'n y Wern, Rhuthun); **Evan** a fu'n ffermio Rhyd y Creuau, Betws-y-coed hefo'i wraig Dora Parry o Dir Llannerch, Carrog. Cawsant ddau fab – Godfrey gynt o Rhydorddwy Wen, Y Rhyl a Philip, Rhyd y Creuau; **Eliza Mary** a briododd Richard M Davies a ffermio Fferm y Llyn, Trefor, Llangollen. Ganwyd dau o blant iddynt – Glenys, priod Hywel Lloyd Ellis, Hafodwen, Llanfihangel gynt, a Gwyn a briododd Nesta, Coed Acas; **Catherine** a briododd Thomas Ellis Roberts, cigydd Corwen – dyma rieni Gwylfa a fu'n brifathro yn y Bala (tad yr artist Iwan Bala), Aled a fu'n rheolwr banc yng Nghorwen, Llangollen a Rhuthun a Iona a fu'n athrawes yn y Bala; **Jane**, gwraig Emlyn Jones, Pwll Naid, Llanelidan, tad a mam Margaret, Five Fords, Wrecsam a Gaerwyn, gynt o Fferwd, Llansannan; **Sarah**, priod Godfrey Parry, Tir Llannerch, Carrog. Eu hunig blentyn hi oedd Alwena a briododd y Parch Gwynfryn Evans, Trelogan, Garston a Moelfre. Yn 1909 symudodd y teulu mawr hwn o Gae Llewelyn i'r Llan, Carrog a cheir disgrifiad llawn o'u cyfarfod ffarwelio yng nghapel y Rhewl yn y *Gwyliedydd* – pawb yn eu dagrau o golli dwy lond sêt o aelodau.

CYMMO

John Roberts	pen	44	Ffermio	Glyndyfrdwy
Ann "	gwraig	35		"
Annie "	merch	15		Llandysilio
Sarah "	merch	14		"
Pollie "	"	12		"
Thomas "	mab	10		"
John "	"	8		"
Elizabeth"	merch	5		"
Jane Winifred "	"	2 fis		"
Robert Davies	gwas	20		"
Jonah "	lletywr	37	Garddwr	Anhysbys

Merch Tŷ Cerrig, Glyndyfrdwy, oedd Ann, gwraig y Cymmo, hynny yw, chwaer i Margaret, Cae Llewelyn a Llan, Carrog. **Margaret** oedd enw ei merch hynaf oedd yn cael ei magu gan ei thaid a nain yn y Siamber Wyn, Glyndyfrdwy. Priododd â Stephen Richards. Soniais eisioes am **Thomas**, Plas Bonwm, mab y Cymmo a phencampwr treialon cŵn defaid, ac aeth **John** ei frawd i'r Twtil, Conwy. Mae disgynyddion Margaret yn dal yn y Siambar Wen a'i gor-gor-wyres, Menna, wedi priodi Gavan Young o Dde Affrica a fu farw'n drychinebus o sydyn o malaria fis Medi 1999. Priododd **Annie** â Robert John Powell o Benbedw. Priodas dawel iawn gafwyd, er bod paratoadau mawr wedi bod, a hynny oherwydd i'w chwaer **Pollie** farw yn 30 oed ddiwrnod cyn y briodas. Yn 1908 y bu hyn. Collodd Annie a'i gŵr eu cartref yn ystod y bomio yn y 40au. Priododd **Elizabeth** ag Ifor Williams a **Jane Winifred** â Huw Davies.

GYFEILIE

Thomas Edwards	pen	45	Ffermio	Llanarmon
Catherine "	gwraig	43		Llandysilio
Mary "	merch	17		"
Edward "	mab	16		"
John "	"	6		"
Evan Jones	lletywr	36		"
Cath Ellen Evans	nith	9 mis		"

Merch Cae Llewelyn oedd Catherine, gwraig y Gyfeilie. Yn 1892 cafodd Thomas Edwards ddirwy o swllt am adael i fochyn grwydro i lawr y ffordd o Landysilio i'r Rhewl. Creadur annibynnol yw mochyn. Yn 1901 priododd Edward y mab ag Edith Emily Roberts, Stryd y Capel, Llangollen – tŷ yn y fan lle mae bwyty Jonkers heddiw.

Un o'r fferm hon oedd priod y Parch Owen Hughes, sef mam Hywel Hughes, Bogota. Yr oedd gan Hywel chwaer o'r enw Vyrnwy ond adwaenid hi'n well fel Ann Temple, *agony aunt* y *Daily Mail*. Hi oedd y Gymraes gyntaf i dderbyn rhan o'i haddysg yn y Sorbonne lle y graddiodd mewn Ffrangeg. Yr oedd yn eneth alluog iawn oherwydd yr oedd eisioes wedi graddio mewn athroniaeth a bu'n chwarae'r ffidil yng Ngherddorfa'r Hallé. Heblaw am ei brawd Hywel yr oedd ganddi hefyd ddwy chwaer, Morfudd a Blodwen. Bu'r tair yn flaenllaw ym mudiad y Suffragettes ac yn gyfeillgar ag Emmeline Pankhurst. Priododd Vyrnwy â Sais cefnog o'r enw Archibald Biscoe ond bu ef farw yn Ffrainc yn 1919 gan ei gadael yn weddw gyda mab dwyflwydd oed, Vaughan. Aeth i fyd newyddiaduriaeth a dringo i fod yn olygydd misolyn o'r enw *Gateway* – ei brif nod oedd hyrwyddo a disgrifio swyddi ar gyfer y miloedd merched oedd wedi'u gadael yn weddw wedi'r Rhyfel Mawr. Yn 1936 derbyniodd wahoddiad golygydd y *Daily Mail* i lenwi swydd hollol newydd a gwahanol sef 'modryb gofidiau' – colofn yn ateb cwestiynau personol. Yn 1973 pan oedd yn 76 oed daeth i Gorwen i fyw hefo'i chwaer Morfudd yn Dee Bank, Penybryn a bu farw yn 88 oed yn 1971 mewn tlodi. Yn ôl yr hanes yr oedd yn llawer rhy hoff o roi gormod o'i phres ar rasus ceffylau! Er mai hi fu'n enwog am gyfnod, yn arbennig yn Lloegr, y mae ei brawd Hywel yn rhan o hanes Cymru ac yn enghraifft o'r arloeswyr aeth allan i'r byd mawr a gwneud ei ffortiwn yng ngwlad gyffrous a pheryglus Colombia. Yn ogystal â ffermio aeth hefyd i'r busnes allforio coffi ac yr oedd ganddo swyddfa yn Efrog Newydd a mannau eraill. Chwalwyd ei ffortiwn yn nirwasgiad 1929-33 ond yr oedd ganddo ddigon o blwc a llwyddodd i godi o'r lludw a chychwyn busnes amaethyddol, olew a magu gwartheg ac ychwanegu ail ransh i'w eiddo.

Priododd ag Olwen merch Owen Willams o Fôn, dilledydd llwyddiannus yn Llundain, ac yr oedd hi'n nith i Syr Vincent Evans. Cyfrannodd Hywel Hughes yn hael i goffrau Plaid Cymru, yr Urdd a'r Eisteddfod, ac yn ogystal â'i fferm fawr (mwy na Chymru) ym Mogota yr oedd ganddo gartref hefyd ym Mhorthaethwy (Drws y Coed) ac yno y cafodd ei ferch Teleri a'i mab Owen noddfa wedi iddynt gael eu herwgipio gan wylliaid Colombia yn y 70au. Byddai Hywel Hughes yn dod i Ffeiriau Corwen i brynu gwartheg. Ei enw yng Ngorsedd oedd 'Don Hywel'. Ymddengys bod ei ddisgynyddion wedi troi'n Golombiaid Sbaeneg eu hiaith bron bob un.

Ym Melin Blaen Iâl yr oedd John Alun Roberts, yn byw, brodor o Langwm a'i wraig Mary Winifred yn ferch i William Jones, Maesmor Fechan (chwaer i wraig Thomas Thomas, Dinmael a gwraig Gomer Roberts, Cefn Griolen). Mab i John Alun oedd Goronwy a fu'n ffermio'r Pistyll Gwyn, Llanfair DC. Ymddengys bod teulu Romani yn byw yn sied y Felin:

Jonathan Jones	Pen	58	Crydd	Ni ŵyr
Alice "	gwraig	60		"
Griffith "	mab	12		"
David Wood	mab yng nghyfraith	23	Labrwr	"
Alice "	merch	20		"
Ellen M "	wyres	2		"
Mavellwy "	wyres	3 mis		"
Minnie Lee	merch	32		"
Janet "	wyres	12		"
Charlie "	ŵyr	8		"
Llewelyn Wood	perthynas	40	Telynor	"

Yr oedd Alice (20) merch Jonathan Jones wedi priodi David Wood, ŵyr i Elen Ddu oedd yn wyres i Abraham Wood. Yr oedd ganddynt ddau o blant: Ellen M (2) a Mavellwy (3 mis). Ail ŵr i Alice Wood oedd Jonathan Jones ac yr oedd hi'n ferch i Elen Ddu a William Wood. Yr oedd Elen Ddu (1786-1866) yn ferch i Valentine Wood a Jane Boswell a Valentine yn fab i'r enwog Abram a Sarah Wood. Yr oedd gan Elen Ddu frawd o'r enw Adam sef tad Edward Wood, Telynor Meirion. Brawd arall iddi oedd Thomas a briododd Sylvaina a phriododd eu merch Saiforella â Harri Ddu mab Elen Ddu. Hwn oedd yr Harri Ddu y canodd Ceiriog gerdd iddo. Cofiaf ei chanu yn yr ysgol – yr oedd yn un o'r caneuon yn llyfr Caneuon yr Urdd – ond ni feddyliodd neb am ddweud wrthym pwy oedd Harri Ddu. Yr oedd yn daid i Hywel a Manffri a Harry 'Turpin' Wood ac yr oedd Hywel yn byw ym Maes Neuadd yn y Parc, dafliad carreg o'r ysgol yn y Bala lle byddem yn canu am ei daid! Yr oedd Jeremiah Wood 'Jerry Bach Gogerddan' (sef telynor preswyl Plas Gogerddan) hefyd yn frawd i Elen a mab-yng-nghyfraith iddo ef oedd John Roberts Telynor Cymru.

Nid wyf yn gwybod os mai Romani oedd Jonathan Jones, ail ŵr Alice Wood, ai peidio, ond mae'n bur debyg mai ie, er na sonir amdano yn y cart achau yng nghylchgrawn y *Gipsy Lore Society* (Cyfrol 13 Rhan 4 1934). Ei gŵr cyntaf oedd Henry Lee ac yr oedd ganddynt chwech o blant o leiaf – yn eu plith Ithal Lee a gludodd lwch y Dr John Sampson i ben y Foel Goch yn Llangwm. Mae'n debyg mai mab Edmund ac Eliza Wood oedd y Llewelyn uchod. Yr oedd yn frawd i Llwyddan a briododd Matthew Wood a dyma pwy oedd rhieni Harry 'Turpin', Manffri a Hywel. Priododd Llewelyn ddwywaith, â Mary Jane Williams ac â Minnie Lee, sef merch Alice a Henry Lee a llysferch Jonathan Jones. Daeth Minnie'n wraig i Manffri yn ddiweddarach. Pa ryfedd bod yna ddywediad sydd yn sôn am Deulu Abram Wood! Un o ddisgynyddion pwysicaf a mwyaf dawnus yr hen Abram oedd John Roberts, Telynor Cymru. Yr oedd ganddo dri ar ddeg o blant:

Mary Ann ganwyd 1840 yng Nghastell Nedd. Yr oedd yn fedrus ar y delyn a'r ffidil ac yn gantores dda. Priododd Edward Wood, Corwen a'r Bala.

Lloyd Wynn ganwyd 1844 yn Llanuwchllyn. Yr oedd yn bencampwr ar y delyn deires a'r delyn bedal ac enillodd y wobr gyntaf yn Eisteddfod Genedlaethol Aberystwyth yn 1865. Yr oedd hefyd yn bysgotwr da. Ei wraig oedd Eleanor Edwards o Fachynlleth.

Abraham ganwyd 1848 yn Aberhonddu. Bu farw yn y Drenewydd yn 1850.

Madoc ganwyd 1850 yn Aberhonddu. Yr oedd yn delynor ac yn aelod o'r Cambrian Minstrels. Priododd â Mary Ann ei gyfyrderes a buont yn byw yng Nghorwen ac yn Llangollen.

Sarah ganwyd 1852 yn y Trallwm. Daeth yn ail wraig i Edward Wood, Corwen a'r Bala.

John ganwyd 1853 yn y Drenewydd. Telynor. Canwr. Priododd Mary Ann Pugh o'r Drenewydd a byw yn Llandrindod. Yr oedd yn enillydd cyson.

James England ganwyd 1855 yn Nhreffynnon. Efaill Reuben. Ffliwtiwr.

Reuben France ganwyd 1855 yn Nhreffynnon. Efaill James. Pencampwr ar y delyn a'r ffidil. Priododd ddwywaith – ei gyfyrderes Ellen Wood a Mary Griffiths. Cafodd o leiaf ddeuddeg o blant. Bu ganddo wyth mab yn y Rhyfel Cyntaf. Wyres iddo oedd Eldra Jarman bu farw fis Medi 2000 ac awdur y gyfrol wych (gyda'i gŵr yr Athro A O H Jarman) *Y Sipsiwn Cymreig*. Bu farw Reuben yn 94 oed.

Albert ganwyd 1858 yn Kington. 'Pencerdd y Delyn Deires'. Priododd Katherine Hughes, Aberystwyth a bu farw yn Birmingham yn 1912.

Ann ganwyd 1860 yn y Drenewydd. Bu farw yn 37 oed yn ddibriod.

Ernest ganwyd 1860 yn Aberystwyth. Datgeinydd ar y delyn a'r ffidil. Priododd Mabel Kenrick o Warwick. Yr oedd yn olffiwr gwych a bu fyw i fod yn 100 oed.

Charles ganwyd 1860 yn Aberystwyth. Efaill Ernest. Pencampwr ar y delyn a'r soddgrwth.

William ganwyd 1865 yn Aberystwyth. Perfformiwr ar y delyn a'r ffidil. Priododd Ann Elizabeth Jones, Llangollen a byw yng Nghynwyd.

Y mae i'r Sipsiwn hanes hen a rhamantus ac yr oedd eu cyfraniad i fywyd cerddorol Cymru yn un hynod iawn. Erbyn heddiw y mae'r rhan fwyaf ohonynt wedi priodi gaji a gajo – hynny yw, pobl nad ydynt o waed y Sipsiwn – ac wedi sefydlu mewn tŷ yn hytrach na charafan ac y mae'r iaith Romani wedi diflannu.

Yr oedd Mary Roberts, Maes Gwyn yn weddw erbyn hyn ac yn ffermio gyda'i mab D W Roberts ac yr oedd ei merch Louisa Beatrice yno hefyd. Yr oedd yr hen wraig yn magu dau ŵyr amddifad, meibion ei merch Letitia Janet a Thomas Davies sef Robert Lloyd Davies a aeth i'r weinidogaeth a William Oliver a ymfudodd i Ganada ac a fu'n hael iawn wrth gapel Sion, Bryneglwys. Yn ffermio ym Mhen y Bedw yr oedd John Benjamin Jones, ei wraig Mary a mab chwech oed, Hugh Anwyl. Mab William Jones, Ffriddoedd, Llanfihangel Glyn Myfyr oedd J Benjamin Jones ac yr oedd yn frawd i R H Jones, awdur *Trwy Gil y Drws* a *Drws Agored*. Bu mynd mawr ar o leiaf ddwy o gerddi R H Jones: 'Alwen Hoff' ac 'Afon Clwyd'. Mae unrhyw un o'r fro hon a fu'n ponsio canu penillion yn cofio geiriau 'Afon Clwyd': fel y caem ein dysgu i ganu'n sionc a siriol am yr afon yn cychwyn ar ei thaith 'o ben Hiraethog draw' ac yna tynnu gwep hir wrth ei gweld yn llusgo mynd 'ar waelod Dyffryn Clwyd yn llwyd a gwael ei threm' cyn cyrraedd y Foryd.

Yr hynaf yn y plwy oedd Annie Jones, modryb John Samuel Jones y ficer oedd yn 86 ac Elin Jones, Ty'n Twll fy hen hen hen nain yn 85. Eraill dros eu pedwar ugain oedd Jane Edwards, Plas yn Bwlch (84) a John Tudor, Abbey Farm (81). Yr ieuengaf oedd Emily Williams, mis oed, Pentre Dŵr. Ymysg y babanod eraill yr oedd Mary, merch David a Mary Williams, Oernant Ucha; Sarah Margaret, merch John Robert a Margaret Owen, Bryn Mawr; Maggie merch Robert a Martha Davies, Graig Ddu; Jane Winifred y Cymmo oll yn ddeufis oed a Stephen, mab Humphrey L ac Ann Morris, Bedw Isa oedd yn 7 wythnos.

Yr oedd damweiniau ofnadwy'n digwydd ambell dro. Dyna i chi Sarah Edwards, Bwlch Isa. Yn 1905 syrthiodd i'r gamlas yn y tywyllwch ac fe foddodd. A John Roberts, Tyisa, Llandynan, gwnaeth yntau yr un peth yn 1880 – yr oedd yn 70 oed. Ni wn beth oedd ffawd Jane Evans, Tanyfron. Bu hi farw yn 35 oed ac y mae'r ficer wedi ychwanegu sylw yn y cofrestr plwy i'r perwyl 'Gwreigan a fu'n achos o anghydfod pan yn fyw – ac a fu'n achlysur o gythrwfl pan yn farw.'

Cyn belled ag y gwn, nid oedd yn perthyn i mi . . .

Llangynhafal – Tref yr Afalau

Dywedir mai Elgud ap Cadfarch Freichfras a'i wraig Tubrawst oedd rhieni Cynhafal y dethlir ei ŵyl ar Hydref 5ed. Dyma'r unig eglwys yng Nghymru a gysegrwyd i'r sant arbennig hwn. Y mae'r plwy yn cynnwys Gellifor a Hendrerwydd, dau bentref bach hyfryd ond Seisnig dros ben erbyn heddiw ac ychydig iawn o ddisgynyddion yr hen frodorion sydd yn dal yn y fro. Y mae Gellifor yn enwog am ei berllannau – y lle gorau yn y dyffryn i dyfu eirin meddir. Ac yn wir, Tref yr Afalau oedd yr enw Romani ar yr ardal.

Nid yw'r Cyfrifiad yn dangos faint o aceri oedd gan bob fferm yn y fro – manylion mympwyol iawn a geir. Yr oedd Thomas Smith a'i frawd William a'i chwaer Sarah yn ffermio 110 ym Mhlas yn Llan. Rhai o Cumberland oeddynt ac yr oedd yno ddau was a morwyn ac hefyd ymwelydd o'r enw Robert Keen, capten llong wedi ymddeol, er nad oedd namyn 29 oed. Yr oedd yna lond tŷ o Saeson hefyd yn Wern Fawr lle'r oedd Charles Hignett o Swydd Caer yn ffermio 153 acer. Yr oedd Richard Williams a oedd yn ffermio 122 acer yng Nglyn Arthur yn cael ei ddisgrifio fel *Landed Proprietor*. Un o Gaer oedd yntau hefyd ond ei wraig Catherine yn un o ferched Llangynhafal.

Fel y rhan fwyaf o blwyfi eraill Cymru ganrif yn ôl yr oedd popeth o fewn rheswm ar gael a'r crefftwyr yn gwneud bywoliaeth gystal ag y medrent. Enw'r cigydd oedd Daniel Williams a Thomas Platt (enw cyfarwydd yn y plwy) yn cadw'r Llew Aur. Yr oedd ganddo lond tŷ o blant. Yr oedd ambell i saer o gwmpas: Henry Owens y Cyffion; Daniel Roberts, y Swan; David Roberts a'i feibion Tŷ Newydd. Teilwra oedd gwaith Margaret Hughes, Seler ac Edward Davies, Groesffordd yn delio mewn da pluog. Os oeddech eisiau pâr o esgidiau, Edward Roberts, 3 Buarth Mawr oedd y crydd, ond os mai ar gael portmanteau newydd yr oedd eich bryd, Richard Clamp, Plas Coch Bach oedd eich dyn. Gydag enw fel yna mae'n siwr y caech bortmanteau digonol. Un o Ddinas Llundain oedd o a'i wraig Catherine o Lerpwl.

Mewn plwy pur denau ei boblogaeth yr oedd rhyw bedwar ar hugain wedi eu geni y tu allan i Gymru a nifer helaeth wedi mudo o rannau eraill o Gymru. Un o'r Wyddgrug oedd Margaret Roberts oedd yn rhedeg y Ceffyl Gwyn yn Hendrerwydd a Phoebe Armor y Commins yn frodor o'r Trallwm. Edward D Roberts oedd prifathro Gellifor a phan ddywedaf wrthych mai Dryhurst oedd y D yn ei enw, yna fe fyddwch yn dyfalu'n gywir mai un o Ddinbych oedd o. Yr oedd yn 22 oed ac yn byw hefo'i chwaer Elizabeth Dryhurst Roberts oedd yn ddeunaw. Yn 1892 symudodd i Lanfair Caereinion.

Brodor o Lanbedr Pont Steffan, Sir Aberteifi oedd Thomas H Jones, y rheithor, yn weddw ac yn 63 oed. Ymysg y Monwysion oedd wedi mudo i'r plwy yr oedd Thomas Salisbury, Siglen Isaf o Langefni a'i wraig Eleanor o Lanfaethlu ac Ellis Roberts, ffermwr Plas yn Rhos, 81 oed. John Foulkes oedd yn byw yn Hendrerwydd ac erbyn hyn y mae'r ffermdy hwnnw wedi'i ail-godi yn Sain Ffagan fel enghraifft berffaith o dŷ hir Cymreig – rhodd gan J E Foulkes. Ceir ei hanes yng nghyfrol Iorwerth C Peate *The Welsh House.* Richard Jones oedd yn Fferm Gellifor a cheir stori amdano gan y diweddar Dilys Davies, Bodawen, adeg un cynhaeaf pan gafwyd dim byd ond glaw a glaw ac ni fu gwelliant hyd yn oed ar ôl Cyfarfod Gweddi yng nghapel Gellifor. Aeth Richard i 'nôl ei wn a saethodd y cloc tywydd.

Yr oedd Elizabeth Davies, Cil Haul, 55 oed, yn ddall. Yr oedd efeilliaid 27 oed yn y Gales sef Thomas a Margaret Williams. Y rhai hynaf yn y plwy oedd David Davies, Cil Haul (82); Edward Jones, Wrth y Siop hefyd yn 82; a Margaret Parry, Seler oedd yn 86. Un o Landrillo oedd hi. Y genhedlaeth ieuengaf oedd Ivor Jones, ŵyr dau fis oed Thomas ac Elizabeth Roberts, Fron Haul; Edward, mab dau fis oed, Thomas a Sarah Owens, Tŷ Coch a Caroline merch ddau fis oed William a Maria Parry, Commins. Bu Maria farw yn 1933 yn 91 oed – bu'n athrawes yn Ysgol Llangynhafal.

Erbyn 1891 yr oedd dros drigain allan o boblogaeth o bedwar cant yn uniaith Saesneg ac un yn siarad Almaeneg fel ei hiaith gyntaf sef Maria Kelly, 45 oed, *lady's maid* ym Mhlas Draw. Buasech feddwl mai enw Gwyddelig yw Kelly ond cofiaf am yr enwog Petra Kelly, aelod blaenllaw o'r Blaid Werdd yn yr Almaen a gafodd ei llofruddio gan ei chariad ddiwedd yr 80au. Dyma pwy oedd ym Mhlas Draw:

Frederick Fitzpatrick	pen	69	Offeiriad wedi ymddeol	Iwerddon
Olivia "	gwraig	67		"
Frederick "	mab	36		"
Hugo "	mab	28		"
Mary Taytour	chwaer-yng-nghyfraith	16		"
Margt Fitzpatrick	ymwelydd	30		W Hartlepool
Caroline "	"	25		Iwerddon
Eliza "	wyres	5		W Hartlepool
Heremon "	ŵyr	1		Llangynhafal
Arthur "	"	5		Iwerddon

Olive	"	wyres	3		"
BABAN	ŵyr	2 fis			W Hartlepool
Ellen Roberts	morwyn	27	Morwyn barlwr	Penmachno
Gertrude Parkin	"	23	Morwyn tŷ	Gwlad yr Haf
Clifford Sealey	gwas	16	Gwas stabal	Swydd Efrog
Jane Jones	morwyn	19	Morwyn cegin	Llanfihangel
Maria Kelly	"	45	Lady's maid	Yr Almaen
Robert Ferguson	gwas	13	Groom	Iwerddon
Annie Owen	morwyn	22	Nyrs	Y Drenewydd
Edith Hughes	"	25	Cogyddes	Pentrefoelas
Catherine Hogan	"	35	Nyrs	Iwerddon

Beth ddaeth â Frederick Fitzgerald i Langynhafal tybed? Enw Normanaidd am fab yw fitz, gyda llaw, ac fel arfer yn cael ei roi fel cyfenw ar blant siawns y brenin, Fitzgerald, Fitzwilliam e.e. Yr oedd pawb yn uniaith Saesneg heblaw'r ddwy oedd yn dod o Benmachno a Phentrefoelas oedd yn uniaith Gymraeg. Pwy oedd yn rhoi cyfarwyddiadau i'r gogyddes tybed?

Yr oedd yna bymtheg yn y Plas Isa:

George F Lyster	pen (gweddw)	69	Prif beirianydd Dociau Lerpwl	Iwerddon
James "	brawd (gweddw)	80	Y Gwir Barchedig Deon Ontario LlD	"
Eliz E "	nith	45		"
M.M "	wyres	5		Caergrawnt
Evelyn F "	"	4		"
Osbaldiston "	ŵyr	8 mis		"
Alice Young	morwyn	23	Cogyddes	St Chads
Mary A Piper	"	20	Morwyn tŷ	Llanrhaeadr
Eliz. Smith	"	20	"	Caer
Lucy Hickling	"	16	Nyrs	Kibworth
Caleb Pitchford	gwas	40	Coitsmon	Napely Heath
Wm B Baton	"	19	footman	Lerpwl
Maggie Williams	morwyn	16	Morwyn cegin	Llangynhafal
Eliz J Ward	"	39	Nyrs (gweddw)	Caint
Moses Owen	gwas	21	groom	Trefnant

Yr oedd y ddau frawd gweddw yn amlwg wedi bod yn bwysig yn eu dydd, un yn brif beiriannydd Dociau Lerpwl (oedd yn brysur iawn ganrif yn ôl) a'r llall yn Ddeon Ontario. Bu ef farw'n fuan wedi hyn.

Saesneg oedd iaith pawb yn y tŷ heblaw Moses Owen. Bu George Fosberry Lyster farw yn 1899 ac y mae ffenest liw yn yr eglwys er cof amdano ef a'i wraig. Dywedir bod ganddo ar un adeg saith garddwr a bachgen bach du i ateb y drws. Llogwyd trên o Lerpwl i ddod â phobl i'w angladd. Symudodd y teulu hwn i Fryn Elwy, Llanelwy. Lladdwyd y Capten Francis Lyster Fosberry, aelod o'r teulu, fis Ionawr 1901 yn Ne Affrica yn ymladd yn Rhyfel y Boer.

Ymhlith ffermwyr y fro yr oedd John Jones ym Mhlas yn Llan, William Jones yn y Tŷ Coch, Thomas Lloyd yn Llidiard y Pwll (lle a elwir Hendre heddiw) John Wynne ym Mryn Bedw a William Jones yn y Star. Un o Lanrhaeadr ym Mochnant oedd John Davies oedd yn ffermio yn y Pentre a'i wraig Rosamond o Langedwyn. Rwyf yn meddwl mai hwn oedd John Davies y bardd alwai ei hun yn 'Hafal'. Gwelir peth wmbredd o'i waith yn y *Free Press* yn ystod chwarter cyntaf y ganrif ddiwethaf. Bu farw yn 1926 yn 72 oed. Yr oedd ganddo fab o'r enw Arthur yn byw ym Montana a dau fab yng Nghanada. Dyma enghraifft o waith Hafal:

Hen wynt traed y meirw
A dreiddiodd trwy 'ngwddw
A'n gwnaeth yn bur salw
Dwys helynt.
Pesychu a thagu
Trwy'r nos methu cysgu
Rwy'n awr wedi laru'n ddolurus.

Cigydd oedd Daniel Williams y Groesffordd – y fferm sydd ar y gornel yn Hendrerwydd yn llythrennol ar groesffordd – un ffordd yn mynd i Landyrnog, un i Langynhafal, un i Gellifor a'r llall yn dirwyn i lawr i gyfeiriad Rhydonnen a Llanynys. Yr oedd gan Daniel a Jane Williams chwech o blant. Bu Jane farw yn 1933 yn 79 oed. Un o'i meibion oedd David ac ef fu'n byw yn y Groesffordd ar ôl ei rieni. Mab arall oedd y diweddar Daniel Williams, Tirionfa, a briododd Violet o'r Llawog, rhieni Anna, Buddug a Mary Grace (Parker). Bu hwn yn deulu gweithgar iawn am sawl cenhedlaeth. Y mae Ceri Pritchard, yr athletwraig, yn ferch i Buddug.

Nid oes sôn am weinidog yn y fro ond John J Griffiths o Lanllyfni oedd yr athro. Yr oedd athrawon yr oes honno dan warchae hefyd oherwydd cafodd hwn adroddiad drwg gan yr Arolygydd, ci bach Ofsted y 19eg ganrif. Meddai hwnnw 'Nid yw'r athro hwn yn gwybod sut i ddysgu cerddoriaeth na gwnïo.' Mae'n debyg i'r athro druan wneud ymdrech lew i feistroli'r ddau bwnc. Ond yn ofer. Flwyddyn yn ddiweddarach dywedodd na ddylai'r athro ganu nodyn ac y dylai'r merched i gyd ddysgu pwytho yn hytrach na Daearyddiaeth. 'Fedrech ddim plesio rhai pobl. 'Fyddai J J Griffiths druan ddim yn medru ymdopi o gwbl hefo'r cwricwlwm cenedlaethol sydd yn disgwyl i bob athro wybod popeth! Beth bynnag am ei ffaeleddau bu'n athro yng Ngellifor am naw mlynedd. Yr oedd yr athrawes leol, Janet M Davies o Abertawe yn lletya ym Modawen hefo David ac Elizabeth Williams. Yr oedd yna ferch fach flwydd oed ym Modawen – Jane Elizabeth (Davies yn ddiweddarach). Bu hi farw yn 1984 dros ei chant oed. Hi gychwynnodd Sefydliad y Merched yn Llangynhafal ac yr oedd hefyd yn gantores dda iawn a chofiaf ei merch Dilys a fu'n organyddes yng nghapel Gellifor am flynyddoedd lawer. Yr oedd yna weinidog Bedyddwyr yn lletya yn Nhyddyn Dedwydd sef John Pugh 30 oed. Ni wyddai fan ei eni. Efallai bod ei fam oddi cartref ar y pryd . . .

Jane Platt oedd yn rhedeg y Llew Aur, brodor o Dderwen, gweddw hefo tri o blant, Robert ac Evan a Margaret. Heblaw am Platt, enw arall a gysylltir â'r fro yw Foulkes a Matthews. Yn Hendrerwydd Uchaf yr oedd Frances Foulkes, gwraig weddw 91 oed. Yr oedd mam Thomas Gee, Mary Foulkes, yn ferch Hendrerwydd gyda llaw. Ac yn byw yn ymyl y Ceffyl Gwyn yr oedd George Matthews, ei wraig Jane a'i ferch Jane E blwydd oed. Nid nepell yr oedd Tŷ Newydd ac yr oedd yno ddau frawd, Edwin a Thomas Roberts. Nid wyf yn gwybod os mai hwn oedd y Thomas Roberts a laddwyd pan oedd yn cerdded rhwng y Cyffion a Phlas Isa pan gafodd ei daro i lawr gan feic. Un arall gafodd ddiwedd anffodus oedd John Williams, Wern Cottage a foddodd yn afon Clwyd yn 1904. Yr oedd yn frawd i Henry Williams, Plas y Ward. Un arall gafodd ddamwain angeuol oedd Richard Anwyl, mab y Parch Richard Roberts, Plas yn Rhos, yn 1885. Yr oedd yn feddw dwll pan gafodd ei daro i lawr gan drên a chafwyd hyd i'w gorff wrth Park Cottages, Rhuthun.

John a Jane Williams oedd yn y Tŷ Brith. Nid wyf yn gwybod beth oedd cysylltiad y ddau gyda Joseph a Miriam Williams a fu'n byw yno ar un adeg ond yr oedd Miriam yn chwaer i'r Dr Cynhafal Jones a'r ddau'n hanu o deulu Modlen sydd yn cael ei chysylltu â sefydlu'r achos yn y Dyffryn. Ganwyd Joseph Williams yn y Llew Coch yn y Bontuchel ac yr oedd ganddo fab o'r enw Alun oedd yn dwrne yn Wrecsam.

Y person hynaf yn y plwy oedd Margaret Rees, genedigol o Lansannan a mam-yng-nghyfraith i John Parry, Siglen Ucha. Ymysg babanod y fro yr oedd Hannah Williams yr Efail, 6 mis; mab deufis oed heb ei enwi ym Mhlas Draw; Thomas J Owens, Tŷ Coch yn 4 mis; Jane A Lloyd, Brynhyfryd yn 4 mis ac Osbaldiston Fosberry Lyster, Plas Isa yn wyth mis. Dyna i chi beth yw enw!

Un o Langwyfan oedd John Atkinson, Pen Rhos ac yr oedd ganddo fo ac Anne ei wraig dri o blant, Edward (9) John (6) ac Eliza (3). Mab oedd John i Thomas ac Ann Atkinson a briodwyd yn Eglwys Llanychan yn 1865, hi yn ferch i Thomas Williams, Penstryd ac yntau'n fab i Joseph Williams oedd wedi newid ei enw o Atkinson am ryw reswm. Mae'r disgynyddion yn ysu am wybod pam. Cawsant nifer o blant: Joseph, John, Daniel (a briododd Mary Jane Edwards, Pontgarreg, Llanrhaeadr), Edward, Thomas, Mary Ellen (a briododd William Owen Hughes, Tŷ Gwyn, Gwyddelwern), Annie ac yna'r ieuengaf ohonynt oedd Pryce a fu farw yn 1962 yn 78 oed. Yr oedd yn ganwr gwych, llais bâs fel yr eigion. Gwrthododd ymuno â'r Imperial Singers enwog ond ef sefydlodd Gôr Meibion Corwen. Mab iddo yw Len Atkinson sydd yn byw yn Foel Isa, Corwen heddiw ac wedi priodi Enid (Beech gynt) o Dŷ Mawr, Bryneglwys ac y mae ganddynt ddwy ferch, Ann, y gantores opera ac Olwen yr actores. Ŵyr i Pryce Atkinson hefyd yw'r bardd Aled Lewis Evans.

John Jones ac Anne ei wraig (brodor o Dreffynnon) oedd yn ffermio Tŷ Nant. Saer coed oedd eu mab John (22) ac yr oedd ŵyr 14 oed yno hefyd, Richard Brooker, garddwr, genedigol o Earlstown, Swydd Gaerhirfryn. Bu John Jones farw yn 1904 yn 83 oed toc wedi dathlu ei briodas ddiemwnd. Bu'n athro, yn bostfeistr, yn gasglwr treth incwm a gadawodd 79 o ddisgynyddion sydd yn rhyw fath o record mae'n siwr. Un arall hirhoedlog a roddodd wasanaeth i'r fro oedd Anne Davies, Ty'n Dŵr a fu farw yn 1942 yn 92 oed. Enillodd Fedal Gee ar ôl bod yn aelod o Ysgol Sul Gellifor am 89 mlynedd!

Ar y gofgolofn ryfel y tu allan i'r eglwys ceir enwau'r canlynol:-

Lieut   Edward Henry John Wynne (Coed Coch)
Private David Rees Hamlyn Davies (mab y ficer)
    "   Henry Davies (mab y Seler)
    "   Robert Roberts (mab Buarth Mawr)
    "   Dorrel Davies

Prynodd fy nhad fferm Rhydonnen (sydd ym mhlwy Llanynys) yn 1953 ac aem i'r capel yn y Gellifor. Byddem yn croesi Cae Llwybr ac allan i'r ffordd fawr wrth y Commins. T J Hughes, un o bobl y Rhos, oedd y prifathro ac yr oedd Miss M A Jones, Rose Cottage wedi bod yn athrawes yn yr ysgol fach am flynyddoedd. Yr oedd arnom ei hofn – hen deip o athrawes. A dim byd o'i le ar hynny, mi wn erbyn hyn! Yr oedd capel Gellifor yn nodedig am ganu da ac yr oedd yna amryw o deuluoedd

oedd yn helpu i chwyddo'r gân. Llwydiaid Plas Dolben, er enghraifft. Y tad a'r fam, Moses a Gladys Lloyd, yn berchen lleisiau gwych – a thri o'u plant hefyd – Gwilym (a aeth i Sadlers Wells), Eurwen a Gwenda. Wedyn dyna deulu'r Swan, llond dwy sêt ohonynt – a'r merched yn arbennig yn gantorion gwych – Beryl, Nesta (Hooson, Plas Iolyn wedyn), Dilys, Iona a Vera. Y blaenoriaid a gofiaf oedd Hugh Hughes, yr Hendre, David Lloyd Roberts, Bryn Teg, William Ellis, Derwenfa, Dewi E Jones, T J Hughes yr ysgolfeistr ac Edward Lloyd Jones, Bryn Bedw oedd yn gefnder i nhad ac yn ewythr i fy mam . . . ond âf i ddim ar ôl y sgwarnog honno heddiw. Yr oedd ganddo bedwar o blant ond Ella, yr ieuengaf, oedd fy ffrind mawr i. Geneth beniog, llawn direidi. Mae hi erbyn heddiw yn un o golofnau Cymry Caer ac yn briod ag Eirwyn Davies o'r Bala, un o ddisgynyddion Llwydiaid Plas yng Nghoedrwg, Llandysilio yn Iâl. Cyfarfu'r ddau yng Nghlwb Cymry Llundain ac yr oeddynt fel pe wedi eu creu ar gyfer ei gilydd. Y mae ganddynt bedwar o blant – Bethan, Carys, Eleri a Dylan – un meddyg teulu, un twrne, un llawfeddyg ac un peirianydd sifil. Brawd i Ella yw Bryner, tad Nia Lloyd Jones a Huw Edward – heb anghofio Sioned sydd yn yr heddlu. Mae ganddi hefyd ddwy chwaer – Gwenfron yn Rhuddlan (wedi priodi Elwyn y Swan) ac Anwen yn Ninbych.

Yr oedd John Roberts yn byw ym Mryn Bedw yn 1891. Bu farw yn 1941 yn 70 oed. Yr oedd braidd yn ffwndrus a rhoddodd ei ddwylo yn y tân a bu rhaid torri ei fraich i ffwrdd a bu farw o sioc. Yr oedd ganddo dair merch – Emily, Mary (Davies, Rhiwbebyll) ac Annie priod y Parch Currie Hughes.

Yr oedd gennym Barti Noson Lawen dan arweiniad Price Evans, Llidiart Fawr (Pencraig Betws GG gynt a thad Bronwen MacGregor) a byddem yn mynd o gwmpas gryn dipyn ac yn ymffrostio yn y teitl Parti Hafal. Yr aelodau oedd Dilys y Swan a Gwenda Plas Dolben, Iona Stryd Fawr (y Berain heddiw) a Morfudd Plas Gwyn (Strange, Penrhyncoch heddiw), Mabel, Grove Cottage (Pen y Plat, Gwyddelwern erbyn hyn), Helen fy chwaer a minnau. Sôn am hwyl gawsom ni wrth grwydro a chystadlu gan ganu pethau megis hir a thoddeidiau allan o awdl 'Cymru Fu Cymru Fydd' – John Morris-Jones – heb ddeall fawr ddim ohonynt!

Ac wrth ddirwyn y bennod hon i ben dyma rybudd i bawb. Yn 1665 penodwyd John David de Lloyd, rheithor Llangynhafal, yn Ddeon Llanelwy. Yn ystod ei gyfnod yn Llangynhafal cafodd ymweliad gan neb llai na'r brenin Siarl 1. Ysgrifennodd de Lloyd ei feddargraff ei hun:

This is the epitaph
of the Dean of St Asaph
Who, by keeping table
Better than he was able
Ran much into debt
Which is not paid yet.

Dyna beth sydd i'w gael am wahodd brenin i swper.

Cerrigydrudion – Lle Dewr

Mae plwy Cerrigydrudion yn un reit fawr ac yn ymestyn o Bentrellyncymer i gyrion Pentrefoelas. Hyd yn gymharol ddiweddar yr oedd rhai yn mynnu galw'r lle yn Gerrig y druidion gan eu bod yn tybio ei fod yn esbonio'r enw drwy gyfeirio at gerrig y derwyddon. Ond o edrych ar y defnydd cynharaf o'r enw – Kerricedrudeon (1198) a Kericdrudion (1254) fe sylweddolir mai ystyr yr enw yw cerrig y dewrion gan mai hen air Cymraeg yn golygu dewr yw drud. Mae un peth yn siwr; y mae'n lle hynafol gyda hen hanes ac enwau rhai o'r hen gartrefi'n ein hatgoffa o chwedlau a thraddodiadau a aeth yn angof yn nhreigl amser. Ac y mae'n werth enwi rhai ohonyn nhw: Llidiart y Gwartheg, Clust y Blaidd, Perthi Llwydion, Bwlch Maen Melyn, Hafod y Maidd a Hafod Unnos.

Yr oedd ffermydd helaeth yn y plwy. Hafod y Maidd oedd y fwyaf gyda 392 acer. Yn byw yno yr oedd David Pritchard, genedigol o Lanbeblig, ei wraig Elizabeth o Feddgelert a chwech o blant. Ar ymweliad yno yr oedd y Parch John O Jones o Landdeiniolen. Wedi marw David Pritchard daeth teulu arall i Hafod y Maidd ac y mae Huw Iorwerth Morris, sydd yno heddiw, yn perthyn i'r drydedd genhedlaeth o'r teulu hwnnw.

Wedyn daw'r Giler yn 350 acer. Yr oedd y Giler yn hen annedd – hen gartref y Barwn Prys a fu'n Dwrnai Cyffredinol ac yn Aelod Seneddol. Drwy ei haelioni ef y codwyd yr Elusendai yn y pentref yn 1707. Yn 1881 Thomas Hughes o Lanycil a'i deulu oedd yn byw yno. Mab y Gelli Isa ger y Bala oedd o ac yn frawd i Owen Hughes, Dirprwy Brif Gwnstabl Meirionnydd ac i Evan Hughes, Tŷ Helyg, Bryneglwys. Yr oedd ŵyr Thomas Hughes, sef Tom y Giler, yn adroddwr adnabyddus. Y mae Bryn fy mrawd wedi priodi Myfanwy, Bachymbyd Bach, sydd yn or-or-wyres i Thomas Hughes y Giler felly y mae ef a'i wraig yn rhannu'r un hen hen-hen-daid a nain sef Robert Hugh a Mari Evans o'r Gelli Isa sydd yn golygu eu bod yn orchaifn i'w gilydd. Darganfyddiadau fel yna sydd yn gwneud hel achau'n gymaint o hwyl! Neu ddim.

Yr oedd gan Edward Edwards, Mount Pleasant (enw od ar fferm yn Uwchaled) 315 o aceri ac yr oedd ganddo chwech o feibion gartref, un neu ddau ag enw go anghyffredin yn yr oes honno – Silvanus, Lawrence a James Nevin er enghraifft. Gyda llaw, Lawrence oedd enw tad Jac Glan y Gors ond ni wn a oedd yna gysylltiad yn y fan hon. John Roberts a'i deulu oedd yng Nghlust y Blaidd (253 acer). Yn yr hen gofrestri, Clustyble y gelwir y lle a dywed traddodiad mai'r enw gwreiddiol oedd Llys Rhirid Flaidd. Elizabeth Morris, gweddw, oedd yn Elor Garreg

Uchaf (208) a John a Dorothy Jones yn y Perthi Llwydion (220) acer. Yr oedd hwn yn hen gartref enwog – lle bu Edward Morris, porthmon a bardd, yn byw. Bu farw ar daith borthmonna i Essex a'i gladdu yno ym mynwent Eglwys y Santes Fair, Fryening, mewn pridd estron.

Ai clai Sais yw'r cloiau sydd
Ar wyneb yr awenydd

meddai un bardd amdano. Yr oedd y Dorothy uchod yn ddisgynydd uniongyrchol iddo.

Gweithio ar y tir yr oedd y mwyafrif wrth gwrs ond yr oedd y crefftwyr lleol yn gofalu bod popeth angenrheidiol wrth law: Rebecca Jones, Rhyd y Cae yn pwytho; William Davies, Bryn Melyn yn ffariar; John Lloyd, Ty'n Braich y saer; William Morris, Bryn Dedwydd y cigydd; William Breeze y plismon – brodor o Lanbrynmair fel y mae ei enw yn awgrymu; Edward T Edwards yn cadw tafarn y Saracens; John Owens, Penucha'r llan y gof; Annie Davies yn rhedeg y Llew Gwyn; Thomas G Davies yr athro (brodor o Lanofer, Sir Fynwy); Robert Richards, gweinidog Ty'n Rhyd, brodor o Borthmadog, oedd yn lletya hefo Hugh Parry a'i deulu ym Mwlch y Beudy. Ceir cofnod iddynt gael storm fawr yn yr ardal fis Gorffennaf 1597 oherwydd ar y 5ed claddwyd Ann ferch Thomas ap Richard a Morfudd ferch Ieuan, y ddwy wedi'u lladd gan daranfollt ym Mwlch y Beudy. Y mae'r cofrestri plwy'n mynd yn ôl mor bell â 1590 pan gofnodir claddedigaeth David ap Ieuan ap Rees ar 27 Awst.

Fferyllydd a groser oedd Elias Williams (62) Bryn yr Aber. Ganwyd ef yn 1819 yn fab i Cadwaladr Williams, Siop Ucha a Jane Evans, Tai Ucha ac ef oedd clerc y plwy. Yn ystod 1834-47 yr oedd yn aelod yng nghapel Jewin, Llundain. Dychwelodd i'r Cerrig yn 1851 a phriodi Elizabeth oedd yn dod o Laneurgain yn Sir y Fflint. Bu hi farw yn 1897 ac aeth ef at ei blant yn Llundain, ymaelodi yng nghapel Shirland Road. Bu farw yn 1900 yn 81 oed. Yr oedd tri o'i feibion wedi graddio'n feddygon o Gaeredin. Ŵyr iddo oedd Syr John Cecil-Williams.

Y mae ardal Uwchaled yn un nodedig am ei diwylliant – ei beirdd a chantorion, ac yr oedd amryw ohonynt yn byw yn y fro yr adeg yma. Yn Nhy'n Gilfach yr oedd Hugh Evans yn byw ac y mae Robin Gwyndaf, ein prif awdurdod ar hanes y fro, yn mynd mor bell â galw'r gŵr hwn yn athrylith. Yr oedd yn hynafiaethydd, ieithydd, seryddwr a bardd. Er na chafodd ysgol fe ddysgodd Saesneg, Ffrangeg, Lladin, Hebraeg a Groeg. Un tro am flwyddyn gron gwnaeth arbrawf gyda pholion yn ymyl ei gartref i brofi mai'r ddaear oedd yn cylchdroi o gwmpas yr haul ac nid fel arall! Bu'n casglu trethi am flynyddoedd. Yr oedd ei fab Lewis T Evans (1882-1975) oedd yn byw yn Seler, Cyffylliog, yn fardd da ac yn arlunydd rhagorol. Ar gof a chadw yn Sain Ffagan y mae 134 o dapiau, 67 awr o sgyrsiau yn cynnwys hanesion, straeon gwerin a cherddi yn cael eu hadrodd gan Lewis Evans ei hun.

Y mae enw Thomas Jones, Cerrigelltgwm yn un adnabyddus gan ei fod yn fardd gweddol doreithiog ac yn ysgrifwr cyson i'r *Faner* a chyfnodolion eraill. Yr oedd yn gyfaill agos i T Gwynn Jones (tad T Gwynn wedi'i eni yn y Nilig, Hiraethog gyfagos) a chyhoeddodd dair cyfrol. Yn 1881 yr oedd Thomas Jones yn byw yn y Tai Isa hefo'i daid a nain, Thomas a Margaret Jones. Wedi byw am gyfnod yn y Bryn Du symudodd i Gerrigelltgwm yn 1912. Priododd â Mary, un o un ar ddeg o blant Abel ac Elinor Jones, Nant Tan y Foel, Llanfihangel. (Yr ieuengaf ohonynt oedd Thomas 1880-1969, Hafodwen, Cwm Celyn. Bydd llawer yn cofio ei fab, John Abel, adroddwr tan gamp yn eisteddfodau'r 40au a'r 50au.) Cafodd Thomas a Mary, Cerrigelltgwm hwythau un ar ddeg o blant, dau ohonyn nhw'n feirdd: Arthur ac Einion. Bu farw Einion yn 1964. Arthur oedd y mab hynaf. Yr oedd yn fardd da ac yn llysieuydd a chanwr penillion. Yr oedd yn athro yn ysgol Gwytherin. Bu farw o drawiad yr haul ym Maghdad yn 1917. Wyres i Thomas Jones yw Llinos Parkin (née Owen) a fagwyd yn Rhes yr Orsaf, Rhuthun, ac a fu, tan fis Medi 1999, yn brifathrawes ar ysgol gyfun fawr nid nepell o Bognor Regis. Yr oedd nain Thomas Jones yn chwaer i Taliesin Hiraethog.

Yn y Growine yr oedd yna fachgen bach 6 mis oed, Robert Hughes. Daeth hwn yn adnabyddus fel y gof telynegol ac yn 1969 cyhoeddodd gasgliad o gerddi *Gwreichion y Gof* ac yn 1978 cafwyd *Atgofion Bob Huws y Gof*. Meddai Mathonwy Huws amdano:

Gŵr annwyl, a'i gywreinwaith
Yn gamp mewn haearn ac iaith.

Yn byw yn y Parc, Rhydlydan yr oedd Ellenor Jones, 40 oed, yn ffermio 340 acer gyda chymorth dau fab a merch, dau was a dwy forwyn. Yr oedd y plant – Isaac (13) Owen (8) a Catherine (7) yn gantorion nodedig ac yn ddylanwad mawr ar fywyd cerddorol y fro. Priododd Catherine (neu Kate) a mynd i fyw i Gaergybi lle'r oedd ei gŵr yn cadw'r Anglesey Emporium. Merch iddi oedd y gantores enwog Ceinwen Rowlands. Enillodd ar yr unawd yn Eisteddfod Genedlaethol yr Wyddgrug 1923, Pwllheli 1925 a Lerpwl 1929. Priododd ag Arthur Aaron Walker. Priododd Isaac â Sarah, merch tafarn Rhydlydan, a'i frawd Owen â Margaret, Plas Hafod y Maidd. Symudodd Owen a Margaret i

Fryn Tirion, Llangynhafal lle magwyd eu dwy ferch, Nellie a Dilys. Merch i Nellie a J E Jones (mab J W Jones a Jane Evans, Llain Wen) yw Rhiannon a briododd â John Emyr Edwards, Highgate, Corwen a buont yn byw yn y Cernioge Mawr a magu dau o blant, Elwyn ac Elen. Brodyr Rhiannon yw Elwyn a Clwyd, Plas yn Betws, Abergele. Priododd Dilys â David Rogers Jones, Fferm Llanbedr ac yn 1958 ymfudodd y teulu i Ganada lle mae'r pedwar plentyn yn byw hefo'i gilydd ac yn siarad Cymraeg ar yr aelwyd.

Yr oedd David Jones, Bryn Saint yn ddyn ifanc 31 oed a'i wraig Sinah yn 27. Yr oedd ef yn ddyn busnes craff, yn berchen melin lifio brysur. Ef ddaeth â'r tracsion cyntaf i'r Cerrig. Bu farw yn 1936. Bu achos enllib cas iawn rhyngddo ef a John Ellis, Llaethwryd yn 1896 a bu rhaid i'r olaf dalu £50 o iawndal i David Jones. Ceir y manylion llawn yng ngwasg y cyfnod. Yr oedd yn un o'r Seiri Cochion (gweler y bennod ar Llangwm). Yn 1893 aeth Cyngor Sir Ddinbych ag ef i'r llys gan orchymyn ei fod yn talu £226 am ei fod wedi difetha'r ffordd fawr hefo'i dracsion. David Jones enillodd yr achos ac fe fu dathlu mawr iawn yn y Cerrig a chodwyd cronfa i dalu ei gostau. Ei wraig gyntaf oedd Sinah oedd yn ferch i Hugh Hughes a fu'n ysgolfeistr yn y Cerrig ac a olygodd waith Edward Morris, Perthi Llwydion. Enillodd Sinah y wobr gyntaf am wneud menyn yn Sioe Amaethyddol Llundain. Yr oedd wyth cant wedi cystadlu. Pan oedd David Jones yn 67 oed priododd eilwaith â merch 22 oed. Dyn cymwynasgar iawn oedd David Jones ac un tro anfonodd Tom Owen ato i ofyn am gael benthyg un o'i weithwyr i godi waliau yn Nhan y Graig, Hafod Elwy, ac fel hyn yr oedd cais yn mynd:

Gwartheg sy'n rhedeg drwy'r adwy – defaid
    Dofion sydd yn tramwy;
    Gyrrwch, nac oedwch yn hwy
    Gawr waliwr i gwr Elwy.

Aelod o deulu Ty'n y Pant, Cefn Brith oedd Tom Owen a brawd i Joseph, hanesydd lleol ac ewythr i Aled Owen, dyn arferai fod fel pot mêl i gacwn i mi ers talwm gan mai cadw siop lyfrau Cymraeg yn Ninbych yr oedd o. Teulu nodedig arall oedd Dafisiaid, Bronafallen, teulu o feddygon. Dyma'r manylion:

Elizabeth Davies	pen	46	gweddw'r diweddar Dr Davies	Llansannan
John E J "	mab	21		Cerrigydrudion
Elizabeth J "	merch	17		"

Robert "	mab	10		"
Elizabeth Williams	ymwelydd	40		Llansannan
Mary Jones	"	43		Cerrigydrudion
Mary Williams	"	21		"
Catherine Roberts	morwyn	14		"
Robert "	gwas	24		"

Yr oedd y Dr John Davies, brodor o Ysbyty Ifan, wedi marw yn 61 oed ar 22 Mawrth, ychydig ddyddiau cyn y Cyfrifiad. Ef gododd Bronafallen. Ddeng mlynedd yn ddiweddarach dyma'r darlun:

Hugh Hughes Davies	pen	29	Meddyg teulu (gweddw)	Cerrigydrudion
Mary "	merch	3		"
Robert Roberts "	gwas	34	Groom	"
Catherine "	morwyn	24		Ysbyty
Catherine Davies	mam	56	Byw ar ei phres	Cerrigydrudion
David Jones "	brawd	24	Myfyriwr meddygol	"
Robert Thomas "	"	22	"	"

Ar ôl y Dr Hugh H Davies uchod daeth ei fab Dr Ifor H Davies yn feddyg i'r ardal a dyna lle y bu nes ymddeol yn 1968. Yr oedd yn fawr ei barch, yn aelod o'r Cyngor Plwy, y Cyngor Dosbarth, Cyngor Sir Ddinbych a'r Pwyllgor Addysg, yn Henadur ac yn Gadeirydd y Cyngor Sir am gyfnod. Rhoddodd Prifysgol Cymru radd Meistr mewn Gwyddoniaeth er anrhydedd iddo a derbyniodd yr OBE. Y mae ei ferch, Ann Roberts, Rhuthun (a chyn hynny o Lundain) wedi bod yn Gadeirydd Awdurdod Iechyd Clwyd ac y mae ei mab hithau, Dr Iwan Francis Roberts yn llawfeddyg. Dyna bum cenhedlaeth yn y byd meddygol. Yr oedd priod y Dr Ifor yn wyres i John Thomas, y ffotograffydd enwog o Oriel y Cambrian yn Lerpwl oedd wedi priodi merch Glanaber, Bryneglwys. Lladdwyd John Llewelyn Davies, mab Bronafallen, yn y Dardanelles yn 19 oed ar 12 Gorffennaf 1915 pan oedd yn gwasanaethu gyda'r 1st/5th Argyll & Sutherland Highlanders. Mae ei enw ar y golofn yn Stryd Wynnstay, Rhuthun ac ar Gofeb Helles yn Nhwrci.

Dyma deulu mawr Tai Ucha:

Thomas Owen		pen	49	Ffermwr	Llangwm
Jane	"	gwraig	45		"
John	"	mab	19		"
Robert	"	"	17		"
Catherine	"	merch	13		"
Owen	"	mab	10		Cerrigydrudion
David	"	"	9		"
Hugh	"	"	6		"
William	"	"	3		"
Elizabeth Wynne		morwyn	18		"
John	"	gwas	25		"

Symudodd y teulu hwn i Tŷ Gwyn, Llangwm. Yr oedd Jane Owen wedi esgor ar gyfanswm o bedwar ar ddeg o blant a byddai Thomas Owen yn cael hwyl pan ofynnai rhywun iddo faint o blant oedd ganddo drwy ateb 'Saith o fechgyn a chwaer i bob un!' Y diweddar Frank Owen, gynt o'r Tir Barwn ac wedyn o Red Hall Farm, Penley ger Wrecsam, ddywedodd y stori wrthyf ac yr oedd ef yn ŵyr i Thomas Owen. Yr oedd yr Owen 10 oed uchod yn dad i Jennie, priod Eifion Roberts, cyd-awdur y gyfrol werthfawr *Yn Llygad yr Haul* (Cyhoeddiadau Mei 1992).

A dyma deulu Pen y Graig:

Edward Davies		pen	53	Ffermwr	Cerrigydrudion
Elinor	"	gwraig	44		Yr Amwythig
Margt Winifred	"	merch	14		Cerrigydrudion
John	"	mab	12		"
Evan Oliver	"	"	9		"
Mary	"	merch	7		"
Elinor	"	"	5		"
Edward	"	mab	2		"

Yr oedd yno ddau blentyn arall hefyd sef Jane ac Elizabeth. Bu **Margaret Winifred** ac **Elizabeth** yn cadw ymwelwyr ym Mae Colwyn am flynyddoedd ac aeth **Jane** i'r America yn ddwy ar bymtheg oed. Wedi colli ei gŵr daeth yn ôl i Gymru yn 1907 i edrych ar ôl plant ei brawd **John** ac yn y man aeth at ei dwy chwaer ym Mae Colwyn. Bu John yn ffermio Talcen Isa cyn symud i Bantglas Isa, Bontuchel. Wyrion iddo yw John Hugh Roberts, Pantglas Isa gynt a Sian Eryddon, Pant Glas Canol. Bu **Evan Oliver** yn byw yn Tan Llan, Clocaenog cyn symud i Blas yr

Esgob, Rhewl. Yr oedd yn daid i'r tenor Iwan Davies o Brestatyn ac i Eirlys, priod Robin Jones, S4C ac yn hen daid i Iona Jones, enillydd y Rhuban Glas yn Llanelli 2000. Bu **Mary** (Williams) yn byw yn y Gydros cyn symud i Hafod y Maidd tra bu **Elinor** yn ffermio'r Fodwen, Llanfihangel cyn symud i Glan Clwyd, Bodffari. Ffermio'r Pentre, Melin y Wig fu **Edward**, wedi priodi Annie Wynne, y Gro.

Os ydych yn chwilio am eich achau yn y Cerrig efallai y dylwn eich rhybuddio bod yno yn 1881, allan o ryw naw chant o drigolion, dros 300 Jones, 120 Hughes, 118 Roberts, 100 Davies a 65 Williams. Yn ogystal â dogn dda o Edwards, Owen a Thomas. Yr oedd yno dri phâr o efeilliaid yn y plwy sef Anne a John Roberts (8) Foty Bach; David a Jane Edwards (5) Pen y Bryn a William a John Lloyd (29) Tŷ Tan Foel. Y person hynaf oedd Margaret Ellis, tlotyn 95 oed. Ymysg eraill o'r genhedlaeth hynaf oedd Elizabeth Davies (94) tlotyn yn y Tyddyn, a Sinah Hughes, (85) Ty'n y Pant. Pan fu farw Sinah yn 1882, un o'r pethau ddywedwyd amdani oedd nad oedd erioed wedi gweld môr na rheilffordd. Yr ieuengaf yn y plwy oedd Catherine Jones, Tai Newyddion, pedwar diwrnod oed. Yr oedd hefyd dri o blant mis oed – Jane Lloyd, Tŷ Isa, Robert Owen, Ffridd Isa ac Elizabeth E Jones, wyres Evan Williams, Cefn Hir Fynydd. Cofnodir hefyd ddau ddyn dall sef John Williams, Garn yn 78 oed ac Edward Roberts, Lion Bach, saer maen oedd wedi colli'i olwg drwy ddamwain.

Fel y dengys y cyfenwau, pobl leol oedd y rhan fwyaf. Daeth ambell un o bell. Rhai fel Edward Owen y gwehydd o Lanidloes, Susanah Davies, gwraig y prifathro o Lanwenaeth, Sir Fynwy a'i mab Thomas, 3 oed, wedi'i eni yn Sutton St Edmunds, Swydd Lincoln. Cardi oedd y rheithor John Jones a'i wraig Emma o'r Wyddgrug. Yr oedd Elizabeth Ashthorpe, gwraig y cipar, yn dod o Chelsea. Y mae'n amlwg bod y teulu hwn wedi crwydro cryn dipyn oherwydd ganwyd y plant mewn gwahanol fannau: Florence yn St Pancras, Leonard yng Nghaerdydd, Amy yng Nghaer, Ada yn y Bala, Albert a Bessie yng Nghaer, Elizabeth yn Stafford a Reginald yn y Cerrig. *Have gun, will travel* chwedl rhywun.

Y mae llawer ohonom sydd yn ymchwilio i hanes ein teulu yn mwynhau ymweld â'r mannau lle ganwyd ein hynafiaid. Yn anffodus ac anorfod ambell dro y mae llawer o'r bythynod a'r tai ffermydd a restrir yn y Cyfrifiad wedi diflannu. Gadawyd llawer yn wag a'r cwbl sydd yn weddill yw pentwr o gerrig. Diflannodd rhai dan ddyfroedd Llyn Brenig a llyncwyd eraill gan y Comisiwn Coedwigaeth. Prynwyd Hafod Llan Ucha, cartref Elias Jones (adwaenid fel Llew Hiraethog) gan Gwmni Dŵr Llyn Alwen. Yn y fan yma y magwyd hynafiaid merch o'r enw Alwen. Ganwyd hi yn Awstralia a hi yw gwraig Rolf Harris, y diddanydd amryddawn. Y mae Foty Tai Canol, cartref Ifan Edward y Telynor, rywle yng nghanol y coed. Aeth Rhos Ddu, cartref Thomas Wynne, o'r golwg dan ddyfroedd Brenig ac y mae Ty'n y Pant, anfarwolwyd gan Jac Glan y Gors mewn cerdd ddychanol i'r Sesiwn Fawr, erbyn hyn yn adeilad fferm. Hen hen le yn mynd yn ôl ymhell bell yw Bwlch Hafod Einion – ond anodd dod o hyd iddo erbyn hyn gan ei fod rywle yng nghrombil y goedwig. Yn 1881 yr oedd Laura Jones (75) yn byw yn Hafod Llan Bach hefo'i merch Catherine, ei mab John, ei hŵyr David a dwy wyres, Hannah (5) ac Elizabeth (5 mis). Mewn traethawd cynhwysfawr ar 'Annedd-dai Coll Plwy Cerrigydrudion' yn *Llên y Llannau 1985* dywed y diweddar Eifion Roberts bod Hafod Llan Bach yn fan cyfarfod poblogaidd iawn i lanciau'r fro a bod Lowri yn un nodedig am hel a llunio straeon. Bywyd caled iawn gafodd hi a bu'n crwydro'r wlad am flynyddoedd yn gwerthu pabwyr a chanhwyllau brwyn. Ond bu fyw i fod bron yn gant oed. Yn Tai Isa yr oedd Thomas Jones (72) yn ffermio 341 erw hefo'i wraig Margaret (70) ei ferch Margaret (20) a'i ŵyr Thomas, bugail 21 oed. Thomas Jones, Cerrigelltgwm, y bardd, oedd y bugail hwn.

Dywedir bod tri ar ddeg o aelodau capel Pentrellyncymer yn y cyfnod 1888-90 yn medru llunio englyn. Eu henwau: John ac Edward Thomas, Tŷ Uchaf, Ffriddoedd; Huw, Isaac ac Elias Jones, Hendre Ddu (yr oedd Robert Davies 'Bardd Nantglyn' yn daid iddynt); John Jones (John Harri'r Gof) Pentre; Tom Owen, Hafod Elwy; Dafydd Jones, Tai Ucha adwaenid fel Bardd y Goes Bren neu Lord Elwy; Thomas Jones, Tai Isa Cerrigelltgwm; Hwmffre Jones, Bodunig; Lloyd Edwards, Clogwyn Coch; John Davies 'Taliesin Hiraethog' ac Evan Evans, Hafod Llan Isaf 'Ieuan Alwen'. Erbyn 1885 yr oedd Taliesin Hiraethog yn byw yn River View, Cei Conna ac wedi priodi Ann Jones, Tŷ Capel Rhiwgroes, Henllan. Bu farw ei wraig a'i fab yn Shotton Farm, Pwll Gwepra ac yna ail-briododd a symud i Ben Palmant, Green Dinbych. Cafodd ei gladdu yn yr Eglwys Wen yn ymyl Twm o'r Nant.

Bu trychineb yn Hafod Llan Isa fis Tachwedd 1904. Evan Jones oedd yn byw yno hefo'i dad Robert Jones gynt o dafarn Bryn Trillyn (Sportman's Arms heddiw). Merch John Willams, Brynygwynt, Dinbych oedd gwraig Evan Jones ac yr oedd yno dri o blant bach: Alice wyth a hanner, Robert pedair a hanner a babi mewn crud. Bu yno ffrwydrad difrifol yn y gegin a lladdwyd y ddau blentyn ac anafu'r fam yn ddrwg. Nid oedd y babi ddim gwaeth. Yr oedd y tŷ yn yfflon. Achos y danchwa oedd bod gweithwyr o waith dŵr Pentrellyncymer (oedd yn lodgars yno) wedi gosod *detonators* yn y mawn. I'r sawl sydd â diddordeb ceir adroddiad o'r cwest yn y *North Wales Times* 19 Tachwedd 1904.

David Jones a'i deulu oedd yn y Tŷ Gwyn hefo'i wraig Catherine a'i fam Elinor. Merch y Tŷ Gwyn oedd Ellen Winifred a ddaeth yn wraig i John Hughes y Giler ac yn nain i Sarah Roberts, Bachymbyd Bach a hen nain i Myfanwy, gwraig Bryn fy mrawd a'i brodyr Alun a Gwilym. Mae Alun yn byw yn yr Henllys Fawr enwog ar Ynys Môn.

Ddeng mlynedd yn ddiweddarach yr oedd pawb namyn pump yn siarad Cymraeg. Uniaith Saesneg oedd Arthur E Jones, Groudd a oedd wedi'i eni yn Lerpwl er bod ei ddau frawd David ac Eban a'i chwaer Ellen yn siarad Cymraeg. Cymry Cymraeg oedd y ficer a'i wraig ond yr oedd eu plant yn uniaith Saesneg – Arthur oedd yn fyfyriwr yng Ngholeg Lincoln, Rhydychen, ei frawd Herbert wedi graddio o Goleg yr Iesu, Rhydychen a'u chwaer fach Winifred 8 oed. John Hughes oedd y gof yn y Glasfryn, brodor o'r Betws. Yr oedd ei fab Evan wedi priodi Susannah Lloyd, Hendre Ucha. Dyma daid a nain yr hanesydd difyr D G Lloyd Hughes, Pencader, awdur cyfrol swmpus ar *Hanes Tref Pwllheli* ymysg pethau eraill.

Yr oedd tri ar ddeg yn y Tŷ Mawr sef David ac Ellen Ellis a phump o blant: Jane (19) Ellen (8) Elizabeth (6) David John (3) a Thomas (4 mis). Yr oedd yno hefyd ymwelwyr – Margaret a Mary Jones o'r Bala, a dwy forwyn a dau was. Bu'r teulu hwn yn ddylanwadol gyda'r Methodistiaid ac y mae eu disgynyddion yn lleng. Yr oedd deg ym Mhant y Griafolen sef Thomas ac Ellen Jones a'u plant Mary Ellen (6) Thomas (5) Griffith (3) ac Elizabeth (1). Priododd Griffith ag Ella Lloyd Roberts, Tai'n y Maes a merched iddynt yw Eleanor Ellis gynt o Blas Hafod y Maidd a Bronwen, mam-yng-nghyfraith Catherine, merch Trebor ac Ann Edwards. Priododd Elizabeth, Pant y Griafolen â John Austin Roberts, brawd yr Ella uchod ac y mae ganddynt hwythau nifer o ddisgynyddion sef teulu'r Farm Yard, Conwy. Merch John Jones, Llannerch Gron a Thanrallt oedd Margaret, mam Ella a John Austin Roberts. Gadawyd hi'n weddw ifanc ac ail-briododd â John Roberts, Nant y Creuau.

Tŷ llawn arall oedd Gronglwyd lle'r oedd John Hughes a'i deulu.

John Hughes	pen	47	Ffermwr	Cerrigydrudion
Anne "	gwraig	47		"
William Jenkyn "	mab	16		"
David "	"	14		"
John E "	"	11		"
Peter "	"	9		"
Anne J "	merch	6		"

Mab William Jenkyn oedd David E Hughes oedd yn cadw'r siop

lyfrau ail-law yn Llandudno. Bu farw'n sydyn fis Hydref 1999. Aeth John E i'r weinidogaeth ac ef a John Hughes, Tai'n y Foel (mab Hugh Hughes) oedd y ddau gyntaf i ennill gradd ddwbl o Brifysgol Cymru – BA BD yr un. Pan oedd John Edward Hughes yn y Brifysgol yn Aberystwyth ei gyd-letywr oedd R T Jenkins, oedd yn gyfyrder iddo ac wedi hynny yn gyd-frawd-yng-nghyfraith. Bu hefyd yn fyfyriwr ym Mhrifysgol Bonn a'i gyd-letywr yno oedd Hermann Goering. Bu'n weinidog yn Engedi, Ffestiniog, Horeb, Brynsiencyn a Phreswylfa, Llanddaniel. Priododd ddwywaith – gydag Ada Davies o Aberystwyth (oedd yn chwaer i Mary, gwraig gyntaf R T Jenkins) a Mary Jones o Borth Amlwch. Bu farw yn 1959. Ŵyr iddo yw Medwyn Hughes, Llandegfan. Chwiorydd i'r Parch J E Hughes oedd Elizabeth Morris, Elor Garreg a Jane Jones, Pontilen y Rhewl, mam y Dr Hywel P Jones, Wrecsam.

Yr oedd yna deulu galluog yn Aelwyd Brys hefyd gyda Tomi yn 7 oed, Evan yn 4 a Maggie yn 4 mis. Dileit Evan oedd porthmona a Tomi'n fardd rhagorol. William Parry oedd yn rhedeg y Queens Head, Evan Parry yn y Saracens Head a Catherine Hughes yn nhafarn Glasfryn. Yn 1838 y codwyd yr olaf a'r perchennog cyntaf oedd Margaret Jones a phriododd ei merch Alice â William Hughes oedd yn frawd i Robert Hughes y Sign, un o Ferthyron y Degwm. Merch i Alice oedd y Catherine uchod. Yr oedd gan William Parry fab o'r un enw oedd mewn partneriaeth â W H Owen, Tai Uchaf, sef Parry & Owen, adeiladwyr Lerpwl. Bu farw William Parry yn 28 oed yn 1906.

Yr oedd William Hughes Bryn y Ffolt yn arlunydd a ffotograffydd gwych. Dyma fanylion ei deulu:

John Hughes	pen	60	Töwr a phlastrwr Cerrigydrudion
Ellin "	gwraig	59	"
William "	mab	36	Arlunydd "
Elizabeth "	merch	34	Teilwres "
George W "	mab	26	Töwr a phlastrwr "
Emily "	merch	15	"

Newidiwyd enw'r cartref i Bryn Blodau yn ddiweddarach ac fel William Hughes, Bryn Blodau yr adweinid ef. Dywedir bod llawer o'i waith o gwmpas. Yr oedd hefyd yn gerddor galluog ac yn medru chwarae pedwar llais ar yr organ er na chafodd unrhyw hyfforddiant. Bu'n byw hefo George ac Emily, y tri yn ddibriod. Wrth dynnu lluniau byddai'n diflannu dan fwgwd mawr du ac meddai Eifion Roberts yn y gyfrol *Yn Llygad yr Haul* – 'Nid oedd angen iddo ddweud wrthym am wenu. Y gamp fawr oedd peidio â chwerthin'. Yn Eisteddfod

Genedlaethol Corwen 1919 enillodd am wneud darlun peintiedig. Y gystadleuaeth oedd gwneud darlun wedi ei seilio ar bennill o gerdd 'Alun Mabon'. Tra ar ymweliad â Thyddyn Tudur, Llanfihangel Glyn Myfyr tynnodd lun o berthynas i'r teulu yno ar ymweliad gyda phlentyn yn ei breichiau. Peintiodd lun o Dy'n y Pant, hen gartref ei daid a'i nain a rhoi'r darlun o'r ferch a'r baban o flaen y tŷ. Enw'r ferch oedd Gwendolen Mary (merch William Roberts, Maes Tyddyn, Clawddnewydd a'i briod oedd yn ferch Pencoed Ucha) ac yr wyf yn ei chofio fel Mrs Roberts, Ty'n Celyn, Gwyddelwern a fu byw i fod dros ei deg a phedwar ugain.

Eraill y dylid tynnu sylw atynt yw teulu Ty'n y Gilfach, Pentre Draw, Tyisa'n y Cwm a Bwlch Mawn. Robert ac Ellin Roberts oedd yn Nhy'n y Gilfach gyda'u plant Evan Cadwaladr (10) Mary Ellin (8) Robert William (3) a Margaret Elizabeth (1). Aeth Robert William i weithio i Fanc De a Gogledd Cymru (a lyncwyd gan y Midland yn ddiweddarach) a bu'n rheolwr yng nghanghennau Abergwaun a Chaerfyrddin. Bu farw yn 96 oed yn 1983 ac ef oedd y rheolwr olaf i oroesi. Aeth ei nai Iorwerth hefyd i'r banc gan orffen ei yrfa fel rheolwr y Midland yn Rhuthun.

Ann Edwards, gweddw 63 oed, oedd yn ffermio'r Pentre Draw gyda chymorth dau fab a merch – Robert Owen (26) William Charles (25) ac Elizabeth Ann (29). Bu farw William Charles yn 1914 yn dilyn llawdriniaeth feddygol yn Lerpwl gan adael gwraig a naw o blant. Ac y mae'r teulu'n dal yno – y ffermwr presennol Wil Charles Edwards ffraeth a diwylliedig wedi priodi Ann sydd yn chwaer i Trebor Edwards. Un arall o'r tylwyth yw Manon Edwards, llyfrgellydd siriol yn Ninbych. Mae hi'n briod â Roger Edwards, prifathro Ysgol Brynhyfryd, ac un o dylwyth Garth y Groes, Llanelidan.

Yn ffermio yn Tyisa'n y Cwm yr oedd John Lloyd, un o ferthyron y Degwm. Soniais amdano yn y bennod gyntaf. Ei wraig oedd Winifred o Dy'n y Mynydd, Llanfihangel a chawsant wyth o blant: **John Ambrose** fu farw'n bythefnos oed; (cafodd ei enwi ar ôl y cerddor John Ambrose Lloyd) **Dafydd** (1877-1956) Penbryn, Bethel; **Winifred** (1878-1946) a briododd 1) Pierce Evans a 2) Morris Rowlands, Y Fedw, Llanycil. Mab iddi oedd y Parch Trebor Lloyd Evans. **Jane** (1881-1967) priod R M Wynne, Hen Golwyn; **Margaret** (1882-1905) bu farw o lid yr ymennydd; **Catherine** (1884- 1958) priod J Llewelyn Davies – eu plant nhw yw Aled a Meinir Lloyd Davies; **John** (1886-1870) priododd 1) Laura Jones a 2) Ann Davies. John a Laura oedd rhieni D Tecwyn Lloyd; **Robert** (1888-1961) sef Llwyd o'r Bryn. Ei wraig ef oedd Anne (Nans) Williams, merch Griffith Williams, Derwgoed a Jane Roberts, Bwlch y Fwlet.

Yr oedd Robert mab Thomas a Mary Ellis, Bwlch y Mawn yn chwech oed yn 1891 ac yn y man priododd ag Ellen a magu un ar ddeg o blant: Hefina (Williams, Garth,) Clwyd (Glasfryn), Thomas Rees (Llety'r Bugail), Ifor Aled (Ty'n y Mynydd), Beti Wyn (Williams, Ty'n y Bwlch), Mary Ellen (Davies, Awelon, Llangwm), Gwilym Lloyd (Plas Hafod y Maidd), Isaac David (Tai Ucha), Robert John (Cae Haidd, Llanelidan), Huw Emyr (Tremeirchion), a Dilys Hedd (Morris, Glasfryn). Pa ryfedd bod cymaint o bobl yn arddel yr enw 'Ellis' yn Uwchaled heddiw!

Yr oedd yna chwe phâr o efeilliaid: Richard a Catherine Barnard (11), wyrion Jane Hughes, gweddw 93 oed yn y Glasfryn, eu mam Elin hefyd yn weddw; David a William (5) plant Robert a Mary Roberts, Glanllyn; William a John Lloyd (39) o Dŷ Tan y Foel; Winifred a Margaret, merched 7 oed Jeremiah a Jane Jones y Lodge a Thomas Lloyd a Jane Lloyd Jones (7) Carreg y Blaidd. Y rhai hynaf yn y plwy oedd Grace Lloyd, Ty'n yr Erw (95) Jane Hughes, Glasfryn (93) Robert Jones, Tan y Bwlch (90) a Jane Jones, Llidiart y Gwartheg (87). Yr ieuengaf oedd Margaret, Hen Gapel, 3 wythnos oed. Babanod eraill y fro oedd William, mab deufis oed Richard a Margaret Anne Davies, Garn; Jane E, merch mis oed Robert a Hannah Jones, Hafod Unnos; Margaret A merch ddeufis oed Hugh ac Elin Jones, Bron Ffynnon. Rhestrir deg yn byw ar eu pres a saith tlotyn yn byw ar y plwy.

Daeth dwrn dur y rhyfel i'r fro hon hefyd ac ar y gofgolofn gwelir yr enwau canlynol:

Thomas Davies, Tŷ Capel, Ty'n Rhyd
Frank Jones, Plas Groudd
David Roberts, Bryn Cloddie
Cadwaladr Williams, Craig
Morris Davies, Glasfryn
John Thomas Jones
Edward Walker, Glasfryn
Jeremiah Jones MM Pentre Cwm

Betws Gwerfyl Goch – A'r Porno Grai

Plwy bychan. Enw rhamantus. Cysegrwyd yr eglwys i Sant Elian a'i chodi gan Gwerful Goch merch i Cynan Arglwydd Meirionnydd oedd yn fab i Owain Gwynedd (c.1110-1170) Tywysog Gogledd Cymru. Priododd â Iarddur ap Trahaearn ap Cynddelw ap Rhirid. Yr oedd yr eglwys yn fan cyfarfod pwysig i bererinion y Canoloesoedd ar eu ffordd o gyffiniau'r Bala i flasu dŵr rhinweddol Ffynnon Gwenffrewi. Ac meddai hen bennill:

> Bu brwydro dewr ar fryn a gro
> I gadw'r clafr i ffwrdd o'r fro,
> Daeth si i ardal Gwerfyl Goch
> Fod gwraig o'r Wig yn dipio'r moch.

Yn 1881 pedwar yn unig oedd wedi'u geni y tu allan i Gymru: Annie Jones, gwraig y rheithor, wedi'i geni yng Nghanada a'i merch Margaret H bump oed, yng Nghaer; un o Iwerddon oedd William Austin oedd yn ffermio ym Minffordd a brodor o Gernyw oedd Mary Trewren Thomas yr Hand. Yr oedd ambell un arall wedi symud o fro ei gynefin hefyd megis y rheithor William Jones, MA o Aberystwyth; Robert Pughe, Bryn Mawndy o Dywyn a Robert Roberts, Bryn Celyn o Drawsfynydd, ei wraig Catherine o Ffestiniog a'i fab Owen o Faentwrog.

John Edwards oedd yn ffermio Pen y Bryniau ac yr oedd ganddo fo a Mary ei wraig ddau o blant, Hugh (3) a Susannah (11 mis). Symudodd y teulu hwn i Hendre Ucha a ganwyd iddynt fwy o blant – yn eu mysg John Edwards (1889-1978) y llenor a gyfieithodd nofelau o'r Ffrangeg i'r Gymraeg. Claddwyd ef ym mynwent y Gro ac ar ei garreg fedd ceir y geiriau 'Athro Llenor Boneddwr'. Yr oedd yn frawd i Lewis Edwards, Botegir ac i Mary mam Gwynn Llywelyn, y ffariar (a anwyd yn Utica) sydd wedi bod yn weithgar mewn llawer maes yn yr ardal, un o sefydlwyr *Y Bedol*, papur bro Rhuthun a'r cylch, aelod o banel 'Byd Natur' Radio Cymru o barchus goffadwriaeth ac awdur dwy nofel a ddaeth yn agos at ennill y Fedal Ryddiaith. Ond pwy, tybed oedd David Edwards, Pen y Bryniau a saethodd ei hun yn ddamweiniol wrth agor giât ym mis Rhagfyr 1888 gan adael gwraig a thri o blant? O edrych ar gyfrifiad 1891 gwelir bod Hannah Jane Edwards yn weddw 33 oed (ganwyd yn y Cwm, Sir Ddinbych) ac yn magu pedwar o blant sef: Alice Jane yn wyth, David Iorwerth yn bump, Robert Thomas yn dair a John Evan Lloyd yn ddwy. Sydd yn awgrymu bod Hannah druan yn feichiog pan gollodd ei gŵr mor drychinebus.

Yr oedd Hugh Hughes, Pencraig, yn cyflogi chwech o weision ac yr oedd tri ar ddeg yno noson y Cyfrifiad. Eunice oedd enw ei wraig (merch Hendre Uchaf, Cyffylliog) ac yr oedd ganddynt bump o blant. Hwn oedd yr Hugh Hughes a symudodd i Dai'n Foel, Cerrig, yn ddiweddarach. Yr oedd yn frawd i David Hughes, Cefn Post (1835-1904) ac i James, tad T J Hughes, Lerpwl (1888-1933). John Thomas, 26 oed, oedd yn cadw siop a thafarn yr Hand. Ganwyd ef yn Llandderfel yn fab i Griffith Thomas, cipar y Palé, teulu y soniais amdano yn y bennod ar Langwm. Un o Gernyw oedd gwraig yr Hand ac y mae nifer o'i disgynyddion yn dal i arddel yr enw Trewren, sef ei chyfenw morwynol Cernywaidd hi.

Dyma pwy oedd yn yr Hand 4 Ebrill 1891:

John Thomas	pen	36	Siopwr a thafarnwr	Llandderfel
Mary Jane "	gwraig	33	Groser	Cernyw
Hugh Charles "	mab	9		Betws
John Trewren "	mab	7		"
Jane Eliz "	merch	5		"
Joseph Wm "	mab	2		"
Thomas Francis "	mab	2 fis		"
Lewis Roberts	gwas	17	Yn y dafarn	Betws
Edward "	gwas	16	Yn y siop	Llangwm
Margaret "	morwyn	30		"
Mary Evans	morwyn	15		Betws
Dd Wm Roberts	ymwelydd	14		Gwyddelwern

Fel y gwelir, pump o blant sydd yn cael eu rhestru uchod – ganwyd pymtheg i gyd! **Hugh Charles** (priododd ag E M Jones, chwaer y gweinidog y Parch H A Jones); **John Trewren**; **Jenny** (priododd y Capten R H Herbert, Maerdy); **Joseph William**; **Thomas Francis** (a gafodd ddamwain ddifrifol yn 1913 pan daflwyd ef oddi ar ei geffyl yn Nhŷ Nant a'i gario i Ddisgarth Isaf wedi torri ei goesau. Ei wraig oedd Laura Jane Roberts, Grove House, Gwyddelwern, merch Cadwaladr Roberts, Amnodd Wen, Cwm Celyn); **Jane Elizabeth**; **Charles Benjamin**; **Deborah Helena**; **George Griffith** (priododd â Nellie Jones, Glandŵr); **John Oliver**; **Mary Jane**; **Robert Oliver** (adweinid fel 'Lal' priododd ag Annie Roberts, merch hynaf Tir Barwn, a fu farw ddiwedd 1991 yn 96 oed); **Martha Mary** (fu farw yn 6 mis oed); **Annie Mary** (fu farw yn 6 mis oed); **Gwilym Caradog** (fu farw yn 10 mis oed) a **Sarah Tregay** (a fu farw yn 6 mis oed). Lladdwyd y tad, John Thomas, gan heffer yn 1932. Byddai'r Sipsiwn yn cael croeso mawr yn yr Hand.

Yr oedd tafarn arall yn y pentre sef y Ceffyl Gwyn (Gwylfa heddiw) yn cael ei redeg gan John Peters, brodor o Langwm. Un o'r Cerrig oedd ei wraig Jane ac yr oedd ganddi hi ferch 21 oed, Jane Lloyd. Yr oedd yno hefyd ferch amddifad yn cael ei magu sef Margaret A Powell, 12 oed. Yr oedd y dafarn hon hefyd yn boblogaidd iawn gyda'r Woodiaid a byddent yn ymgasglu yno i ganu a dawnsio i gyfeiliant telyn a ffidil. Yr enw Romani ar y dafarn oedd Porno Grai. Yn y fan hon y byddai Hywel Wood yn dawnsio ac Augustus John yr arlunydd yn ymuno yn yr hwyl. Byddai Mathew Wood a'i feibion – Manffri, Jim, Hywel a Harri Turpin – wrth eu boddau yn gosod eu pebyll ar lan afon Alwen wrth Bont Llyn y Gigfran ac yr oedd Dr John Sampson (fu farw 1931) yn mwynhau ymweld â'r ardal er mwyn cael sgwrs hefo'r Sipsiwn yn yr iaith Romani, ac yn arbennig â Mathew Wood. Oddi wrth Mathew y clywodd y straeon gwerin a gyhoeddwyd ganddo yn *'Welsh Gipsy Lore'* Cyfrol XXI ac yr oedd Mathew yntau wedi eu clywed gan ei nain Elen Ddu, wyres Abraham Wood ei hun.

Gwneud basgedi oedd David Davies, Cae Gwyn. Bu'r Dr John Sampson yn byw yma 1909-14 er mwyn cael cwmnïaeth y Sipsiwn. Edward Wood, Telynor Meirion, ddysgodd yr iaith iddo ac ysgrifennodd *The Dialect of the Gypsies of Wales* a *The Wind on the Heath* er enghraifft. Byddai Dora Yates, Augustus John a Joseph Holbrook yn arfer dod i aros yn y Cae Gwyn. George yr Hand a gododd y ddau fwthyn elwir yn Cae Gwyn ym Mryn Banog 800' uwch arwyneb y môr. Lletyai Sampson yno am £12 y flwyddyn. Enw'r Sipsiwn ar Augustus John oedd 'Mo-dir-Develsko-mush' am ei fod yn edrych yn debyg i Dduw. Bu peth priodi cymysg rhwng y Sipsiwn a phobl y fro ond pur amharod oedd y brodorion na'r disgynyddion i sôn am y peth er bod gan y genhedlaeth bresennol gryn ddiddordeb.

Dyma deulu'r Fach yn 1891:

Thomas Evans	pen	39	Ffermwr	Llangwm
Elizabeth "	gwraig	39		"
Alice "	merch	12		Llanfihangel
Elizabeth "	"	7		Betws
John "	mab	6		"
Martha Ellen "	merch	1		"
David "	mab	3 mis		"
Thomas Roberts	lletywr	68	Ysgolfeistr	Dinbych

Yr oedd yno fab hŷn o'r enw William a fu'n byw ym Mhen y Geulan wedyn ac yn arweinydd Côr y Betws a merch o'r enw Margaret (Beg) ddaeth yn fam i Beti Watson, un o drigolion gweithgar Trem y Foel, Rhuthun. Gwraig weddw oedd Susanah Lloyd, Bryn Golau. Yr oedd ei gŵr, Robert, wedi marw yn 1887. Syrthiodd i lawr grisiau llofft stabal yn Pool Park a bu yno drwy'r nos a bu farw o oerfel. Yr oedd Susanah yn magu Maggie, ei wyres naw oed o Bootle.

Yr oedd un pâr o efeilliaid yn y plwy; Jane a Margaret, merched 6 oed i Harry a Catherine Edwards, Tan y Bwlch. Y rhai hynaf oedd Anne Hughes, gwraig weddw yn wreiddiol o Langwm oedd yn 88 ac yn ddall; Hugh Jones, Ty'n y Ffordd (78); Ellen Jones, gwraig weddw yn y byw yn y Llan hefyd yn 78 a Robert Davies, Tyddyn Bach (75). Ymysg y genhedlaeth newydd cawn Margaret E Jones y Fach yn 2 fis; James Austin, Minffordd a Robert Edwards, Tan y Bwlch yn 4 mis. Eraill dan eu blwydd oedd Margaret Davies, Tyddyn Bach, David Hughes, Pencraig, Susannah Edwards, Pen y Bryniau a Mary E Morris y Llan.

Yn 1891 dim ond rhyw ddau gant a hanner oedd yn y plwy a phob un wan jac yn siarad Cymraeg. Ganwyd tri y tu allan i Gymru sef Mary Trewren Thomas yr Hand o Gernyw, Maggie Lloyd wyres Susannah Lloyd, Bryn Golau yn Bootle a William Austin, Minffordd yn Iwerddon. Un o Sir Aberteifi oedd y rheithor Richard Jennings ac yr oedd ymwelydd yn y Rheithordy y noson honno sef y Parch Daniel Davies, Llanddewibrefi, y pentref enwog lle cododd y ddaear o dan draed Dewi Sant. Yr oedd pregethwr yn aros ym Modynlliw hefo Edward Davies a'i deulu sef John Jones 71 oed o Landrillo. Yn ffermio'r Fach yr oedd Thomas Evans 39 oed ac yr oedd ganddo fo ac Elizabeth (y ddau o Llangwm) bump o blant: Alice (12) Elizabeth (7) John (6) Martha Ellen (1) a David (3 mis). Yn lletya yno yr oedd yr athro lleol, Thomas Roberts o Ddinbych.

Fel y dywedais uchod yr oedd y Sipsiwn yn hoff iawn o'r ardal ac ar ddiwedd y ffurflen Gyfrifiad dywedir bod deg Sipsi mewn pebyll wrth Bont Llyn y Gigfran, yr hynaf yn 84 a'r ieuengaf yn flwydd. Yn anffodus nid ydynt yn cael eu henwi ond mae'n siwr mai aelodau o deulu'r Woods oeddynt.

Yr oedd pump o'r enw Cadwaladr yn y plwy: Cadwaladr Edwards (71) yn Nhŷ Nant Isaf a'i nai Cadwaladr Rowlands 3 oed; Cadwaladr Davies (72) Foty Fedwen; Cadwaladr Austin (15) Minffordd a Chadwaladr Price (23) Tyrpeg. Yr oedd Rebecca Jones (83) Pen y Banc yn ddall. Y ddau hynaf yn y plwy oedd Gwen Jones, Maes Cadw (89) a William Edwards, Cefn Rofft yn 83. Cafodd Elizabeth Edwards, gwraig Cefn Rofft ddiwedd digon rhyfedd. Bu farw yn 1895 yn 91 oed ac yn ôl y *Free Press* achos ei marwolaeth oedd *'blown over by the wind'*. Ymysg yr ieuengaf yr oedd Thomas Francis Thomas yr Hand (2 fis) David Evans y

Fach (3 mis) a William Hugh Evans, Bryn Gaseg yn bum mis.

Y dyddiau hyn y mae'r ardal yn enwog am ei chantorion ac Aelwyd Bro Gwerfyl wedi bod yn cipio gwobrau Eisteddfod yr Urdd yn gyson a theuluoedd Pencraig a Phen y Bryniau a'r Brithdir a'r Vaughan Evanses wedi dilyn y traddodiad a gosod sylfeini i'r dyfodol. Yn goron ar y cyfan dyfarnwyd Gwobr Goffa John a Ceridwen Hughes i Margaret Edwards am ei chyfraniad aruthrol i ddiwylliant y fro. Derbyniodd yr anrhydedd yng Ngŵyl yr Urdd eleni – yr Eisteddfod Deledu.

Ar y gofgolofn ryfel gwelir yr enwau:

Roy Jones (29) Woodbank
Kenrick Vaughan Evans, Alwen View (31)
Holister Austin, Meadow View (32)

Y Gyffylliog - Llwydiaid yn Llu

Y Gyffylliog yn ôl Melville Richards, er bod rhaid cyfaddef mai 'Ffylliog a glywir ar lafar. Ardal ddiddorol iawn yw 'Ffylliog. Ganrif yn ôl ffermio oedd gwaith y mwyafrif o'r trigolion. Ymysg y ffermydd mwyaf yr oedd Nilig:

John Jones		pen	68	ffermio 200 acer	Cyffylliog
Elin	"	gwraig	55		Llanycil
Robert	"	mab	25		Cyffylliog
John	"	"	23		"
Ellis	"	"	21		"
William	"	"	17		"
Jane	"	merch	15		"
Catherine	"	"	13		"
Margaret	"	"	11		"

Yn ôl Cyfrifiad 1891 un o'r Cerrig oedd Elin, y wraig, nid o Lanycil. Bu **Robert** y mab yn ffermio Maes Cadarn, **John** yn y Nilig ac **Ellis** ym Mhen Lan. Daeth **Jane** yn wraig i John Davies, Cruclas a **Margaret** i Robert Edwards, Ty'n Llechwedd, Betws GG. Yr oedd yno ferch arall hefyd sef **Annie** a daeth hi'n wraig i J T Lloyd, Bryn Llan, yn 1888. Yn y Nilig yr oedd Isaac Jones, tad y bardd T Gwynn Jones, yn byw ar un adeg. Yr oedd Isaac Jones yn fab i Dafydd ac Elin Jones ac yn ŵyr i Morgan Jones, Hafodydd Brithion, Penmachno. Symudodd Isaac Jones o'r Nilig yn 1850 i Blas Dolben, Llangynhafal ac yna i'r Gwyndy, Betws-yn-Rhos ac o'r fan honno y cafodd TGJ ei enw canol.

Wedyn dyna Hafoty Wen yn 220 acer gyda Robert Roberts, gŵr gweddw genedigol o Langwm yn byw yno. Yr oedd y fferm agosaf, Hendre Uchaf, yn 365 acer gyda John Roberts, hefyd yn weddw, yn ffermio. Yr oedd Tal Cefn Isaf yn 220 acer a Tal Cefn Uchaf yn 209. Evan Roberts yn y blaenaf a William Jones yn yr olaf. Yr oedd William, mab Tal Cefn Isaf yn 22 oed. Hwn ddaeth yn ddiweddarach yn ŵr Maes Tyddyn. Yr oedd Cae Gwyn yn 240 acer gyda William ac Alice Lloyd yn byw yno. Yr oedd ef yn frawd i John Lloyd, Lodge Farm, Dinbych, Thomas Lloyd, Llawog – Cotton Hall, Dinbych wedyn, Edwin Lloyd, Llundain a Henry Lloyd, Trefriw ac yr oedd eu chwaer Ann wedi priodi John Williams, Fron, Llanrhaeadr a chwaer arall iddynt oedd mam Meilir Williams, Bryn Tangor, Erifiat wedi hynny. Yn 1895 gwylltodd ceffyl William Lloyd ar Sgwâr Rhuthun a charlamu i lawr Heol Clwyd Uchaf gan falu ffenestri, dychryn pobl a thaflu William Lloyd. Llwyddodd

William Jones, y Felin i neidio i'r awenau ac arafu'r ceffyl. Bu rhaid saethu'r ceffyl am ei fod wedi'i anafu mor ddifrifol a bu farw William Lloyd o'i anafiadau. Jane Jones, Hendre Ucha oedd gwraig Thomas Lloyd ac yr oedd Henry wedi priodi Jane Jones, Cruclas.

Soniais fwy nag unwaith am enwau sydd yn cael eu cysylltu â bro arbennig – ac wrth feddwl am y Gyffylliog daw'r cyfenw Lloyd yn syth i'r meddwl. Yr oedd amryw ohonynt o gwmpas yn 1881 – 48 a bod yn fanwl. Yn Nhyddyn Fadog yr oedd Edward Lloyd a'i deulu. Bu dau o'i feibion, John ac Edward, yn godwyr canu yn y capel. Yn y Garnedd yr oedd John ac Elizabeth Lloyd a thri o blant ac ym Mryn Eirin yr oedd Price Lloyd y saer a'i wraig a phedwar o blant. Bu ef yn athro Ysgol Sul am 48 o flynyddoedd ac yr oedd ganddo ddull nodedig o'u dysgu i ddarllen. Rhoddai enwau i lythrennau'r wyddor: Olwyn oedd O; Camfa oedd H a Fforch Dorri Eithin oedd Y – ac yn y blaen. Roedd o'n llwyddiannus iawn medde nhw! Mae'n f'atgoffa o Wyddor y Cocni: A for Orses, B for steak, C for yourself ac yn y blaen.

Yn Rhif 2 Henblas yr oedd Sam Lloyd a'i deulu a Margaret Lloyd ym Mryn Llan yn cadw melin. Un o'r Bala oedd hi ac mae ei mab John T yn cael ei ddisgrifio fel pregethwr Methodist lleol. Yr oedd yna res o dai a elwid yn Parlwr ac yn rhif 7 yr oedd George Lloyd, brodor o Lanarmon yn Iâl. John Lloyd arall yn byw yn 9 Glandŵr hefo'i wraig Elinor a thri o blant, Barbara, Miriam a Thomas J oedd yn wyth mis. John ac Elizabeth Lloyd oedd yn y Tŷ Newydd ac yr oedd ganddynt fab 18 oed, John. Daeth hwn yn adnabyddus fel y Parch John Alun Lloyd, Mochdre a'i chwaer Elizabeth yn wraig Bryn Chwarel, Pentrecelyn. Merch iddi hi oedd Dilys, mam Trebor Hughes, Rhuthun. Ac yn rhif 4 yr oedd Henry Lloyd y cigydd. Efallai mai hwn oedd Henry Lloyd, Glasynys fu farw yn 1943 ac a oedd yn frawd i Evan, Plas Bach sef tad Humphrey, Diffwys, William David, Groesffordd, R J Lloyd, Prestatyn, Mrs Evans, Arllwyn, Mrs Thomas Jones, Dinbych, Mrs R J Jones, Llidiart y Sais a Mrs Owen Jones, Rhuthun.

Rhaid sôn am un teulu arall cyfarwydd. Yn Llys yr oedd John N Bumby yn ffermio, ei wraig ac yntau o Fanceinion. Ganwyd dau o'u plant (Joseph fu'n byw yn y Llys ar ôl priodi Elizabeth Morris, Nant Ganol, ac Anne, priod John Jones, Sgeibion) yn Swydd Caer a dau yn y Gyffylliog (John fu'n ffermio Plas Trefor ac Emma, priod John Owen, Sgeibion a Phenrhos, Rhuthun). Daethant yn Gymry Cymraeg gweithgar yn y fro. Dwy o ferched Joseph Bumby'r Llys oedd Mary Ellen, priod Idwal Stanley Evans, Coed y Gawen a Beatrice Selina gwraig Peter Ellis Edwards, arferai fyw yn Mount Villa, Rhuthun sef rhieni Olga, Non, Ceri a'u brodyr.

Yr oedd un ar ddeg yn byw ym Maes Cadarn sef Hugh a Hannah Hughes a naw o blant. Yr oedd Hugh Hughes yn flaenor yng nghapel Hiraethog ond tua 1885 ymfudodd ef a'i deulu i America. Bu farw'r olaf o'r teulu, David y mab, yn UDA yn 1954 yn 77 oed. Ymhlith crefftwyr y fro yr oedd John Jones y Ffatri Wlân gyda chwech o blant yn cynnwys efeilliaid 4 oed, Robert ac Anne. Yr oedd Mariah Thomas yn ffermio yn y Pentre ac y mae ei dwy chwaer, Catherine ac Elizabeth yn cael eu disgrifio fel 'Sisters of all work' – y creaduriaid bach.

Pwy oedd yn cadw siop y pentre? Enw cyfarwydd iawn: Hugh Thomas a'i chwaer Anne. Yn Llandrillo y ganwyd nhw, eu tad, Griffith Thomas, yn gipar y Palé, ac yr wyf wedi sôn amdanynt o'r blaen gan bod Hugh Thomas yn frawd i John Thomas, yr Hand, Betws a Thomas Thomas, Heulfre, Dinmael. Priododd Hugh Thomas yn gyntaf â Sarah Jane Lloyd, merch John Lloyd, groser Dinbych, yn 1883 (gan Thomas Gee) ond bu hi farw yn 21 oed ar enedigaeth plentyn. Ei ail wraig oedd Mary, merch John Lloyd, Glan Hesbin, Llanelidan, er mai yn y Tai Teg, Melin y Wig y ganwyd hi. Bu hi farw yn 1962 yn 99 oed. Ymysg disgynyddion y ddau yma yr oedd llawer o siopwyr – a meddygon – Derfel Thomas, Rhuthun, Goronwy Thomas, Lerpwl a J G Thomas, Dinbych yn eu mysg. Yn 1918 dyfarnwyd yr MC (Military Cross) i J G Thomas. Bu farw yn 1968 ac mewn teyrnged iddo dywedir nad oedd erioed wedi cymryd gwyliau na diwrnod i ffwrdd o'i waith fel meddyg yn Ninbych. Yr unig egwyl a gafodd oedd hanner diwrnod ym mis Awst 1939 pan aeth i wrando ar Lloyd George yn areithio yn yr Eisteddfod Genedlaethol yn Ninbych. Yr oedd yn fardd cymeradwy iawn. Mab iddo yw'r Dr Gwyn Thomas, Dinbych. Am fwy o fanylion am y teulu hwn dylid edrych ar gyfrol Bessie Maldwyn Williams, merch Hugh a Mary Thomas, Dwyn mae Cof – cyfrol sydd yn gyfraniad derbyniol iawn i hanes lleol (Gwasg y Sir 1970).

Yr hynaf yn y plwy oedd Mary Jones, Cae'r Hafod, oedd yn wraig weddw, genedigol o Bentrefoelas, ac yn ffermio 110 acer hefo'i mab Thomas. Y drws nesaf ond un yr oedd William ac Ellinor Jones yn byw ac yr oedd ganddynt fab 12 oed o'r enw John William ac yn 1886 aeth ef i Lerpwl i weithio fel saer coed i gwmni David Roberts. Naw mlynedd yn ddiweddarach priododd â Sarah Catherine Owens o Lanrhaeadr y Mochnant. Ganwyd iddynt bump o blant a bu'r pedwar mab yn y busnes adeiladu gydol eu hoes: Rowland Owen (1898-1964) William Glyn (1900-1986) Howell Vaughan (1913-1979) a Trevor. Bu farw eu merch, Gladys Elinor ym Metws-yn-rhos yn 1992. Cododd J W Jones dai yn Sefton Park, Allerton, Childwall, Wavertree, Anfield ynghŷd â stadau tai yn Latchill, Springwood, Speke, a Huyton. Bu'n gwasanaethu ar Gyngor Dinas

Lerpwl, ac yr oedd yn drysorydd ac yn flaenor yng nghapel Cymraeg Heathfield Road. Bu farw yn 1945. Priododd ei fab Howell Vaughan â Gwenfyl, merch E Tegla Davies. Bu hi farw yn 2000. Mae lluniau o'r teulu a'u cerrig beddi yn y gyfrol *Hanes Cymry Lerpwl* gan D Ben Rees 1997.

Yr ieuengaf yn y plwy oedd Jane E Jones, Nant Isaf, deufis oed. Y fydwraig leol oedd Marged Jones, Bontfaen. William Jones o Lanarth, Sir Aberteifi, oedd y ficer a'i wraig Sophia o Swydd Caint. Sut oedd hi'n dod i ben mewn ardal mor Gymreig? Y tafarnwr yn y Llew Coch oedd William D Hughes ac os oedd arnoch angen olwyn rhaid oedd mynd at James Evans, Ysgubor Isa. Roedd ei dad Daniel yn saer. Un arall oedd yn teimlo braidd ar goll buaswn feddwl oedd George Street (23) o Derby. Ef oedd y prifathro. Neu efallai mai'r plant oedd ar goll. Diolch bod synnwyr cyffredin wedi meddiannu'r byd addysg a bod y Gyffylliog wedi cael prifathrawon o safon Stanton Roberts, Llewelyn Williams, Susan Hughes ac Ann Lloyd, i enwi dim ond pedwar.

Heblaw am y llu Llwydiaid yn y plwy yr enwau cyffredin Cymreig oedd yn teyrnasu. Er enghraifft, yr oedd yna John Jones yn was ym Mhlas Meredydd ac un arall yn ffermio yn y Nant Isaf; John Jones a'i deulu mawr yn y Ffatri ac un arall yn was ym Mhenlan, John Jones ym Mhenbedw a Thai Uchaf a dau yn y Nilig; John Jones yn y Tŷ Uchaf a Hafoty Braich Ddu a'r Hendre Uchaf a Dôl Lechog a Thal Cefn Isaf a Thal Cefn Uchaf. Yr oedd yna John Jones yn was yn y Cruclas ac yn ffermio Ffridd Arw a thad a mab yn Nant Ladur ac un arall yng Nghae'r Hafod. Un arall yn y Tyddyn Bach, tri yn y Pistyll Gwyn ac un ym Mhenllwyn. Maent yn ddiddiwedd. Prin y gwelid enw Cymraeg: heblaw am Cadwaladr Ellis, Cefn y Groes, Cadwaladr Roberts, Tan y Graig, Cadwaladr Jones, Bryn Llwyd a'i fab o'r un enw, Hywel Jones, mab 4 oed Derwen Fawr, Cadwaladr Hughes 8 oed ym Maes Cadarn a dyna nhw! Yr oedd Cadwaladr Jones, Bryn Llwyd, gyda llaw, wedi priodi chwaer i daid y Parch J T Roberts, 'Gŵr y Doniau Da' sef merch Pentre Potes, ac yr oedd ganddynt nifer o feibion yn cynnwys **Robert** a fu'n brifathro coleg yn Cherrapunji yn yr India cyn ymddeol i Brestatyn; **Thomas Ellis** a gafodd radd mewn athroniaeth o Brifysgol Glasgow, a fu'n athro yng Ngholeg y Bala ac yn olygydd *Y Drysorfa* am rai blynyddoedd a **Joshua** a fu farw yn 92 oed yn 1954 wedi bod yn flaenor yn y Gyffylliog am dros hanner can mlynedd. Ellen Jones, Parc, Llangwm oedd ei wraig. Nith merch chwaer iddynt oedd Margaret Jane, priod R H Williams, Fron Fawr, Pentrecelyn. Mae'n dal yn rhyfeddod bod ffermydd tlawd a diarffordd wedi magu cymaint o ysgolheigion er gwaethaf yr addysg wachul oedd ar gael yn amlach na pheidio.

Yn ôl Cyfrifiad 1891 yr oedd rhyw bedwar cant ac ugain yn y plwy a phob un namyn chwech yn siarad Cymraeg. Y chwech uniaith Saesneg oedd Frederick J Bogg, cipar o Swydd Norfolk yn byw yn Nhy'n Llidiart; Elizabeth Williams o Sutton, Swydd Gaerhirfryn, gwraig John Williams, gofalwr Plas y Fachlwyd; gwraig y rheithor a'i merch Clarice; Margaret, cogyddes yn y ficerdy a brodor o Lanynys ac Eleanor Bumby, gwraig weddw Plas Trefor. Yr oedd ei phlant yn siarad Cymraeg.

Yr oedd yno 42 o Lwydiaid: Thomas Lloyd a'i deulu yn y Fachlwyd Uchaf; William ac Alice Lloyd yn Cae Gwyn; Shem ac Elinor Lloyd a phump o blant yn yr Henblas; Price a Jane Lloyd a'u dau fab yn Henllwyn; John ac Elinor Lloyd a'u teulu (yn cynnwys Miriam 17 oed oedd yn *pupil teacher*) yng Nglandŵr; Edward a Margaret Lloyd yn Nhyddyn Madog a John T Lloyd a'i deulu yng Nglan Corris. Yr oedd Thomas Lloyd y Felin wedi mynd i weithio i Benbedw yn y Gwaith Nwy ac yn 1894 fe'i lladdwyd pan syrthiodd oddi ar y wagen ac aeth yr olwynion trosto.

Symudodd J T Lloyd o Lan Corris i Blas Meredydd. Daeth yn ddyn gweithgar a dylanwadol iawn, yn Gynghorydd Sir, yn Rhyddfrydwr pybr, yn flaenor ac Ynad Heddwch ac yn un o lywodraethwyr Ysgol Brynhyfryd. Bu farw fis Hydref 1934. Un plentyn oedd ganddo ef ac Anne (merch y Nilig) yn 1891 sef **John T** oedd yn 6 mis oed. Aeth y plentyn hwn i'r India a bu'n brifathro ar Ysgol Dr Graham yn Kalimpong 1931-51. Mab iddo yw John Grey Lloyd, y cyfreithiwr. Wedi i'r teulu ddychwelyd o'r India bu ei wraig yn athrawes yn Ysgol y Merched y Bala ac yr wyf yn cofio ei bod yn sôn llawer am yr India ac am ei phlant, John, Anne a Nesta. Ganwyd chwe mab arall i J T ac Anne Lloyd sef **R A Lloyd** (aeth hefyd i'r India); **W Ellis Lloyd** , MSc (a fu'n ymgynghorydd amaethyddol yn Sir y Fflint ac a dderbyniodd yr OBE a Medal Gee; bu farw yn 90 oed yn 1982 a merch iddo yw'r Dr Rhiannon Lloyd); **Thomas Edwin Lloyd; Edward Hugh Lloyd; Ieuan Gwynedd Lloyd** (a fu farw'n 7 oed yn 1910) a **Trefor Morris Lloyd**. Bu farw'r olaf yn 1996 ac ef oedd tad y delynores Morfudd Maesaleg (sydd wedi priodi Morien Phillips); y delynores Meinir Maesaleg (sydd wedi priodi Peter Hughes Griffiths); Bronwen (sydd wedi priodi Elwyn Wilson Jones) a Geraint (a briododd â Beti o Drawsfynydd). Teulu dawnus iawn oedd Llwydiaid Plas Meredydd.

Yr oedd Hugh Thomas y Siop wedi ailbriodi erbyn hyn ac yr oedd ganddo ef a Mary ddau fab – Gwilym yn flwydd a John Griffith yn ddau fis – y meddyg y soniais amdano eisoes. Yr oedd popeth arall ar gael yn y fro. David Salisbury, Tŷ Gwyn, y saer; David Jones, Ysgubor Isaf, y bugail; Thomas Roberts, Plasafon, John Hughes, Hen Ysgoldy a Chadwaladr Evans, Tŷ Draw, tri theiliwr; William Jones, Hafoty Braich

Ddu yn dal tyrchod; Miriam Hughes y Bont yn gwnio; Edward Evans y Ffatri'n nyddu gwlân (brodor o Lanfor), John T Lloyd y melinydd a nifer fawr o ffermwyr. Ac yr oedd yna ambell i gymeriad diddorol hefyd. Margaret Evans, Tŷ Newydd, er enghraifft. Un o Lanycil oedd hi ac yr oedd yn byw hefoi'i gŵr Edward Evans oedd ddeng mlynedd yn iau na hi. Yn 1910 pan oedd yn 88 oed bu ei hanes yn y wasg oherwydd mai hi oedd yn gwau sanau i Lloyd George. Ym Mhlas Ifan yr oedd Bet y Teiliwr yn byw. Un o Dreffynnon oedd hi ac yr oedd yn hen-nain i hanner cant o blant ac yr oedd ganddi un 'ysgynnydd'. Yr oedd hwn yn air dieithr i mi ond wedi tipyn o chwilota darganfûm mai ei ystyr yw plentyn i or-ŵyr. Hynny yw, yr oedd hi'n hen hen nain.

Yr oedd Cadwaladr Evans, Tŷ Draw (26) yn enedigol o Lanfihangel Glyn Myfyr a'i wraig oedd Elizabeth, merch Joseph Harnaman, Swyddfa'r Post, Clocaenog ac yr oedd ganddynt dair merch (Mary Ellin yn 4, Anne Winifred yn 2 ac Elizabeth yn 11 mis). Teiliwr gwlad ydoedd o ran galwedigaeth ond fe ddywedid mai'r rheswm nad oedd yn ddyn cyfoethog oedd ei fod yn gwneud dillad rhy rad oedd yn para'n rhy hir! Yr oedd hefyd yn trwsio clociau ac yn torri beddau a bu'n glochydd Cyffylliog am hanner can mlynedd. Yn 1947, pan oedd yn 81 oed, gwnaed tysteb iddo o £67.

Munud i feddwl rwan – i gofio ffawd Enoch Evans, Cefn Iwrch Bach. Yn 1906 cafodd andros o ffrae hefo'i nai John o Ganada ar Sgwâr Rhuthun ac fe syrthiodd yn farw.

Ceir hanes y cwest yng ngwasg y cyfnod er na ddywedir beth oedd asgwrn y gynnen. Mae'n debyg mai pres. Os ydych chi'n perthyn iddo, yna fe wyddoch yr hanes efallai! Yn ôl Pierce Owen yn *Hanes Methodistiaeth Dyffryn Clwyd* yr oedd Enoch yn flaenor ffyddlon ac yn cydweithredu hyd yn oed os nad oedd yn cydweld. Mae angen pobl felly yn y gymuned. Tybed a wyf yn gywir yn meddwl mai mab iddo oedd Enoch Evans, Pencraig y Betws a gynhyrchodd gymaint o blant cerddorol – yn cynnwys Price Evans, Llidiart Fawr, Llangynhafal (taid Huw a Iolo McGregor, offerynnwyr da), Ceri Owen, Hafod y Gân, Margaret Edwards a'i phlant, Fron Ddwyryd a Beryl Lloyd Roberts cyn-arweinydd Côr Pwllglas. Cywion o frîd.

David E K Davies oedd yr ysgolfeistr 25 oed a'i wraig yn 24 – y ddau'n dod o Langynwyd, Sir Forgannwg – ardal y Fari Lwyd. Y Llew Coch oedd y dafarn ac yn ei chadw yr oedd John H Hughes o Dreffynnon a'i wraig Ann o Ddinbych. William Rees Williams o Lanarth oedd y rheithor (76), un o Senior Wranglers Prifysgol Caergrawnt, wedi graddio o Goleg Sidney Sussex. Yr oedd ei wraig yn chwaer i Robert Potts, mathemategydd enwog yn ei ddydd. Bu farw'r ficer yn 1900 yn 85 oed.

Nid oes sôn am weinidog, efallai am nad oedd yno dŷ gweinidog ar y pryd. Yr oedd y nodedig Isaac Jones, Nantglyn yn bwrw'r Sul gyda theulu George Thomas yn y Tŷ Gwyn. Yr oedd yn 60 oed.

Ymysg yr enwau Cymraeg prin ceir Rowland Jones, Pistyll Gwyn, Hywel Jones, Tyddyn Bach, Gwilym Thomas y Siop (a fu'n cadw siop yn Ro Wen gydol ei oes), Gwen Evans, Ffynnon Ddu a Blodwen Jones, Isgaerwen. Ac yr oedd Cadwaladr Jones, yn dal i fyw ym Mryn Llwyd. Y person hynaf yn y plwy oedd Edward Humphreys, Tŷ Brith (87) gynt o Fodynys y Rhewl a thad-yng-nghyfraith Thomas Jones, Plas Coch (gweler y bennod ar Lanychan a Llanynys), a'r ddau ieuengaf oedd John Griffith Thomas y Siop a Tryphena Jones, Hafoty Braich Ddu yn 5 mis. Yr oedd un pâr o efeilliaid sef John a Margaret, plant 5 oed i Elias a Jane Jones, Gil.

Heblaw am y Llwydiaid y mae teulu'r Salsbriaid hefyd wedi bod yn gysylltiedig â'r fro hon ac yn 1891 ceir David Salisbury, gweddw, saer 72 oed yn y Tŷ Gwyn hefo Mary Edwards, ei ferch weddw. Merch y Felin oedd Elizabeth Salisbury a fu farw'n 100 oed yn 1982. Daeth yn wraig fferm y Foxhall yn Henllan sef mam Tecwyn, Gwynedd, Caradog, Emlyn a Menna Morris. Nid oedd pobl yn mynd ymhell i chwilio am gymar bywyd a cheir cofnod yng ngwasg y cyfnod (y *Free Press, North Wales Times, Y Faner* ayb) o briodasau Henry Lloyd a Jane Jones, Cruclas; Jeannie Jones (Llinos Lleinwen) Penlan a John Williams, Siop Cynfal; John R Lloyd, Hengoed a Jemima Jones, Pylle Clai; Robert Lloyd, Cae Gwyn ac Anne Jones, Bryn Bug, Llanrhaeadr; John Lloyd, Tyddyn Madog ac Alice Jones, Glan Corris; Evan Lloyd, Fachlwyd Ucha a Hannah Jones, Nant Uchaf; Cadwaladr Jones, Pentre ac Alice Roberts, Foel Ucha. Gyda llaw, yr oedd brawd Jemima, sef John Elias Jones, Pyllau Clai, wedi priodi chwaer Wil Oerddwr oedd yn gefnder i T H Parry-Williams – arferai weithio yn y Parc.

Achoswyd chwyldro yng nghefn gwlad Cymru gyda dyfodiad y beic pan aeth y llanciau y tu hwnt i ffiniau eu plwyfi i chwilio am wraig! Ond pur anfoddog oedd trigolion cefn gwlad i dderbyn unrhyw beth newydd. Yr oedd Evan Jones, y codwr canu yn y Gyffylliog, yn ddychrynllyd o flin a chas pan glywodd bod y capel wedi pwrcasu organ a'i eiriau oedd eu 'bod yn amharchu Tŷ Dduw drwy ddod â'r hen ferfa yne yma i gadw sŵn'. Ni faddeuodd i'r arweinyddion a'r bobl ifanc am hynny.

Gwrthrych pur angherddorol yw berfa ar y gorau ond y mae'r Gyffylliog wedi cynhyrchu nifer o bobl gerddorol – soniais eisoes am ddisgynyddion Enoch Evans. Ychwaneger Morfudd Maesaleg, Bethan Bryn a Meinir Lloyd, ac fe welir bod yna rywbeth yn y pridd yno!

Llanferres – I Fyny'r Bwlch

Awn i gyfeiriad pur wahanol yn awr sef i fyny Bwlch Pen Barras tua'r Wyddgrug. Esgob Tours yng ngogledd Ffrainc oedd Sant Berres ac yn y 5ed ganrif sefydlodd gell yma. Dim ond un eglwys arall sydd wedi'i chysegru iddo a honno ym Morgannwg. Ond y mae yna esboniad arall ar enw'r lle hefyd sef y Llan ar ben Pen Barras. Dyna enw'r Bwlch sydd yn ein harwain i lawr i Rhuthun gyda golygfa fythgofiadwy o Ddyffryn Clwyd o'i frig. Dywedir mai ymateb y bardd Tennyson i'r olygfa oedd taflu ei het i'r awyr ac ebychu 'Well done, God!' Mab enwocaf y plwy hwn yw'r Dr John Davies (1570-1644) mab i wehydd lleol a addysgwyd yn Ysgol Rhuthun a Choleg yr Iesu, Rhydychen. Yn 1604 penodwyd ef i fywoliaeth Mallwyd ac fel Dr John Davies Mallwyd yr adweinir ef yn bennaf. Fe'i cofir yn arbennig oherwydd iddo gyhoeddi llyfr gramadeg Cymraeg a geiriadur Cymraeg-Lladin – heb sôn, wrth gwrs, am ei gyfraniad i Feibl Cymraeg 1620. O dan yr hollt yn wal ddwyreiniol yr eglwys gwelir I.D. STD 1650 sef carreg goffa i John Davies. Medrir gweld hon o'r briffordd. Enwyd ysgol bresennol y pentref ar ei ôl.

Y drws nesaf i'r eglwys y mae tafarn y Druid a'r hyn oedd yn hynod amdani oedd bod y cwrw'n cael ei gadw yn y fynwent gan fod y seler o tani! Y mae'r plwy'n cynnwys Maeshafn, Tafarn y Gelyn, Loggerheads a Chadole (sef Cat Hole – hollt gul i fynd i mewn i'r gloddfa) ac y mae afon Alyn yn llifo drwy'r plwy ac yr oedd ar un adeg yn cynnal dwy felin flawd a melin goed. Yr oedd yna fwyngloddiau yn Llyn y Pandy, Maeshafn, Nant y Bog, Eryrrys, Helygain, Cadole, Llanferres a Phant Du. Prif berchnogion y pyllau oedd y teulu Grosvenor (Dug Westminster) a Wynne, Coedllai. Rhoddwyd yr hawl i Syr Richard Grosvenor i gloddio ym mhlwy Llanferres a chantref Iâl gan Charles 1 yn 1634. Ddechrau 2000 fe fu rhyw anghydfod rhwng Dug Westminster ac Elisabeth II ynglŷn â pherchnogaeth y tir. Nid oes ar yr un o'r ddau ei angen.

Yn 1881 yr oedd Llanferres yn blwy eithaf mawr ac yr oedd nifer helaeth o fewnfudwyr yno, llawer ohonynt wedi dod dros Glawdd Offa i'r gweithiau mwyn. Yn wir yr oedd y rhan fwyaf o drigolion Maeshafn yn gysylltiedig â'r gwaith mwyn. Yn 1881 yr oedd 62 o'r plwyfolion wedi'u geni yn Lloegr, naw yn yr Alban a phedwar yn Iwerddon. Ffermio oedd y gweddill gan fwyaf. Y dair fferm fwyaf oedd Fron Hen (200) lle'r oedd Henry a Jane Edwards yn byw; Plymog (160) gyda Robert R Jones a'i wraig Catherine a dau fab ifanc Edward R a John H a Thy'n Llan (100 acer) cartref John Griffiths a'i fab George.

Y plismon lleol, John Challoner, oedd yn Rhos Cottage hefo'i wraig

Joanna a phump o blant. Yno hefyd yr oedd ei fam-yng-nghyfraith Elizabeth Lewis a oedd wedi'i geni yn Gwinear, Cernyw. Un o Lanasa oedd Thomas Davies y prifatho. Yn yr efail yr oedd Robert Edwards, ei wraig Mary o Fagillt a chwech o blant. Un o Fiwmares oedd y rheithor, James N Owen. Eraill oedd wedi dod o bell oedd James McKay, beiliff o'r Alban, Henry Tippett, Bryn Saeson Ucha o Gernyw, Thomas Mayor, gwerthwr llestri, o Newcastle on Tyne a James Derrick, plismon o Wroxall yng Ngwlad yr Haf. Yr oedd Henry Tippett yn 72 oed ac yn cael ei ddisgrifio fel un wedi colli ei synhwyrau. Ond yr oedd ganddo wraig 43 oed a phump o blant, yr ieuengaf, William, yn flwydd.

Yr oedd yno ddwsin ym Mryn Bowlio sef Thomas Jones yn ffermio can acer, ei wraig Mary, pump o blant, dau was a morwyn, ei chwaer a nai o Laneurgain. Un ar ddeg ym Mhentre Cerrig sef Robert Edwards a'i deulu gan gynnwys plant gydag enwau mwy anghyffredin na rhelyw'r trigolion; Julia, Lavinia, Rhys ac efeilliaid dwyflwydd oed, Jane Maria Pryor a Harriet. Onid yw rhieni'n gwneud pethau od weithiau – rhoi tri enw i un ferch a dim ond un i'w hefaill!

Yr oedd cymysgedd rhyfedd ym Mhlas Colomendy gan gynnwys Eleanor Jane Bruke, *governess* i'r plant, brodor o Kilkenny yn Iwerddon (lle enwog am gathod ymladdgar yn ôl yr hanes). Yr oedd gan wraig y plas *'lady's maid'* o'r enw Dorine L Yersin oedd wedi'i geni ym Moyes yn y Swisdir. Dyna i chi swanc.

Thomas Williams o Gilcain oedd y melinydd ac yr oedd ganddo fo a Jane o Bantymwyn chwech o blant: John (21) wedi'i eni yn Lerpwl, Robert (12) Price (10) Sarah (8) Harriet (6) a Naomi (2). Yr wyf yn tynnu sylw atynt oherwydd daeth Harriet yn wraig i William Edwards, adweinid yn well fel Gwilym Deudraeth oedd yn englynwr ffraeth ac yn frawd i Fanny Edwards oedd yn ysgrifennu llawer o straeon yn *Cymru'r Plant* ers talwm.

Yr oedd yna efeilliaid hefyd yn Aberdynan sef Lewis ac Alice Lindsay 12 oed wedi'u geni yng Nghaint a phâr arall, Arabella a Maria Edwards (3 mis) ym Maes Hafn. Y rhai hynaf yn y plwy oedd Elizabeth Williams (96) mam-yng-nghyfraith Robert Williams, Ty'n y Wern (ac yn cael ei disgrifio fel *imbecile,* yr hen greadures ffwndrus) Jane Ellis (80) mam David Ellis, mwynwr, Maeshafn, John Jones (80) asiant y pwll, brodor o Dderwen yn byw ym Mhant Rhedynog a Margaret Edwards (82) mam-yng-nghyfraith John Edwards, Erw yr Olchfa. Yr oedd nifer fawr o fabanod – yn eu plith Emily Williams, Llwyn y Moelyn (mis) Sarah Catherine Richards (5 mis) Aberdynan, ei thad o Lanfor a'i mam o Ysbyty Ifan, Hannah Jones, Pen y Bryn yn 14 diwrnod, a John D Jones, Pant Du yn wythnos oed.

Yr oedd yna enwau persain mewn bro oedd yn prysur Seisnigo – Tyddyn y Fawd, Tŷ fy Nain, Bryn Saeson, Erw yr Olchfa, Cae Cymro a Tyddyn Dows. Yr oedd nifer hefyd yn arddel cyfenwau nodweddiadol o'r fro. William Goodwin a'i deulu yn byw yn y Red Lion hefo'i dad a'i fam-yng-nghyfraith, John a Sarah Jones; Peter a Sarah Goodwin a'u dau fab ym Mhen y Waen; a'r drws nesaf yr oedd Ruth Goodwin a'i merch Miriam; a George a Mary Goodwin yn Nhyddyn Dows.

Ddeng mlynedd yn ddiweddarach yr oedd y plwy yn cynnwys rhyw bum cant a hanner o drigolion ac yr oedd nifer fawr ohonyn nhw yn uniaith Saesneg – llawer wedi dod i weithio yn y gweithiau plwm. Ymysg y rhai uniaith Saesneg yr oedd Jennie Humphreys o Pelsall, Swydd Stafford, gwraig y prifathro, Robert Humphreys o Fangor (oedd yn ddwyieithog ond ei frawd Edward (21) uniaith Saesneg yn byw yno hefyd a'i waith oedd rheolwr caffi). Saesneg hefyd oedd iaith teulu Pont y Mwynwr sef Henry Potts, Ynad Heddwch, brodor o Gaer yn byw ar ei bres ac yr oedd ei wraig Eleanor wedi'i geni yn Kamti yn yr India. Yr oedd yno nifer fawr o staff yn cynnwys nyrs o'r enw Mary Weaver a chogyddes gydag enw addas iawn – Patience Witt. Angen y ddau beth arni mae'n siwr. Yng ngorsaf yr heddlu cawn Evan Williams (49) cwnstabl o Garthbeibio, Sir Drefaldwyn ac yr oedd yn siarad y ddwy iaith. Un o Lanerfyl oedd Mary ei wraig uniaith ac yr oedd ganddynt dri o blant, Joseph a Benjamin, efeilliaid 12 oed a Sinah oedd yn 11. Ganwyd y tri ym Mhentrefoelas.

Yr oedd yno ficer gwahanol erbyn hyn ar hen eglwys John Davies, Mallwyd, sef Hugh William Jones o Aberteifi a'i wraig Elizabeth Margaret o Lanbadarn Fawr, y ddau'n siarad Cymraeg ond eu plant i gyd yn uniaith Saesneg. Mae'n amlwg mai o Aberfan y daeth y teulu i Lanferres oherwydd yno y ganwyd y pedair merch hynaf: Florence Elizabeth (13) Beatrice Margaret (11) Muriel May (9) a Gwendoline (7). Ganwyd Alice Maude (4) a Harold Charles (5 mis) yn Llanferres. Do, fe fu nifer o hen bersoniaid llengar ond gwnaeth llawer ohonynt niwed mawr hefyd os edrychwn ar iaith aelwydydd offeiriaid ein pentrefi yn ystod y ganrif ddiwethaf. Ac eto, yn rhyfeddol, yr oedd yna nifer fawr o'r trigolion oedd wedi mudo yma i Lanferres ac wedi dysgu'r iaith oherwydd y maent yn cael eu disgrifio fel rhai dwyieithog e.e. Sara Catherine Morgan o Cumberland oedd yn forwyn yn y Colomendy; Elizabeth, gwraig Thomas Jones, Pen y Bryn, brodor o Thornton Common, Swydd Caer a Jane, gwraig Peter Jones, Pant Rhedynog, oedd wedi'i geni yn Penzance, Cernyw.

Dyma fanylion dwy o'r ffermydd llawn y noson honno:

PLYMOG

Thomas Jones	pen	46	Ffermwr	Llanfair DC
Elizabeth "	gwraig	44		Bryneglwys
Mary Lloyd "	merch	21		"
Edward Lloyd "	mab	19		Llanbedr
Jane Elizabeth "	merch	17		"
Edith Anne "	"	15		"
John Owen "	mab	14		"
Richard Parry "	"	12		"
Thomas Alun "	"	10		"
Robt Herbert "	"	8		"
Ivor Lloyd "	"	5		"
Mabel Parry "	merch	2		Llanferres
Gwladys Helena "	"	2 fis		"

Mab Richard ac Elizabeth Jones, Tyddyn Uchaf, Pentrecelyn oedd Thomas Jones a'i wraig yn ferch i Owen ac Elizabeth Lloyd, Tal y Bidwel Bach, Bryneglwys, ac felly yn chwaer i Winifred Powell, Trewyn, Llanelidan. Cyn symud i'r Plymog yr oeddynt yn byw yn y Rhiwisg, Llanbedr DC. Beth fu hanes eu plant niferus? Priododd **Mary Lloyd** â Robert Beech, Tyddyn, Pentrecelyn. Aeth **Edith Anne** (a briododd Edward Beech, Perthi Chwarae yn 1902) a **John Owen** i Seland Newydd ac yn 1910 priododd yr olaf â Sarah Anne Jones, merch Maes Llan, Llanferres yng nghapel Wesle Hawera Tarapaki, Seland Newydd. Y tystion oedd Edith Anne ac Edward Beech, Karkaramea. Bu farw **Thomas Alun** yn Rhodesia. Collwyd **Ivor Lloyd** yn ifanc a daeth **Mabel** yn wraig i Edward Smith, Sinet, mab Joseph Smith, Bacheirig, a'i chwaer **Gwladys Helena** yn wraig i Arthur Smith, Bacheirig. Merch i'r ddau olaf yw Elsa Owen Jones, Pool Park, mam Rhian Jones, Lodge Pool Park, Clocaenog. Pan briododd Mabel ac Edward Smith fis Mai 1913 argraffwyd rhestr hir o'r anrhegion priodas yn y *Denbighshire Free Press*. Er enghraifft, rhodd y priodfab i'w wraig oedd cadwen aur a phendant ag arni gerrig rhuddem a pheridots tra mai anrheg Mrs Jones y Plymog i'w merch oedd gwely plu. Daeth pluen estrys oddi wrth Edward Beech bob cam o Seland Newydd. Cawsant hefyd gloc marmor gan gapel Salem. Dywed Rhian wrthyf bod nifer o'r anrhegion yn dal yn eiddo i'w theulu. Rwyf wrth fy modd yn clywed pethau felly!

TY'N LLAN

Godfrey Roberts	pen	57		Ffermwr	Tŷ Cerrig, Corwen
Ellen "	gwraig	52			Llanfor, Bala
Robert Jones "	mab	31			"
David Ceridwyn "	mab	23		Pregethwr MC	Penycoed, Corwen
Richd Godfrey "	mab	19 } efeilliaid			Corwen
Jane Ellen "	merch	19 }			"
Hugh "	mab	16			"
Evan "	mab	14 } efeilliaid			"
Mary "	merch	14 }			"
John "	mab	12			"

Mab Robert Roberts, Tŷ Cerrig Pencoed, Corwen oedd Godfrey ac wedi bod yn ffermio Nant Fawr cyn symud i Lanferres. Yn 1863 yr oedd wedi priodi Elin merch David Jones, Penbont, Cynwyd. Bu iddynt o leiaf dri ar ddeg o blant. Yr oedd yno ddwy set o efeilliaid. Soniais amdanynt yn y bennod ar Gorwen. Ganwyd eu merch **Catherine** yn 1865 a bu farw yn 25 oed a'i chladdu ym mynwent Rhiw Iâl. Yr oedd yna **Elizabeth** aeth i Lerpwl ac **Owen** a gafodd ferch o'r enw Mary Elizabeth fu farw yn Bolingbroke Heights yn y Fflint. Bu **Jane Ellen** yn cadw Swyddfa'r Post yn Henllan, a **Hugh** yn ffermio Ty'n y Caeau, Cilcain ar ôl priodi Sarah Mabel Jones, fferm Nant Meifod, Llansansior. Daeth **Evan** yn ddyn busnes amlwg yn Rhuthun, perchen siop groser a chrasdy Leamington Stores. Priododd â Hannah, merch John Jones, Tywysog, Graigfechan, gwerthwr glo. Wedi hynny bu'r busnes yn Rhuthun yn cael ei redeg gan eu dwy ferch, Kit a May a'u mab-yng-nghyfraith Trefor Lewis Jones. Cymerwyd y busnes drosodd wedyn gan Glenys, merch Kit a Trefor Lewis Jones. Mae hi'n wraig i George Whittingham, Fferm Llanbedr, yn wreiddiol o Blas Iorcyn ger Wrecsam. Erbyn heddiw y mae yna nifer o siopau gan gynnwys siop gigydd y Brodyr Jones, Ffynnon Tudur, Danteithfa, siop drin gwallt a siop flodau a swyddfeydd, oll ar y safle lle bu Leamington Stores gynt. Bu **John** yn cadw siop yn Love Lane, Dinbych. Ganwyd **Alun** a **Lloyd** iddynt hefyd. Bu farw Godfrey Roberts, y tad, yn 1897 ac Elin ei wraig yn 1913 ac fe'u claddwyd ym mynwent Rhiw Iâl.

Deuthum ar draws 'Cerdd i Foel Famau' yn y *Cymru Coch* 1892:

Er yr holl gyfnewidiadau
Fu yng Nghymru hardd ei llun.
Ni'th ysgogwyd di Foel Famau
Mae dy wedd o hyd yr un.

Yr awdur oedd **D Ceridwyn Roberts**, Maeshafn. Tybed ai hwn oedd y Ceridwyn, mab Ty'n Llan aeth i'r weinidogaeth? Ond nid wyf yn gwybod dim mwy amdano.

Mae yna ddeunydd stori fer yn hanes teulu Evan Thomas, Pant Rhedynog. Yn 1881 yr oedd yn byw hefo'i wraig Eliza (18) a'i blant Anne (10) Sarah (8) a Margaret (9 mis). Mae'n amlwg mai ail wraig oedd Eliza. Fis Chwefror 1886 yr oedd John ei mab 4 oed ar ei ben ei hun yn y tŷ hefo'i chwaer 6 oed – Margaret mae'n debyg. Fe yfodd y bychan ddŵr berwedig o big y tegell oedd ar y tân. Bu farw trannoeth mewn poen ofnadwy. Cafodd ei fam andros o row yn y cwest am adael ei phlant. Hawdd ei chondemnio – ond ni wyddom yr amgylchiadau – yr oedd yn ifanc iawn a chanddi lond tŷ o blant. Erbyn 1891 y mae gan Evan Thomas wraig arall, Louisa 29 oed o Nercwys, a dau blentyn arall Martha (5) a William (2). Be' ddigwyddodd i Eliza druan, fawr ei thrafferth?

Cysylltir rhai cyfenwau â'r ardal, Beech, er enghraifft – ac yr oedd teulu ohonynt yn Nhafarn y Gelyn sef Elizabeth Beech ac wyth o blant. Yr oedd teulu o Goodwins yn rhedeg tafarn y Druid sef Henry a Mary a chwech o blant. Un o'r Alban oedd Mary ac yr oedd y tri phlentyn hynaf (Elizabeth Hannah, John a William George) yn ddwyieithog a'r tri ieuengaf (Mary Agnes, Margaret Jane ac Amelia) yn uniaith Saesneg. William Edwards, bragwr o Wernaffield oedd yn cadw'r Loggerheads a'i wraig Jane yn dod o'r Rhyl. Yr oedd hon yn dafarn enwog gan mai'r arlunydd Richard Wilson a beintiodd yr arwydd y tu allan, arwydd o ddau benben â'i gilydd. Yr oedd Mendelssohn hefyd wedi ymweld â'r lle a'r afon Alyn y tu allan a'i hysgogodd i gyfansoddi'r darn 'The Rivulet'. Fis Tachwedd 2000 trôdd y 'rivulet' yn rhyferthwy, torri'r bont a gorlifo'n wyllt ar draws y briffordd rhwng y Loggerheads a Thafarn y Gelyn.

Y bobl hynaf yn y plwy oedd Edward Griffiths (83) Ty'n y Pistyll, John Williams (82) Maes Hafn a Mary Williams gweddw dlawd 79 oed. Ymysg y babanod yr oedd Arthur Beech, mis oed, Tafarn y Gelyn; Gwladys Helena Jones, Plymog (2 fis); Thomas Mark Cordimer, Rhos Cottage (2 fis) – ei dad o Benrhyn Cilgwri a'i fam o Cavan, Iwerddon a Walter (mis oed) mab William a Sarah Williams, Cae'rodyn.

Heddiw y mae Llanferres yn ardal hyfryd i fyw ynddi. Cofir gyda balchder i John Parry, Fferm y Rhos, ennill yr MC yn 1919. Mab oedd i John ac Elizabeth Parry ac yr oedd ganddo (yn 1891) dri brawd, Evan,

Edward a William ac un chwaer, Sarah. Lladdwyd tri o fechgyn y fro yn y Rhyfel Mawr: Walter Fernyhough, athro, yn 1915, Charlie Williams, Saw Mill Cottage hefyd yn 1915 a John Cordimer, Rhos yn 1916. Mae'r Cordimers yn dal yn y fro ac yn siaradwyr Cymraeg.

Mae rhai hefyd yn cofio'r hen Domos Lloyd a ddysgodd y Testament Newydd ar ei gof a'i adrodd yn yr Ysgol Sul pan oedd yn 82 oed. Yr oedd yn byw yn y Nant hefo'i wraig Eliza ac yr oedd y ddau'n Gymry uniaith. Go brin bod neb felly yn Llanferres heddiw. Er bod yno gnewyllyn o Gymry da plwy Seisnig iawn ydyw erbyn hyn ac y mae'r enwau yn '81 a '91 yn fynegbost i ddyfodol yr ardal.

Llandegla – Naw Milltir O Bob Man

Mae pawb yn gwybod am Landegla oherwydd mai dyma lle y magwyd un o bregethwyr mwyaf poblogaidd Cymru yn ei ddydd – Edward Tegla Davies. Bu'n weinidog gyda'r Wesleiaid mewn mannau mor wahanol â Bwlchgwyn, Tregarth, Dinbych a Phorthaethwy. Mwy na hynny, yr oedd yn awdur llyfrau a agorodd fyd newydd i blant Cymru oedd wedi gorfod dygymod â llenyddiaeth Oes Victoria yn llawer rhy hir. Yr oedd *Nedw* a *Hunangofiant Tomi* a *Rhys Llwyd y Lleuad* yn wahanol oherwydd eu bod yn adrodd hanes plant drygionus, plant normal, ac yr oeddynt yn boblogaidd iawn a chofiaf fy mam yn dweud gymaint yr oedd hi wedi mwynhau darllen *Nedw* er enghraifft. Yr oedd hefyd yn ysgrifwr penigamp a bu'n olygydd *Y Winllan* (1920-29) a'r *Efrydydd* (1931-35).

Yn ei hunangofiant, *Gyda'r Blynyddoedd* (1952), y mae Tegla'n dweud 'Llandegla yn Iâl yw fy hen fro – naw milltir o Wrecsam, naw o'r Wyddgrug, naw o Rhuthun a naw o Gorwen – naw milltir o bob man.' Mae gen i gopi o *Gyda'r Blynyddoedd* a gefais yn wobr Arholiad Sirol (a oes y fath beth yn bod y dyddiau hyn?) ac yr wyf yn medru 'nabod y gyfrol o bell oherwydd y staen ar ei meingefn. Wrth ddod allan o Gapel Tegid y Bala a'r llyfr gwerthfawr yn fy llaw ehedodd aderyn heibio a gadael neges slwj ar fy nghyfrol. Cofiaf i'r Parch Arwyn Jones Parry aberthu ei gadach poced gwyn i geisio adfer y sefyllfa! Cofiaf hefyd i mi fwynhau ei darllen ac ar waethaf y staen fe'i hystyriaf yn un o drysorau fy silff lyfrau. Y mae Tegla'n dyfynnu'r hen rigwm:

Wrecsam Fechan a Wrecsam Fawr
Pentrefelin ac Adwy'r Clawdd,
Casgen Ditw a Thafarn y Gath
Llety Llygoden a Brandy Bach.

Noson y Cyfrifiad 3 Ebrill 1881, Meredith Jones, mab Ehedydd Iâl oedd yn y Gasgen Ditw hefo'i wraig Euphemia, merch Robert Thomson, Llety, bugail genedigol o'r Alban, a dau o blant – Margaret a William Thomson. Ym mhriodas Meredith ac Euphemia yn 1877 enw un o'r tystion oedd Margaret Rutherford ond rhaid brysio i ddweud nad yr actores enwog hefo'r wyneb rwber oedd hi (a chyfnither i Tony Benn) eithr chwaer i Euphemia. Cawsant nifer o blant wedi hynny ac y mae Tegla'n sôn am un neu ddau yn ei hunangofiant. Fferm bysgota yw Casgen Ditw heddiw ar y ffordd fawr rhwng Llandegla a Bwlchgwyn gyda'r enw eneiniedig Trout Farm. Yn Nhafarn y Gath trigai Jonathan Roberts, ffermwr a chigydd, gŵr gweddw 51 oed gyda phump o blant i'w magu, Mary (20) Louisa (18) Rachel (14) Aaron (11) a Hugh (9). Ddeng mlynedd yn ddiweddarach yr oedd Jonathan Roberts yn gigydd ac yn byw yn Nhafarn Glasdwr. Dywedir bod prinder cwrw yno un adeg a'r cwsmeriaid yn gorfod yfed glastwr.

Yn wir, yr oedd mwy o dafarnau na dim arall yn Llandegla yr adeg honno a'r rheswm oedd bod porthmyn o bobman yn cyfarfod yno ac yn gadael eu hanifeiliaid yn pori ar y tir comin dros nos. Yr oedd yn bentref prysur iawn yn ôl yr hanes. Thomas Jones a'i deulu oedd yn yr Hand; Robert Jones, oedd yn ddall, yn y Cross Keys a'i wraig Annie (81) dros ugain mlynedd yn hŷn na'i gŵr. Yn ymyl Ffynnon Tegla yr oedd y dafarn hon ond dim ond pentwr o gerrig sydd yno erbyn hyn. Edward Price oedd yn cadw'r Blue Bell – dyma lle'r oedd y *Ladies Club* yn cyfarfod bob mis. Dawnsio oedd y prif adloniant yn y clwb hwn a'r sawl oedd yn trefnu'r holl rialtwch oedd Ann 'Rhen Draed! Dywedid ei bod yn ddawnsreg heb ei bath. Siop a swyddfa bost sydd yno heddiw.

David Jones o Fetws GG oedd yn y Ceffyl Gwyn a Samuel Garner yn y Crown; Robert Roberts yn y Crown Bach ac Edward Harrison yn y Plough, tafarn sydd yn dal i fod yn boblogaidd hyd heddiw ac y mae rhai o ddisgynyddion Edward Harrison yn dal i fyw yn y fro.

Y PLOUGH

Edward Harrison	pen	54	Tafarnwr	Wrecsam
Margaret Ann "	gwraig	43		"
Jonathan "	mab	24		Llandegla
John "	"	13		"
Sarah E "	merch	23		"
Mary E "	"	16	Disgybl-athrawes	"

Ail wraig i Edward oedd Margaret Ann (ganwyd Parry) a bu hi farw yn 1921 yn 84 oed. Mary Ann Davies oedd ei wraig gyntaf a phriodwyd y ddau yn Adwy'r Clawdd a phlant iddi hi oedd Jonathan a Sarah (yn ogystal â George Frederick a Jane). Daeth Sarah yn wraig i John Jones, Tŷ Hir Bodidris ond bu farw yn 1896 yn 38 oed. Talodd Edward Harrison £319/9/7 am y Plough yn 1854 ac yr oedd hynny'n cynnwys y dodrefn, 32 acer a'r anifeiliaid.

Evan Edwards oedd yn y Travellers. Ar ffordd Llangollen yr oedd hon ar y llaw chwith cyn cychwyn dros Fwlch yr Oernant. Yr oedd cafn dŵr carreg y tu allan lle byddai pobl yn dyfrio eu hanifeiliaid wrth fynd heibio. Tynnwyd y lle i lawr ryw ugain mlynedd yn ôl er mwyn lledu'r ffordd. Yn digwydd bod adre yn ymweld â'i thad yn y Crown yr oedd Mary Jones, merch Samuel Garner. Yr oedd hi'n drydedd wraig i John

Jones, Tyddyn Ucha, Llanelidan, fy hen hen daid. Yn 1891 yr oedd Meredith Jones yn dal i fyw yn y Gasgen Ditw ond bod ganddo fwy o blant erbyn hyn – Walter T (12) Robert Oliver (9) John Rutherford (7) ac Eunice (2).

Heblaw'r tafarnau yr oedd yna rywbeth arall gweddol anarferol mewn pentref yng nghefn gwlad Cymru sef gorsaf yr heddlu. Mae'n debyg bod angen plismon gyda'r holl dafarnau a'r holl borthmyn. Yr heddwas yn 1881 oedd Edward Hughes (51) brodor o'r Rhyl. Un o Langynhafal oedd Catherine ei wraig ac yr oedd ganddynt ferch 19 oed, Elizabeth, gwniadwraig a anwyd ym Mhensarn, Abergele. John Owen oedd rheithor y plwy, Cardi o Lanfihangel y Glyn. John Hooson Roberts oedd y prifathro 28 oed o Fagillt, Sir y Fflint. Yr oedd ganddo ef a Mary ei wraig dri o blant mân – John (4) Catherine (3) a Jeannie (4 mis). Merch Hugh Hughes, Plas Newydd oedd Mary a phriododd yn 17 oed. Yr oedd ei chwaer Margaret yn wraig i William Oliver Williams, draper yn yr Wyddgrug, ac yn bownd o fod yn nabod Daniel Owen. Yr oedd athro arall yn byw yn Rose Cottage sef Joseph Morris Harnaman 22 oed yn byw hefo'i chwaer weddw. Yr oedd yna nythaid o Harnamans o gwmpas, nifer ohonynt yn athrawon a nifer hefyd yn arddel yr enw Joseph ac y mae'n anodd eu cornelu.

Y tri pherson hynaf yn y plwy oedd Elizabeth Davies, Pen Dinas (82), Mary Jones, (80) yn byw yn y pentref a Samuel Lloyd y Bryn hefyd yn 80 oed. Yr ieuengaf oedd Maurice Jones, mab deufis oed John a Mary Jones y Graig. Yr oedd hefyd ddau blentyn pedwar mis sef Anne Jane merch Isaac ac Anne Peters, Pant (y fam yn ferch Pentre Coch, Llanfair DC) a Jeannie, merch y prifathro. Ceir dau bâr o efeilliaid sef Mary Elizabeth a Catherine Ellen Jones (11) y Felin a Mary ac Elizabeth Williams (10) plant William Williams y gof. Y fferm fwyaf oedd Hafod Buleston, ffermdy hynafol lle'r oedd Eleazar ac Eliza Roberts yn byw – ef yn frodor o'r Bwlchgwyn. Gweithio yn y chwarel neu'r odyn galch oedd llawer o'r dynion. Casglu tollau oedd Mary Thomas yn y Gate House, porthmon oedd Robert Davies, Pen Stryd – ac wedi gweld tipyn ar y byd mae'n amlwg gan mai un o Ffestiniog oedd ei wraig Margaret. Y drws nesaf yr oedd Ishmael Davies yn byw ac yr oedd ganddo fab William naw oed oedd wedi'i eni yn ddall.

Ganwyd y rhan fwyaf o'r trigolion yn Llandegla neu'r pentrefi cyfagos ond yr oedd yno ambell un wedi dod o bell. Dyna deulu o'r enw Swainson yn Nhan y Graig, Robert y tad yn gwneud brwshus ac wedi'i eni yn Whitehaven, Cumberland. Un o Landegla oedd ei wraig Maria sef merch Samuel Lloyd, Casgen Ditw ac yr oedd eu dwy ferch Margaret a Mary hefyd yn dilyn crefft eu tad. Bu'r tri o flaen eu gwell yn 1899 a'u dirwyo am hel grug ar Fynydd Bodidris. Mae'n siwr mai bywoliaeth reit anodd oedd ganddynt. William Hughes, gŵr gweddw 47 oed oedd yn ffermio Pen Stryd ac yr oedd ei bum plentyn wedi'u geni yn Lerpwl, yr ieuengaf Arabella yn 8 oed. Priododd ei fab William â Martha Agnes Jones o Langwm. Un o Lanllyfni ger Caernarfon oedd Robert Parry y groser a'i wraig Jannett yn ferch i Dafydd Jones, Tŷ Gwyn, Bryneglwys gynt o Dŷ Tan y Graig ger y Bala.

Plwy bychan oedd Llandegla (a llawer o'r cartrefi ym mhlwy Llanarmon cofier). Ond beth am deulu Tegla Davies? Yr oedd ei daid Richard Davies, chwarelwr a gŵr gweddw 59 oed yn byw ar ei ben ei hun yn 3 Y Foel. Ceir portread lliwgar ohono yn *Gyda'r Blynyddoedd* – 'meddwyn a phaffiwr' meddai ei ŵyr amdano. Ond yr oedd yn llawn hwyl a chwmni gwych i fachgen bach. 'Wel, braddug, sut wyt ti?' fyddai ei gyfarchiad. Dywed Tegla na welodd erioed y gair 'braddug' mewn geiriadur. Ond y mae'n air cyfarwydd i mi ac yr oedd fy nhaid, a fagwyd yn Llandysilio yn Iâl, yn ei ddefnyddio. Yn ôl *Geiriadur Prifysgol Cymru* (a gyhoeddwyd ymhell wedi dyddiau Tegla) ystyr y gair yw 'gwalch' neu 'ddihiryn' a dywedir ei fod ar lafar yn siroedd Dinbych a Fflint. Nid wyf wedi ei glywed yn cael ei ddefnyddio ers blynyddoedd. Mae yna filoedd o hen eiriau a rhigymau'n diflannu bob dydd. Er mor falch ydym o'r holl blant sydd yn adennill iaith eu hynafiaid yn yr Ysgolion Cymraeg ac mor gynnes y croesawn y dysgwyr, y mae llawer o hen benillion a dywediadau'n diflannu oherwydd nad oes traddodiad llafar bellach ac nid ydynt wedi ei glywed ar lin eu mam gan mai Saesneg oedd iaith eu mam. Hefyd ychydig iawn o blant heddiw sydd yn gyfarwydd â rhigymau dwli megis

When I was walking to Sir y Fflint
I saw a man bron colli *his* gwynt,
His tafod *was* allan, *his* pen *was* cam,
And I did chwerthin *til I was* gwan.

neu

Timothi Tymplen's horse was blind
Because he couldn't see oh!
Two legs in front and two behind
That makes one more than three oh!

a byddem wrth ein bodd yn clywed taid a nain yn rhaffu hen rigymau doniol na wyddai neb eu hoed na'u hawdur. Yn ei gyfrol o atgofion y mae Andronicus (sef J W Jones, taid yr hanesydd Gwilym Arthur Jones, Bangor) yn sôn am Rice Edwards y Bala oedd yn llogi ceffylau i'r myfyrwyr i fynd i bregethu ar y Sul ac mai ceffyl o'i eiddo ef oedd Timothi Tymplen. Ond deuthum ar draws pennill arall am Geffyl Rice Edwards yn un o ysgrifau Peryddon (Wmffre Lloyd y Bala):

Ar ochor y ffordd fe drengodd, Do!
Ac uwch ei ben bu gweiddi Oh!
Er dychryn mawr a dirfawr boen
Ni ddaeth yn ôl i'r dref ond croen.

Ganwyd Tegla yn 1880 ac felly dylai ei enw ymddangos yn rhywle yn y Cyfrifiad ond nid wyf wedi dod o hyd i'r teulu yn Llandegla. Y mae ef ei hun yn cyfaddef iddynt symud cryn dipyn pan oedd yn blentyn. Natur sipsi yn ei fam meddai. Ef oedd y chweched o wyth plentyn William a Mary Ann Davies a ganwyd bron bob un mewn lle gwahanol. Yn ei hunangofiant y mae'n sôn am ei achau yn ogystal ag am lawer o hen gyfoedion y gwelir eu henwau yn ffurflenni'r Cyfrifiad. Ddeng mlynedd yn ddiweddarach y mae'r teulu yn byw ym Moel Grachen gyda'r tad yn cael ei ddisgrifio fel gweithiwr yn chwarel y Foel Faen – lle cafodd Tegla deitl un o'i gyfrolau. Yr oedd pedwar o'r plant gartref Hannah (14) Edward (10 sef Tegla) Rhys Alun (6) a 'Samuel' (7 mis). Nid Samuel oedd enw'r cyw melyn olaf eithr Lemuel – enghraifft o swyddog cyfrifiad yn gwneud camgymeriad, rhybudd inni fod yn ofalus wrth ddefnyddio dogfennau. Nain Tegla ar ochr ei dad oedd Eleanor Morris (1817-63) merch Morris Cadwaladr, a Gwen Jones, Tyddyn Dyfi, Llandderfel. Yr oedd gan William Davies, tad Tegla, frawd o'r enw Morris ac yn 1891 yr oedd ef yn byw yn y Cottage hefo'i wraig Mary a chwech o blant: Mary Ellen (18) William (14) Margaret Jane (11) Daniel Parry (8) Thomas (6) a Sarah Elizabeth (3).

Edward Price oedd yn cadw'r Blue Bell a'i enw barddol oedd Iorwerth Iâl. Ceir hanesyn amdano yn cyfarfod â William Jones (Yr Ehedydd) a William Jones y Wernol wrth y capel ac meddai Edward Price -

William Jones y cyntaf
A William Jones yr Ail
Un yn llwytho gwellt
A'r llall yn llwytho tail.

Ar amrantiad dyma'r Ehedydd yn ateb

Un ar dasg
A'r llall wrth y dydd
Mae pawb yn dda i rywbeth
Ond Edward Price y Crydd.

Allan o ryw 340 o drigolion yr oedd pawb namyn rhyw ddwsin yn siarad Cymraeg. Ymysg y di-Gymraeg yr oedd Edward Kellett y milfeddyg o Warwick yn byw yn Laburnum Cottage hefo'i fam a'i ddwy chwaer Ann ac Agnes. Y mae Ann yn cael ei disgrifio fel Professor of Music, 23 oed. Di-Gymraeg hefyd oedd Euphemia, merch-yng-nghyfraith Ehedydd Iâl a dau o'i phlant. Yr oedd gan yr Ehedydd lond tŷ o blant gyda llaw – Meredith, Emma, Catherine, Alice Anne, Agnes, Winnie, Margaret, Hannah, William Owen, David, Sarah a Robert. A mwy efallai. Yr oedd gwaith bwydo arnynt a dyna pam, efallai, yr ysgrifennodd y pennill canlynol:

Ar gefn y ffarmwr druan
Mae'r ffyrdd, yn fach a mawr,
A threthi y tylodion
A'r sgolion teg eu gwawr,
Mae'r ffarmwr dan y pwysau
A'i wyneb fel y wal –
Nis gwn i am fy ngeni
Sut mae ei gefn yn dal.

Byddai ffermwyr yr oes hon yn dweud 'Clywch clywch!'
Gwerthu menyn oedd gwaith Maurice Jones, Foel View. Priododd ei ferch Mary Adelaide â Francis Beech, Perthi Chwarae. Dywedir mai meddyg oedd Margaret Smith, gwraig weddw 70 oed. Y mae Tegla'n sôn amdani. Dywed iddo syrthio o ben pren eirin ac aed a fo at Marged Smith oedd i fod yn anffaeledig a phobl yn dod ati o bob cyfeiriad. Dywedodd mai wedi ysigo ei ffêr yr oedd o a dweud wrth ei fam am roi powltis rocos arni. Bu troed Tegla'n wan byth oddi ar hynny a hanner can mlynedd yn ddiweddarach darganfuwyd iddo dorri asgwrn ac iddo asio'n gam. Collodd ffydd ym Marged. Porthmon gwartheg oedd Edward Ellis y Foel. Samuel Evans oedd gweinidog Pisgah a'i fab yn un o gynllunwyr yr A5. Dywed Tegla ei fod yn ddyn tal, urddasol, gwallt claerwyn, moel ei gorun, barf glaerwen ar ei gernau a than ei ên. Ac o edrych ar ei lun yn *Cymru* rhifyn Ionawr 1902 gwelir bod disgrifiad Tegla'n un cwbl gywir. Mae ganddo farf fel bib. Mewn erthygl amdano gan un o'r enw R Peris Williams, Wrecsam, dywedir mai Samuel Evans

oedd gweinidog hynaf Annibynwyr Cymru. Ganwyd ef yn ffermdy Tref y Nant ar y terfyn rhwng plwy Llangollen a Rhiwabon yn 1817. Bu'n olygydd Y Llusern a bedyddiodd ddwy fil o blant. Bu farw yn 1902 yn 86 oed. Amaethwr, mesurydd tir a phrisiwr oedd Thomas Evans ei dad ac ef a gynlluniodd adran Sir Ddinbych o'r A5 ac arolygu'r gwaith. 'Gweithwyr Evans' ac nid 'Gweithwyr Telford' y gelwid y 'nafis' ac yr oedd yna rigwm yn dweud:

Mae bwtsiar yn Rhydlydan yn gwerthu bara gwyn
I weision Mistar Evans, beth meddwch chi am hyn?
Eu prynu am ddau sylltau a'u gwerthu am ddau naw,
Bu raid i'r bwtsiar druan i iwsio caib a rhaw.

Yr oedd ei ferch, Myfanwy, yn 27 oed yn 1891 ac y mae Tegla yn ei chofio fel merch dlos ac annwyl iawn a byddai yn dysgu'r plant i ganu ac adrodd ac yn pwysleisio egwyddorion dirwest. Eithr aeth hi ei hun yn aberth i alcohol ac mewn cywilydd aeth i Ganada a bu farw yno yn 35 oed. Ni fu ei thad erioed allan o Sir Ddinbych.

Yr oedd yno weinidog arall hefyd yn 1881 sef R E Roberts o Benmachno gyda'r Methodistiaid Calfinaidd ac yr oedd Sarah Elizabeth ei wraig yn ferch i John Roberts, Melin Blaen Iâl ac yn wyres i Thomas Jones, Ty'n Llidiart, meddyg anifeiliaid nodedig yn y fro. Disgrifir Hugh Roberts, Penstryd (40 oed) fel Reserve yn y Royal Welsh Fusiliers – yr unig gofnod o'r fath a welais yng Nghymru wledig.

Un o Lanfyllin oedd John Rowlands y plismon ac yr oedd tri o athrawon yn Nhŷ'r Ysgol – Robert Williams a'i wraig Margaret Alice a'i chwaer Eliza, y tri o'r Wyddgrug. Bu Robert Williams yno am bymtheg mlynedd ar hugain ac yr oedd parch mawr iddo. Yr oedd dau o'r trigolion yn ddall – Robert Jones (66) Cross Keys a William Davies, 19 Penstryd. Yr oedd Elizabeth Jones, gwniadwraig weddw (63) yn fud a byddar o'r crud. Ceir tri phâr o efeilliaid – Mary Elizabeth a Catherine Ellen Jones y Felin yn 20 oed; Janet a William Hughes Davies, Blue Bell yn 9 mis a Margaret ac Elizabeth Jones y Graig yn saith. Y ddau hynaf yn y plwy oedd Ellis Jones (82) wedi'i eni yn Llanuwchllyn ac yn byw hefo'i fab John a'i deulu yn y Graig. Yr oedd Emmanuel Davies y groser yn 80 oed. Y rhai ieuengaf oedd Albert Pughe, mis oed, oedd yn cael ei fagu gan Emma Roberts, Penstryd, wedi'i eni yn Nantwich a Margaret Davies, 4 mis, merch Ellis a Hannah Davies, Penstryd. Y mae cyfenwau arbennig yn cael eu cysylltu â'r broydd hyn, e.e. Blackwell, Oldfield, Carrington, Bloor (neu Blore/Blower) – enwau ddaeth gyda'r gweithwyr i'r mwyngloddiau o Swyddi Stafford a Derby a Chernyw. Yr oedd yna hefyd glwstwr o Garners. Yn Church Road yr oedd Samuel Bloor, ei wraig Mary a thri o blant – Robert (13) John (8) a Catherine (1). Ym Mhenstryd yr oedd Edward Garner, ei wraig Ellen a dau fab – Frederick (12) a Joseph (3).

Yr oedd Ellis Jones y saer wedi mudo i'r fro o Gwmtirmynach ac mewn erthygl yn *Y Bedol* yn y 70au y mae ei ŵyr John Lloyd Jones. Ty'n y Caeau, Llanrhydd, yn dyfynnu pennill a glywodd gan ei daid yn sôn am y casineb oedd yn bodoli rhwng y saer a'r teiliwr – yr olaf yn cael gweithio y tu mewn, yn gynnes ac yn gysurus:

Lwmp o facwn melyn, bras,
I mi a'r gwas a'r dyrnwr,
Hwyaden a phys gleision neis
A phwdin reis i'r teiliwr.

Hyd yn oed os oedd Llandegla naw milltir o bob man yr oedd pawb i fod i wybod ei le.

Llanarmon yn Iâl – Hen a Hanesyddol

Plwy diddorol dros ben yw hwn ac yn byrlymu o hanes, hanes sydd yn pontio'r canrifoedd o Domen y Faerdref yn y cynoesoedd hyd at Garmon Sant a Rhyfel y Degwm. Un o ymladdwyr mwyaf dygn Rhyfel y Degwm oedd John Parry, Plas Llanarmon. O ganlyniad i'r helynt cafodd ei droi allan o'r fferm ac o barch iddo codwyd cofeb y tu allan i gapel Rhiw Iâl. Ar yr hanes hwn y seiliodd Tegla Davies ei nofel *Gŵr Pen y Bryn*. Yn 1886 y bu'r troi allan. Y geiriau ar y gofeb yw:

Eglwys Rydd, Gwlad Rydd,
Y
Gofgolofn hon a godwyd
gan
Wladwyr Cymru
Er cof am
JOHN PARRY, LLANARMON
Arwr
Rhyddid Gwladol a Chrefyddol
Ganwyd Gorphenaf 24ain 1835
Bu farw Meh 3ydd 1896

Dadorchuddiwyd y golofn gan Mrs Herbert Roberts mewn glaw trwm fis Ebrill 1899.

Yn 1881 yr oedd John Parry yn cyd-ffermio yn y Plas hefo'i frawd Robert. Meibion oeddynt i'r Parch Hugh Parry. Hen lanc oedd John ond yr oedd gan Robert fab o'r enw Edward oedd yn deirblwydd oed ar y pryd. Yr oedd yn fachgen galluog iawn ond lladdwyd ef yn 1893 pan syrthiodd o ben tas. Bu farw John Parry yn 1897 yn 61 oed. Agorwyd mynwent Rhiw Iâl yn 1853 a'r cyntaf i gael ei gladdu yno oedd Peter, mab naw oed y Parch Hugh Parry ar 18 Ionawr 1854. Ar y garreg gwelir y geiriau hyn:

O feddrod oer, hen garchar du,
Nid eiddot ti y rhosyn
Sydd yma'n gwywo erbyn hyn
Tan gloion tynn y dyffryn,
Mae'n rhaid ei gael, er nerth ei gôl
I'r nefol gôr i ganu,
Ni fydd peroriaeth nef yn llawn
A Pedr yma'n pydru.

Ofnaf bod cynghanedd y llinell olaf wedi gwneud i mi chwerthin. Y gynghanedd yn feistres!

Ddiwedd y ganrif yr oedd y mwyafrif o drigolion Llanarmon yn gweithio ar y tir neu yn y mwynfeydd. Megis Llanferres, Maeshafn, Eryrys fe ddenodd y gwaith plwm lawer o fewnfudwyr i'r fro – yn arbennig o Swydd Amwythig. Rhai fel Henry Hotchkiss o Wentnor oedd yn asiant y gwaith mwyn ac yn byw ym Mryn Adda. Yr oedd ganddo ef a Hannah ei wraig (o Langollen) saith merch ac un mab yn amrywio o Lucinia 11 oed, Abla 7 oed i Ninca 3 oed. Asiant y gwaith mwyn yn Eryrys oedd William Clemence, yntau hefyd o Swydd Amwythig. Daeth rhai o'r mewnfudwyr yn Gymry da, diflannodd rhai megis gwlith y bore a llwyddodd eraill i Seisnigo'r fro.

Yr oedd ambell i fferm go fawr. Dyna Robert Parry yn ffermio 433 acer yn yr Acre. Yr oedd yn 76 oed a'i wraig Emma Louise yn 22. Merch Evan Evans, Gwernol a Tŷ Coch, Llanfair DC, oedd hi ac yr oedd Agnes ei chwaer (18) yn aros yno ar y pryd. Yr oedd ganddynt ddwy ferch – Annie Myddleton yn flwydd ac Elizabeth yn ddeufis. Yr oedd yno wyth o weision a morynion. Priododd Annie â'r Dr Lewis A Williams, mab Lewis Williams, Caer a Lerpwl. Erbyn 1891 yr oedd Robert Parry wedi marw ac yn 1889 yr oedd Emma Louise wedi priodi Robert White, mab Edward White, Y Cwrt, ac ŵyr i Robert White, Rhydyglafes, ac yr oedd ganddynt fab blwydd oed, Robert Howel. Ganwyd eu merch, Mary Louise, yn 1896 ac yn y man priododd hi ag Edward Vaughan Jones, Plas yr Esgob, Rhewl, mab J W Jones gynt o Foch y Rhaeadr. Cawsant bedwar o blant – Llewelyn, Ty'n Llanfair, Pentrecelyn; Iorwerth, Pool Park; Rowlant yng Nghaer a Gwendolen, Fron Hen, Llanferres.

Catherine Hughes oedd yn ffermio 400 acer Plas Newydd gyda chymorth ei brawd Ellis a'i chwiorydd Naomi, Cordelia ac Eleanora a phedwar gwas. Un o'r fferm hon oedd y llawfeddyg, David Hughes, Llangollen a fu farw yn 1897, dyn nodedig yn ei ddydd. Edward Jones oedd yn ffermio 243 acer ym Mherthi Chwarae a Robert Jones yn y Gelli. Yr oedd ganddo ef a Jane naw o blant. Yr oedd llond tŷ hefyd yn Ffynnon y Berth lle'r oedd Edward Jones a'i wraig Dinah yn ffermio 260 acer gyda tri mab a dwy ferch, dwy forwyn a dau was gan gynnwys un o'r enw Samuel Tudge o Lanbrynmair. Yr oedd yna deuluoedd mawr iawn yn y fro: Robert a Jane Jones, Y Gelli, a naw o blant; Edward ac Eleanor Roberts, Bryniau a naw o blant; Lewis a Margaret Jones, Pen Lan ag wyth o blant; Henry a Hannah Hotchkiss, Bron Adda ag wyth; John a Jane Jones y Castell ag wyth; Edward a Sarah Roberts, Berthen Gron ag wyth; John a Mary Smith, Glan y Glyn ag wyth; Simon a May Roberts, Pwll Du â deg ac felly ymlaen.

Fel y soniais eisioes, y mae rhai cyfenwau'n cael eu cysylltu ag ardaloedd arbennig – y Wigleys yn Sir Drefaldwyn, y Coppacks ar Lannau Dyfrdwy, y Dodds yn y Rhos er enghraifft – ac wrth sôn am Lanarmon daw'r enwau Bryan, Ingham, Beech, Oldfield a Garner i'r cof ac yr oedd amryw ohonynt yno yn 1881. Mae'n debyg mai un o'r teuluoedd mwyaf diddorol oedd y Bryans. Cofiwn am y pedwar brawd Robert, John, Edward a Joseph a fu'n fasnachwyr llwyddiannus gyda siopau yng Nghairo, Alecsandria, Port Said a Khartoum. Yr oedd gan yr Eifftiaid ymddiriedaeth lwyr ynddynt ac yn rhoi eu harian yn eu gofal nhw yn hytrach na'r banciau. Dywedid eu bod yn rhedeg eu siopau ar 'egwyddorion Prydeinig' sef yr un pris i bawb, a hwnnw'n deg, agor ar oriau rhesymol a chau ar y Sul. Meibion oeddynt i Edward ac Elinor Bryan, Camddwr ond symudodd y teulu i Gyrn y Brain yn Nyffryn Maelor pan oedd y plant yn fân. **Robert** (1858-1920) oedd yr hynaf. Aeth i'r Coleg Normal a bu'n athro yng Nghorwen a mannau eraill eithr torrodd ei iechyd i lawr. Byddai'n treulio ei aeafau yn yr Aifft. Gwelir peth wmbredd o'i waith yn y cylchgrawn *Cymru* a chyhoeddodd gyfrol o gerddi, *Odlau Cân*, yn 1901. Yr oedd hefyd yn gerddor da a chyfansoddodd nifer o ddarnau ar gyfer corau meibion: *Y Teithiwr Blin* efallai yw ei ddarn enwocaf. Dywed Eluned Morgan y Wladfa yn un o'i llyfrau mai ef aeth â hi i weld y Pyramidiau. Yr oedd T Gwynn Jones yn ffrindiau mawr hefo Robert ac ar ôl cael dôs ddychrynllyd o'r ffliw yn 1905 aeth hefo fo i'r Aifft er mwyn cael adferiad iechyd. Buont yn sâl iawn wrth groesi Bisce. Gallaf lawn gydymdeimlo â nhw oherwydd cofiaf innau noson ar y Bae hwnnw pan oeddwn yn ofni 'mod i'n mynd i farw a'r munud nesaf yn ofni nad oeddwn i ddim. Meddai T Gwynn:

Deuddydd a roddwyd iddo i ysgwyd
Ein hesgyrn a'n lluchio,
Ond ar hyn, draw o hono
Dyma fynd – wel damia fo!

Bu farw Robert yn hen lanc yn 1920 a'i gladdu yn yr Aifft.

Aeth yr ail fab, **John Davies Bryan** (cafwyd yr enw Davies oddi wrth y Parch John Davies, Nercwys, cefnder i'w fam a fedyddiodd y plant) yn brentis i siop Enoch Lewis, Cei Mostyn sef tad J Herbert Lewis, AS Plas Penucha, Caerwys. Wedyn aeth i Lerpwl cyn mynd i gadw'r Afr Aur yng Nghaernarfon ac yna agorodd siop ar y Bont Bridd hefo **Edward** ei frawd. Kate merch Ellis Williams, rheolwr chwarel y Cilgwyn, Nantlle, oedd gwraig Edward. Cawsant un ferch, Olwen, a phriododd hi ag R O Hilton Jones, Harlech, mab Dr R T Jones, Uwch Siryf Gwynedd. Cafodd

Orthin, fel y gelwid ef, yr MC yn 1917. Gadawodd Edward £100,000 i Olwen.

Yn 1886 penderfynodd John fynd i'r Aifft a chafodd gymorth mawr yno gan ei gefnder Samuel Evans oedd yn Ysgrifennydd Preifat i Ymgynghorydd Ariannol y wlad ac agorodd siop yng Nghairo. Aeth **Joseph** yno i'w helpu a gwerthodd Edward y busnes yng Nghaernarfon. Y bwriad oedd agor siop fawr arall yn Alecsandria ond daliodd Joseph y clefyd marwol teiffoid a bu farw 13 Tachwedd 1888 a'i gladdu yng Nghairo. Jane Clayton o Alecsandria'r Aifft oedd ei wraig ac yr oedd ganddynt bum merch. **Gwenno Elin** oedd yr hynaf a chafodd addysg prifysgol yn Aberystwyth cyn priodi â John Edwards, bargyfreithiwr a anwyd yn Llanbadarn Fawr. Yn ystod y Rhyfel Mawr bu yn Ffrainc hefo'r Ffiwsiliwyr Cymreig, ei godi'n is-gyrnol ac ennill y DSO. Chwaraeodd rygbi dros Gymry Llundain a Middlesex ac yn 1918 etholwyd ef yn Aelod Seneddol Rhyddfrydol dros Aberafan ond collodd ei sedd i Ramsay Macdonald yn 1922. Yn 1923 safodd dros Brifysgol Cymru ond George M Ll Davies enillodd y sedd honno. Cawsant dri o blant – Alun, Dafydd a'r Dr Rachel Bryan Davies, bargyfreithwraig a fu'n gweithio ar y *Financial Times* ac yn Gadeirydd y Tribiwnlysoedd Diwydiannol yn Llundain. Priododd â Geraint T Davies ac y mae ganddynt bump o blant – Angharad, Crisiant, Manon, Sion a Rhiannon. Ail ferch Joseph D Bryan oedd **Manon** ac aeth hithau hefyd i Aberystwyth. Priododd â William John Pugh, a fu'n ddarlithydd mewn Daeareg yn Aberystwyth a'i wneud yn farchog. Y drydedd ferch oedd **Carys** (1894) priod y Dr Thomas Morris Davies, Acton ond fe'u hysgarwyd. Ganwyd **Bronwen** yn 1897. Cafodd ei derbyn i Goleg Somerville, Rhydychen ond dewisodd yn hytrach fynd i'r Academi Frenhinol i astudio canu. Merch ieuengaf Joseph oedd **Dilys** (1901) ac aeth hithau hefyd i'r Academi Frenhinol i astudio canu a'r ffidil. Priododd hi Leonard Owen, brodor o Fangor, a fu'n weinyddwr yn yr India ac yn brif chwip y llywodraeth yng Nghynulliad Deddfwriaethol y wlad honno yn 1935. Wedi gadael yr India bu'n weithgar iawn mewn amryfal feysydd ac yn arbennig gyda Chymry Llundain a'r Cymmrodorion. Bu Joseph yn llywydd y Siambr Fasnach Brydeinig yn yr Aifft ac yr oedd yn un o noddwyr y Brifysgol yn Aberystwyth a chyflwynodd 85 erw o dir uwch y dre ar gost o £15,000 i godi adeiladau at ddefnydd y coleg. Yr oedd yn amlwg yn ddyn o flaen ei oes mewn llawer ffordd – nid yn unig cafodd ei ferched enwau Cymraeg tlws (anodd meddwl am neb arall o'r enw Carys yn 1894) ond yr oedd hefyd yn credu mewn rhoi addysg dda iddynt – er nad oedd o blaid merched mewn busnes. Ni welodd Cymru erioed frodyr tebyg i'r rhain.

Yn 1881 yr oedd yna Robert Bryan yn ffermio 115 acer ym Maes Llan (merch Cae ab Edward oedd Mary ei wraig), Eleanor Bryan yn weddw ym Mhlas y Pant, John yn ffermio Waendyllog a Joseph Bryan yn Nhy'n Twll. Credaf mai wyres i'r Joseph hwn oedd Eluned ddaeth yn fam wen i Haf, Lona, Gwenan a Dewi o ardal y Bala – Lona wedi priodi Dan Puw, Castell Hen. Mae'n siwr bod y Bryans hyn yn perthyn i'r brodyr enwog rywsut neu'i gilydd gan bod yr un enwau bedydd yn ymddangos dro ar ôl tro. Ni wn pwy roddodd ei enw i Gae ap Edward ond y mae yno hefyd yn y fro le o'r enw Cae ap Harri ac yn ôl hen ddogfen gwelir bod Walter Blunt yn 1541 wedi gwerthu un o'i dai i Harry Momeley ac fe'i galwyd oddi ar hynny ar ôl y perchennog newydd. Yn ffermio mewn lle o'r enw Raven (hen dafarn) yr oedd Joseph Garner, genedigol o Lanelidan ac yr oedd ganddo ef a Mary ei wraig bedwar o blant gan gynnwys mab pump oed o'r enw Alun. Bu'r Parch Alun O Garner yn weinidog gyda'r Wesleiaid am flynyddoedd lawer ac aeth ef a'i wraig (Blodwen Jones o Gwmaman) i fugeilio capeli Cymraeg y Wladfa yn 1928.

Y person hynaf yn fro oedd Margaret Jones, Tyddyn Tlodion oedd yn 98 oed. Yr ieuengaf oedd mab diwrnod oed dienw i Adam a Jane Jones, Pot Hole. Yr oedd hefyd efeilliaid pythefnos oed sef Ann ac Elizabeth, wyresau Ann Moss, Ty'n Mynydd. Yr oedd pum pâr arall o efeilliaid: Margaret a Jane Parry Jones y Gelli (3), John a Mary Ann Langford (2), Banhadlen Ucha; Anne Jane ac Elizabeth Lloyd (8) Pentre Pant Du; Thomas a Naomi Jones (20) Foel Las a Sarah a Hannah Williams, 8 mis, Pen y Foel. Yr oedd Jane Jones (84) Cae Harri yn ddall; John Davies, gwas ym Mryn yr Ogof yn fud a byddar a Thomas Jones, mab 15 oed y Cross Guns yn barlys.

Dyma rai o'r cofnodion:

RHOS ISA

Humphrey Hughes	pen	54	Ffermio 100 acer	Corwen
Ellinor "	gwraig	55		Llanarmon
Thomas Jones "	mab	24		"
Margaret A "	merch	7		"
Daniel Roberts	gwas	18		"
Winifred "	morwyn	15		"
Thomas Griffiths	gwas	15		Llandegla

Mab i Humphrey Hughes, Cae Du, Bryneglwys (Plas Adda, Corwen cyn hynny) oedd yr Humphrey uchod a'i wraig yn ferch Rhos Ddigre. Cawsant ddeg o blant. Priododd **Jane** â Joseph Jones ac **Elizabeth** â Peter Parry. Wedyn daeth **Thomas** a briododd ei gyfnither Margaret Hughes,

Llan Isa, Bryneglwys a merch iddyn nhw oedd Gwladys a ddaeth yn wraig i'r Parch Seth Pritchard, Gwyddelwern. Priododd John Trevor, mab Thomas a Margaret â Mair, merch y Sun, Clawddnewydd a chwaer i'r Parch Samuel Davies y cenhadwr adweinid yn gyffredinol fel Sam y Sun. Nyrs oedd Mair a merch iddi yw Buddug Owen, gynt o'r Acre. Pedwerydd plentyn Rhos Isa oedd **Humphrey** a briododd Catherine Jones. Y mae ŵyr iddynt, Glyn Hughes, athro wedi ymddeol, yn byw yn Wrecsam. Wedyn daeth **Mary Ellen,** a briododd John Evans, aelod o deulu mawr Llain Wen (gweler Llanfair) sef rhieni John Medwyn, Eleanor Anne (Nan – mam Hywel Davies y pensaer), Susannah a Gwilym Evans, Stryd Fawr, Gellifor, gynt. Ganwyd tri mab arall yn Rhos Isa sef **John, Edward** a **Robert.** A'r ieuengaf oedd **Margaret Anne** (1873-1956) a briododd John Goodwin a magu plant galluog a cherddorol – Idris, Emyr, Gwenfron, Eluned, Elfed ac Ogwen (y Parch), yn Nhreuddyn. Yn Nhreuddyn y ffurfiwyd yr Aelwyd gyntaf ac yr oedd y Goodwins ymysg aelodau cyntaf Urdd Cymru Fach.

FERN BANK

Humphrey B Jones	pen	39	Ysgolfeistr	Ruthin
Lucy Alice "	gwraig	37		Belper, Derbysh
John George "	mab	13		Bethesda
Alice Bertha "	merch	9		"
Harold Emery "	mab	6		"
Cyril Oswald "	mab	4 mis		Llanarmon
Edith Alsop	nith	17	Disgybl-athrawes	Birkenhead
Mary Ellen Clemence	nith	2		Llanarmon
Dinah Jones	morwyn	26		"

Ganwyd y prifathro Humphrey Bradley Jones, ym Mhlas Einws, Rhewl yn fab i John ac Eliza Jones, ond fe'i magwyd yn y Gelli Gynan ac ym Mhlas Isa, Llanarmon lle'r oedd ei dad yn felinydd. O'r fan honno cerddai i ysgol J D Jones yn Rhuthun. Wedyn aeth i'r Coleg Normal. Yr oedd yn athro dylanwadol iawn a'i enw barddol oedd 'Garmonydd'. Cyhoeddwyd *Caniadau Garmonydd* yn 1879. Mab iddo oedd yr Henadur **Cyril O Jones**, cyfreithiwr gwladgarol yn Wrecsam. Ef oedd y twrne a gynrychiolodd y glowyr wedi trychineb Gresford. Ei enw yng Ngorsedd oedd Ap Garmonydd. Mae gan T W Jones, Arglwydd Maelor, stori nodweddiadol am Cyril O pan oedd yn gyfreithiwr mewn perthynas â gwersyll gweithwyr yn nhref Wrecsam. Fe'i dyfynaf air am air o'i gyfrol *Fel Hyn y Bu* (Gwasg Gee 1970):

'Gweithwyr o Sir Gaernarfon oedd pawb a breswyliai ynddo a phob un yn siarad Cymraeg. 'Roedd yn arferiad gan Cyril O Jones brynu copi o bob llyfr Cymraeg a ddeuai o'r wasg beth bynnag a fyddo ei nodwedd. Pan ddeallodd mai Cymry yn unig oedd preswylwyr y gwersyll trosglwyddodd iddynt ei holl lyfrau Cymraeg at eu gwasanaeth. Bu rhai o'r heddgeidwaid Seisnig yn ddigon o ffyliaid i ddarogan i'r Prif Gwnstabl, Mr Tomkins, mai Comiwnistiaid oedd preswylwyr y gwersyll a'u bod yn defnyddio llenyddiaeth gomiwnistaidd. Er ei fod yn Gymro glân bu'r Prif Gwnstabl mor ynfyd â chredu hyn a rhoddodd orchymyn i gymryd gafael ar yr holl lyfrau a'u dwyn i Brif Swyddfa'r Heddlu.

Cyrhaeddodd hyn glustiau Cyril O Jones a gwylltiodd yn ffyrnig. Galwodd am y Prif Gwnstabl ar y ffôn ac meddai wrtho: 'Yr wyf yn deall eich bod wedi dod o hyd i lenyddiaeth peryglus yng ngwersyll y gweithwyr.'

'Do'n siwr' atebodd yntau.

'Rhaid i mi eich llongyfarch am fod mor glyfar' meddai Cyril wedyn.

'Diolch i chwi' meddai'r Prif Gwnstabl yn werthfawrogol.

'Gwrandewch' ebe Cyril, 'fe wn am le arall lle y galloch weld llenyddiaeth gomiwnistaidd os cadwch y gyfrinach.'

'Ar bob cyfrif' atebodd y Prif Gwnstabl. 'Lle mae o deudwch?'

'Yng Nghapel Seion, Capel yr Hen Gorff yn Regent Street' meddai Cyril.

'Yr ydych yn fy synnu'n fawr' meddai'r Prif Gwnstabl 'a threfnaf i wneud ymchwiliad yno ar unwaith.'

'Esgynnwch i'r pulpud' meddai Cyril Jones,' ac agorwch y Beibl yn y bedwaredd bennod o Lyfr Actau ac adnod 32.'

Gwelai y Prif Gwnstabl erbyn hyn mai mewn gwawd y siaradai Cyril Jones ond yr oedd gwaeth yn ei aros!

'Dyma fi yn eich rhybuddio yn awr os na bydd pob llyfr a gymerasoch o'r gwersyll yn cael ei ddwyn yn ôl cyn pedwar o'r gloch prynhawn heddiw byddaf yn eich erlyn gerbron Llys Barn ac mi'ch gwnaf yn destun gwawd drwy'r holl wlad'.

Dychwelwyd pob llyfr i'w le cyn pedwar!'

Mab arall i Garmonydd oedd **Frederick Llewelyn Jones**, Aelod Seneddol dros Sir y Fflint a chrwner, dyn arbennig o ddylanwadol. Yn 1892 priododd ag Elizabeth merch Edward Roberts y Confectioner Stryd y Ffynnon, Rhuthun. Mab i Fred Llewelyn oedd Humphrey (1896) a fu'n Ddirprwy-Grwner Sir y Fflint ac a anafwyd yn ddrwg yn Ffrainc ac a oedd yn fab-yng-nghyfraith i'r Parch Elfed Lewis gan iddo briodi ei ferch Aisla. Mab arall Frederick oedd John Glyn (1893) Swyddog Iechyd Meddygol Penarlâg, yntau hefyd wedi'i glwyfo'n ddrwg yn Ffrainc. Ei wraig ef oedd Dr Olive Buile. Y mae cwmni F Llewelyn Jones yn dal mewn bodolaeth wrth gwrs, gyda swyddfeydd yn yr Wyddgrug a Rhuthun. Y mae Nic Parry'n rhan o'r cwmni. Felly hefyd Delyth Geraint, wyres i Daniel Williams, Llangollen, awdur *Beirdd y Gofeb* a *Hen Arweinwyr Eisteddfodau*.

Mab arall i Garmonydd oedd **Dr Harold Emery Jones** a gafodd radd dosbarth cyntaf o Brifysgol Caeredin ac a fu farw yn Efrog Newydd yn 1909 yn 35 oed ac y mae iddo ddisgynyddion yn y wlad fawr honno. Cafodd y mab arall, **Gerald,** y DSO yn y Rhyfel Mawr. Bu Humphrey Bradley Jones yn brifathro yn Amlwch, Carneddi ac wedi Llanarmon, yng Nghaergybi a Thregeiriog. Bu farw 21 Ionawr 1904 a'i gladdu yn Rhiw Iâl. Yr oedd yn siaradwr brwd yng nghyfarfodydd y Degwm a phan ddaeth yr atafaelwyr i Blas Llanarmon fe lwyddodd Garmonydd i guddio gwartheg John Parry oddi wrthynt. Pan oedd yn athro yn y Carneddi sefydlodd Ysgol Sul (1864-76) ac yr oedd trigain o chwarelwyr yn ei mynychu. Yn wir yr oedd yr ysgol mor enwog fel y ceir cyfeiriad ati yn y llyfr *Characters* gan Samuel Smiles 'apostol gofalwch am eich buddiannau eich hun' sef y dyn hwnnw y byddai fy nain yn ei ddyfynu, er nad oedd erioed wedi clywed sôn amdano am a wn i, sef 'Lle i bopeth a phopeth yn ei le.'

Yn ei gyfrol am *Hen Arweinwyr Eisteddfodau* (traethawd buddugol Eisteddfod Bangor 1943) y mae Daniel Williams yn dweud bod Garmonydd yn arweinydd gydag 'awen bert, parod ei ffraethineb'. Yr oedd gan Daniel Owen feddwl y byd ohono ac yn ei ddisgrifio fel 'rhywun tebyg i'r Red Cross Knight, arwr cân odidog Edmund Spenser.' Yr oedd arweinwyr eisteddfodau yn sêr yn eu hoes a rhai ohonynt heb flewyn ar dafod. Er enghraifft, yn Eisteddfod Llangollen 1876 ceir yr arweinydd, Mynyddog, yn llongyfarch M F Wynne, Cefn Mawr, y llywydd, am ei gyfarchiad barddonol, llawn *propriety*, yn wahanol, meddai, i un bardd gwirion oedd wedi cyfarch eisteddfod nid nepell fel hyn:

Pan oeddwn yn Yâle
Euthum i edrych am dâl
Am y ferch fu'n sâl
Ar gyfer craig y shâl
Gwelais falwen ar ei gwâl
Mi a'i trewais â'r bâl
Nes oedd ei blew ar chwâl.

Gŵr enwog arall yn y fro oedd Ehedydd Iâl, Tafarn y Gath, genedigol o Dderwen, awdur yr emyn 'Er nad yw nghnawd ond gwellt' ac yr oedd ganddo ef a Hannah chwech o blant gartref y noson honno. Soniais amdano eisoes. Bu farw'n sydyn fis Chwefror 1899 yn 83 a thri mis oed. Dywed Tegla fod yr Ehedydd yn gwneud ystumiau ofnadwy hefo'i geg. Nid ef oedd unig fardd y fro. Yr oedd Thomas Jones, Pont Styllod yn cael ei gyfrif nid yn unig yn ffermwr da iawn ond hefyd yn fardd cymeradwy. Adwaenid ef fel 'Rhodwy'. Bu farw yn 1909. Yr oedd yn frawd i Daniel Jones, Swyddfa'r Post, Llandegla, un o ffotograffwyr cynnar y fro.

William Rowlands o Lanfihangel, Môn, oedd y gweinidog lleol yn byw ym Mryn Ffynnon hefo'i wraig Jane, brodor o Fallwyd. Yr oedd yr achos Wesleaidd yn gryf yn y fro oherwydd dylanwad teuluoedd o Gernyw ddaeth i weithio yn y mwynfeydd. Cardi oedd y ficer (fel y rhan fwyaf o ficeriaid cefn gwlad Sir Ddinbych am ryw reswm) sef Evan Evans o Lanrhyd a'i wraig o Lanbadarn Fawr. Price William Hough, brodor o Chwitffordd, oedd gweinidog yr Annibynwyr. A beth am Adelina Patti Jones? Saith oed, merch mwynwr plwm o'r enw Richard Christopher Jones oedd yn byw ym Mount Pleasant, oedd hi. Yn 1881 yr oedd y gantores enwog o'r un enw yn 38 oed ac ar frig ei gyrfa fel prima donna ym Milan. Tybed sut y treiddiodd ei henw i fwthyn gweithiwr cyffredin ym mhlwy Llanarmon yn Iâl? A beth ddigwyddodd i'r fechan? Ai llais fel brân oedd ganddi? Yr oedd ganddi frawd o'r enw Ignatius.

Heblaw am nifer o ffermwyr a mwynwyr yr oedd popeth arall ar gael hefyd wrth gwrs:- Thomas Roberts, Bryniau yn gyrru peiriant dyrnu a Richard Bailey, Green Bank, brodor o Bidelph, Swydd Stafford yn gwneud ysgubellau; oriadurwr genedigol o Lanerchymedd oedd John W Owen oedd yn lletya yn y Butchers' Arms a Griffith Jones y Llan yn blismon; dal cwningod oedd gwaith John Wynne, Tan y Foel, ei dad Robert yn frodor o Lanelidan a'i fam o Langar; Thomas Davies oedd teiliwr y fro ac yr oedd ganddo ef a Letitia Janet, ei wraig, fab blwydd oed, Robert Lloyd a aeth i'r weinidogaeth. Magwyd ef a'i frawd gan eu taid a nain ym Maes Gwyn, Bryneglwys gan iddynt gael eu gadael yn amddifad. Bu farw Letitia yn 32 oed yn 1886. Brawd iddi oedd tad Alwena Roberts, Telynores Iâl ac fe soniais amdanynt yn y bennod am Fryneglwys.

Bûm yn chwilio'n ddyfal am deulu o'r enw Morgan. Yr oedd yna Peter Parry Morgan ym Mount Pleasant hefo'i wraig Sarah Ann a'u plant John Parry (14) Mary (12) William (8) ac Arthur (6) oll wedi'u geni yn Nhreuddyn. Yr oedd yna Robert Morgan yn rhedeg y Sun Inn hefo'i wraig Jane a'u plant Martha Ann (11) a Noah (4). Ond nid oedd sôn am William Morgan, ei wraig Jane a'i blant Louisa a Jane ac y mae'n edrych yn debyg eu bod nhw wedi hel eu pac. A phwy all eu beio. Yn ôl Cyfrifiad 1871, ddeng mlynedd cyn y cyfnod dan sylw, yr oedd gan William Morgan letywr o'r enw Samuel H Dougal, 24 oed, genedigol o Bow (hynny'n ei wneud yn Gocni) ac yr oedd yn aelod o'r Royal Engineers oedd yn yr ardal at bwrpas gwneud map OS. Ystyrir staff yr OS fel y mapwyr gorau yn y byd. Go brin eu bod yn falch o Samuel Dougal.

Yn 1869 yr oedd ef wedi priodi Lavinia Martha Griffith o Laneurgain. Eithr ddwy flynedd yn ddiweddarach yng Nghyfrifiad 1871 nid oes sôn yn unlle am Lavinia er bod Samuel yn cael ei restru hefo'i deulu-yng-nghyfraith yn Panton Place, Treffynnon yn ogystal ag yn Llanarmon hefo William Morgan – enghraifft o berson yn cael ei gyfrif ddwywaith! (Digwyddodd yr un peth i Phoebe Hughes, mam Ceiriog: cafodd hi a'i meibion eu cofnodi yng Nglyn Ceiriog ac yn Llanarmon Dyffryn Ceiriog). Yn 1877 aeth Sam a'i deulu i Halifax, Nova Scotia a bu Lavinia farw yn 1885 a daeth Sam adre am gyfnod. Ymhen deufis dychwelodd i Ganada hefo gwraig newydd ond bu hi farw o fewn saith wythnos ac fel ei wraig gyntaf claddwyd hithau o fewn diwrnod. Nid oedd neb yn amau bod unrhyw beth o'i le. Yn 1896 fe'i cafwyd yn euog o dwyll a chollodd ei bensiwn. Yn 1898 ac yntau yn 51 oed cyfarfu â Camille Cecile Holland, hen ferch yn byw yn Bayswater, ardal reit gefnog o Lundain yr adeg honno ac aeth y ddau i fyw i Moat Farm, Clavering yn Essex. Yn fuan wedyn fe'i saethodd hi yn ei phen a chladdodd ei chorff mewn ffos. Cymeryd ef i'r ddalfa yn 1903 am ysgrifennu sieciau yn enw'r wraig fu farw. Ar 27 Ebrill 1903 cafwyd hyd i gorff Camille a ganwyd yr hyn a elwid 'The Moat Farm Mystery' a ddaeth yn enwog. Cafwyd ef yn euog o lofruddiaeth a'i ddedfrydu i farwolaeth ac fe'i crogwyd yng ngharchar Springfield, Chelmsford ar 14 Gorffennaf 1903. Ei eiriau olaf ar y crocbren oedd 'Rwyf yn euog'.

Y tro nesaf yr edrychwch ar fap OS 6" o Sir Ddinbych rhif XX cofiwch mai Samuel Herbert Dougal fu'n gyfrifol am ei lunio – llofrudd un wraig os nad tair. A chofiwch bod gan blwy Llanarmon ran yn y stori.

Ac y mae Llanarmon wedi ymledu ymhell oherwydd yn 1886 aeth John Eryrys Jones, Ty'n Ffynnon i'r Wladfa gan hwylio ar y llong *'Vesta'* o Lerpwl. Gadawodd ar ei ôl yn Nhy'n Ffynnon ei rieni, Simon a Hannah Jones, pedwar brawd, David, William, Thomas ac Ellis a chwaer bymtheg oed, Mary. Anne Harrison o Faeshafn oedd ei wraig ac yr oedd ganddynt ddeg o blant:

Sarah Hannah (1879) priododd Isaac Davies a chawsant chwech o blant – Ethel (priododd Elwyn Pritchard), Gwladys (priododd Cesar Calderon), Evan John (hen lanc), Eurwen (priododd Hector Virgilio Zampini), Flavia (priododd Francisco Martinez) ac Edith a briododd Maldwyn Rowlands.

John Harrison (1881) bu farw'n blentyn drwy foddi yn afon Chubut.

David Iâl (1883) priododd Lizzie Rebecca Maliphant a chawsant naw o blant – Ynyr (hen lanc), Valmai (priododd Harold Jones), Hefin (priododd 1. Isabel Peralta 2. Adelina Narducci), Alba bu farw'n ifanc, Olga hefyd yn marw'n ifanc, Arianina (priododd Thomas Einion Roberts), Valeira (priododd Orlando Oscar Puw), Gloria (bu farw) ac Albina (priododd Virgilio Francisco Zampini).

Frances (1885) bu farw'n faban.

Myfanwy (1888) priododd Sidney Rimmer a chawsant saith o blant – Cyfanwy, Percy (priododd Lilian Chatton), John (hen lanc), Sidney (priododd Edna Batterby), Rachel (priododd George England), Eunice (priododd 1.Edward Pawley 2.John Davies) ac Ann (priododd Kenneth Jones).

Frances arall (1890) priododd Harri Ellis Roberts a chawsant chwech o blant – Gwyneth Vaughan (dibriod), Dilys Marian (priododd Julio Arlt), Arthur Raymond (priododd 1. Sara Perez Laminos 2. Elda Cooper), Muriel (priododd Caupolican Pereyra), Frances Evelyn (dibriod), John Harrison (priododd Beatriz Leonor Kunsel).

Cynan (1891) priododd Lizzie Jane Smith a chawsant saith o blant – Norah (bu farw'n blentyn), Edward Gwylfa (priododd Nanws Mai Evans), John Armon (priododd Estela Edith Lugano), Neifion (priododd Elisa Molina), Tudeg Wyn (priododd Anees Majdalani), Gwener ap Cynan (priododd David Jones) a Hywel ap Cynan (priododd Elma Roberts).

Penri (1893) priododd Hannah Smith a chawsant ddau fab – Dennis a Penri (a fu farw yn 18 oed)

Flavia (1896) priododd Daniel Whitley a chawsant ddau fab – Eifion Wyn a briododd Beryl Hetty Warren a Thomas a briododd Edna Granger.

Tudeg (1898) priododd Arthur Hughes a chawsant dri o blant – Joan (a briododd Vincent Proud), Arthur (a briododd Rita Sherwin) a John (a briododd Audrey Johnson).

Mae disgynyddion John Eryrys ac Anne Jones o bob lliw a llun ac iaith ac ar wasgar ym mhedwar ban byd o Chubut i Buenos Aires, o Vancouver i Sydney.

Ar yr un llong yr oedd William a Sarah Ann Jones o Lanarmon. Adweinid ef fel Wil Lerpwl, ac ymgartrefodd ef a Sarah yn Fron Heulog, Bryn Crwn, Dyffryn Chubut a magu un ar ddeg o blant:

Sarah – priododd Gwilym Williams a chawsant naw o blant – Hannah (priododd Evan David Coombes), Sarah Elizabeth (dibriod), Edwin (priododd Deborah Jones), Aneirin (priododd Corrie Viviers), Meirion (hen lanc), Manon (priododd Juan Gimenez), Megan (priododd Ivor Thomas), Dorah (priododd Darwin Jones) ac Ethel (dibriod).

Hannah – priododd Hywel C Thomas a chawsant dri o blant – Meilir Rhys (priododd Irma Williams), Eurgain (priododd Mario Cassini) a William Geraint (priododd Nilda Ferreyra).

Menna – priododd John B Thomas a chawsant dri ar ddeg o blant – Hilda (priododd Dyfed Rowlands), Edgar (hen lanc), Haydn (priododd Elba Lorenzi), Melba (dibriod), Enid (priododd Andrew Philip), Arwel (priododd Lottie Evans), Brynmor (priododd Rosa Rossi), Emir (priododd Manuela de la Torre), Lena (priododd Hipolito Perez), Gerallt (priododd Blanca Fernandez), Eiri Mair (priododd Manuel Monroe), Edsel (dibriod) ac Eirwin (priododd Amelia Noemi Lincornan).

Sydna – priododd Gweirydd Thomas a chawsant bump o blant – Eirlys (bu farw yn 14 oed), Eifiona (priododd Celso Sayago), Ernig (priododd Vegra), Nefil a Beryth.

Gweirydd Iâl – priododd Gwen Thomas (merch Dafydd Coslett Thomas ac Eleanor yn wreiddiol o Langadog) a chawsant wyth o blant – Glenys (bu farw'n ifanc) Einar (priododd Arnelia Jones), Edrydd (priododd Margarita Ericsson), Myfanwy (priododd Darwin Morgan), Aviona (priododd Mario Pesoba), Eldeg (priododd Enrique Korn), Ernie (priododd Maria del Valle Cejas), Edith (priododd Heriberto Brugger).

Buddug – priododd Ffestin Hughes a chawsant dri o blant – Norma (bu farw'n ifanc), Byron (hen lanc) a Homer (priododd Irvonwy Evans).

Meredydd Iâl – priododd Lizza Williams (wyres arall i Dafydd Coslett Thomas) ond ni fu iddynt blant.

Ceinwen – priododd Eduardo Mulhall a chawsant dri ar ddeg o blant – Adelina (priododd Evan John Lewis), Miguel Jorge (priododd Dora), Eduardo (hen lanc), Olga (priododd Domingo Alvaro), Eloisa Elena (dibriod), Reimundo (priododd Rubi), Marion (bu farw yn 5 oed), Lucia Ema (dibriod), Ceinwen Enriqueta (dibriod), Alberto (priododd Raquel Maglione), Dora (priododd Carlos Poblet), Jairne (dibriod) a Zulema Margarita (priododd Juan Olivares).

Margaret Ellen – priododd Luis Weber a chawsant ddau fab – Jorge fu farw'n faban a Jose William a briododd Allegonda Guillermina Nelida Van Haaster (Neli).

Denis Iâl – priododd Zulema Valenzuela – dim plant.

Ehedydd Iâl a briododd Irma Hughes a chael dau o blant – Irma Laura (priododd Philip Henry) ac Ana Maria (priododd Jorge Recchia)

Gwn y bydd rhywun yn siwr o gwyno bod y bennod hon wedi mynd yn rhy gatalogaidd o lawer ond yr wyf wedi manylu tipyn am y ddau wron o Lanarmon, John Eryrys a Wil Lerpwl Jones, oherwydd nid yn unig fe welir eu bod wedi cenhedlu digon o ddisgynyddion rhyngddynt i lenwi De America ond hefyd am fod pobl y Wladfa wedi dechrau mynd yn glaf i'r clwy hel achau ac efallai y bydd yr uchod o ddefnydd i ambell un! Sylwer hefyd bod ganddynt lawer mwy o ddychymyg wrth enwi eu plant; Cynan a Tudeg a Gweirydd ac Ynyr ac ati – pan oedd eu cyfoeswyr yng Nghymru yn dal i lynu wrth John a Jane a Mary. Mae'n amlwg hefyd bod yr hen ffordd Gymreig o fyw a'r iaith Gymraeg wedi cael eu glastwreiddio cryn dipyn os edrychir ar enwau'r rhai ddaeth yn ŵyr a gwragedd i blant John Eryrys a Wil Lerpwl. Dyna un rheswm dros ddirywiad yr iaith ym Mhatagonia mae'n siwr. 'Fedrwch chi ddim atal priodasau 'cymysg' ac y mae'n rhyfeddol bod y Gymraeg i'w chlywed o gwbl yn y Wladfa. Fe welir bod dau o feibion Wil Lerpwl (Gweirydd Iâl a Meredydd Iâl) wedi priodi dwy wyres i Dafydd Coslett Thomas (Gwen Thomas a Lizza Williams) oedd yn byw ar fferm o'r enw 'Tair Helygen' ger Rawson. Cefnder i'r ddwy oedd Thomas Coslett Thomas a briododd Jane Alice Hughes, merch Margaret Roberts, Tir Barwn a John Hughes, Clegir Isa, Melin y Wig. Yn 1902 mudodd John Coslett Thomas a'i wraig Caroline, rhieni Thomas Coslett, o Drelew i Saskatchewan a Chanadiaid yw eu disgynyddion nhw. Yr wyf mewn cysylltiad â Gordon Coslett Thomas, mab Thomas a Jane Alice: bwriaf ein bod yn chweched gyfyrdyr! Neu a defnyddio geiriau hen Gyfreithiau Hywel Dda – yn or-orchaw i'n gilydd. Yr oedd gŵr Albina, merch David Iâl Jones sef Virgilio Francisco Zampini yn aelod o Lywodraeth yr Ariannin yn yr 1960au ac yn gyfrifol am ddiwylliant talaith Patagonia. Yr oedd yn siarad Cymraeg. Colled i gefn gwlad Cymru oedd colli'r teuluoedd mentrus hyn. Bu John Eryrys Jones a Wil Lerpwl yn gweithio gyda'r criw a gododd y camlesi ar afon Chubut – rhan bwysig iawn o ddatblygiad y Wladfa. Yn ôl R Bryn Williams yn ei gyfrol ar hanes y Wladfa cafodd y rhai a deithiodd o Lerpwl ar y *Vesta* amser caled iawn.

Ond yn ôl â ni i Lanarmon ac yn 1891 rhyw wyth gant oedd yn byw yn y plwy ac yr oedd trigain ohonynt yn uniaith Saesneg. Ymhlith y Saeson yr oedd Ralph Percival yn ffermio Saith Daran, brodor o

Warrington; teulu John Wootton cipar Plas Gelli Gynan o Swydd Nottingham a Ralph Blake o Rainhill, ffermwr, Bron Adda ac yr oedd ganddo wyth o blant dan un ar ddeg oed. Sylwer hefyd bod nifer helaeth o Albanwyr yn y fro – ac y mae'r iaith a siaredir gan deulu Rhos Goch sef James Rennie a'i dylwyth yn cael ei disgrifio fel Scotch English.

Ynglŷn â chyfenwau lleol: cawn Harriett Blore, morwyn 18 oed hefo Robert White yn yr Acre; Francis Beech a'i deulu yn Tŷ Newydd Bryniau (yr oedd wedi priodi Jane Roberts, merch y Bryniau); John Beech a'i deulu yn y Perthi Chware (bu ef farw yn 1982 yn 91 oed ac yn 1977 derbyniodd Fedal Gee: merch Plas yn Pant oedd Elizabeth Frances, ei wraig, a fu farw yn 1965 ac yr oedd yn chwaer i fam Tudor Beech, Perthi Chwarae, i Pollie Lightfoot, Llidiart Fawr, Pentrecelyn ac yn fodryb i ail wraig William R Jones, Rhos Pengwern gynt); Simon Oldfield, gwas gyda John Jones, Creigiog; Robert Ingham a'i deulu yn y Waen; Robert Beech yn Nhy'n Ffordd (Mary, merch William Davies, gof gwyn o Wrecsam oedd ei wraig); Elizabeth ac Alice Mary Goodwin yn lletya yn y Tŷ Isa a Robert Bryan a'i deulu ym Maes Llan.

Yr oedd llawer o dai llawn megis Tomen Rhodwy e.e.

William Jones	pen	36	Llanarmon
Catherine "	gwraig	36	Llanddoged
Margaret Ann "	merch	12	Llanarmon
Catherine Jane "	merch	10	"
William "	mab	9	"
Mary Elizabeth "	merch	8	"
John "	mab	7	"
Emily "	merch	5	"
Enoch "	mab	4	"
Edward "	mab	3	"
Edith "	merch	1	"
Caroline "	merch	1 mis	"

Ni wn ddim am hynt a helynt y deg plentyn uchod – heblaw am Enoch ac un o'r merched. Priododd Enoch â Sephorah Williams, Henfryn, Llanelidan a buont yn ffermio ym Mhen y Cae, a nhw oedd hen daid a hen nain Wyn a Glyn Jones, Ffynnon Tudur, y ddau frawd sydd yn cadw siop cigydd a danteithfa yn Stryd y Ffynnon Rhuthun. Yn y wasg yn 1893 cawn hanes trist am un o chwiorydd Enoch – ifanc a diniwed. Yr oedd ei mam wedi'i hanfon ar neges ond rywle ar y ffordd rhwng Llandegla a Nant y Garth daeth wyneb yn wyneb â dyn o Lanarmon a chafodd y fechan ei threisio ym môn y clawdd. Yr ymadrodd a ddefnyddid yng ngwasg y cyfnod am yr anfadwaith hwn oedd *'she was outraged'*. Sydd yn ddisgrifiad graffig o'r sefyllfa. Ceir ei henw a'r manylion llawn yn y papurau. Yr oedd dau dwrne galluog yn amddiffyn yr ymosodwr sef Ellis Gruffydd a Fred Llewelyn Jones ond cafwyd ef yn euog a'i ddedfrydu i bum mis o garchar. Druan o'r eneth fach. Nid oedd llysoedd barn y 19eg ganrif yn dangos llawer o gydymdeimlad gyda throseddau yn erbyn merched a phlant. Ac wrth gwrs yr oeddynt yn cael eu henwi yn y wasg. Onid yw hi'n rhyfedd fel y bu i bob crefydd ochri gyda'r dynion drwy'r oesau! Trafoder.

Un arall aeth i'r llys barn oedd Edward Jones, gwas yn Rhosddigre. Aeth â Samuel John Sherman o Lundain – cwac-ddoctor – i'r llys i geisio cael £22/1/- yn ôl. Yr oedd Jones wedi gweld hysbyseb mewn papur yn dweud y medrai Sherman wella un oedd wedi torri'i lengig *(rupture)* heb lawdriniaeth feddygol. Rhaid oedd talu gini ymlaen llaw, cyn ei weld, ac yr oedd yn addo ei wella am ugain gini arall. Ond nid oedd Jones ddim gwell ac yr oedd eisiau ei bres yn ôl. Dywedodd un o'r enw Dr Whitehead bob pob ffŵl yn gwybod na ellid gwella *rupture* heb lawdriniaeth. Yr oedd Sherman wedi dweud y byddai Jones yn pitchio gwair ymhen pythefnos. Dyfarnodd y barnwr yr arian yn ôl iddo ynghŷd â'r costau.

Yr oedd amryw hefyd yn gweithio yn y gwaith mwyn megis Edward Griffiths, Cae Harri; Cornelius Roberts, Bryn Haidd a'i ddau frawd Robert a Jesse, a Noah Griffiths y Cwm. Ymhlith y crefftwyr ceir Samuel Jones, Pen y Ffridd, saer coed; Joseph Bailey, Green Bank, yn gwneud brwshus a David Jones, Tŷ Capel, y saer maen a John Ellis y crydd.

Yn 1891 aelodau hynaf y plwy oedd Mary Owens, Pennant Canol (81) Gwen Thomas, Castell Rhodwy (87) a Charlotte Jones, Tŷ Capel (84) Yr oedd nifer o fabanod yn y fro – yn eu plith Caroline Jones, Tomen Rhodwy (mis) Richard, Tan y Creigie (2 fis) Thomas Davies, Llety (mis) Edith Roberts, Bryniau Bodidris (mis) Ann Jones, Ty'n y Mynydd (2 fis) a'r ieuengaf o bawb oedd Ralph Blake, mab tair wythnos oed Bron Adda. Yr oedd dau bâr o efeilliaid sef Moses ac Elizabeth, plant blwydd oed Isaac ac Ann Peters, Brenhinlle Fawr a Thomas Alun a William Henry, meibion 8 oed Thomas Jones, gŵr gweddw gyda saith o blant yn Nhan y Ffordd.

Y mae plwy Llanarmon yn gyfoethog iawn ei enwau ffermydd ac yr wyf yn arbennig o hoff o Saith Daran, Perthi Chware, Siglen Rhos, Perth y Wrach, Llwyn y Frân (cartref y teulu Francis lle ganwyd y ddiweddar Constance Parry, Wern Ddu, Gwyddelwern) Ffynnon y Berth a Maendigychwyn.

Mewn erthygl yn *Cymru* yn 1918 y mae prifathro Llanarmon yn talu teyrnged i Gwilym Lloyd Richards, mab y Parch W G Richards, Fern Bank a laddwyd yn y Rhyfel Mawr (a cheir llun ohono). Y mae ei enw ar y gofeb o wenithfaen a osodwyd i gofio bechgyn Llanarmon, Eryrys a Graianrhyd. Yng nghwmni Ralph Blake (Bron Adda), Alun Evans (Lot), Thomas Evans, William Evans (Waendyllog), John Griffiths (Nant), Evan Hughes, Robert Alun Jones (Cyfnant), T Rees Roberts (Cefn y Coed), Reginald Warbrick (Cae ab Edward), Walter Alun Jones (Carreg y Sais) a David William Hughes (Eryrys). Collwyd tri yn yr Ail Ryfel Byd: boddwyd Raymond Oswald Bryan yn 1942 yn 20 oed pan aeth y llong y *British Yeoman* i lawr, yr oedd yn byw yn Mlaen y Nant; saethwyd awyren Maldwyn Griffiths i lawr yn 1942 uwch ben Lubec yn yr Almaen. Ei gartref oedd fferm y Fron, Graianrhyd a gadawodd ei wraig Eleanor a dau o blant, Pamela a Ronald; a John Emrys Moss a fu farw o niwmonia yn 22 oed, aelod o'r Ffiwsilwyr Cymreig.

Archoll ddofn mewn ardal fechan. Dioddefodd pob pentref golledion tebyg.

Llanfair Dyffryn Clwyd – Ffermydd Bras

Mae hwn yn blwy mawr yn ymestyn o Bwllglas i Bentrecelyn ac o'r Graigfechan i'r Cricor – lle ceir golygfeydd anhygoel gyda llaw. Mae hi'n werth mynd drwy bentref Llanfair, heibio Llysfasi ac i fyny Nant y Garth yn y gwanwyn er mwyn gweld y bywyd gwyllt, yn flodau ac adar, ac yn arbennig y creyr glas sydd, am a wn i, yn ddisgynydd i'r creyr glas oedd yno yn y cyfnod pan oedd yr hen Gymry'n codi Tomen y Rhodwydd. Y mae afon Iâl yn llifo o'r bryniau rywle uwch ben Bryneglwys a dywedir ei bod yn croesi Nant y Garth, o ochr i ochr, ryw ugain o weithiau cyn diflannu ar draws y caeau ac ymddangos unwaith eto yn Rhydwrial sef Rhyd Dŵr Iâl ger Gefail Llanbedr. Os ydych yn credu mewn tragwyddoldeb, yna fe gewch y teimlad hwnnw wrth ddringo Nant y Garth nes cyrraedd y troad i'r dde wrth Saith Daran sydd yn arwain at Fwlch yr Oernant. Ymddengys yn ddiddiwedd.

Yn y plwy hwn, yn y Tŷ Brith, y magwyd y bardd Simwnt Fychan (1530-1606) achyddwr a herodrwr ac yn Eisteddfod Caerwys 1568 urddwyd ef yn Bencerdd. Yma hefyd yn eglwys y plwy ar 2 Rhagfyr 1786 y priodwyd Thomas Edwards (perthynas i Dwm o'r Nant) a Catherine Jones. Bedyddiwyd eu merch Sarah ar 21 Chwefror 1796. Pwy oedd hi? Neb llai na mam Daniel Owen. Felly – gall bro'r Bedol hawlio darn o'r llenor nodedig hwnnw! Pwy fuasai'n meddwl.

Y fferm fwyaf o ddigon yn 1881 oedd Plas Newydd lle'r oedd William Kellett yn ffermio 800 acer. Un o Swydd Gaerhirfryn oedd o. Mae nifer o'i ddisgynyddion yn dal yn y fro ac yr oedd un ohonyn nhw'n Aelod Seneddol hyd 1997 – Elaine Kellett Bowman – yr aelod dros Gaerhirfryn fel mae'n digwydd. Nid oedd hi'n un o aelodau mwyaf poblogaidd y Tŷ ac yn anffodus pan alwodd Dafydd Wigley hi yn 'hen fuwch' dan ei lais fe ddeallodd hithau gan bod ganddi grap go lew ar yr iaith oherwydd ei bod wedi bod yn byw yn Ystrad, Dinbych, ers talwm.

PLAS NEWYDD

William Kellett	pen	49	Ffermio 800 acer	Scales, Caerhirfryn
Mary "	gwraig	49		Cumberland
Elizabeth "	merch	23		Ulverston, Caerhirfryn
John "	mab	17		"
Mary A "	merch	12		"
Margaret "	merch	11		Llanelidan
Susannah "	merch	6		"

Mary A Davies	morwyn	20		Bwlchgwyn
Robert Rogers	gwas	22		Llanfair
Robert Roberts	gwas	20		"
Levi Davies	gwas	27		Llandegla
Robert Williams	gwas	16		Bwlchgwyn
Barbara Jones	ymwelydd	40	teilwres	Gyffylliog

O'r plant uchod priododd **Elizabeth** â John Hughes, Fferm Pentre Coch; **John** â Mary Emma, merch John a Mary Blinston Jones, Maes Llan, Rhuthun, gynt o Fryneglwys; **Margaret** â George Henry Walter Williams o Lanedeyrn, Sir Forgannwg, a **Susannah** â William Winder Christopherson, Gyffylliog. Yr oedd yna ferch arall o'r enw **Agnes** a briododd John V Williamson, Plas Derwen a chael naw o blant. Bu farw'r fam, Mary Kellett, yn 1888 yn 56 oed a'i gŵr William yn 1899 yn 69 oed. John fu'n ffermio Plas Newydd ar eu holau ac o blith ei blant ef priododd **Florence Anne** â Stanley Slipper, Budlington; **Margaret Gwendoline** â Francis Turner Jones, Gwesty Pen y Frenhines, Cerrigydrudion; **Richard Maurice** â Mabel Davies, Bryn Golau, Llanfair; **Gertrude** â John Fryer-Jones, West Derby a **Cecil Gordon** â Phyllis Digan. Mae'n debyg bod ganddynt ddisgynyddion ar wasgar ym mhedwar ban byd. John Kellett ddaeth â'r peiriant dyrnu cyntaf i'r fro a thyrrodd pobl yno i'w weld yn gweithio. Gyda llaw, y briodas olaf a weinyddwyd gan Emrys ap Iwan yng nghapel y Rhos, Rhuthun, oedd eiddo Sarah, merch arall i John a Mary Blinston Jones, Maes Llan, hefo J H Simon, y Felin, Rhuthun, a hynny yn 1890 cyn agor y Tabernacl. Cymerwyd rhan hefyd gan Thomas Gee. Garej Haulfryn ar Stryd y Rhos yw'r hen gapel hwnnw heddiw. Bu J H Simon yn chwarae pêl-droed i Bolton Wanderers, yr oedd yn flaenor yng nghapel y Rhos, yn ganwr penillion ac ef gychwynnodd yr ymgyrch i gael ysbyty i'r dref. Ei ferch Mair (Prescott wedyn) oedd y gyntaf i gael ei bedyddio gan Emrys ap Iwan yn y Tabernacl.

Yn byw yn y Plas yr oedd Henry Wilkinson, brodor o Durham, milwr wedi ymddeol. Yr oedd dau ar bymtheg o bobl yn byw yno gan gynnwys Louise Parrot, athrawes o Ffrainc. Yr oedd un arall yn y plwy wedi'i geni dramor hefyd sef Elizabeth White, morwyn yn y Tŷ Mawr, cartref Llewelyn Adams, y twrne, ac yr oedd hi wedi'i geni yn yr India. Yr oedd Llewelyn Adams yn ddyn dylanwadol yn ei ddydd a phan fu farw yn 1901 daeth tref Rhuthun i stop llwyr.

Yr oedd William Davies yn ffermio 400 acer yn Llysfasi a John Roberts â 373 acer ym Macheirig. Yn y Ffynogion yr oedd Owen Parry gyda 150 ac yr oedd yno ddwy forwyn a phump o weision. Yr oedd ef yn flaenor yn y Rhiw. Yr oedd William Ellis hefyd yn flaenor ac yn ffermio 100 acer ym Mhwllcallod tra'r oedd Samuel Owens yn ddyn prysur iawn yn ffermio 100 acer ac yn rhedeg y Ceffyl Gwyn yn y pentre. Bu ef farw yn 1885. Mab y Crown, Llandegla ydoedd.

Yn fferm y Cricor y sefydlwyd yr achos ac yn byw yno yr oedd Francis Beech a oedd wedi symud o'r Berth yn 1886. Yr oedd ganddo gan acer a saith merch. Merch Tŷ Gwyn, Bryneglwys, oedd Jane y fam a hi ddadorchuddiodd garreg sylfaen capel y Cricor. Rhaid sôn am ddwy fferm arall o leiaf sef yr Hendre lle'r oedd Edward Owen yn ffermio 160 acer a Llain Wen Ucha lle'r oedd Samuel Parry a'i wraig Jane a saith o blant yn byw. Mae eu disgynyddion yn dal yno. Un o Feddgelert oedd gŵr yr Hendre ac yr oedd ganddo braidd enfawr o ddefaid yn pori ar ochrau'r Wyddfa a byddai'n mynd i'w golwg yn gyson. Yr oedd ganddo fab o'r enw Pierce oedd yn 18 oed ar y pryd. Daeth ef yn bregethwr blaenllaw ac ef oedd awdur y gyfrol *Hanes Methodistiaeth Dyffryn Clwyd* sydd mor werthfawr i unrhyw un sydd yn hel achau ac yn ymddiddori mewn hanes lleol. Brawd iddo oedd Morgan a briododd Kate Williams, Plas Einion.

Yr oedd Richard Jones yn orsaf feistr yn Eyarth a Basil Jones yn ficer eglwys Sant Cynfarch ac yn y Ficerdy yr oedd y plentyn ieuengaf yn y plwy, mab heb ei enwi. Un o Sir Forgannwg oedd Thomas Thomas y plismon ac yr oedd ganddo saith o blant yn cynnwys Priscilla (4) ac Aquila (2). Plismon golau yn yr epistolau mae'n amlwg. Ddeng mlynedd yn ddiweddarach, fel y crybwyllais, yr oedd yn y Cerrig ond yr oedd Aquila wedi diflannu.

Y prifathro ym Mhentrecelyn oedd Robert Prys Jones o'r Bala a'i frawd John W Jones yn ei helpu: daeth yntau hefyd yn brifathro yno yn y man ac yn flaenor ac asgwrn cefn capel Pentrecelyn yn ogystal â bod yn arweinydd y côr. Aeth Robert Prys Jones yn brifathro i Ysgol Love Lane, Dinbych. Merch William Davies y crwynwr, Bryn y Bigwn, oedd Annie ei briod a bu hi farw yn 38 oed yn 1895. Yr oedd ganddynt wyth o blant – un o'u meibion oedd A G. Prys-Jones, arolygydd ysgolion a bardd Eingl-Gymreig. Symudodd y teulu i Bontypridd pan oedd AG yn naw oed. Cyhoeddodd chwe chyfrol o farddoniaeth ac ef oedd y bardd Eingl-Gymreig cyntaf yn yr 20fed ganrif a gafodd ei ysbrydoli gan Genedlaetholdeb Gymreig. Am fwy o'i hanes gweler y gyfrol amdano yn y gyfres *Writers of Wales* gan Don Dale-Jones – yntau wedi'i eni yn Rhuthun. Yn byw yno hefo nhw yn Nhŷ'r Ysgol, Pentrecelyn, yn 1881, yr oedd eu chwaer Sarah 16 oed. Daeth hi'n wraig i'r Parch T R Jones 'Clwydydd'. Teulu o Langower oeddynt, plant John ac Anne Jones. Chwaer i'w tad oedd Margaret a briododd Robert Roberts, Bwlch y Fwlet a mam i un ar ddeg o blant – yn eu plith **Sarah** fu'n byw yn Nhŷ Capel y

Glyn, priod Robert Roberts, Pantyronnen; **Gwen**, Penybryn, Llandderfel, ac ymysg ei disgynyddion niferus hi y mae Bryn Ellis, Helygain (y Trallwng erbyn hyn), cyn-brifathro Ysgol Argoed, Mynydd Isa, Tom Hooson a fu'n Aelod Seneddol Brycheiniog a Maesyfed a Hefin Davies, Blaenau Ffestiniog a fu'n Siryf Gwynedd yn yr 1990au, ei wraig Gwynneth o Frymbo yn un o 'nghyfoedion yn y coleg; **William** aeth i Remsen UDA; **Robert** aeth i'r Wladfa, y nodedig Mrs Freeman yn ferch iddo; **Jane** a briododd Griffith Williams, Derwgoed, merch iddynt oedd Nans y diolchodd Llwyd o'r Bryn iddi 'am warchod'; **John** a fu'n weinidog yn Abergynolwyn; **Ellis** fu'n athro yn Llanfair Caereinion; **Thomas** aeth i'r Wladfa; **Mary** a briododd J Parry, Llanelwy; **Margaret** a briododd T Edwards, Brynmelyn ac **Elinor** a briododd Roland Williams, Llechwedd Ystrad. Yr oedd gan John Jones dri brawd sef Thomas, cenhadwr yn Sylhet, Robert, Capel y Glyn a'r Parch Evan Jones.

Yn 1881 yr oedd Evan Jones yn weinidog ym Mhentrecelyn, wedi mynd yno o'r Cerrig ac fe symudodd wedyn i Adwy'r Clawdd. Ef weinyddodd ym mhriodas ei nai J W Jones, yr ysgolfeistr, â Mary Ellen Jones o Lerpwl yn 1895. Ewythrod eraill i J W Jones oedd Robert Thomas (Ap Vychan) ac Evan Peters. Bu JW yn brifathro ym Mhentrecelyn am 45 mlynedd. Bu farw yn y Rhyl yn 92 oed yn 1952, yr un diwrnod â George VI, ac ebe un yn ei angladd 'Bu farw brenin Prydain Fawr a brenin Pentrecelyn'.

Bu J W Jones a'i wraig yn gyfrifol am fagu Oliver Cattell-Jones, mab i gefnder ac ŵyr i Thomas Jones, Sylhet, tad y bachgen yn feddyg ym Mryniau Casia ac a fu farw'n ifanc gan adael gwraig a phump o blant – yr hynaf oedd Oliver 11 oed. Aeth y fam a dwy ferch i Awstralia, aeth un mab i ffermio yn Seland Newydd yn y man a bu un arall yn byw yn Kalimpong yn yr India. Anfonwyd Oliver i Bentrecelyn ac fe'i mabwysiadwyd gan ei ewythr. Graddiodd ym Mangor ac aeth yn athro i Essex. Siaradai nifer o ieithoedd. Bu farw yn 1937 yn Ysbyty Westminster gan adael mab deg oed.

Yr oedd popeth ar gael yn y fro: Enoch Edwards, Ty'n Llidiard yn gwneud olwynion; Gabriel Jones y Chwarel yn gwneud esgidiau; Thomas Jones, Tŷ Celyn yn bostman; David Hughes, Llys, y melinydd; Robert Ll Roberts, Plas Einion, 17 oed, yn brentis dilledydd ac yn un o deulu mawr. Y ddau hynaf yn y plwy oedd Robert Roberts, Cil Haul a Richard Rogers, Fron Fawr, ill dau yn 89 oed. Heblaw am fabi dienw'r Ficerdy yr oedd hefyd fabis eraill lu gan gynnwys Elizabeth Ll Jones, Plas Ucha, 3 mis; Evan Ll Williams, Siop, Graigfechan yn fis oed; William Davies, Ty'n Ffynnon yn 5 wythnos ac Edward W Jones, Sinet yn fis. Mwy am yr olaf mewn munud. Blwydd oed oedd Thomas Jones, Pistyll

Gwyn. Aeth ef yn brentis i J W Jones, Cyffylliog, yn Lerpwl a buont yn codi tai ym Mossley Hill a mannau eraill. Gelwid ef yn 'Honest Tom' ac ef oedd y cyntaf i godi tai hefo'r hyn a elwir yn 'built-in wardrobe' – rhywbeth a gymerir yn ganiataol heddiw.

Yr oedd John Jones, Oakland a Margaret Roberts, Pen Llwyn yn ddall tra'r oedd Jonathan Jones, garddwr yn Llwyn Ynn, yn fud a byddar. Yn byw ym Mhant y Celyn yr oedd Ellis Jones, mab siawns i John Jones, Llannerch Gron ac Ann Lloyd, Pant y Celyn. Yr oedd Ellis Jones yn hen daid i'r Parch J E Meredith, Aberystwyth (a anwyd yng Ngwyddelwern) ac Arthur Meredith, Telpyn, Llanfwrog. Ac felly yn hen hen daid i David Meredith, Swyddog y Wasg S4C a chyd-berchennog y Faner hefo'i briod, Luned merch y bardd Alun Llywelyn-Williams; i Margaret, gweddw yr hyglod Ioan Bowen Rees, i Ruth priod Meic Stephens (Golygydd *Cydymaith i Lenyddiaeth Cymru* ac ati) ac i John Meredith y twrne o Fangor. Ac felly yn hen hen hen daid i Owain Meredith, awdur *Diwrnod Hollol Mindblowing*, i Lowri Evans, cynhyrchydd gyda'r BBC, i Huw Stephens, disg-joci gyda Radio 1 ac i Gruff Rhys, prif leisydd y 'Super Furry Animals'. Y mae un arall o'r 'Furry Animals' hefyd a'i wreiddiau yn y plwy hwn sef Guto Pryce – ei nain, Olwen Hughes Jones, yn byw ym Mryn Awel, Graigfechan ers talwm a'i dri ewythr, brodyr ei fam, Dilwyn, Vernon a Gareth Jones yn dal yn y plwy heddiw. Ganwyd nhw ym Mryn Tangor a'u tad oedd Haydn Jones, Cileurych, mab Edward Jones, Penybont, Carrog, a brawd i Beryl Powell, Cileurych, oedd wedi priodi Thomas Eyton Powell, Rhydmarchogion, ac i Emlyn Jones, Pwll Naid oedd wedi priodi Jenny Jones, Llan, Carrog. Nis anghofiaf fy syndod pan welais ardd achau David Meredith am y tro cyntaf yn swyddfa'r Faner tuag 1988 a gweld ei fod yn olrhain ei dras i John Jones, Llannerch Gron, sef fy hen daid – taid fy nhad! Dyna un gyfrinach a gadwyd yn ddistaw iawn yn y teulu ond fel y dywedodd George Bernard Shaw – os dowch o hyd i sgerbwd yn y cwpwrdd gwnewch iddo ddawnsio . . . ac afraid dweud fy mod yn falch iawn o'r gangen annisgwyl hon o'r tylwyth. Yn arbennig o gofio'r hwyl a gefais yng nghwmni Luned yn Swyddfa'r Faner. Hyd yn oed yng nghanol ein gofidiau byddem yn medru chwerthin nes byddem yn wan.

Joseph Jones oedd yn y Tŷ Brith, mab y Tyddyn Uchaf oedd o a phriododd ag Elizabeth merch Plas yr Esgob ac y mae eu disgynyddion hwythau yn y fro. Yr oedd Elizabeth yn chwaer i John Jones, Llys, Clawddnewydd a fu farw yn Buarthe, Rhewl yn 1926. Janet Roberts, wyres y Siambr Wen oedd ei wraig. Soniais am eu plant droeon. Brawd arall i Elizabeth a John Jones oedd Robert ac yr oedd ganddo fo ddau o blant sef Thomas Rhys 'Clwydydd' a Margaret a ddaeth yn wraig i

Thomas H Edwards, Bodlywydd.

Braf yw dod ar draws enw gwahanol yma ac acw a chawn fod mab o'r enw Speakman Pendlebury yn Cefn Coch ac yr oedd yno forwyn o'r enw Lucy Pepper. Gobeithio nad hi oedd yn gyfrifol am wneud y cawl. Ac ym Mhant Ruth yr oedd gan Robert Roberts fab o'r enw Boaz a chafodd yntau yn ei dro fab o'r enw Linus a foddodd yn 1914 yn afon Trelew yn y Wladfa.

Erbyn 1891 yr oedd dros bedwar cant a hanner yn byw yn y plwy a phawb namyn dau ddwsin yn siarad Cymraeg. Ymysg yr uniaith Saesneg yr oedd teulu Basil Jones y ficer, Edith gwraig Llewelyn Adams y twrne oedd yn byw yn Tŷ Mawr, y Kelletts, a nifer o arddwyr a choetsmyn a bwtleri yn y tai mawr.

Yr oedd amryw o ffermydd mawr. Joseph Jones yn dal yn y Tŷ Brith ac yr oedd ganddo fo ac Elizabeth bump o blant erbyn hyn, yr ieuengaf Robert E yn dair oed. Samuel Jones a'i wraig oedd ym Mhlas Onn ac yn ôl Clwydydd yn ei hunangofiant yr oedd Samuel yn ŵr crefyddol iawn ac yn wrandawr cydwybodol – mor gydwybodol wir fel ei fod yn codi ar ei draed yn y Sêt Fawr os byddai'n teimlo swrth, rhag ofn iddo gysgu! Ni wn sut yr oedd y pregethwr yn teimlo wrth weld arwydd mor ddigamsyniol fod ei bregeth yn rhy hir neu yn rhy sych. Yr oedd Elizabeth Jones, Plas Onn, wrth ei bodd yn cael dweud ei bod wedi bod yn bresennol yn Sasiwn Fawr y Bala yn 1875 pan ddadorchuddiwyd cofgolofn Thomas Charles y tu allan i Gapel Tegid.

Francis a Jane Beech yn dal yn y Cricor. Saith o blant – Sydney (23) Kate (17) Anne (15) Sary (13) Jenny (11) Gwilym (7) Nelly (4). Disgynyddion Jenny yw teulu Lloyd y Cricor presennol. Yr oedd Ellis Jones, Pantycelyn yn ŵr gweddw. William Ellis yn dal ym Mhwllcallod ac yr oedd ganddo ddwy ferch, Catherine (12) a Margaret (9), tri gwas a morwyn. Cafodd William Ellis ddiwedd anffodus. Ar ei ffordd adre o gapel y Graig un noson dywyll yn 1920 syrthiodd i chwarel yn y tywyllwch a bu farw. Mae'r hanes llawn yn *Free Press* y cyfnod. Yr oedd llond tŷ ym Mhlas Einion sef John a Mary Williams a saith o blant, yr ieuengaf, Edith yn saith oed. Catherine Parry, gwraig weddw, brodor o Lanfor oedd yn ffermio'r Ffynogion gyda chymorth pedwar gwas a dwy forwyn. Newydd farw oedd ei gŵr Owen. Yn aros yno y noson honno yr oedd y Parch Robert Davies, brodor o Riwabon.

Yr oedd Edward Owen, Hendre Llwyn Ynn, erbyn hyn yn weddw 60 oed a thri o blant gartref yn 1891. Soniais eisoes am Pierce a Morgan. Cafodd Pierce ei urddo i'r Orsedd yn Eisteddfod Corwen 1919 a'i enw barddol oedd 'Cilgwyn' gan mai gweinidog Rhydycilgwyn (Rhewl) oedd ar y pryd. Priododd â Margaret Williams, merch Plas Coch Bach, Gellifor.

Yr oedd ei brawd hi, Edward Brown WIlliams, yn ddilledydd gyda chwmni Enoch Lewis, Lerpwl, tad Syr J Herbert Lewis. Elizabeth Roberts, Plas Llangwyfan oedd mam Enoch. Plant i J Herbert Lewis oedd y Dr Mostyn Lewis (a fu'n cynrychioli Cymru ar y *'Round Britain Quiz'* – o barchus goffadwriaeth) a Kitty Idwal Jones, Plas Penucha, Caerwys. Ei merch hi, Nest Price, sydd yn byw yno heddiw ac yn gofalu am yr hen gartref hardd a dyna lle mae Cylch Llenyddol Pen Ucha Clwyd yn cyfarfod. Gwnaeth J Herbert Lewis waith mawr yn Sir y Fflint ac yn y Senedd ac un o'i gymwynasau pennaf efallai (gan ddibynnu ym mhle yr ydych yn sefyll) oedd sefydlu Cynllun Pensiwn Athrawon! Merch Plas Penucha oedd Catherine Lewis a briododd Charles Hughes, y Mab yn Hughes a'i Fab.

Yr oedd amryw o'r enw Smith yn y fro – Joseph a Jane a naw o blant yn y Pistyll Gwyn, y plentyn ieuengaf Morgan yn flwydd oed. Thomas ac Anne a thri o blant yn y Glasgoed. Mae nifer o ddisgynyddion y Smithiaid yn y fro heddiw. Ffermio oedd yn mynd â bryd y rhan fwyaf ond ymysg y rhai mewn swyddi eraill yr oedd William Jones y gof yn Nhy'n Berllan; Thomas Powell y melinydd ym Melin Llys; William Jones y plismon, brodor o Frymbo, bu ef farw yn 48 oed gan adael gweddw a naw o blant ifanc. David Thomas o Feifod oedd yr ysgolfeistr yn Llanfair – hen lanc ar y pryd, ond yn 1892 priododd â Sarah Jane merch Moses Pierce, Plas Isa a gor-wyres i'r nodedig Dafydd Jones, Tŷ Gwyn, Bryneglwys, ac aed ar y mis mêl i Windermere. Asiant i stâd Eyarth oedd o yn wreiddiol – wedyn y penderfynodd fynd yn athro. Credaf bod Ruth Littlehales sydd yn nyrs yn Ysbyty Rhuthun yn wyres iddynt ac ŵyr iddynt hefyd yw Hywelfryn Jones sydd yn byw yn Aberteifi. Sarah Jane a fu'n gyfrifol am enwi capel Salem – gelwid o cyn hynny yn gapel y Ffolt – a hi a brynodd y llestri i'r capel.

Yr oedd Basil M Jones, y ficer yn dal yno a cheir llawer o'i hanes yng ngwasg y cyfnod oherwydd ei gysylltiadau â Rhyfel y Degwm; bu'n ddigon digymrodedd. Yr oedd yn siarad Cymraeg (yn fab i James Jones, rheithor Llanfwrog) ond un o Lincoln oedd ei wraig Emily, merch Dr Francis Willis, Shillingthorpe, ac yr oedd ei blant yn uniaith Saesneg. Yr oedd gan y teulu hwn gogyddes, morwyn barlwr, nyrs a bachgen i ofalu am y ceffylau. Mae'n rhaid bod ficeriaid yn cael cyflog go lew yr adeg honno – er mai dod o deuluoedd cefnog oedd y prif reswm am eu moeth. O edrych ar gofrestri plwy'r cyfnod un o'r pethau y sylwais arno yn arbennig oedd ysgrifen hynod o hardd Basil M Jones. Ar 11 Mawrth 1898 claddwyd John a Jane Goodman yr Efail, Graigfechan yn 58 oed a'r ficer wedi ysgrifennu yn y *margin* 'Yn eu marwolaeth ni wahanwyd hwy 2 Sam 1.23.' Collodd ddau fab dan amgylchiadau trist – yn gyntaf yn 1912 yn 26 oed bu farw Herbert Christopher Basil Jones, LlB, BA, offeiriad yng Ngholeg Cenhadol Wellington, yn Walworth, Llundain. Yr oedd Esgob Honolulu yn cymryd rhan yn ei angladd yn Llanfair. Yn 1918 bu farw mab hynaf y ficer, Lefftenant Alfred Selwyn Basil Jones yn 27 oed yn ysbyty'r Canadiaid ym Mae Cinmel. Hwn oedd y babi dienw yng Nghyfrifiad 1891. Bu farw'r tad yn 1925 yn 84 oed. Yn 1937 lladdwyd ei ferch wrth farchogaeth beic heb frêcs i lawr allt ar fferm ei brawd yn British Columbia. Mae cofeb iddi yn yr eglwys.

Yr oedd dau berson mud a byddar yn y plwy sef Margaret Roberts yn lletya yn Nhy'n yr Erw a Richard O Barnatt, naw oed, Bryn Rhedyn. Ymysg y genhedlaeth newydd cawn Mary E Evans, Cil Haul (9 mis), Janet Evans, Graig Ucha (5 mis) a William Williams, Sychdyn (6 mis). Yr oedd Bryn Mair yn wag. Ymysg yr uniaith Saesneg yr oedd teulu Plas Newydd sef Harry C Wrigley oedd yn byw ar ei bres (er nad oedd ond 26 oed) ei wraig Margaret, dau o blant (Cecil 4 a Harry 3 mis) a'i dad a'i fam-yng-nghyfraith Edward ac Eleanor Glover. Saesneg hefyd oedd iaith Thomas Maddock Shaw, Oakland, genedigol o Twll Farm ym Maelor Saesneg. Yr oedd wedi priodi Sarah Jones, merch Ty'n Celyn, Bryneglwys. Yr oedd eu merch Kate yn 12 oed. Daeth hi'n ail wraig i'r Parch J T Job, bardd coronog a chadeiriol. Yr oedd wedi cael nifer o brofedigaethau cyn priodi Kate – yn 1901 bu farw ei ferch Rhiannon yn 22 mis oed ac yn 1902 ei fab Hywel Aneurin yn 21 mis oed, a chollodd ei wraig gyntaf, Etta, tua'r un cyfnod. Yr oedd Sarah Shaw yn aelod o deulu mawr, ei chwaer Margaret wedi priodi Edward Davies, Bryn Banon ger y Bala ac Ann, chwaer arall, yn wraig i Moses Pierce. Mrs J T Job gafodd fferm Ty'n Celyn ar ôl ei hewythrod ac yn 1915 bu arwerthiant yno a chafodd hi gelc reit dda.

John Evans oedd yn Llain Wen, genedigol o Lanuwchllyn ac un o Faentwrog oedd Susannah ei wraig. Daeth y teulu hwn o'r Fedw, Llanycil tua 1889:

John Evans		pen	56	Ffermwr	Llanuwchllyn
Susanah	"	gwraig	53		Maentwrog
John	"	mab	25		Llanycil
Alice	"	merch	19		"
Evan	"	mab	14		"
Elizabeth	"	merch	12		"
Price	"	mab	11		"
Maggie	"	merch	9		"
Jane Mary Goodman		morwyn	16		Lerpwl
William Jones		gwas	34		Llangwm
Evan Williams		"	28		Bodffari

Cawsant 14 o blant i gyd. Yr oedd **Catherine**, yr hynaf, wedi priodi ag Owen Rowlands ac yn byw yn Nolbach ger y Bala cyn i'r gweddill symud i Lain Wen. Plant iddynt oedd Susannah Jones, Meyarth, John Rowlands, Rhydorddwy Goch ger y Rhyl, Mrs Daniel Jones, Bryntirion, Maesywaen, Mrs Jones, Cae'r Groes, Rhuthun, Mrs Owen, Gwylfa, Derwen, Griffith Rowlands, Cerrigllwydion ger y Bala, Sam Rowlands, Sowrach, Llanelidan, Mrs John Evans, Plas Major a Mrs Jones, Cefnbodig ger y Bala. Ymhlith wyrion a wyresau Catherine ac Owen Rowlands y mae Elwyn a Glyn Jones '*Jones Brothers*' Rhuthun; yr Athro John Rowlands, Aberystwyth, teulu presennol Cerrigllwydion y Parc a theulu'r Sowrach Llanelidan. Yr oedd **Elinor** wedi marw'n 15 oed a'i chladdu ym mynwent y Parc. Bu **John** yn ffermio Stryd Fawr, Gellifor. Priododd â Margaret Elin merch Humphrey Hughes, Rhos Isa, Llandegla a ganwyd iddynt bedwar o blant:- John Medwyn, Nan, Susannah a Gwilym Evans, Stryd Fawr, Llanychan gynt. Wyrion iddynt yw Hywel Davies, y pensaer a gynlluniodd Ysbyty Arrowe Park; Iona sydd yn byw yn y Berain, cartref yr hen Gatrin a Gwenda, priod Meirion, twrne, mab y Parch Ernest Wynne. Priododd **Alice** â Robert Roberts, Siambr Wen, Llanelidan a byw yn y Tŷ Newydd, Llanfair, nhw oedd rhieni Oscar Roberts. **Evan** ddaeth wedyn a bu'n ffermio Rhydorddwy, Dyserth, ei wraig oedd J E Davies, athrawes yn Ysgol Pentrecelyn. Yna **Elizabeth** a briododd Robert Pugh fis Awst 1902 – dyma rieni Meirion Pugh, Bryn Coch gynt. Arhosodd **Pierce/Pyrs** yn Llainwen. Priododd **Maggie** â'r Parch R R Parry y Tabernacl. Heb eu rhestru uchod y mae **Ann** (Ty'n y Coed, Adwy'r Clawdd wedi priodi Aaron Roberts o Goedpoeth, mae Ann, Nant y Carw, Llanrwst, yn wyres iddynt); **Jane** (priododd John W Jones a ddaeth o Foch y Rhaeadr yn ardal y Bala i Ffynnon Tudur ac wedyn i'r Tyddyn, Pentrecelyn, i Blas yr Esgob ac i Gae'r Groes. Nhw oedd taid a nain Llewelyn Vaughan Jones, Ty'n Llanfair a Iorwerth Jones, Pool Park). Priododd **Susannah** â Richard Wynne Rhewl Felyn (gweler Llanelidan); **Dafydd** (Tyisa, Llanfair, priododd ei gyfyrderes Elizabeth Ellen Roberts Coed y Glyn a chael dau fab – David Pierce a fu'n Bennaeth Ymgynghorol y Weinyddiaeth Beirianyddol Amaethyddol a Llywelyn a fu'n rheolwr banc); **William** (Ty'n y Caeau, Rhewl, tad Susannah gwraig Henry Hughes, Bachymbyd Fawr, Blodwen Bonner a Myfanwy Westley Jones) a **Griffith** a briododd Mary merch Sophia ac Edward Henry Edwards, y Graig a chyn hynny o'r Tŷ Newydd, Clocaenog. Plant iddynt hwy oedd y diweddar John Meirion Evans, Llain Wyn, Gwilym Pierce Evans, Tyisa a Gwyneth Lloyd, Dolgoed, Dinbych. Bu farw John Evans yn 80 oed yn 1913 a'r fam yn 1905 – ac yr oedd 12 o'i phlant yn fyw ar y pryd. Yr oedd John Evans, gyda llaw, yn frawd i

Griffith Evans a briododd Winifred, un o chwiorydd Llwyd o'r Bryn sef rheini y Parch Trebor Lloyd Evans, Treforus.

William Hughes oedd yn y Berth. Wedi'i eni ym Mhlas Adda, Corwen yr oedd wedi symud gyda gweddill y teulu i'r Cae Du, Bryneglwys, yn frawd i'r Parch David Hughes ac i Humphrey Hughes, Rhos Isa, Llandegla, i Thomas Hughes, Pantglas ac i John Hughes, fferyllydd Llan Isa, Bryneglwys. Elizabeth Salisbury oedd gwraig y Berth a ganwyd iddynt ddeg o blant: John a aeth i Texas, Thomas aeth i'r UDA, Jane a briododd Thomas Roberts, William Humphrey aeth i Efrog Newydd, Robert, Griffith, Elizabeth, David Edward aeth i'r UDA a dau blentyn marwanedig.

Yr oedd chwech o blant yn y Llain Wen arall, plant Samuel a Jane Parry: Mary (24) John Lloyd (16) Edward S (13) Robert H (11) Goronwy O (8) ac Ifor James (6). Yn 1901 ymfudodd Edward S i Awstralia a daeth yn ddyn busnes llwyddiannus. Bu farw yno yn 1910 a'i gladdu ym Mynwent y Cymry, Williamstown ger Melbourne. Un arall aeth dramor oedd Edward W Jones, Sinet. Yn 1904 aeth i Alaska i geisio ei ffortiwn. Yr oedd ei frawd Richard eisoes wedi mynd i Boston, Massachusetts, gyda 100 sofren yn ei boced, anrheg gan ei dad i'w gychwyn ar ei daith. Yn gwmni i Edward ar ei daith anturus i'r Klondyke yr oedd Robert Henry Jones, mab i gymydog, Johnny Moss o Lanarmon yn Iâl a Tegid Owen o dafarn y Ceffyl Gwyn. Gadawodd Tegid ei wraig a thri o blant ar ôl. Fel ei frawd, derbyniodd Edward 100 sofren gan ei dad a chyngor i ddysgu Saesneg yn iawn. Prin iawn oedd ei Saesneg a'r broblem gyntaf a wynebodd oedd methu gwneud ei hun yn ddealladwy yng ngorsaf Caer. Bu'n daith hir ac anodd iawn i'r Klondyke, brwydro drwy eira mawr a cherdded deugain milltir y dydd am ugain diwrnod o le o'r enw White Horse. Yr oedd Tegid Owen wedi hen alaru a dywedodd y rhoddai'r byd am gael gweld y White Horse arall rownd y gornel! Ac yna 9,000 o filltiroedd o Lanfair Dyffryn Clwyd dyma gyrraedd Dawson City, dinas adeiladwyd o bren.

Bu Edward a'i gyfaill Robert Henry yn sincio siafftiau yn yr Yukon mewn lle o'r enw Dominion Creek ac yno y buont drwy'r haf ar gyflog o £2 y dydd. Yn yr hydref ymunodd Johnny Moss â dau ddyn arall a chafodd Tegid Owen waith yn Dawson City. Yr oedd hi'n ddychrynllyd o oer. Ni feiddient gydio mewn haearn gan y byddai'n glynu yn eu croen ac ar brydiau byddai'r tymheredd yn disgyn i 60 islaw zero. Pan ddaeth y meiriol mawr aeth Edward ar gefn ceffyl i'r banc agosaf i bwyso'r aur oedd wedi'i hidlo a throsglwyddo'r arian i gyfrif ei dad ym Manc y Midland yn Rhuthun. Yn 1909 daeth adre i weld y teulu a oedd, erbyn hyn, wedi symud i'r Llety, Llangynhafal ac yr oedd ei dad yn gyndyn iddo fynd yn ôl i'r Klondyke gan fod ganddo ddigon o arian i brynu fferm a dyna sut y daeth Plas Dolben i'w feddiant. Rhoddwyd can sofren i'w frawd ieuengaf a'i anfon yntau ar ei daith. Mae'n rhaid bod hen ŵr y Sinet yn reit gefnog. Weddill ei oes ni allai Edward Jones beidio â meddwl tybed beth a ddigwyddodd i'w gaban a'i gynnwys yn Dominion Creek ar lan afon Yukon.

Nid oedd ymfudo o'r ardal hon yn ddim byd newydd. Cyhoeddwyd llythyr yn y *Free Press* 3 Ionawr 1925 oddi wrth Job Morris, Colfax, Washington fel a ganlyn:

Dymunaf anfon ychydig adgofion drwy'r Drych am yr hen long o'r enw Forest Queen. Carwn ddweyd ychydig am y rhai a ddaethant arni yn y flwyddyn 1850 o ardal Pentrecelyn a Llanfair Dyffryn Clwyd. Daeth fy nhad, sef John Morris a'i deulu o Penffordd, Pentrecelyn; Robert Williams yr Efail; Thomas Jones, teiliwr o ardal Graigfechan a Hugh Jones, Ty Newydd; Griffith a'i wraig sef merch John Williams, Pentrecelyn a George Griffiths a'i deulu o ymyl Llanfair Dyffryn Clwyd. Pregethodd y Parch William Hughes, Llanerchgron yn Garthgynan cyn iddynt ymadael am yr America yn nhy George Griffiths. Ymfudodd y Parch William Hughes i Utica N.Y. ac oddi yno i Racine, Wis. Pregethodd y diweddar Barch John Phillips Bangor ar y llong cyn iddi gychwyn o Lerpwl a phregethodd y Parch Edward Evans a'r Parch John Jones, pregethwr gyda'r Wesleiaid o Oshkosh, Wis. i ni bob Sul ar y daith.

Collodd y diweddar Evan James, Columbus, Wis. ei ferch a chollodd un o'r morwyr ei fywyd drwy foddi yn ystod y daith o Lerpwl i'r wlad hon. Daeth tri o'r dynion ieuanc oedd ar fwrdd y llong yn ddynion cyhoeddus yn yr America sef y diweddar Llewelyn Evans, proffeswr yn Lane Seminary, Cincinnati, Ohio; y diweddar Barch Thomas Parry mab i'r diweddar John Parry, Columbus, Wis; a'r diweddar Barch David R Jones, Lako Emily, Wis.

Aeth y rhai canlynol o'r teithwyr i Columbus, Ohio sef Robert Shon, Eban James a'i deulu, John Parry a'i deulu a Dr Owen Williams (the bonesetter). Aeth y ddau frawd John a Moses Roberts i Welsh Prairie ac aeth y rhai canlynol i Cambria: Gabriel Williams a'i deulu; Sgweier Roberts a'i deulu; a'r rhai canlynol i Oshkosh, Wis., George Griffiths, Garthgynan; Edward Shon a Griffith Williams y saer a'u teuluoedd; a Richard Price, Thomas George, Thomas Price, y gof, a Robert Roberts, tad Johnnny Roberts, yr hwn sydd yn 'conductor' ar y Northern Pacific, ac yn gwneud ei gartref yn Pullman, Wash.

Bu fy mab J E Morris a'i wraig ar ymweliad â mi ac hefyd â'u chwaer Mrs M J Grady ac aethant oddi yma i Ellensburg i weld eu chwaer arall Mrs Percy Wilson. Mae fy mab yn gwneud ei gartref yn Philadelphia ac yn drafaeliwr gyda'r Asphalt Paving. Yr wyf yn 87 mlwydd oed ac yn teimlo yn dda a charwn gael gair oddi wrth rai o'm hen gyfoedion oedd ar yr hen long Forest Queen.

Yn byw yn y Tywysog Bach, Graigfechan, yr oedd John Jones fyddai'n arfer gwerthu glo hefo trol a cheffyl ac yr oedd yn berchen tair wagen lo yng ngorsaf Eyarth ac yn 'nôl y glo o Gresford, Llai a glofa'r Hafod. Bu farw yn 1929. Catherine oedd enw ei wraig ac yr oedd yno chwech o blant yn 1891: Alice (14) Lewisa (11) Ellin (9) Catherine (6) Richard (4) a Mary (9 mis). Merch arall iddynt oedd Hannah, priod Evan Roberts, Leamington Stores. Adwaenid y mab fel Richard Jones y Glo a dywedir ei fod yn un castiog iawn. Yr oedd un o'r merched wedi priodi John Williams, Siop Graigfechan ac yn 1936 cafodd ef a'i fab Tecwyn anafiadau drwg pan saethwyd nhw gan ŵr o'r enw Edward Herbert Clarke. Un arall anafwyd oedd yr heddwas lleol, PC Ellis Moss. Ym Mhalas Buckingham yn 1937 cyflwynwyd Medal yr Heddlu iddo am ei ddewrder. Merch i John Williams (Kathleen Gwyneth) oedd y gyntaf i briodi yng nghapel Ebeneser, Graigfechan. Isaac Evan Evans, Bryn Llewelyn oedd y priodfab.

Ym Mryn Llannerch cawn bod y töwr Robert Evans a Catherine ei wraig yn byw hefo'u plant Catherine (20) Hannah (12) a'u hwyres Annie (11). Bedyddwyr oedd y teulu hwn a bu farw'r tad yn 1894. Yr oedd ganddo fo a Catherine saith merch ac un mab. Aeth **Jane Ann** i'r Bala; felly hefyd **Winifred** – hi oedd nain Lisa Erfyl. Aeth **Sephorah** i Lerpwl. Ni wn beth a ddigwyddodd i **Sarah** ond priododd **Catherine** ag Isaac Jones o Glocaenog a byw ym Mount Pleasant; un o Langwm oedd gŵr **Hannah** a buont yn byw yn Nhy'n y Fedw, Bryneglwys, ac yng Nglyndyfrdwy. Mab iddyn nhw oedd y diweddar Huw Merville Hughes. Mae ei weddw ef, Eirlys, yn byw yn y Bala ac yn enillydd cyson yn yr eisteddfodau am ei cherddi, telynegion yn fwyaf arbennig, gan gynnwys cadair y Wladfa. Yr oedd y diweddar Aled Vaughan, y darlledwr, yn frawd iddi. Hen lanc oedd **Evan,** unig fab Bryn Llannerch.

Un arall y sylwais arno oedd Lewis Evans y gof. Lladdwyd ef yn 1897 yn 62 oed yn Stryd y Ffynnon, Rhuthun pan redodd ceffyl a'i wasgu rhwng dwy drol. Lladdwyd John Gardener (16 oed) pan gafodd ei daro gan bêl griced. Mae'n rhaid dweud, ar ôl edrych ar gofrestri plwy a newyddiaduron y 19eg ganrif, bod yna ddamweiniau dychrynllyd yn digwydd a phobl yn dioddef marwolaethau erchyll: cael cic gan geffyl, olwyn trol yn rhedeg drostynt, syrthio i lawr y pwll, y frech wen, llawr llofft yn sigo dan bwysau tatws ac yn lladd teulu islaw, tarw'n cornio, syrthio o ben tas ac yn y blaen.

Yn 1891 y rhai hynaf yn y plwy oedd George Griffiths (87) Rookcliff, Thomas Rogers (88) tad Catherine Watkins, Tan y Graig, Elizabeth Ellis (88) yn cadw Siop y Graig ac Elizabeth Pitts (91) yn Llanfair Terrace. Y rhai ieuengaf oedd David, Pentre Coch (2 fis), Evan Jones, Tyddyn Ucha (3 mis) Harry V Wrigley, Plas Newydd (3 mis) ac Edward Jones, Tyddyn Pentre (4 mis). Yr oedd un pâr o efeilliaid sef Hugh a John, meibion deg oed Ellis ac Elizabeth Hughes, Llidiart Fawr.

Ar y gofgolofn ryfel a godwyd yn 1921 gwelir yr enwau canlynol:

Capten	Ll Jones Bateman (Eyarth)
"	F Jones Bateman
Lefft.	A S B Jones (mab y ficer, 37 oed.)
"	Goulborn Jennings
"	Owen Wyn Meredith
"	J K England
Rhingyll	Lawrence E Jones
Gunner	Thomas D Jones (mab Drws y Nant 27 oed)
Preifat	Henry Clarke
"	W Clarke
"	W Kegan
"	John E Hughes
"	Iorwerth Owen
"	John Price
"	Alec Leslie
"	Harold K Roberts
"	Robert J Williams
"	William Williams (mab Penygraig)
"	Isaac Evans
"	John Goodman
"	William Jones
"	J Lloyd Evans
"	O Lloyd Williams
"	William Jones
"	R Williams Davies
"	John Jones
"	Jas Garner R.N.

Dadorchuddiwyd y gofeb gan Mrs Springman. Os ydych wedi darllen cyfrol ysgytwol Robert Graves *Goodbye to All That* dylwn ddweud mai'r Frank sydd yn cael ei grybwyll yn y gyfrol yw'r Capten Frank Jones Bateman uchod a laddwyd yn y Rhyfel. Fel pob pentre arall archollwyd teuluoedd yma hefyd gan y dwrn dur.

Ac fel mewn nifer o bentrefi yr oedd yna fwy nag un capel i fynd iddo a cheir hanesyn am weinidog o'r ardal yn gweld un o'i aelodau wedi meddwi. Cadwodd hwnnw ei ben i lawr am dipyn cyn ymaelodi mewn capel arall ac aeth rhywun ati i gyfansoddi'r pennill canlynol:

Fe aeth i mewn i'r taproom
Fe foddodd yn y man,
Ar ynys enwad arall
Y daeth ei gorff i'r lan.

Llanbedr Dyffryn Clwyd – Troed y Bwlch

Y mae pawb sydd yn dod i Rhuthun a Dyffryn Clwyd dros Fwlch Pen Barras o'r Wyddgrug yn cael golygfa anhygoel o'r dyffryn. Ar waelod y Bwlch saif pentre tlws Llanbedr, pentre Seisnig iawn erbyn hyn. Y mae'n cynnwys stadau o dai hynod o foethus ac yn gyfleus i'r rhai sydd yn dymuno gweithio yng Nghaer neu Lerpwl. Ychydig iawn o'r teuluoedd gwreiddiol sydd yn byw yno heddiw.

Yr oedd pethau'n wahanol ddiwedd y 19eg ganrif. Y mae yn y plwy amryw o ffermydd adnabyddus. Yn 1881 John Williams, mab Maerdy Ucha, Gwyddelwern oedd yn y Clytir, ei ferch Mary wedi priodi William Edwards, Llwyn Brain – taid a nain y diweddar Goronwy, Tŷ Coch, Llanynys a'i frawd Gwilym wedi priodi chwaer i fam fy hen ffrind Olga Myddleton o Ddinbych. Edward Owen Vaughan Lloyd oedd yn y Berth (ei enw yng Ngorsedd oedd 'Llwyd o'r Berth'), gŵr cefnog 23 oed, a'i chwaer Sophy Charlotte Frances yn 18 ac yn cadw tŷ iddo. Gyda chymorth bwtler, a chogyddes a dwy forwyn! Bu'r Llwydiaid yn y Berth am genedlaethau ac yr oeddynt o'r un cyff â theulu'r Rhagat. Dyma lle ganwyd John Puleston Jones, y pregethwr dall, yn 1862. Priododd Sophy â Capten Rose ac ychwanegwyd yr enw Lloyd at Rose. Lladdwyd eu mab, aer y Rhagat, yn y Rhyfel Mawr, a gwelir ei enw ar y gofeb yng Ngharrog.

Yr oedd gan Thomas Jones, Coed y Rhiwisg saith o blant dan 10 oed. Yn y fan honno yr oedd angen morynion, nid yn y Plas, ond nid oedd ganddynt yr un. Enwau'r plant oedd Mary Lloyd (11) (priododd hi â Robert mab William Beech, Fferm Pentrecelyn); Edward Lloyd (9) Jane Elizabeth (7) Edith Ann (5) John Owen (4) a Richard Parry (1). Gweler Llanferres am fwy o fanylion am y teulu hwn. Ym Mhlas Towerbridge yr oedd Myles Christopherson yn ffermio, brodor o Swydd Gaerhirfryn ac yr oedd ganddo ef a Margaret wyth o blant a morwyn bymtheg oed o'r enw Catherine Jones o Lanelidan. Yr oedd eu mab William yn dair ar ddeg. Priododd ef yn y man â Susannah Kellet, Plas Newydd, Llanfair. Symudodd y teulu hwn i ardal Clawddnewydd ac erbyn 1891 yr oedd teulu newydd ym Mhlas Towerbridge – John ac Ann Roberts a'u plant.

Fel y dywedais uchod, ardal wedi ei Seisnigeiddio yw Llanbedr erbyn heddiw, ond y gwir yw bod yno nifer fawr o fewnfudwyr ganrif yn ôl hefyd. Yr oedd dros hanner cant wedi eu geni yn Lloegr ac yr oedd acenion yr Alban i'w clywed yn y fro gyda theuluoedd John Coupland, beiliff yn Fron Isa; Agnes Jamieson, cogyddes ym Mhlas Llanbedr; John Gilmour, coetsmon i'r ficer; James Maxwell Gibson, cipar a Robert Douglas, cipar yn Cae Nant. Erbyn 1891 yr oedd pob un ohonynt wedi mynd i rywle. Ymysg eraill oedd wedi teithio cryn dipyn yr oedd y caplan D J Llewelyn o Sir Gaerfyrddin, Mary Palin Griffiths, Fron Felin o Gemaes, Ynys Môn, Hugh Jones, Fron Bella o Lanegryn a'r ficer Thomas Jones Hughes o Fangor.

Dyma pwy oedd yn y Llwynedd:

Hugh Hughes	pen	35	Ffermwr	Clocaenog
Mary "	gwraig	32		Llansannan
Mary Winifred "	merch	10		Clocaenog
Evan Morris "	mab	9		"
John Jones "	mab	7		Llanbedr
Hugh Jones "	mab	5		"
Elizabeth Ann "	merch	3		"
Buddug "	merch	1		"
Peter Lloyd	gwas	21		Efenechtyd
Margaret Roberts	morwyn	17		Cyffylliog

Yr oedd Hugh Hughes yn ŵyr i Morris Hughes, Parc, Clocaenog (1768-1857) a'i wraig Mary ferch Cadwaladr Thomas, Penlan, Gwyddelwern. **Morris** oedd yr ieuengaf o ddeg o blant Richard a Catherine Tudor Hughes, Sarphle, Llanarmon Dyffryn Ceiriog, teulu arbennig o bwysig yn hanes Anghydffurfiaeth yn y fro honno. Yr oedd **Mali** Sarphle wedi priodi John Hammond, Tŷ Du, Nantyr, ei chwaer **Elizabeth** wedi priodi Lewis Edwards, Ty'n Twll a **Margaret**, chwaer arall, yn wraig i Evan Evans, Dolwen, a bu **John** yn byw yn Ael y Coryn. Cafodd deg plentyn Richard a Catherine Hughes, Sarphle rhwng deg a thri ar ddeg o blant yr un a'u hwyrion yr un modd. Pan fu farw'r ddau yr oedd ganddynt 168 o ddisgynyddion yn fyw ac fe nodwyd hynny ar y garreg fedd. Buont i gyd fyw i fod yn 80 a 90 oed. Ymhlith rhai o ddisgynyddion nodedig y Sarphle yr oedd Hughes a'i Fab, Wrecsam, bardd Ceiriog, y Parch John Hughes, Lerpwl, awdur *Hanes Methodistiaeth Cymru*, teuluoedd Plas Chambers, Plas Buckley, a'r Phennahs yn Wrecsam, Syr J Herbert Lewis, Eatons, Caer a J Herbert Roberts, Arglwydd Clwyd.

Aeth Hugh Hughes, Rhiwisg, a dau fab i America toc wedi Cyfrifiad 1891 i ddianc rhag Rhyfel y Degwm. Yr oedd Mary ei wraig yn disgwyl ei 11fed plentyn ar y pryd, ac wedi geni Jane Grace ym mis Mehefin aeth hi a gweddill y teulu drosodd fis Hydref. Y mae eu disgynyddion yn byw yn New Hartford, Efrog Newydd. Bu Mary'r fam farw yn 61 oed yn Oneida Co, Efrog Newydd fis Awst 1909 gan adael deg o blant. Bu farw Hugh Hughes yn Utica yn 1917. Yn hanes ei angladd enwyd ei blant fel

Mrs Ellis Williams, Mrs Joseph Roberts, Mrs Frank Evans, Richard Hughes, Hywel Hughes, Evan Hughes a John Hughes oll o Utica, Mrs John Owen a Mrs Katherine Jones o New Hartford a Mrs Elizabeth Schlemp yng Nghaliffornia.

James Jones oedd ym Mhenywaen ac yr oedd ganddo fab un ar ddeg oed, Llewelyn, ac yn 1905 priododd ef ag Enid, merch Isaac Foulkes 'Y Llyfrbryf'. Mae bedd Isaac Foulkes ym mynwent yr eglwys Llanbedr gyda'i wraig gyntaf. Ganwyd ef yn Llanfwrog yn 1836. Priododd ei ail wraig, Sinah Owen, yn y Rhyl yn 1904. Yr oedd ef yn 63 a hithau'n 32. Bu ef farw'n fuan wedyn ac ail-briododd Sinah â'r Parch WA Lewis, Lerpwl. Yr oedd gan y Llyfrbryf ei gwmni cyhoeddi ei hun yn Lerpwl ac ef oedd sefydlydd Y Cymro. Yr oedd yn un o bobl mwyaf dylanwadol ei oes.

Martha Alexandra Davies o'r Trallwng oedd yr athrawes; athro hefyd oedd John P Roberts, mab David a Mary Roberts, Pen y Fron a John Evans yn cadw tafarn y Griffin hefo'i wraig Hannah o Prescot ac yr oedd eu merch Gwendoline yn flwydd oed. Ymysg y rhai eraill ifanc iawn yn 1881 yr oedd Margaret Roberts, Blaen y Nant (4 mis) Evan Roberts, Tŷ Mawr (6 mis) Samuel Evans, Celyn hefyd yn 6 mis, Elizabeth Jane Roberts, Lodge Isa (3 mis) Evan Ellis Roberts, Pentre (4 mis) a'r ieuengaf oll oedd Hugh David, mab Thomas H ac Elizabeth Roberts, melinydd ym Melin y Wern, oedd yn 14 diwrnod oed. Sarah Roberts oedd yn cadw siop yr Hirwaen. Ŵyr iddi yw R M Owen (Bobi) yr hanesydd lleol difyr sydd yn byw yn Ninbych, darlithydd llawn gwybodaeth a chwilfrydedd.

Yr oedd dwy dros eu pedwar ugain oed sef Elizabeth Thomas, Pen y Rhos (84) ac Elizabeth Francis (82) o Heneglwys, Sir Fôn, modryb Peter Parry, Rhos Goed, tra'r oedd Mary Evans, (79) Cae'r Famaeth, yn dynn wrth eu sodlau. Ann Tellett o Benarlâg oedd yn byw ym Mhlas yn Rhal hefo'i mab Richard Joy. Tybed sut ddwylo oedd ganddo? Ym Mhenarlâg yn 1803 bedyddiwyd plentyn o'r enw William Tellett ac yr oedd ganddo chwe bys ar bob llaw ac ar bob troed. Yn ôl yr hanes yr oedd gan Anne Boleyn, ail wraig Harri'r 8fed, yr un peth. Gyda llaw yr oedd merch o'r enw Mary Joy Tellett wedi priodi John Jones, Buarth Mawr, Llangynhafal ac yr wyf yn meddwl mai hi oedd nain y diweddar Emily Dallolio, Hendrerwydd gynt.

Erbyn 1891 yr oedd tua deugain o drigolion Llanbedr yn ddi-Gymraeg. Yn eu plith yr oedd Edward Owen Vaughan Lloyd, y Berth, MA, Ynad Heddwch, Uchel Siryf Sir Feirionnydd a Llwyd o'r Berth yn yr Orsedd. Y mae ei achau i'w gweld yn un o gyfrolau Powys Fadog ac y mae iddo linach hir gyda chysylltiadau gyda theulu'r Rug yn ogystal â'r Rhagat. Yr oedd ei fam weddw, Mary Eliza, yn byw yno. Rhoddwyd dwy ffenest liw hardd y tu mewn i eglwys y plwy er cof amdani yn 1898 ac yr oedd Esgob Llanelwy yno i'w chysegru. Di-Gymraeg hefyd oedd Richard Sigdon Payne, twrne o Lerpwl yn byw yn Fferm Llanbedr ac yr oedd yna ddau fargyfreithiwr yn ymweld ag o – William Dickson Rotch o Lundain a Richard Naylor Arkle o Lerpwl. (A oes a wnelo'r enw hwn â'r ceffyl enwog a enillodd y Grand National rywdro?) Sais hefyd oedd Philip J Ash o Norfolk oedd yn ffermio Cae'r Fron, uniaith Saesneg oedd Sophia Ann, ei wraig o Lanferres a'u pum plentyn P H Orbell (10) Edward J Henry (9) George A (7) Priscilla (6) Audrey B (4) a'r *'governess'* Anne Stephen o Aberdeen a'r nyrs Rose Finch o Swydd Gaerwrangon. Un o Gaer oedd Bryn Richards oedd yn cadw'r Griffin ond ar waethaf ei enw, di-Gymraeg ydoedd.

Mae ambell un wedi gofyn pam tybed bod yr ysgol mor bell allan o'r pentref. Ar un adeg yr oedd gyferbyn â'r eglwys, ar y gornel, ar y ffordd i Langynhafal. Yr oedd y tafarnwr yn y Griffin wedi blino'n lân ar y swn a chynigiodd ddarn o dir i'r Awdurdodau Eglwysig i godi ysgol newydd arno – ymhell o'r dafarn.

John Jones oedd enw'r ficer ac yr oedd ef a'i wraig (athrawes) yn dod o Landudno. Y mae eu mab Arthur Ernest yn cael ei ddisgrifio fel organydd. John Morris oedd yn cadw tafarn y Cross Foxes. Ymysg rhai o'r galwedigaethau eraill ceir Robert D Jones, mab y Waen (organydd), Hugh Jones Hughes, mab 15 oed y Llwynedd (sadler), Price Roberts, Tan y Ffordd (gyrru cert llaeth), Ezra Jones, Groes Uchaf (turniwr coed), ac Isaac Roberts, Tan yr Unto (llifiwr).

Yr oedd Hugh Hughes a'i deulu'n dal yn y Llwynedd, yn brysur yn paratoi at ymfudo mae'n siwr. Yr oedd yno fwy o blant erbyn hyn. Yn ychwanegol at Evan a John a Hugh ac Elizabeth a Buddug yr oedd Margaret Tudur (9) Catherine Tudur (7) Richard William (5) a Howell (3) – ac fel y gwyddom, ganwyd Jane Grace ryw ddeufis ar ôl y Cyfrifiad. Catherine Tudor oedd enw eu hen nain y Sarphle, wrth gwrs. Yr oedd Clytir yn wag a Jane a Kate Williams a'u nai David wedi symud i'r Wern – un o'r tylwyth yw Gwyn Williams sydd yno heddiw. Ond yn 1886 gŵr o'r enw Griffiths oedd yn y Wern ac un diwrnod aeth â phum buwch i'r farchnad yn Ninbych a gwerthodd dair ohonyn nhw. Aeth ei wraig adre ar y trên ac yntau'n cerdded y buchod. Diflannodd. Welwyd byth mohono. Cafwyd hyd i'r ddwy fuwch yn crwydro yn Llandyrnog.

Fy hoff enw o blith holl drigolion Llanbedr yw eiddo cipar oedd yn byw yn Nhairan Uchaf sef Publius Platt, brodor o Queensferry, er na welwyd dychymyg cyffelyb wrth enwi ei blant, Lizzie, William a Harriet Alice. Yng nghofrestr plwy Llanfwrog ceir cofnod o briodas Publius Platt, *drainer*, mab James (Adeiladydd Giatiau Tollau) a Harriet Gill. Er bod eu henwau'n swnio'n ddieithr, yr oedd y tad a'r fam a'r plant yn ddwyieithog.

Y person hynaf oedd Ruth Roberts (81) mam Thomas Hughes Roberts, Melin y Wern a dywedir ei bod yn ffwndrus iawn. Druan o'i merch-yng-nghyfraith. Yr oedd gan honno chwech o blant ifanc i'w magu. Ymysg babanod y fro yr oedd Thomas Morris, Cross Foxes, David William Roberts, Llys a Mary Griffiths, Wern, oll yn bedwar mis. Yr oedd dau bâr o efeilliaid: Thomas John a Jane Dorothy, plant naw oed John a Mary Palin Griffiths, Bron y Felin, y tad o Gilcain a'r fam o Lanbabo a Margaret J a Dorothy R, merched 12 oed Abram ac Eleanor Williams, Cae Mawr.

Yn 1881 yr oedd yna John Jones yn byw yn 1 Groes Isa ac yn 3 Groes Isa, ym Melin y Wern ac yn y Clytir, yn Tan yr Unto ac yn y Waen. Yn 1891 yr oedd yna John Jones yn byw yn Nhŷ'r Ysgol (ef oedd y ficer) ac yn Acer Fer, yn 2 Cyfronydd ac yn y Waen, yn Rhiwlas, ac 1 Tan yr Unto ac yn 3 Tan yr Unto ac ym Mhlas yn Rhal ac yn Rhiwisg. Mab oedd yr olaf i David Jones, Bryn Golau, Llanelidan a brawd i Ellis Jones, Llwyn Ynn. Yn 1894 bu priodas fawr – ei ferch Emily ac Albert Lloyd mab Eos Clwyd. Yr oedd yr Eos yn magu ei blant yn uniaith Saesneg ac eto, yn y briodas, cyfarchwyd y pâr ifanc gyda phum englyn gan yr Eos, pum gan Clwydfryn a phum pennill gan Rhuddenfab. Gweler mwy am yr Eos dan Llanfwrog.

Ar y gornel droellog gyntaf wrth ddringo o Lanbedr i fyny Bwlch Pen Barras fe welir pentwr o gerrig. Hyd yn ddiweddar dyma lle safai capel y Llwynedd a godwyd yn 1855. Cyn hynny byddai'r ardalwyr yn addoli yn 'Hen Lofft y Llwynedd' a chanodd John Clwyd Williams, Parc Gwyn gerdd iddi. Dyma bennill neu ddau:

Yno cefais addysg orau
Addysg Ysgol Sul flynyddau,
Ni bu coleg mwy ei rinwedd
Coleg cornel Llofft y Llwynedd.

Nid oedd ynddi ddodrefn costus,
Na cherfiadau manwl medrus,
Duw yn gwenu ar ei symledd,
Hyn oedd llwyddiant Llofft y Llwynedd.

ac yn y blaen am nifer o benillion.

Bu tipyn o helynt yn yr eglwys yn 1892. Yr oedd Jones y rheithor wedi bod yn sâl am rai wythnosau a chymerwyd ei le yn y gwasanaeth Saesneg un bore Sul gan y Parch J Gallagher, Clwyd Hall, ond gynt o St Cuthbert, Lerpwl, ac a oedd wedi priodi perchennog y plas. Testun ei bregeth oedd gweithwyr Cymru – neu'r *'jerry-workers'* fel y'u galwodd. Dywedodd eu bod yn ddiog, yn llawn llygad-wasanaeth, yn ddiofal am ddim heblaw eu cyflogau. Cododd y Côr a'r Cymry yn y gynulleidfa a cherdded allan.

A phwy all eu beio.

Llanfwrog – Plwy Cymysg

Yr oedd Llanfwrog yn blwy reit helaeth ganrif yn ôl ac yn ymestyn draw i gyffiniau Pwllglas a'r Bontuchel, yn cynnwys llawer iawn o bobl ddwad ac yn gymysg iawn o ran gwaith ac iaith. Un elfen bwysig iawn oedd y gwaith soda a dŵr mwynol lle gweithiai cryn ddeugain o ddynion. Yr oedd nifer o ffynhonnau dan y dref ac yn 1825 sefydlodd Robert Ellis y busnes ac ar ei ôl ef cymerwyd ef drosodd gan ei fab Richard Gregson Ellis a hwn oedd y prif ddiwydiant am dros ganrif. Yr oedd yr enwau Ellis a Rhuthun yn adnabyddus drwy'r deyrnas a thramor. Etholwyd R G Ellis yn Faer yn 1861, 1862, 1873, 1874 ac 1875. Ym mis Hydref 1863 ef osododd garreg sylfaen neuadd y dref – mae'r garreg i'w gweld heddiw. Yn y Plas Newydd yr oedd y teulu yn byw ac yno yn 1881 yr oedd Mary Gregson Ellis o Norwich, ei dau fab a merch. Disgrifir y mab, Richard, fel Lefftenant yn y Denbighshire Volunteer Corps. Yno hefyd yr oedd saith o weision a morynion yn cynnwys Wiliamina Ryde o Lerpwl, athrawes breswyl. Yr oedd yna waith dŵr arall yn y fro sef y Cambrian a gychwynnwyd gan y Mri (Hugh) Jones & Francis oedd yn berchen ffynnon artesian dros ddau gan troedfedd o ddyfnder yn Heol y Parc. Pan fyddwch yn gyrru eich car heibio adeilad Trem Clwyd mae'n siwr eich bod yn clywed y swn yn newid dan eich olwynion. Y rheswm yw eich bod yn croesi ffynnon ddofn! Yr oedd cryn gystadleuaeth rhwng y ddau gwmni ond cymerwyd y Cambrian drosodd yn 1869 gan Gwmni Dŵr Soda Rhuthun – sef cwmni'r teulu Ellis.

Yr oedd nifer yn ennill eu bywoliaeth yn y gweithiau dŵr: Simon Bryan, 132 Stryd Mwrog, yn plygu'r gwifrau i wneud cyrc i'r poteli; Peter Evans, 98 Stryd Mwrog yn potelu; John Davies, 94 Stryd Mwrog yn labro; Christmas Evans, 42 Heol Mwrog yn potelu diod sunsur; Joseph Jones, 12 Stryd Mwrog yn borter; George Halley, 25 Borthyn yn potelu; Robert Goodman Jones, Castle View yn potelu; Price Mostyn, 26 Borthyn hefyd yn potelu a Charles Aldrich, 39 Heol Mwrog yn glerc yn y gwaith (brodor o Northampton a chanddo saith o blant). Yn 14 Heol y Park yr oedd Elizabeth Pugh weddw ac yr oedd ei mab John yn 14 oed. Yn 1886 collodd ei goes mewn peiriant gwneud brics. Y drws nesaf ond un yn rhif 16 yr oedd John Davies o'r Gyffylliog, rheolwr yn y Gwaith Dŵr Soda, ei wraig Margaret, brodor o Gefnddwysarn a llond tŷ o blant: Mary (27 oedd yn fud a byddar) John (21) clerc erthygledig, Elizabeth Jane (11) Enoch (9) Winifred (7) William Morris (6) Hannah (4) ac Evan Thomas (2). Bu yno ddeuddeg o blant i gyd a bu farw Margaret, y fam, yn 1928 yn gant oed.

Yr oedd hefyd nifer fawr o dafarnau yn y plwy: Nag's Head; Glandŵr

(Duke of York cyn hynny a'r lle elwir hyd heddiw yn Siop Duke); y Crown ar gornel Lôn Fawr; y Cross Keys lle mae Glanrafon heddiw a'r Labour in Vain oedd wrth y grisiau sydd yn arwain at yr Eglwys Babyddol. O ble y cafodd y fath enw? Mae iddo eglurhad sydd y dyddiau hyn yn wleidyddol anghywir. Yn wreiddiol yr oedd yr arwydd y tu allan yn darlunio plentyn du yn eistedd mewn twba dŵr ac yn cael ei sgrwbio gan ddwy ddynes wen a oedd yn ceisio cael gwared â'i groen du! Hefyd y tu allan yr oedd y cyffion.

Yn byw yn y Park Place yr oedd Jane Ann Phillips oedd yn gwneud boneti gwellt a'i brawd Peter oedd yn warder yn y carchar – y ddau o Durham. Prifathro ysgol y Borthyn oedd Robert Lloyd, 46 oed. Adwaenid ef fel 'Eos Clwyd'. Un o Gaint oedd ei wraig ac yr oedd pedwar o'u plant wedi eu geni yn Ystalyfera. Yr oedd teulu lliwgar hefyd yng Nglandŵr sef Arabella Ewing, genedigol o Ddulyn, gweddw i swyddog meddygol. Disgrifir ei merch, Mary Josephine, fel athrawes wedi ymddeol ac wedi ei geni ar y môr.

Enw cyfarwydd hyd heddiw yw Aldrich ac yr oedd saith ohonynt yn byw yn 39 Stryd Mwrog. Enw cyfarwydd arall oedd y Parch Elias Owen oedd yn byw yn 135 Stryd Mwrog, Arolygydd Ysgolion ar ran yr Esgobaeth ac awdur cyfrol ar lên gwerin Cymru. Yr oedd saith o'r plant wedi eu geni yn Llanllechid a thri yn Rhuthun, yr ieuengaf, Myfanwy yn 4 oed. Er i hanner y plant gael enwau Cymraeg, uniaith Saesneg oeddynt. Soniais am y teulu yn y bennod ar Efenechtyd. Y mae amrywiaeth y swyddi'n rhyfeddol. Heblaw am y pethau arferol oedd i'w gweld ym mhob bro cawn hefyd William Corke o Ddyfnaint, enw addas, yn gwneud *gutta percha* – (o'r deunydd hwn y gwneud peli criced rwyf yn meddwl), Enos Edwards yn peintio a phapuro (un o Warwick oedd o), John Edwards yn dal llygod, William Goodwin yn delio mewn tywod gwyn, Thomas Price Roberts, Park Place yn fwm beili a'i fab Edward Walter (22) yn fyfyriwr meddygol yn Ysbyty Guy's, Thomas Welch yn gwneud canhwyllau a Price Roberts yn gweithio hefo lledr. Argraffydd oedd William Williams, 7 Stryd Mwrog ac ef a gymerodd y gwaith drosodd wedi marwolaeth Isaac Clarke. Yn 1881 yr oedd Arthur, y mab, yn ddeg oed ac yn ddiweddarach bu ef yn gwerthu llyfrau.

Thomas Ellis o Fodffari oedd yn ffermio Cil y Groeslwyd a Jane Hughes o Ysbyty Ifan yn ffermio 140 acer ym Mhen Coed Isa. William Williams oedd yn y Garth a'i wraig ef, Susan, oedd wedi dweud hanes Edward Edwards, Hen Ddewin Llwyn y Brain, wrth Elias Owen. Yn ôl yr hanes yr oedd y corddi'n gwrthod clapio yn y Foel Fawn, Derwen ac anfonwyd am Edward Edwards a rhoddodd ddarn o griafolen o dan gaead y fuddai a dweud rhyw eiriau i ddadreibio a chafwyd menyn gwych. Yr oedd yr Hen Ddewin yn hen daid i fy nhad ac yn hen hen daid i fy mam . . . sydd yn egluro, efallai, pam mai cathod sydd yn rhannu fy nghartref hefo fi erbyn hyn ac yr ydym yn deall ein gilydd i'r dim.

James Jones oedd enw'r ficer, yr oedd yn byw yn Firgrove ac yn frodor o Sir Aberteifi. Yr oedd ei fab yn llawfeddyg a'i ŵyr, Percy, wedi ei eni yn Chatham. Mab arall iddo oedd Basil, ficer Llanfair DC am flynyddoedd lawer. Yr oedd llond tŷ yn Pool Park sef cartref Robert Blezard, bragwr o Lerpwl ac un ar bymtheg o staff. Edward Williams oedd yn ffermio Bod Angharad ac yr oedd yno fugail o'r Alban o'r enw James Bell Blackwell. Gweinidog y Bedyddwyr oedd Isaac Jones, Bryn Tirion.

Y ddau hynaf yn y plwy oedd William Ellis, Pentre Newydd (95) a Margaret Morris, Elusendy yn 90. Yr ieuengaf oedd George Trehearn, mis oed, o Stryd Mwrog. Yr oedd dau bâr o efeilliaid – Grace a John Roberts, dwyflwydd oed o'r Borthyn a Richard a Jane Evans, 8 oed, Ty'n y Groesffordd. Yr oedd Robert Jones, 3 Stryd Mwrog yn ddall, a John Jones, Pentre Newydd, 80 oed, yn rhy gloff i symud. Mae'n debyg bod llawer yr un fath ag o yn y dyddiau pan na fedrid rhoi clun newydd i bobl. O'r trigolion yr oedd dros gant wedi eu geni yn Lloegr a bron i ugain yn Iwerddon.

Cymdeithas gymysg iawn o ran iaith a gwaith oedd Llanfwrog ddiwedd y ganrif a nifer o swyddi 'newydd' yn datblygu ac yn 1891 gwelir, er enghraifft, bod nifer fawr o'r dynion yn dal i weithio yn y diwydiant potelu dŵr a hwnnw'n cael ei allforio i bedwar ban byd. Yr oedd perchennog y ffatri, Richard S S Ellis, YH, yn byw ym Mhlas Newydd hefo'i frawd William S G Ellis, cyd-berchennog, y ddau yn siarad Cymraeg. Ond Saesneg yn unig a siaradai eu chwaer Adeline M G Ellis. Eu tad, Robert Ellis, Maer Rhuthun, gychwynnodd y busnes drwy gloddio ffynnon artesian yn y dref fel y cofiwch. Yn 1921 bu dathlu drudfawr pan briododd Philip Saxon, mab W S G Ellis â Joan Henllys, merch Syr Marteine Lloyd, Bronwydd, Sir Gaerfyrddin ac wedyn pan briododd Nairn, chwaer Philip, â Henry mab Ernest Tate o gwmni siwgr Tate a Lyle, y dyn a roddodd ei enw i orielau celf Llundain a Lerpwl. Ernest Tate oedd y cyntaf i gynhyrchu siwgr lwmp! Disgynnydd i Nairn yw Syr Henry Tate, pennaeth y cwmni ar hyn o bryd.

John F Reese o Landeilo oedd ficer y plwy a'i wraig o Amlwch. Yr oedd ei ail wraig, Ethel, yn ferch i Dr W D Jones, Rhianfa, Ffordd Llanrhydd – tŷ a elwir hyd heddiw yn 'Tŷ Doctor'. Achosodd y ficer hwn gryn dipyn o ddrwg deimlad yn 1898 oherwydd iddo wrthod claddu Mrs William Williams, Sgwâr Sant Pedr, ym mynwent Llanfwrog yn yr un bedd â dau o'i phlant. Ei esgus oedd nad oedd hi'n byw yn y plwy.

Yn wir mi godwyd y mater yn y Senedd a dywedwyd nad oedd ganddo hawl i wrthod oherwydd, nid yn unig yr oedd hi wedi ei magu yn y plwy ac wedi claddu dau blentyn yno, yr oedd ei thad hefyd wedi'i gladdu yno ac ar ben hyn yr oedd wedi talu am ddau fedd. Dywedwyd hefyd bod gwraig y ficer wedi cael ei chladdu yno er nad oedd yn byw yn y plwy. Y maen tramgwydd, mae'n debyg, oedd bod William Williams ei gŵr yn aelod o'r Blaid Ryddfrydol ac yn gapelwr mawr. Gwnaeth David Lloyd George enw iddo'i hun fel twrne pan ymladdodd am hawl anghydffurfwyr i gael eu claddu ym mynwent y plwy. 'Achos Claddu Llanfrothen' ddaeth ag o i sylw gwlad gyntaf. Bu'r parchedig Reese mewn helynt pellach pan adawodd y tŷ oedd wedi'i godi iddo yn y plwy a symud i Dŷ Nantclwyd yn Stryd y Castell – yr oedd y rhent yno yn uwch ond yr oedd yn derbyn £60 y flwyddyn am letya'r Barnwr a ddeuai i'r Llys Chwarter. Barnodd yr Esgob yn erbyn Reese a dywedir bod pawb yn falch o'i weld yn cael ei gymypans.

Yn byw yn Dôl View House (enw erchyll ar dŷ) yr oedd gweinidog y Bedyddwyr, brodor o Langamarch, Sir Frycheiniog, ac iddo enw anffodus iawn, Jesse James. Caplan yn y carchar oedd Walter Jenkins o Lanboidy a gweinidog yr Annibynwyr oedd W Caradog Jones o Lanarth, Sir Aberteifi, ac yr oedd ganddo ddau fab, William Brython a John Penry Jones.

Yn dal yn brifathro Ysgol y Borthyn yr oedd Robert Lloyd, adweinid fel Eos Clwyd. Cyn dod i'r Borthyn ef oedd prifathro cyntaf ysgol y Wern yn Ystalyfera adweinid fel Ysgol Haearn a Thun – ysgol oedd yn cael ei chynnal gan dâl o geiniog y pen. Ef oedd Ysgrifennydd Eisteddfod Ystalyfera 1860 ac fe fu cryn hwyl pan gyhoeddwyd mai ef oedd enillydd y brif gystadleuaeth farddol am gerdd i 'Badwyr ar Gamlas Abertawe'. Y mae'r Parch Bernant Hughes wedi astudio log yr ysgol ac ymddengys mai hen gonyn oedd yr Eos, yn cwyno ar ei fyd byth a beunydd. Un o Gaint oedd ei wraig a magwyd eu plant yn uniaith Saesneg (yn ôl y Cyfrifiad, er mai anodd credu hynny) pump ohonynt yn athrawon – **William, Ellen, Robert, Gwladys** ac **Alfred**. Priododd **Gwladys** â Frederick Henry Knowles, saer dodrefn o Landudno ac yr oedd ganddi hefyd chwaer o'r enw **Augusta** a briododd William Hughes, tafarnwr yn yr Hôb. Lladdwyd **Alfred** yn y Rhyfel yn 1917. Mab arall i'r Eos oedd **Albert** (soniais am ei briodas yn Llanbedr) a merched iddo ef oedd Audrey (Llinos Clwyd) a Carol Lloyd a oedd yn byw yn y dre tan yn weddol ddiweddar. Brawd iddynt oedd y Parch **Eyton Lloyd.** Bu Robert Lloyd, yr Eos, o flaen ei well am guro plentyn am chwarae triwant a'i anafu'n ddrwg. Cafodd tad y plentyn bregeth hallt yn y llys am fethu ag anfon ei fab i'r ysgol (er iddo ddweud mai oherwydd bod arno ofn y prifathro yr oedd yn gwrthod mynd) a dywedodd y barnwr bod gan Robert Lloyd berffaith hawl i roi cweir didrugaredd i'w ddisgyblion. Daeth tro ar fyd! Bu farw'r Eos yn 1901. William Jones oedd yn cadw'r Park Hotel. Codwyd y gwesty hwn ar gyfer teithwyr y rheilffordd ond yn anffodus, oherwydd gwrthwynebiad perchennog y Castell i gael y lein ar ei dir, bu rhaid codi'r orsaf yr ochr arall i'r dre ac aeth cynlluniau'r Parc yn ffliwt.

Yr oedd y carchar yn cynnig gwaith i nifer hefyd. Yn eu plith cawn Griffith Williams, warder, brodor o Lanenddwyn; Joseph G Barrow, gweithiwr yn storws y carchar, wedi'i eni yn Bermuda; Hugh Williams o Ardudwy, warder arall; John Toller, warder eto o Islington. Gan bod carchar Rhuthun wedi'i gynllunio yr un fath yn union â charchar Pentonville mae'n siwr bod John Toller yn teimlo'n reit gartrefol. Yn byw mewn lle elwir yn Volustan Armoury yr oedd George Andrews, 35 oed, milwr o Greenwich ac yr oedd tri o'i blant wedi'u geni yn India'r Dwyrain, dau yn Wrecsam a Lucy 3 mis oed yn Rhuthun. Myfyriwr meddygol oedd Evan H Jones, 1 Willow House, ei dad yn ddilledydd o Langernyw. Plismon Plant oedd Richard Phillips, 8 Stryd Mwrog, a'i chwaer Je yn gwneud hetiau. Goleuo lampau oedd gwaith Enoch Craddock, 71 oed, 26 Stryd Mwrog ac yn byw hefo fo yr oedd Mary Jones sydd yn cael ei disgrifio fel 'paramour'. Yr unig dro i mi weld disgrifiad o'r fath mewn cyfrifiad. Chwarae teg i'r swyddog cyfrifiad am roi enw gweddus i'r sefyllfa: gallasai fod wedi dweud pethau llawer mwy annymunol!

Glanhawr simdde oedd Robert Morris, 98 Stryd Mwrog a Richard Maddocks, drws nesa yn gwneud hamperi. Bu ef fyw i fod bron yn gant oed. Swyddog hefo Byddin yr Iachawdwriaeth oedd Bessie Jones, 19 oed, brodor o Ferthyr Tydfil. Enw amlwg iawn yn y fro (ac yn parhau felly) oedd Dowell: groser oedd Francis Dowell, 111 Stryd Mwrog ac yr oedd ganddo fo ac Elizabeth ei wraig bedwar o blant yn 1891 – John Francis (8) Joseph Edward (7) Annie (5) a Gwilym (2), bron yr unig enw Cymraeg yn y plwy i gyd. Ac wrth gwrs, yr oedd y gwaith dŵr soda'n dal i fod yn ddiwydiant pwysig a nifer yn dibynnu arno am eu bara menyn – wel, bara beth bynnag. Yn eu plith: Robert G Jones a Goodman Parry o'r Borthyn, yn potelu; Edward Thomas o'r Borthyn yn tanio'r ffwrnes; Randel Maddocks yn labro a Peter Evans y Duke yn potelu. Yr oedd Simon Bryan hefyd yn dal i weithio yno ond erbyn hyn y mae hefyd yn cael ei ddisgrifio fel athro cerdd.

Wrth fynd allan o'r dref gwelir bod amryw o ffermydd yn y plwy hefyd. Dyna Edward Williams yn y Galchog, Robert Morris yng Nghil y Groeslwyd, Robert Jones ym Mhen y Maes, David Salisbury yn Nhan yr

Hengoed a Thomas Jones yn Nhyddyn Cook. Yr oedd David Hughes yn magu teulu mawr ym Mhen Coed Ucha a John Hughes ym Mhen Coed Isa. Dywedir wrthyf nad oeddynt yn perthyn ac y mae'n hawdd iawn ffwndro rhwng y ddau deulu.

PEN COED ISA

John Hughes	pen	47	ffermwr	Capel Garmon
Kate "	gwraig	35		Pentrefoelas
Jane "	merch	3		Llanfwrog
William "	brawd	53	ffermwr	Ysbyty Ifan
Margaret "	chwaer yng nghyfraith	46		Bryneglwys
John "	mab	1		Pentrefoelas
Mary J Evans	morwyn	20		Llansantffraid
John Jones	gwas	23		Efenechtyd
William "	"	18		Llanfwrog
William Roberts	"	20		Llanfair DC

Bu farw John Hughes yn 1927 yn 83 oed. Yr oedd yn Gynghorydd ac yn flaenor yng nghapel y Rhiw, ei wraig yn ferch i John Roberts, Nant y Creua, Pentrefoelas ac yn chwaer i John Austin Roberts a briododd â Margaret, Llannerch Gron Isa. Merch i John a Kate oedd Mrs Conningsby Lloyd Williams, Lerpwl ac un o'u meibion oedd Hugh Hughes, Pwllcallod. Yr oedd ganddynt hefyd ferch o'r enw Catherine (Cassie) a briododd ag Oliver mab Owen Williams, adeiladydd, Pwllglas a fu farw yn 78 oed yn 1937. Plant i Oliver a Cassie Williams yw Medwyn, Llys, Clawddnewydd, Ogwen, Tyddyn Chambers gynt (sydd wedi priodi Gwenda Felin Nantclwyd, un dda am gacen a chyfansoddi emyn-dôn), Glenys Williams, Maes Tyddyn, Arthur, Alltycelyn a Catherine Jones, Maesgwyn, Llanfihangel GM sydd wedi priodi Llewelyn, mab John Jones, Tan y Gaer, Corwen. Mae yna nifer o straeon am John Hughes. Byddai'n smocio cetyn ac yn mynd i bobman ar gefn ei ferlen. Yr oedd yn mynd i dref Rhuthun un tro ar ddiwrnod gwyntog a throdd ei gefn at y gwynt er mwyn medru tanio ei getyn – a dal i fynd yn ei flaen – a chyrraedd adre yn ei ôl er mawr syndod a hwyl i bawb. Dywedir hefyd iddo unwaith, ar orsaf Nantclwyd wrth aros am drên, roi chwe cheiniog i'w wraig a chusan i'r porter . . . Bu farw ei briod Kate hefyd yn 1927 ac yn ei hewyllys gadawodd fferm Pencoed i'w mab David a fferm Pwllcallod i'w mab Hugh. Ŵyr i David sydd ym Mhencoed heddiw sef Dafydd Ioan, mab Margaret a Meirion – mab Tan y Gaer adwaenid fel 'Meirion Cŵn Defaid' a fu farw'n sydyn dros ben yn 1996.

PENCOED UCHA

David Hughes	pen	62	Ffermwr	Clocaenog
Gwen "	gwraig	53		"
Robert "	mab	23		"
Thomas "	"	21		"
Mary G "	merch	19		"
"	mab	17		"
Hugh W "	"	14		"
Eleanor "	merch	11		"
Jane Roberts	morwyn	12		Bryneglwys

Mab Tyddyn Tudur, Llanfihangel, oedd David Hughes a Gwen ei wraig yn ferch Rhewl Felen, Llanelidan. Yr oedd yn berchen dau beiriant dyrnu – un yn gweithio ardal Llanelidan a'r llall yng Nghlawddnewydd. Beth fu hanes ei blant ef a Gwen tybed? Wel, priododd eu mab **Robert** ag Elizabeth J Lloyd, y Woodlands yn 1892 a mynd i fyw i Benstryd, Rhuthun. Yr oedd yn briodas fawr a chyfansoddwyd englyn i'w cyfarch:

Boed llwydd a bywyd llawen – i chwi
A iechyd heb amgen,
O dan nawdd a dawn nen
Rhag ingoedd a rhwyg angen.

Priododd **Thomas** ag Elinor, merch John Jones, Llannerch Gron a buont yn ffermio Bodeiliog Isa, Groes ger Dinbych. Gor-ŵyr iddynt yw Richard Wynn Jones, darlithydd mewn gwleidyddiaeth yn Aberystwyth, ef yn fab i Dr Gareth Wyn Jones (Llety'r Eos, Llansannan ers talwm) ac Ella Lloyd Hughes, merch Thomas Lloyd Hughes, Gwerncilia, Betws-yn-Rhos oedd yn fab i Thomas ac Elinor Lloyd Hughes. Daeth **Mary Grace** (19 oed yn y Cyfrifiad uchod) yn wraig Ty'n y Mynydd, Clawddnewydd. Mab iddi oedd John Evans, Bryn Du, Gwyddelwern, y cymydog oedd yn arfer chwarae drafftiau hefo Nhad gefn gaeaf, ac felly yr oedd yn nain i Gwenfyl Grace Roberts, Ty'n Celyn, Tre'rddôl, Corwen, i Goronwy sydd yn byw y Rhydymain ac i'r diweddar Mair, John Hugh a Tecwyn, Bryn Du, ac yn hen nain i Rhian Elwern Morris sydd yn y Bryn Du heddiw. Merch i Mary Grace oedd Margaret, priod G E Richards, Gwernbrychdwr, rhieni Gruff Richards, Yr Hafod, Rhuthun a Tŷ Coch, Llangynhafal. Yr oedd hi hefyd yn nain i Esmor Lloyd Jones, Fron Heulog, Llanynys. Wedyn daw **David** a bu ef yn ffermio'r Gwaunynog, Dinbych sef taid Oliver sydd wedi priodi Rhiannon Morris, Hafod y Maidd ac yna **Hugh**. Annie Williams, Pen y Gaer oedd ei wraig o. Daeth

Eleanor (Elin) yn wraig John Williams, Tyddyn, Efenechtyd a hi oedd mam John Henry Williams aeth i Queensland ac y soniais amdano eisoes. A daeth **Kate** yn wraig i William Roberts, Maestyddyn Isa (mab Evan Roberts, Talycefn Isa, Llanfihangel) a fu farw yn 54 oed yn 1913. Yr oedd Kate yn nain i Glenys a Gwynfor Williams, Llannerch Gron, i Emyr, Ty'n Celyn, Gwyddelwern, i Eunice Rowlands, Rhiwlas y Bala ac i nifer o rai eraill. Mae'r teuluoedd yma fel rhaff o wynwyn ac yr wyf wedi anobeithio ceisio cael gafael ar gynffon y rhaff.

Asiant tir oedd Oliver Evans, Bodlondeb, ei wraig yn chwaer i Simon Hughes, Ffordd Las, ac yr oedd tri o'i blant adre sef May Ann (26) Dorothy (25) ac Aneurin Oliver (24). Bydd llawer yn dal i gofio Aneurin O Evans – yr oedd yn dwrne yn Ninbych ac yn dad-yng-nghyfraith i Syr John Cecil-Williams. Merch yr Henadur R Phillips Davies, Tŷ Gwyn, Llanfwrog, oedd Mary, priod Aneurin O Evans. Dywedir bod Oliver Cromwell yn aelod o'r teulu hwn. Williams oedd ei gyfenw cywir o wrth gwrs ac yr oedd Oliver yn enw cyffredin iawn yn Uwchaled yn y 18fed a'r 19ed ganrif.

Teulu o Prescot oedd yn Firgrove, W J Brocklehurst a'i deulu. Ffermio oeddynt ar y pryd ond yn ddiweddarach buont yn cadw'r off-leisens ar y sgwâr. Yr oedd y tri brawd, William, George a Walter Brocklehurst yn actorion da iawn. Priododd Walter ag Emily Jones, 44 Stryd y Ffynnon (gweler Llanrhydd) ac yn y man aethant i Ferthyr Tydfil ac yna i Southport. Daeth Walter yn enwog am daflu ei lais a byddai'n crwydro'r ffeiriau hefo doli fawr o'r enw Jimmy.

Un pâr o efeilliaid oedd yn y plwy sef Herbert ac Edward Walter Jones, 6 oed, meibion John Jones cigydd, Tŷ Newydd, taid Edwin y cigydd presennol – yntau hefyd yn dad i efeilliaid. Yr oedd John Davies, golchwr poteli, yn fud a byddar ac Annie Platt, teilwres, yn fyddar. Y pedwar person hynaf yn y plwy oedd Sarah Roberts, gweddw 90 oed yn byw yn 48 Borthyn; Ann Williams, gweddw 89 oed yn 7 Borthyn; Thomas Jones (86), ffermwr o Lanelidan wedi ymddeol i Erw Ashpool ac Esther Jones, gweddw 86 oed yn 86 Stryd Mwrog ac yn wreiddiol o Gaernarfon.

Y pedwar ieuengaf oedd bachgen bach heb ei enwi, mab Joseph Roberts y fferyllydd yn byw yn 4 Heol y Parc; Robert Mostyn, diwrnod oed, 21 Borthyn; Margaret Ellen, 5 diwrnod oed, merch John Price, Pen y Bont a Hannah, wythnos oed, merch John Roberts, gof, 120 Stryd Mwrog. Yn Stryd Mwrog y bu teulu mwyaf Rhuthun yn byw. Yr oedd John Edwards yn ddyn cerddorol ac yn arweinydd y band lleol a bu iddo ef ac Elizabeth ei wraig un ar hugain o blant. Rhag ofn nad ydych yn fy nghoelio dyma eu henwau: **David** (priododd Jeannie Humphreys o

Abergele. Bu farw ei fam ddiwrnod ei briodas 13 Ionawr 1928 yn 48 oed) **Edward, John, Henry, Frank** (tad Elwyn, Cadeirydd Cyngor Sir Ddinbych 2000-01), **Gwilym, Glyn, Dorothy, Margaret** (cyfarfum â Helen ei merch yn y Gymanfa Ganu yn Ottawa fis Medi 2000), **George** (priododd Mary Phyllis Jones oedd yn glerc i W R Evans y twrne), **Anne** (priododd W H Jones), **Alun** (fu farw yn un o garcharau rhyfel y Siapaneaid), **Oswald** (fu'n organydd y plwy am 50 mlynedd ac a fu farw yn 1999, ei wraig oedd Mair Eurddolen Evans, merch y Leyland Arms, Llanelidan), **Arthur, Douglas** (a briododd Gwyneth Edwards o Lanelwy), **Agnes** (fu farw yn 1999), **Trevor, William** (lladdwyd yn y Rhyfel Mawr), **Gwladys, Edith** a **Charles**.. Dyna i chi waith golchi a bwydo! Bu'r tad a dau fab yn y Rhyfel Cyntaf a chwe mab yn yr Ail. Y tu mewn i eglwys y plwy y mae cofeb i'r rhai a gollodd eu bywydau yn y Rhyfel Mawr:-

Pte Harry Burgess, RWF
"   James Davies, Cheshire Regiment (24 oed. Ffariar)
Serg John R Ellis, RE
Pte Robert J Evans, RAMC
"   John Lloyd Evans, RWF (22 oed. Mab Coed y Gawen. Prentis argraffwr)
Capt Emrys Evans, S Lancs Reg. (Claddwyd ym mynwent Peronne)
Serg John William Edwards, RE (mab John Edwards y bandfeistr. 21 oed)
Pte Eddie Hughes RWF (mab Minafon, Llandderfel)
"   Herbert Jones RWF (32 oed. Mab Tŷ Newydd, cigydd.)
"   Henry Jones " (29 oed. Mab Isaac Jones. Galwyd ei fab yn 'Mons')
"   Daniel Jones "
"   John Edward Jones " (22 oed. Efaill. Gweithio yng ngwaith dŵr Ellis)
"   Robert John Jones " (17 oed)
"   William B Jones "
"   William Jones "
"   Edward (Hussin) Jones "
"   Alfred Ernest Lloyd, Cheshire Reg (44 oed. Mab 'Eos Clwyd')
"   John Robert MacGowan, RAMC (42 oed. Postman.)
"   John Mackay, RWF (24 oed)
SSM William Edward Peake, 4th Hussars (38 oed. Milwr proffesiynol.)
Pte Thomas James Parry RWF (24 oed. Fferyllydd. Mab Goodman Parry)
"   Harry Roberts RE (bu farw o malaria yn Namascus)
"   William Roberts RWF (20 oed.)

"   John V Roberts   "
"   Christmas Vaughan Roberts RWF (26 oed)
"   Stephen Vaughan Roberts KLB
"   T Roberts RWF
L Cpl Hubert Sampson E Staines RE (mab ceidwad y carchar, 24 oed.)
Pte   John Frederick Thomas RWF (17 oed.)
"   Harold David Thomas RWF (19 oed. Brawd Fred uchod)
"   William Williams RWF (23 oed. Mab Mary Williams)
"   Owen Ll Williams RWF
"   John A Wright

Dadorchuddiwyd y gofeb gan y Rhingyll E W Tate.

Cefais fy nhemtio i restru pob John Jones yn y plwy ond gwell peidio: byddai angen pennod gyfan. Ond rhaid sôn am rai ag enwau reit naci ganddynt – Westby Ogden, plymar a'i ferch Ellisheba; Jesse James, gweinidog y Bedyddwyr; Rosette merch Owen Roberts y llifiwr; Bertram Bake, ŵyr 4 oed William Williams y signalman, brodor o Drefriw ac Enoch Caddock, enw anodd ei ddweud, y goleuwr lampau.

Caeaf ben y mwdwl gyda hanes trist Gabriel Edwards y trwsiwr clociau oedd yn byw yn y Borthyn hefo'i wraig Catherine. Rywdro yn 1882 aeth i fyny i Brynhyfryd, cartref y twrne Marcus Louis (lle mae'r ysgol heddiw) i drwsio'r peiriant yn y ffynnon ond torrodd y rhaff ac fe foddodd. Un arall gafodd ddiwedd alaethus oedd Shadrach Hughes, gwas ym Mhenrhengoed a gafodd gic gan geffyl yn 1891 a malu ei benglog. Bu fyw am dri diwrnod yn anymwybodol. Ac yn 1895 cafodd Robert Owen ddirwy o chwe cheiniog a chostau o naw swllt am adael i'w ful grwydro ar y ffordd rhwng Rhuthun a'r Bontuchel. Yr oedd y mul yn 24 oed ac eisiau gweld tipyn ar y byd cyn iddi fynd yn rhy hwyr efallai. Esboniad Owen oedd ei fod yn brysur yn y gwair ac ni sylwodd bod y mul wedi dengid o'r buarth.

Fyddai'r mul druan ddim wedi para'n hir yn nhrafnidiaeth plwy Llanfwrog heddiw.

Llandyrnog – Llawr y Dyffryn

Pan oeddwn yn ferch ysgol yr oeddym bob amser yn ystyried Llandyrnog fel lle digon Seisnig ac yr oedd Capel y Dyffryn ymysg y rhai gwannaf yn y fro, tra bod Gellifor, ar y llaw arall, yn ffynnu ac yn llawn o gantorion gwych. Daeth tro ar fyd. Heddiw y mae Capel y Dyffryn yn byrlymu ac yn llawn o deuluoedd ifanc brwd. Fe ddywedwyd pethau digon hallt am y lle dros y blynyddoedd. Dyna i chi Tegla, er enghraifft – 'Eglwys Llandyrnog oedd y fwyaf anwaraidd y bu a wnelwyf â hi erioed' meddai, er mai sôn am y Wesleiaid oedd o, nid am gapel y Dyffryn. Ond sut le oedd yn y plwy ganrif yn ôl?

Eglwys ddwbl yw Eglwys Llandyrnog. Gelwir y math hwn o adeilad yn 'ddull Dyffryn Clwyd' ac y mae un ar hugain o rai tebyg yn y dyffryn. Y mae hon wedi'i chysegru i Sant Tyrnog neu Teyrnog a oedd yn frawd i Marchell, enw adnabyddus yn Ninbych gan mai dyma nawddsant yr Eglwys Wen neu St Marcella fel y'i gelwir weithiau. Neu Whitchurch fel y'i gelwir yn amlach fyth. Yn yr Eglwys Wen y mae bedd Twm o'r Nant a Thomas Jones o Ddinbych. Dyma hefyd lle y claddwyd fy ffrind Olga Myddelton oedd yn rhannu ystafell hefo fi yn y coleg, athrawes athrylithgar a dirprwy bennaeth Ysgol Uwchradd Prestatyn a fu farw'n drist o ifanc. Mae'n anodd ffarwelio â rhywun y cawsoch gymaint o hwyl yn eu cwmni. Yr oedd yr Eglwys Wen yn llawn dop ddydd ei hangladd. Plant oedd y ddau sant, Tyrnog a Marchell, i Hawystl Gloff a Thywanwen. Ceir cyfeiriad cyntaf at Eglwys Llandyrnog yn y Norwich Taxatio yn 1254. Y bedydd cyntaf a gofnodir yma yw Thomas Ffoulk ar 27 Mawrth 1664. Y mae'r cyfenw hwn wedi bod yn un nodweddiadol o'r plwy a gwelir nifer o lwyth y Ffowciaid yn cael eu cofnodi yn 1881 ac 1891 yn y ddau Gyfrifiad.

Nodwedd arall o Landyrnog yw mai yma y mae'r achos Calfinaidd hynaf yn yr Henaduriaeth – er bod Bontuchel hefyd yn hawlio hynny. Credir mai yn 1749 y dechreuodd yr achos yma a hynny yn Nhŷ Modlen, tŷ to gwellt ar dir Fron Yw, tir a ddaeth yn ddiweddarach yn rhan o stâd Ysbyty Llangwyfan. Bu farw Modlen – Magdalen Pierce – yn 1776.

Yn 1881 yr oedd y mwyafrif o'r trigolion wedi'u geni yn y fro. Yr oedd yna eithriadau wrth gwrs, megis y plismon, John Evans, brodor o Lanfihangel, Sir Aberteifi; criw lluosog ym Mhentre Mawr, gwraig weddw anwyd yn Sheffield o'r enw Mary Ann Maria Fosberry a phedwar o blant, teulu sydd yn cael ei ddisgrifio fel un sydd yn byw ar ei bres. Yr oedd yno hefyd saith o weision a morynion yn amrywio o *governess* i nyrs. Un o Plymouth oedd yr offeiriad, gŵr o'r enw George Mills, a brodor o Gaio, Sir Frycheiniog oedd y rheithor David Williams.

Ar y tir yr oedd y mwyafrif yn gwneud eu bywoliaeth fel y gellid disgwyl yn y rhan ffrwythlon hon o lawr Dyffryn Clwyd. Y fferm fwyaf ar y pryd oedd Bwlch Isaf gyda 700 erw o dir. Y perchennog oedd Thomas Martin a ddisgrifir fel twrne a ffermwr, brodor o Lerpwl. Yr oedd Glanywern yn 230 acer ac yn byw yno yr oedd William Williams, ei wraig Jane a'i fab blwydd oed William David a'i dad-yng-nghyfraith 80 oed, David Roberts yno hefyd. Yr oedd Fron Yw yn 200 acer gyda William Parry yn ffermio yno. Elizabeth oedd enwau ei wraig a'i ferch (10 oed) ac yr oedd merch arall, Mary, yn wyth oed. Yno hefyd yr oedd ei dad gweddw, Thomas Parry. Ganwyd hwy i gyd yn Llanrhaeadr.

Yr oedd dwy dafarn yn y pentre. Yn y Ceffyl Gwyn yr oedd John Hughes a'i wraig Ruth, a Thomas Pugh, gweinidog Bedyddwyr o Helygain, yn lletya yno. Ac yn y Kinmel Arms yr oedd James Davies a'i deulu gan gynnwys ei dad-yng-nghyfraith o'r enw Edward Hilditch – cyfenw adnabyddus yn yr ardal hyd heddiw. Y prifathro, ac yn byw yn Nhŷ'r Ysgol, oedd Frederick Barnwell o Langernyw a'i wraig yn enedigol o Hartley Whitney, Hampshire. Yn cadw'r post yr oedd Elizabeth Parry o Gorris a Samuel Fox yn cadw siop groser yn y Llew Aur.

Nid oedd llawer o rai hen yn y plwy am ryw reswm a dim ond pedwar oedd dros eu pedwar ugain: Mary Edwards, Cerrig Llwydion (80) Robert Lloyd, Bwthyn y Pentre (84) William Williams, Rhiwbebyll (82) a David Roberts, Fferm Glanywern (80). Yr ieuengaf oedd Thomas Roberts, Bon yr Eithinen, pythefnos oed. Yr oedd yna efeilliaid un ar ddeg oed yn y Cerrig Llwydion – John a Richard, meibion Richard a Jennet Edwards.

Yn 1891 yr oedd tua pum cant yn byw ym mhlwy Llandyrnog a phob un namyn 24 yn siarad Cymraeg. Ymysg y di-Gymraeg yr oedd yr athrawes Elizabeth Sarah Barnwell ond yr oedd ei gŵr Frederick, y prifathro, yn siarad Cymraeg. Ymhen ychydig ar ôl y Cyfrifiad yr oedd Frederick Barnwell yn y ddalfa. Ymddengys mai arno ef yr oedd y bai bod y forwyn ddeuddeg oed yn Nhŷ'r Ysgol yn feichiog! Ceir yr hanes blasus yng ngwasg y cyfnod. O edrych ar drigolion Tŷ'r Ysgol ym mis Ebrill fe welir enw Rose Allen, deuddeg oed o Reading, Berkshire ond fe nodir mai ei nith ef oedd hi. Cafodd Rose blentyn ar 8fed o Hydref 1891 ac yn y llys barn dyfarnwyd Fred i saith mlynedd o garchar ac fe lewygodd yn y fan a'r lle. Barn y wasg ar y pryd oedd bod y gosb yn llawer rhy lem oherwydd bod yr eneth fach a'i phlentyn yn fyw ac yn iach. Pe bai wedi marw ar yr enedigaeth byddai pethau'n wahanol . . . Godineb oedd ei bechod nid trais oherwydd tan 1928 yr oedd merched yn cael priodi'n ddeuddeg oed ac felly nid oedd beichiogi'n ddeuddeg oed yn torri unrhyw gyfraith. Ysigwyd yr ardal gan y digwyddiad hwn.

Yr oedd John ac Ellen Jones, Waen Wen, yn Gymry Cymraeg ond yn magu eu plant yn Saeson; yr un modd David Williams, y rheithor a'i wraig, ill dau yn Gymry Cymraeg ond eu dwy ferch yn uniaith Saesneg. Eraill oedd yn ddi-Gymraeg oedd rhai o staff Plas Glanywern: Isaac Taylor y garddwr a'i deulu a gwraig y coetsmon, Susannah Edwards a'i merch Hannah – y fam o'r Iwerddon.

Yr enw cyntaf ar y ffurflen Gyfrifiad yw Tŷ Capel y Dyffryn ac yn byw yno yr oedd John a Sarah Hughes, y ddau'n gofrestrwyr geni, priodi a marw. Un o'r Rhyl oedd ef a hithau'n un o ddeg o blant i Robert a Mary Jones, Ty'n Llan, ac o linach Modryb Modlen. Bu farw Sarah Hughes yn 1900 a bu teyrnged iddi yn y *Drysorfa*. Yr oedd ganddi ferch o'r enw Jemima a fu'n forwyn i'r Parch Lodwig Lewis, tad Saunders, ac wedyn yn cadw tŷ i'w thad ac ar ôl iddo ef farw yn 1905 bu'n cadw tŷ yng Nghlwydfa, Aberchwiler, ac yn 1909 priododd â Jonathan Jones oedd yn bostman yn Llandyrnog. Mab John a Sarah Jones oedd Jonathan, ei fam yn ferch i John a Sarah Foulkes, Waen Dilen, Waen Nantglyn, a bu'n forwyn i'r Parch Edward Jones, Rheithordy Nantglyn, tad y Parch Griffith Hartwell Jones. Ysgrifennodd Hartwell Jones nifer o lyfrau, gan gynnwys *A Celt Looks at the World* ac y mae'n cyfeirio'n fyr at bentref Nantglyn. Claddwyd ef yn Llanarmon Dyffryn Ceiriog. Priododd Sarah â John Jones y crydd yn 1865 ac wedi iddi golli ei gŵr yn ifanc aeth hi a Jonathan i fyw i Railway Terrace, Trefnant. Yn ogystal â chario'r post yr oedd Jonathan hefyd yn gwneud tipyn o waith crydd ac yn galw yn Nhŷ Capel y Dyffryn lle'r oedd pobl yn gadael eu hesgidiau. Dyna sut y daeth i adnabod Jemima. Cafodd y ddau denantiaeth swyddfa'r post ym Modffari lle ganwyd eu mab John Elwyn. Yna daeth swyddfa'r post Trefnant yn rhydd yn 1911 ac yno y ganwyd eu merch Sara Jane. Yr oedd Sali'r Post, fel yr oedd pawb yn ei galw, yn ferch ddawnus, yn canu ac yn adrodd, yn aelod o gwmni drama Emrys Cleaver ac yn organydd yng nghapel Trefnant. Pan fyddwn i ar fy ngwyliau yn y Green Isa hefo Taid a Nain ers talwm byddwn yn mynd hefo nhw i gapel Trefnant ac yr wyf yn cofio Sali'r Post. Aeth ei brawd Elwyn i'r Brifysgol ym Mangor a graddio gyda BSc mewn Economeg. Ond yr oedd y post yn ei waed oherwydd bu'n Bostfeistr yng Nghorwen, y Bermo a'r Rhyl. Bu Jemima farw yn 92 oed yn 1966. Y mae'n bosibl bod ei phresenoldeb hi wedi sicrhau Cymreigrwydd Saunders Lewis. Pwy a ŵyr pa ddylanwad a gafodd hi.

Isaac Thomas o Riwabon oedd plismon y pentre ac yn byw yn Sgwâr yr Eglwys. Gellir dilyn ei yrfa drwy edrych ym mhle y ganwyd ei blant: Thomas Richard (9) yn Wrecsam, Sarah Hannah (6) yn Nerwen, Myfanwy (4) yn Rhuthun a Lodwick (1) yn Llandyrnog. Yr oedd yna dair tafarn; John Hughes yn y Ceffyl Gwyn, James Davies yn y Kinmel Arms a Daniel Jones Evans yn y Llew Aur. Ymysg y swyddi eraill cawn Isaac Phillips y gof, Daniel Davies y crydd, Sarah Wynne yn cadw swyddfa'r post, a Dorothy Davies yn nyrs mewn ysbyty. John Edwards oedd yn cadw siop y pentre. Un o Dderwen oedd ef a'i wraig Miriam o Aberchwiler. Yr oeddynt ganddynt ddigon o helpars – mab a merch yn y siop sef Thomas Vaughan ac Emma Vaughan Edwards. Yr oedd ganddynt hefyd ferch o'r enw Zipporah. Yr un enw â gwraig Moses sef merch Jethro. Trueni bod y Beibl Cymraeg newydd wedi gwneud i ffwrdd â'r gair 'chwegrwn' gan ddefnyddio 'tad-yng-nghyfraith' yn hytrach. Mae nifer o enwau am berthnasau (a welir yng Nghyfreithiau Hywel Dda) wedi diflannu o'n hiaith – ceifn, gorcheifn, gorchaw a hengaw er enghraifft.

Cafodd Thomas Phillips y gof ddamwain ddrwg yn 1888. Pan ddychwelodd i'w weithdy ar ôl cinio un diwrnod syrthiodd pladur arno wrth iddo agor y drws a gwneud hollt ddeg modfedd yn ei fraich a'i thorri i'r asgwrn. Yr oedd yn gwaedu fel mochyn ond yr oedd gan ŵr y Llew Aur ddigon o grebwyll i osod rhwymau tynn ar yr anaf nes daeth y meddyg. Dywedir i hyn achub ei fywyd ond rhoddodd ddiwedd ar ei yrfa fel gof du mae'n amlwg oherwydd erbyn 1891 gwelir mai garddwr ydoedd. Un arall o'r fro gafodd ddamwain oedd David Jones, Glanywern Isa, yn 1895, pan oedd tua 54 oed. Un o Lanrafon ger Corwen oedd Catherine ei wraig. Saethodd ei hun yn ddamweiniol yn ei goes a bu farw. Ceir adroddiad helaeth o'r cwest yn y *Free Press* ym Mai 1895. Cyn symud i Landyrnog yr oedd wedi bod yn byw yng Nghae'r Weirglodd, Cyffylliog.

A beth am y ffermydd: Edward Hughes yn Nhy'n Llan hefo'i ddwy chwaer Mary ac Isabella Wynne a'i nai Charles Wynne; John Jones oedd yn y Sbeddyd ac ar ymweliad yno yr oedd gŵr o'r enw Ebenezer Price o Dremeirchion sydd yn cael ei ddisgrifio fel gwerthwr gwartheg sef porthmon mae'n debyg; John Foulkes oedd ym Mhentre Felin a'i wraig Ellen yn frodor o'r Bala. Un o Lanasa oedd Thomas Henry Roberts, Plas Bennet a Daniel Roberts oedd yn byw yng Nglanywern Bennett. Un o Cumberland oedd William Smith, Plas Ashpool a'i wraig Alice o Lanelidan. Ellis Roberts o Abergele oedd yn ffermio yn y Green a'i wraig Margaret yn dod o Lanrwst. Yn 1895 fe briododd eu merch Margaret Emma â gŵr o'r enw Griffith Jones oedd yn fab i Edward Stephen – 'Tanymarian'– cerddor gwych a chyfansoddwr nifer o anthemau yn ogystal ag emyndonau – yr un fwyaf adnabyddus yw 'Tanymarian'. Gelwid ef yn 'dad yr oratorio yng Nghymru'.

Yr oedd ambell dŷ llawn iawn. Fferm Glanywern er enghraifft:

Robert Owens	Pen	57	Ffermwr	Llandyrnog
Sarah "	gwraig	47		Nannerch
Mary "	merch	20		Bodffari
David "	mab	17		"
Robert "	mab	12		"
Sarah "	merch	10		"
Thomas "	mab	8		"
Hugh E P "	mab	6		"
Jane J "	merch	1		Llangynhafal
Sarah Williams	morwyn	19		Bodffari
Thomas "	gwas	24		Llandyrnog
Hugh "	gwas	19		Dinbych
Price Davies	gwas	16		"

Yr oedd cryn fynd a dwad wedi bod yng Nglanywern – William
Williams yno yn 1881 a Robert Owens yn 1891 – er nad oedd ef wedi bod
yno'n hir chwaith gan mai ym Modffari y ganwyd ei blant i gyd heblaw'r
ieuengaf. Ceir hanes un Eyton Lloyd oedd yn byw yno yn 1887. Ym mis
Tachwedd darganfu wrth fynd i odro yn y bore bod rhywun wedi torri
cynffonnau'r gwartheg i ffwrdd – er nad oedd y da wedi cael unrhyw
anaf chwaith gan mai torri'r darnau blewog – y *tufts* – ar flaen eu
cynffonnau wnaed. Wedyn ymhen ychydig funudau darganfod bod yr
un peth wedi digwydd i'r ceffylau ac erbyn holi tipyn yr oedd anifeiliaid
Penisarwaen wedi wynebu yr un ffawd! Ni chafwyd hyd i'r sawl a
wnaeth yr anfadwaith ond yr amheuaeth oedd bod rhywun yn gwneud
tipyn o bres wrth werthu blew i wneud pethau fel brwshus ac i stwffio
cadeiriau ac ati.

Ychydig iawn oedd ag enw Cymraeg. Soniais am Myfanwy, merch y
plismon. Hefyd Ceridwen a Meredydd plant Thomas Phillips y garddwr
oedd yn byw yn yr Hen Gapel a Myfanwy, merch Thomas Jones,
Caerfedwen.

Ar wahân i efeilliaid tair wythnos oed Nant Lewis Alun sef David
Pugh ac Alice C Davies, yr oedd dau bâr arall hefyd sef Isaac a David, 25
oed, meibion Robert Jones y teiliwr, a Dorothy ac Elizabeth, wyresau 7
oed Thomas Roberts, Fron Banadle. Daeth Dorothy neu Dora yn wraig i
John Hughes, Sunnyside, Cascade Co, Montana, mab William Hughes,
Melin y Pentre, Llanrhaeadr YC. Y rhai ieuengaf yn y plwy oedd
efeilliaid tair wythnos oed Nant Lewis Alun. Yr oedd Edith Jones, Cae'r
Fedwen yn ddau fis a cheir tri phlentyn tri mis oed – Mary Ann Edwards,
Penllwyn, Harriet Jones Morris, seithfed plentyn David a Harriet Rogers,

Exchange ac Evan Andrew, Ffolt Penywaen. Priododd yr olaf â merch Cefn Bithel ac y mae ŵyr iddynt wedi priodi wyres i Ambrose Bebb.

Yr hynaf yn y plwy oedd Thomas Jones, 95 oed, oedd yn byw hefo'i nai Edward Jones yn y Cross Keys. Yr oedd hwn yn swnio'n ddyn diddorol. Ganwyd ef yn y Tŷ Ucha, Cyffylliog ar 10fed Awst 1795 a'i fedyddio yn Llanfihangel Glyn Myfyr a bu'n gweithio ar fferm yn Llanarmon yn Iâl cyn symud i'r Tŷ Newydd, Llanfair DC ac wedyn i Cae Gwyn. Ei wraig oedd Mary Owens o Drefriw. Yr oedd yn aelod yng nghapel y Dyffryn ac yn daid i T O Jones, groser yn y Stryd Fawr, Dinbych. Yr oedd yn cofio angladd Charles o'r Bala ac wedi clywed Christmas Evans, Williams o'r Wern a John Elias yn pregethu. Yr oedd yn ddyn ffraeth iawn ac yn darllen heb sbectol hyd ddiwedd ei oes. Bu farw yn 103 oed yn 1898 ac mewn coffad iddo dywedir nad oedd erioed wedi gwisgo trowsus (beth ar y ddaear oedd yn ei wisgo 'dwch?), erioed wedi siarad gair o Saesneg na bod ar drên a'i fod wedi gweld Twm o'r Nant ac yn cofio Moel Famau heb y tŵr.

Yn 1912 aeth tri gŵr o'r fro – Thomas Davies, Cefngwrdy, W Arthur Davies, Pentre a Sam Griffiths, Sbeddyd – i Montana, UDA i ffermio. Mae'n fy nharo o hyd ac o hyd ein bod yng Nghymru wedi colli cymaint o'n hufen a'n pobl fentrus wrth iddynt ymfudo dros y dŵr, miloedd ohonynt yn y 19eg ganrif. I lawr y ffordd yng Nglan Clwyd trigai Owen Williams, genedigol o'r Llys, Derwen, brawd i Simon Williams, Penbont, Corwen. Janet o Blas Llangwyfan oedd ei wraig ac yn 1881 yr oedd ganddynt bedwar o blant: Jennie (20) Owen (18) Dorothy (16) a Jennet (8). Yr oedd Owen Williams yn daid i John a Janet Morris, Llanrhaeadr, dau a fu'n weithgar iawn yn eu cymuned.

Ar y gofgolofn ryfel cofir am fechgyn Llandyrnog a Llangwyfan:

Frederic Edwards	Harold H Jones
Henry J Madocks	Robert D Behrens
J W Jones	John Williams
Claude Tomkinson	Dennis Lloyd Jones
Frank Owen	John Foulkes
David Williams	Fred Griffiths
Ernest Oliver M.M.	Arthur Parry
W E Williams	Harry Hughes
Edward Jones	Thomas C Jones
George Curtis	

Bu Llandyrnog yn gadarnle'r Gymraeg, yn arloesol ym myd crefydd ac yn amlwg yn hanes cythryblus Rhyfel y Degwm. Yr arweinwyr yr adeg honno oedd David Jones y Wern, Thomas Roberts, Rhiw Bebyll, William Parry, Isaac Wynne, Richard Davies a John Foulkes. Yn 1887 aethant ati i ysgrifennu llythyr at eu Haelod Seneddol yn dweud nad oedd modd i ffermwyr Cymru gael unrhyw fath o chwarae teg os na cheid ymreolaeth. Ffermwyr o flaen yr oes mae'n amlwg. Yn y man daeth y Ffatri Laeth â gwaith i'r fro ac y mae'r caws gynhyrchir yno – Caws Dyffryn Clwyd – yn arbennig o flasus.

Llangwyfan – Lle Iach

Plwy bychan yw Llangwyfan ac y mae'n siwr gen i ei fod yn un o'r llecynnau prydferthaf yn y Dyffryn, yn gorwedd yn ddistaw wrth droed rhes o hen gaerau o'r oesoedd cynnar – Pen y Cloddiau a Moel Arthur. Yma tan yn weddol ddiweddar yr oedd ysbyty enwog Llangwyfan a sefydlwyd yn y fangre arbennig hon oherwydd ei fod yn cael ei ystyried ymhlith y mannau iachaf yn y sir. Syr David Davies, Plas Castell, Dinbych a roddodd y tir i godi'r ysbyty arno ac y mae i'r lle ran bwysig yn hanes y frwydr i goncro'r diciâu. Erbyn hyn y mae'r ysbyty wedi'i chau a'r pla gwyn bron â diflannu o'r tir. Ym Mynwent y Dref, Dinbych, y mae dwy garreg fedd urddasol a thanynt yn gorwedd ochr yn ochr y mae Syr David Davies a Thomas Gee. Sefydlwyd eglwys fach syml Sant Cwyfan yn y 7fed ganrif a'i nodwedd pennaf yw'r cyffion y tu allan. Mae yna Eglwys Cwyfan hefyd ar Ynys Môn. Yn y fynwent ceir carreg fedd ac arni'r geiriau 'Yma y gorwedd corph Elizabeth gwraig Ffoulk Jones a gladdwyd Gor 1793 ei hoed 82. Yma y claddwyd Ffoulk Jones o'r Mynydd y 12 dydd o fis Medi 1801. Ei oed 102. Ffoulk Jones 1699-1801. Bu fyw mewn tair canrif.'

Yn 1881 John Davies a'i deulu oedd yn Waen Wen ac y mae ef yn cael ei ddisgrifio fel Cloddiwr Aur. Tybed a oedd wedi bod allan yng Nghaliffornia neu'r Klondyke pan oedd y gwallgofrwydd aur ar ei waethaf. Un o Drefnant oedd Margaret ei wraig ac yr oedd ganddynt bedwar o blant: William (12) Thomas (10) Winnie (8) a Robert (6). Disgrifir Richard Williams, Glyn Arthur, fel perchennog tir. Ganwyd ef yng Nghaer. Bu farw yn 1892 yn 85 oed. Twrne oedd o ran galwedigaeth ac yn bartner hefo Gold Edwards yn Ninbych. Yr oedd hefyd yn Gyfarwyddwr Rheilffordd Dyffryn Clwyd, yn Gynghorydd, bu'n Faer Dinbych ac yn Grwner.Ymysg eraill oedd yn berchen tir yr oedd Richard Lloyd gyda 293 acer ym Mhlas Llangwyfan. Yr oedd hwn yn deulu pwysig iawn. Mwy amdanynt yn y man.

Ffermio oedd y prif ddiwydiant fel y gellir disgwyl mewn ardal mor ffrwythlon ond yr oedd amryw yn ennill eu bara menyn drwy gynnig gwasanaethau o bob math. Garddwr oedd Francis Gregory y Lodge, brodor o Wicklow yn Iwerddon. Gwyddeles oedd Mary ei wraig hefyd ond yr oedd Mary eu merch wyth oed wedi'i geni yn Boston yn yr America. Tybed pam yr aethant i Boston a mwy o dybed pam y daethant yn ôl? Dinas Wyddelig iawn yw Boston hyd heddiw – dyma lle magwyd Joseph Kennedy a'i wraig galongaled Rose Fitzgerald, merch Honey Fitz, sef rhieni John F Kennedy. Dywedir bod pawb yn cofio'n union ble'r oeddynt pan glywsant bod Kennedy wedi cael ei saethu yn Dallas: mae gen i gof clir am yr amgylchiad. Yr oedd gen i ddosbarth oedd yn astudio Cymraeg Lefel O yng Nghlwb Cymry Llundain yn Grays' Inn Road a phan gerddais i mewn i'r lolfa ddiwedd y pnawn 22 Tachwedd 1963 gwelwn griw distaw o gwmpas y set deledu, wynebau syn, awyrgylch syfrdan. 'Be sydd wedi digwydd?' meddwn – a chael y newydd trist. I ni oedd yn ifanc yn '63 yr oedd marwolaeth Jack Kennedy fel colli'r Mab Darogan.

Gwneud olwynion oedd gwaith Robert Evans, Nant Isa. Un o Nantglyn oedd Anne ei wraig ac yr oedd ei dad Evan 85 oed yn byw hefo nhw yn ogystal â phump o blant: Robert (13) Miriam (8) Elizabeth Anne (5) John O (3) a Catherine (2). Mary Griffiths oedd yn cadw tafarn y Bee ac yn magu ei hŵyr pump oed, Joseph Owen. Y crydd lleol oedd John Davies, Ffordd Las (brodor o Gynwyd) tra'r oedd James Foulkes yn torri ceffylau i mewn. Dyna i chi dasg anodd a pheryglus oedd honno! Creulon hefyd ar adegau. Isaac Edwards oedd y melinydd. Enw'r gof oedd Owen Phillips, Groes Fawr.

Y rhai hynaf yn y plwy oedd Evan Evans, Nant Isaf (85) a Thomas Jones, Groes Fawr (81) oedd yn ddall. Y rhai ieuengaf oedd Anne merch deufis oed John a Maria Hughes, Groes Efa a John mab chwe mis oed David a Harriet Rogers, Tŷ Newydd. Morgan Rees oedd y rheithor 40 oed, brodor o Ferthyr Tydfil, yn byw hefo'i fam weddw a'i chwaer Cecilia oedd yn 29 oed.

Yn ôl Cyfrifiad 1891 yr oedd pawb namyn deg o drigolion Llangwyfan allan o boblogaeth o 236 yn siarad Cymraeg. Ymhlith y Saeson yr oedd Gertrude, merch Richard Williams y twrne oedd wedi ymddeol ac yn byw yng Nglyn Arthur. Yr oedd yno ddau ymwelydd hefyd sef Alfred Parry Glazebrook, cannwr cotwm o Gaerhirfyn ac Alice Glazebrook o Lundain. Y mae yna bobl gyda'r cyfenw hwn yn dal i fyw yn yr ardal.

Yr oedd deg ym Mhlas Llangwyfan:

Richard Lloyd	pen	66	Ffermwr	Llandyrnog
Elizabeth "	gwraig	53		Llanynys
John R "	mab	19		Llangwyfan
Cath H "	merch	20		"
Jane "	merch	17		"
Robert P Roberts	lletywr	56	Gwerthwr coed yn Rhůthun	Llanelltyd
Eliz Lloyd	morwyn	31		Llanrhaeadr

David Roberts	gwas	19	"
William Edwards	gwas	16	Llangwyfan
David Davies	gwas	13	"

Yr oedd y mab, **John Robert Lloyd** (19 oed uchod) a fu farw yn 1935, yn Gyngorydd Sir, yn Ynad Heddwch, yn flaenor ac yn athro Ysgol Sul yng nghapel y Dyffryn. Ei wraig oedd M E Roberts, Mill Farm, Llandyrnog. Eu plant oedd Menna, Merfyn, Glyn a Glenys. Bu Menna yn byw yn Siop Nantglyn ac ŵyr iddi yw Paul Dryhurst Roberts sydd yn gweithio yn ocsiwn Rhuthun. **Catherine Hesketh** oedd y ferch hynaf, 20 oed uchod, a daeth yn wraig i William Jones, Plas yn Llan. Yr oedd J R Lloyd yn gefnder i Syr Herbert Lewis. Un o Lerpwl oedd priod Syr Herbert – Ruth merch William Sproston Caine, AS Carborough. Yr oedd hi'n ddynes arbennig iawn, y wraig gyntaf i fod yn Ynad Heddwch yn Sir y Fflint, dysgodd Gymraeg yn rhugl ac yr oedd yn un o arloeswyr Cymdeithas Alawon Gwerin Cymru. Magodd ddau o blant – Kitty Idwal Jones a'r Dr Mostyn Lewis.

Yr oedd Thomas ac Annie Hughes, pâr ifanc yn byw yn Gales Bach, ac yr oedd ganddynt ddau fachgen bach, Thomas (2) a David Owen (1). Ganwyd Francis Owen yn ddiweddarach ac yr oedd ef ymhlith y nifer fawr o lowyr a laddwyd yn nhanchwa Gresford yn 1934. Un arall gafodd ddiwedd trychinebus oedd Isaac Edwards, Ty'n y Caeau. Yn 1914 yr oedd yn byw yn y Fronhaul ac aeth y lle ar dân a mygwyd ef yn ei wely yn 76 oed. Nid wyf yn siwr os nad hwn oedd y melinydd adeg Cyfrifiad 1881.

Yr oedd Morgan Rees, y ficer, hanner cant oed, yn dal yno. Bu farw o strôc yn 1905. Yr oedd yn byw ar ei ben ei hun yn y Ficerdy hefo David Roberts 18 oed a ddisgrifir fel *'man of all work'*. Hoffai pawb ohonom gael un o'r rheiny. Y saer lleol oedd Harry Owens y Lodge tra'r oedd David Roberts, Groes Efa yn grydd ac yn bostman. Yr oedd yno hefyd dafarn a Mary Griffith, gwraig weddw o Dremeirchion yn ei chadw gyda chymorth ei mab John.

Yr oedd Griffith Williams yn y Fforddlas, 71 oed o Gilcain. Credaf mai ei ferch ef, Margaret, oedd gwraig y Parch Pierce Owen, awdur *Hanes Methodistiaeth Dyffryn Clwyd*. Evan Thomas oedd yn ffermio'r Gales Fawr a'i ddwy chwaer, Caroline Williams a Harriett Griffiths, y ddwy yn weddw, yn byw hefo fo – ynghŷd â'u plant – Evan H Williams (4) a Joseph Griffiths (3) a nith arall 8 oed o'r enw Harriett J Thomas. Ddiwedd y flwyddyn, ym mis Rhagfyr, bu tân mawr yno ac yr oedd y fflamau i'w gweld o Ddinbych. Oherwydd y ffyrdd cul cymerodd y peiriannau awr i gyrraedd yno ac yr oedd tair tas yn wenfflam. Nid oedd gan Evan

Thomas insiwrens. Dywedwyd mai plant yn chwarae efo matsus oedd yn gyfrifol am y tân – Evan, Harriett a Joseph y cnafon.

Y rhai hynaf yn y plwy oedd Richard Williams, Glyn Arthur (83) Annie Edwards, mam-yng-nghyfraith Rowland Davies, Tŷ Capel (81) a Mary Evans, Bwthyn Fron Haul (81) a'r plant dan flwydd oed oedd David Jones (9 mis) Coediog Cottage, Marie E Evans, Fox Hall (5 mis), John Griffiths (11 mis) Ffordd Goch ac Arthur Maddocks, Cefn y Gwindy (5 mis). Yr oedd Mary, merch 30 oed Evan ac Ellen Evans, Fox Hall yn fud a byddar.

Cafodd teulu Tan y Graig brofiad annymunol iawn yn 1916. Yr oedd y mab, Pte Thomas Charles Jones, wedi cael ei ladd yn y Rhyfel a gofynnwyd i'r teulu fynd i gyfarfod ei arch oddi ar y trên yng ngorsaf Dinbych. Er mawr ofid iddynt nid corff eu mab oedd yn yr arch eithr rhywun cwbl ddieithr.

Nid oes ddiwedd ar greulonderau rhyfel.

Llanynys – Calon y Dyffryn

Y mae plwy Llanynys (a'r Rhewl yn rhan ohono wrth gwrs) yn cynnwys rhai o ffermydd brafiaf Dyffryn Clwyd. Gellir galw'r plwy yn ganol ac yn galon y dyffryn a cheir yma eglwys ddiddorol oherwydd ynddi y mae darlun o Sant Cristoffer yn cario'r baban Iesu. Daeth y llun i'r golwg wrth dynnu plastar oddi ar y waliau wrth drwsio'r eglwys. Mae'n debyg ei fod wedi cael ei guddio rhag milwyr Cromwell.

Gerllaw'r eglwys saif hen dderwen sydd, meddir, yn nodi union ganol y dyffryn. Cysegrwyd yr eglwys i Sant Saeran. Y mae nifer o ffermydd da a phlastai helaeth yn y plwy.

Yn 1881 y ffermydd mwyaf oedd Glan Clwyd (308 acer) Plas y Ward (302) Bachymbyd Fawr (270) Plas Llanynys (204) a Tŷ Mawr (200). Dyma rai o'r manylion:

GLAN CLWYD

Name	Role	Age	Notes	Place
Thomas Jones	pen	47	Ffermio 308 acer	Llanynys
Mary "	gwraig	42		"
Catherine "	merch	17		"
Edward H. "	mab	15		"
Hannah "	merch	12		"
Jane "	"	10		"
Thomas H. "	mab	8		"
John H. "	"	7		"
Herbert Wm "	"	5		"
Howel "	"	4		"
Mary "	merch	1		"
Humphrey "	mab	8 mis		
Margaret Griffith	morwyn	21		Llanfair
Catherine Burton	"	18		Llanbedr
Elizabeth Williams	nyrs	15		"
Robert Davies	gwas	49	gweddw	Gyffylliog
Evan Williams	"	32		"
Edward Hannam	"	29		Llanrhaeadr

Yn ddiweddarach symudodd Thomas Jones a'i deulu i'r Plas Coch yn Llanychan a chyflwynwyd darlun hardd ohono ei hun iddo fel gwerthfawrogiad am ei holl wasanaeth i gapel Rhydycilgwyn. Merch Edward Humphreys, Bodynys oedd Mary ei wraig. Symudodd y teulu Humphreys o Fodynys i Bantglas yn 1847 ac i'r Tŷ Brith, Bontuchel yn 1865. Edward Humphreys oedd arolygwr cyntaf capel Rhyd y Cilgwyn a bu farw yn 1893. Bu Thomas Jones farw yn 1915 a Mary ei wraig yn 81 oed yn 1920. Bu gan Thomas Jones ran yn yr helynt cythryblus achoswyd pan benderfynwyd codi ysgol yn y Gellifor er mwyn medru tynnu'r plant allan o Ysgol yr Eglwys yn Llanychan. Ceir yr hanes yn llawn yn *Nhrafodion Cymdeithas Hanes Sir Ddinbych* 1975 (Rhif 24) gan A H Williams, yr hanesydd praff a fu'n brifathro Ysgol Brynhyfryd. Yr oedd Thomas Jones yn rhedeg busnes coed, yn ŵr gonest ac arweinydd bro, yn Gynghorydd Sir a Henadur, yn Rhyddfrydwr mawr ac yn un o Reolwyr Ysgol Ramadeg Rhuthun. Bu hefyd yn flaenor yng Ngellifor. Er hynny fe wnaed cwyn amdano fis Ebrill 1879 oherwydd iddo dorri llawer o goed yn Llantysilio yn Iâl ac ofnai'r trigolion na fyddai coeden ar ôl yn ardal y Cymo. Gofynnodd golygydd y *Llangollen Advertiser* iddo a fyddai cystal â phlannu chwaneg o goed i lenwi'r gwagle. Ni wn a wnaeth ai peidio.

Yr oedd ganddo ef a Mary ei wraig dri ar ddeg o blant galluog. Priododd **Catherine (Kate)** â Dr Lloyd yn 1887 ac yr oedd ei thair chwaer, Hannah, Jane a May, yn forynion iddi. Priododd y mab hynaf, **Edward Henry** â Katie merch John Jones, Ty'n Celyn, Cynwyd. Yn 1892 fe briododd **Hannah** ag A Y Fullerton, BA, MRCS, LRCP, o Sydney, Awstralia. Yn 1895 yng nghapel Gellifor gan Thomas Gee priodwyd **Jane (Jennie)** â Dr Leonard Frank Houghton o Gernyw ac ymfudodd y ddau i British Columbia. Yn ôl yr hanes yn y wasg cafwyd '*a recherché wedding breakfast*' ym Mhlas Coch. Nyrs yn Ysbyty Great Ormond Street oedd hi. Priododd **Thomas H** â merch o'r enw Betty ac yn Sheffield y bu'r ddau weddill eu hoes. Yr oedd **John Harrison** yn fferyllydd yn Wrecsam. Ei wraig oedd Mary Elizabeth merch y Parch Thomas Morris, Lerpwl. Priododd **Howel** ag Amy o Lundain. Daeth **Mary (May)** yn Fetron Ysbyty Rhuthun a chafodd ei chrybwyll mewn cadlythyrau. Yr oedd yno hefyd fab o'r enw **Gwilym** aeth yn feddyg eithr bu farw yn 34 oed yn 1916 yn yr RAMC yn Rawal Pindi pan ddaliodd afiechyd marwol oddi wrth un o'i gyd-swyddogion. Yr olaf o'r plant oedd **Humphrey Llewelyn** a raddiodd o Gaeredin gan ennill dwy fedal aur yno yn 1901. Bu'n Brif Filfeddyg i lywodraeth Mozambique. Cyn mudo priododd yn 1914 â Selina merch Griffith Jones, tafarn y Bull, Llanrwst. Dychwelodd yn 1920 a bu'n filfeddyg yn Ninbych. Yr oedd yn ddyn gweithgar ac yn flaenor yn y Capel Mawr. Bu farw'n 88 oed yn 1968 a gadawodd dair merch: Beti, Elinor a Mairo.

PLAS LLANYNYS

Ellis P Jones	pen	45	Ffermio 204 acer	Llanfwrog
William H "	nai	15		Llanfair
Eliza Roberts	morwyn	16		Llanrhaeadr

Elizabeth Hughes	"	30		Llanynys
William Jones	gwas	18		Llannefydd
Lewis Evans	"	17		Llanrhaeadr
Thomas Owens	"	15		"

Bu farw Ellis Powell Jones yn 1907 yn 72 oed. Tenant i stâd y Rhagat oedd o ond yr oedd ei deulu wedi bod yno ers Blwyddyn y Tair Caib – 1777. Yr oedd yn frawd i Henry Jones, ficer Llanychan. Ddeng mlynedd yn ddiweddarach yr oedd ei chwaer Grace yn byw yno hefyd ynghŷd â'i merch Rosanna oedd yn athrawes.

TŶ MAWR

Owen Lloyd	pen	47	Ffermio 200 acer	Llanrhaeadr
Anne "	gwraig	44		"
Mary M "	merch	23		"
Owen "	mab	18		Llanynys
David "	"	16		"
John "	"	14		"
Catherine A "	merch	12		"
Elizabeth "	"	9		"
Thomas R "	mab	7		"
Robert R "	"	4		"
Catherine Edwards		38	'Governess'	Lerpwl
Margaret Davies	morwyn	19		Llanrhaeadr
Robert Lloyd	gwas	18		"
John Davies	"	16		Dinbych
Edward Morris	"	15		Llanfwrog
David Hughes	ymwelydd	60	Gweinidog MC	Betws GG

Daeth y ferch hynaf **Mary** yn wraig i Robert Roberts, Trefnant Isa, dyn pwysig iawn yn ei ddydd ac ymhlith eu plant yr oedd Robert Owen Roberts, Trefnant Isa; David Lloyd Roberts, Garth, Trefnant; Dr Hesketh Lloyd Roberts, Llundain; Hugh Henry Roberts, Vancouver, Mair fu farw'n bedair oed ac Annie, priod y Parch John Owen Jones, Llanelli a adnabyddid fel 'Hyfreithon'. Bu ef yn olygydd Cornel y Plant yn y Cymro am flynyddoedd ac yn weinidog yng Nghaergybi. Wedi marwolaeth Annie ail-briododd â Myfanwy merch Puleston Jones y pregethwr dall. Gweddw'r Parch R W Jones, oedd hi, ac ef oedd cofianydd Puleston. Merch i Hyfreithon yw Hefina Evans, priod Deon Bangor a hi oedd yn gyfrifol am 'ddarganfod' Aled Jones pan oedd yn canu yng nghôr y Gadeirlan. Bu farw **Owen** yn 23 oed yn 1904. Wedyn

David aeth yn feddyg a phriodi Ceri Foulkes, Bryn, Henllan. Bu farw yn 1926. Daeth **Catherine** yn wraig i Thomas Jones, Plas Newydd, Coedllai, **Elizabeth** yn wraig i Roger Owen, Tŷ Draw, Yr Wyddgrug, **Thomas R** yn ŵr i Katie merch Griffith Edwards, Lerpwl, a **Robert** yn ŵr i H M Hughes, Segrwyd. Symudodd Owen Lloyd o'r Tŷ Mawr i'r Bachymbyd.

Ymysg crefftwyr y plwy yr oedd John Williams, Telpyn, y gof; Emanuel Wynne, Penyffordd, y saer coed; Owen a Joseph Hannam, Penyffordd, gofaint; Richard Foulkes, Pwll yr Hwyaid Bach hefyd yn saer; Isaac Williams yn gwneud olwynion; Edward Williams, Tanygraig yn gweithio yn yr odyn galch; Peter Jones y melinydd ym Melin Meredydd; Robert Jones y gof yn y Pandy; melinydd arall, Joshua Salisbury, ym Melin y Moch. Ymysg y swyddi proffesiynol yr oedd Thomas German, athro yn lletya ym Mhlas yr Esgob, brodor o Lanidloes fel y mae ei enw yn awgrymu; Jane Jones yn cadw tafarn y Drovers; Sarah Grace Williams, merch Tyddyn Isa hefyd yn athrawes; David Davies yn cadw tafarn Cerrigllwydion; John Davies o Henllan, Sir Aberteifi oedd ficer Llanynys, ei wraig Edith o Lanrwst. Yr oedd pump o'u plant wedi'u geni yn Llanrwst sef Thomas (17) John (16) William Mc (14) Robert (13) dau yn Nolanog, Sir Drefaldwyn sef Gilbert (11) ac Edward (9) ac yr oedd Edith, wyth mis oed, wedi'i geni yn Llanynys: tir cyfoethog y dyffryn wedi sicrhau eu bod yn cael merch o'r diwedd! Yn 1898 cafwyd corff John Davies y ficer yn afon Clwyd a'r penderfyniad yn y cwest oedd ei fod wedi boddi ei hun. Aeth dau fab i'r eglwys: **John** (yn gurad Stockwell yn Llundain) a **Thomas Read**. Priododd yr olaf ag Emily Steere Blackwell, Dolhyfryd. Graddiodd **Gilbert** o Rydychen yn 1892. Diddordebau eraill oedd gan **William Mc** a cheir hanesyn amdano yn mynd am dro ar hyd afon Clwyd i gyfeiriad Plas Llanynys pan welodd ddyfrgi deuddeg pwys yn mwynhau ei hun yn yr haul. Galwodd ei ddaeargi a bu'r ddau anifail yn ymladd yn ffyrnig am ugain munud nes y lladdwyd y dyfrgi druan. Dywed gohebydd y wasg bod llawenydd mawr wedi bod yn y fro. Pa ryfedd bod yr anifail gosgeiddig hwn wedi bod mewn perygl o ddiflannu.

John Jones o Lansannan oedd y gorsaf-feistr a Richard Llewelyn Roberts (47) oedd yn y Buarthe. Ganwyd ef yn Walthamstow yn Llundain ac y mae'n cael ei ddisgrifio fel bonheddwr, Swyddog yn y Fyddin wedi ymddeol, gyda gradd BA o Gaergrawnt. Capten yn y Royal Scot Lothian oedd o. Bu farw yn 1883. Yr oedd yna un arall o ddynion y lluoedd arfog yn y fro hefyd sef Daniel Thackeray (88) Grove Cottage, lefftenant ym Militia Cernyw, genedigol o Ashton. Yr oedd ganddo lysferch o'r enw Mary L Owen ac yr oedd hi'n 71 oed. Swnio'n amheus iawn i mi . . . Llawfeddyg o'r enw Thomas Jones oedd yn Rhyd y

Cilgwyn ac yr oedd y tŷ yn llawn y noson honno:

Thomas Jones	pen	43	Llawfeddyg	Rhuthun
Elizabeth "	gwraig	41		Huxley, Caer
Frederick S "	mab	16		Rhuthun
Robert B "	"	14		Llanychan
Margaret E "	merch	11		Llanynys
Tom P D "	mab	5		"
Frank D "	"	4		"
Edith G "	merch	2		"
Alan M "	mab	2 fis		"
Mary I Ll Thomas	ymwelydd	46		Llundain
Catherine Evans	nyrs	71		Bala
Jane Davies	morwyn	25		Llanfair
Anne Jones	"	22		Clocaenog
Sarah Francis	nyrs	15		Rhuthun
J Roberts	gwas	16	Groom	Cyffylliog

Symudodd Thomas Jones i Hafodynys wedyn. Mab Dr Thomas Jones, Rhuthun oedd o ac yr oedd yn Dori rhonc ac yn eglwyswr brwd. Yn ymyl Rhydycilgwyn y mae Pont Rhyd y Groes gyda throfa reit beryglus wrth adael y Rhewl ac arni gwelir yr englyn:

Pont Rhyd y Gwaed pentan y gwir – ei sailfa
    Ei sylfaen ni sgydwir,
    Dda odleath am a ddwedir
    Oesa hon hyd oesoedd hir,

              1819

Nid wyf yn meddwl bod angen i neb beryglu ei fywyd drwy bwyso dros y bont i weld yr englyn!

Robert Davies oedd yn ffermio Rhydonnen a'i nith Elizabeth Jane Lloyd o Bontyblyddyn yn cadw tŷ iddo. Mae'n debyg mai merch ei chwaer Jane oedd hi. Yr oedd Jane wedi priodi Thomas mab Evan Lloyd, Llety'r Eos, Helygain yn 1841. Soniais eisoes am y ddau frawd, Owen a Joseph Hannam, y gofaint ym Mhenyffordd. Mae'n bur debyg eu bod yn perthyn i'r Hannams oedd yn cadw gefail yng Ngwyddelwern. Yn 1884 priododd Owen gyda Margaret merch Isaac Roberts, Pentre Llech. Nid oes dim ar ôl o'r efail heddiw heblaw pentwr o gerrig gerllaw Delfryn (neu Rhydonnen Cottage fel y gelwid ef) ar waelod y ffordd sydd yn dod i lawr o Hendrerwydd i ffordd Llandyrnog er fy mod i'n cofio llond tŷ yno ac un o'r plant, Eirlys neu Falmai, yn dod at y drws acw ac yn dweud 'Mae Mam yn gofyn oes gynnoch'r ffasiwn beth â dwsin o wye . . . ' Yr un geiriau bob tro.

Robert Jones y gof oedd yn y Pandy. Yr oedd Elizabeth ei wraig yn un o deulu mawr y Poweliaid, Trewyn. Yr oedd yno bedwar o blant gartref sef John (20) David (13) Margaret (16) a Grace (8). Bu farw Robert Jones yn 1899 pan syrthiodd allan o'r trap wrth deithio adre o Rhuthun. Y mae ei or-ŵyr Idris yn byw yn y Pandy heddiw. Chwiorydd i Idris yw Mair sydd wedi priodi Myfyr Williams, Ffynogion a'r efeilliaid Morfudd a Menna, dwy sydd wedi gweud cyfraniad mawr i diwylliant y fro – gyda'r Urdd a Merched y Wawr yn arbennig. Y mae Morfudd yn aelod o Gyngor Sir Ddinbych a Chyngor Tref Rhuthun.

Thomas Hughes oedd yn y Pant Glas Uchaf, brodor o Fryneglwys a mab i Humphrey Hughes, Cae Du, gynt o Blas Adda, a brawd i'r Parch David Hughes, Corwen, Humphrey Hughes, Rhos Isa, Llandegla, William Hughes y Berth, Pentrecelyn a John Hughes y fferyllydd, Llan Isa. Sidney Smith oedd enw ei wraig ac yr oedd ganddynt nifer o blant: priododd **Thomas Henry Powell** ag Alice Jones; **Sidney Jane** â Robert Williams, Waen Ucha; **Robert Humphrey** fu farw'n 13 oed; **John David** a briododd Catherine Anne Roberts, Penrhengoed; **Harriet Elizabeth** a briododd John E Morris; a **David**. Y mae i'r teulu hwn nifer fawr o ddisgynyddion a llawer ohonynt yn dal yn y fro. Byddaf yn sôn am ddisgynyddion nodedig Sidney Jane a Robert Williams yn y bennod ar Glocaenog. Yr oedd Harriet Elizabeth a John Ellis Morris yn daid a nain i Enid, Bodangharad ac Elwyn Williams, Ffordd Las.

Fel yn y pentrefi eraill nid oedd pobl yn mynd ymhell i chwilio am gymar bywyd. Dyfodiad y beic i gefn gwlad oedd prif achos priodasau y tu allan i'r fro. Ddiwedd y ganrif priodwyd Robert John Davies, Pen y Bryn a Caroline Griffiths, Sbeddyd; Owen Hannam y gof a Margaret merch Isaac Roberts, saer maen, Pentre Llech ac yn 1893 bu priodas fawr yng nghapel Gellifor rhwng Robert Lloyd, Ffynnon Beuno, Tremeirchion a Miss Lloyd, Rhydonnen gyda Thomas Gee yn gweinyddu. Arolygydd Priffyrdd Sir y Fflint oedd R Lloyd. Rhoddwyd te i holl blant Ysgol Sul Gellifor a Thremeirchion. Aethant i fyw i Rydonnen.

Yr oedd bron i chwe chant a hanner yn byw yn y plwy yn 1891, rhyw dri dwsin ohonynt yn uniaith Saesneg. Yn eu plith yr oedd John Bolt, brodor o Dorset, cipar stâd Cerrigllwydion, gŵr gweddw hefo plant ifanc i'w magu. Er eu bod wedi'u geni yn Llandyrnog, uniaith oeddynt hwythau hefyd. Saesnes oedd gwraig y Drovers a'i gŵr Walter Jones yn dod o Lerpwl. Yr oedd Thomas Jones y llawfeddyg wedi symud i Hafod

Ynys erbyn hyn a'i wraig a'i blant yn ddi-Gymraeg – un mab, Frederick Salmon, yn fyfyriwr meddygol 26 oed. Bu farw Thomas Jones o'r ffliw yn fuan wedi hyn a bu farw ei fab Fred bythefnos yn ddiweddarach. Sais hefyd oedd J W Kershaw, Buarthe, masnachwr cotwm wedi ymddeol.

Yr oedd Robert Davies yn dal yn Rhydonnen. Yn ogystal â dwy nith o Bontblyddyn (Elizabeth Jane a Blanche) yr oedd ei nai John Cottle, banciwr o Swydd Efrog yno hefo'i ddwy ferch fach Alice Muriel a Blanche Gwendoline, y ddwy o Nebraska, Yr Unol Daleithiau. Gŵr Blanche oedd John Cottle a mab oedd i John Cottle, ffermwr o Sealand, Glannau Dyfrdwy. Daeth y fferm hon i sylw annisgwyl pan aeth y John Cottle presennol ati i blannu hadau wedi'u newid yn enegol – GM – ar ei fferm yn Sealand yn groes i reolau'r Cynulliad oedd wedi penderfynu y byddai Cymru'n rhydd o'r cyfryw bethau. Dyna beth sydd yn digwydd am roi codau post Seisnig i rannau helaeth o Gymru – SY am Shrewsbury (ardal Aberystwyth) a CH (am Cheshire) ar rannau helaeth o Sir y Fflint er enghraifft. Edrychodd rhywun ar Sealand a'i gôd post CH a barnu mai yn Lloegr yr oedd a rhoddwyd caniatad i blannu hadau na wyddom ai bendith neu felltith a fyddant.

Y mae Rhydonnen yn anneddle arbennig o hen – yn wir gwelir yr enw ar fap yn 1322 fel rhan o stâd Arglwydd Grey Castell Rhuthun. Ar y lawnt o flaen y tŷ gwelir ywen fawreddog ac y mae bron yn sicr ei bod hi yno yn oes Owain Glyndŵr pan gafodd o a'r Arglwydd Grey ffrae reit ddrwg. Dywedir bod yno dwnel yn arwain i Blas Ashpool, twnel achosodd dipyn o grechwen gan mai cysylltu mynachod Rhydonnen a lleianod Plas Ashpool ydoedd medde nhw, ond er llawer o gnocio a gosod clust wrth waliau ni lwyddodd yr un ohonom i ddod o hyd iddo. Y cyfeiriad cyntaf a welais at Rydonnen oedd ar yr hen fap hwnnw ac wedyn ar hen ddogfen ymysg papurau Stâd y Castell lle ceir cytundeb rhwng Henri de Rydonen a de Grey ynglŷn â rhentu 16 erw, dyddiedig 27 Mawrth 1324. Dros y canrifoedd gwelwyd priodasau rhwng teuluoedd Rhydonnen a Barwniaid Cymer, Maesannod a Gwerclas. Er enghraifft yn 1515 priodwyd Gwenhwyfar aeres Rhydonnen a Howel ab Dio ab Cwna ab Howel ac yn 1520 priodwyd Lowry Rhydonen aeres Simon ab Robyn ab Bleddyn ab Madog Goch ab Heilin Fychan ab Heilin ab Owain ab Edwin ab Goronwy Tywysog Tegeingl, a Richard ab Thomas Caerfallwch. Yn 1723 priodwyd Sarah Platt aeres Rhydonnen a Rhys Lloyd, Clochfaen, Uchel Siryf Maldwyn a pherchennog stâd Abaty Cwm Hir a chawsant bedwar o blant. **Rachel** oedd yr ail ac yr oedd yn forwyn breswyl i Caroline gwraig Frederick Tywysog Cymru a mam Siôr III ac wedyn yn howsgipar ym Mhalas Kensington. Y trydydd plentyn oedd **Sarah** a briododd John Jones, Dôl y Myneich, Sir Faesyfed. Unig fab

Sarah Platt a Rhys Lloyd oedd **Jenkyn** a anwyd yn 1724 a phriododd Elizabeth merch Edward Lloyd, Plas Madog, Rhiwabon a chawsant un ferch a oedd yn aeres Clochfaen, Plas Madog a Rhydonnen. Priododd hi ddwywaith. Ei gŵr cyntaf oedd John Edwards, Crogen Iddon, Gallt y Celyn, Hendre Brys a Phlas Iolyn ac Arglwydd Ysbyty Ifan. Ei hail ŵr oedd y Parch Thomas Youde o Goleg y Trwyn Pres, Rhydychen a'r Galchog, Rhuthun. Ei fam ef oedd Dorothy merch John Jones y Galchog a Mary, chwaer Eubule Thelwall, Plas y Ward a Phlas Bathafarn. Ŵyr i Sarah Platt oedd J Youde William Lloyd, Clochfaen, awdur y cyfrolau gwerthfawr a phrin *History of Powys Fadog*.

Bu llawer tro ar fyd oddi ar hynny ac fe fu'r fferm yn rhan o stâd Glanywern tan tua 1915 pan werthwyd popeth. Prynwyd Rhydonnen gan fy nhad yn 1953 ac erbyn heddiw fy mrawd, Alan, a'i deulu sydd yno. Yr wyf yn arbennig o falch o fedru arddel cysylltiad rhwng Rhydonnen ag awdur pedair cyfrol Powys Fadog!

Daniel Roberts a'i wraig Elizabeth oedd ym Mhontilen (neu Bont Helen). Daethant yno o Newcastle on Tyne yn 1886 a dywedir iddo fod yn hynod o weithgar yn y capel ac yn arbennig o ffraeth a difyr yn Seiat a'r Gobeithlu. Yr oedd dwsin yn y Llawog – Thomas Lloyd o'r Gyffylliog a Jane ei wraig o Bentrellyncymer a chwech o blant ac ym Mhlas yr Esgob yr oedd David Jones, brodor o'r Cerrig a'i wraig Elin o'r Bala. Yr oedd yn flaenor ac yr oedd yno chwech o blant. Yn fuan wedi hyn symudodd y teulu hwn i Ruddlan. Yr oedd gan Hugh a Margaret Hughes, Penstryd wyth o blant.

Hugh Hughes	pen	49	ffermwr	Capel Garmon
Margaret "	gwraig	43		Ysbyty Ifan
Margaret J "	merch	19	teilwra	Clocaenog
Sarah A "	"	15		Llanfwrog
Catherine "	"	13		"
Mary "	"	11		"
Hugh "	mab	9		"
John "	"	7		Llanynys
Tommy "	"	4		"
Richard Ellis "	"	5 mis		"

Cafodd Hugh Hughes ddamwain yn 1892 pan redodd ei geffyl wrth orsaf Rhuthun a throi'r drol drosodd a chollwyd y llaeth i gyd. Bu farw yn 1896 yn 53 oed a Margaret yn 1921 a rhestrir eu plant yn yr angladd: Misses E a P Hughes, Hugh, RE, Mrs T J Roberts (Jennie), Mrs J R Williams, Cerrig, Mrs J A Rickman (Amy), Mrs Bagshaw, Caer a Mrs J

Griffith Jones (Janet) Llanelidan. Aeth eu mab **John** i'r Unol Daleithiau yn 1911 a bu'n gweithio yn swyddfa Thomas Cook yn Efrog Newydd. Ei wraig oedd Madame Bodycombe Hughes o Bontardawe, actores a gymerodd ran yn y ffilm *The Corn is Green* (Emlyn Williams). Mae ganddynt ddisgynyddion yn America. Daeth **Jenny**'n wraig i T J Roberts y fferyllydd ac **Amy** (Rickman) oedd mam Margaret Roberts, y cyn–Gyngorydd, Royal Oak. Credaf mai Amy ac nid Tommy oedd y plentyn 4 oed yn y cofnod uchod. **Janet Elizabeth** oedd priod John Griffith Jones, Brithdir, Llanelidan.

Ni welir enw Emrys ap Iwan yn y Cyfrifiad gan na ddaeth yno fel gweinidog ar gapel Rhyd y Cilgwyn tan 1901. Claddwyd ef yn y fynwent wrth y capel – darn o dir a roddwyd gan Thomas Jones, Glanclwyd a Phlas Coch. Ceir hanesyn am Emrys ap yn mynd i'r llys barn yn 1889 i helpu dyn o'r enw Thomas Davies oedd o flaen ei well am gusanu ei feistres, Jane Beech. Gwrthododd T Davies â siarad Saesneg ac aeth Emrys ap Iwan i gyfieithu ar ei ran.

William a Catherine Roberts oedd yn ffermio Tyddyn Esther ac yr oedd yno forwyn 14 oed o'r enw Priscilla Hughes. Cafodd dipyn o ddamwain toc wedi'r Cyfrifiad. Ar ôl lladd mochyn aeth i'w dorri i lawr o'r trawst ond torrodd y cambren a syrthiodd y mochyn ac aeth y gyllell i fraich y forwyn ac yr oedd yn gwaedu fel mochyn. Wrth lwc, pwy gyrhaeddodd ond Edward Thomas y postman ac yr oedd wedi cael gwersi Cymorth Cyntaf a llwyddodd i arafu'r gwaedu. Ac o sôn am Dyddyn Esther, cofiaf am Dafydd Hughes arferai fyw yno ac a fyddai'n dod i weithio yn y cynhaeaf yn Rhydonnen. Yr oedd yn un ffraeth iawn. Mab ydoedd i Moses Hughes, Penfforddwr a brawd i Mrs Williams, Tŷ Newydd, Pwllglas, M O Hughes, Tŷ Ucha, Pentrellyncymer a J Howell Hughes Yr oedd ail wraig Moses Hughes yn chwaer i Daniel Williams, Hendrerwydd.

Y mae ambell gyfenw'n cael ei gysylltu â'r ardal: Foulkes er enghraifft. Cawn Richard ac Elizabeth Foulkes a'u mab Robert ym Mhwll yr Hwyaid (lle tu hwnt o ddiddorol), John a Mary Foulkes ym Mhantglas Isa ac Edwin Foulkes yn was ym Maesanod. Ceir hefyd lwyth o Lwydiaid: John ac Elizabeth Lloyd ym Mryn Gerllig, Thomas Lloyd a theulu mawr yn Llawog, Owen Lloyd yn y Tŷ Mawr. Enw arall yw Salisbury ac yr oedd teulu ohonynt ym Melin y Moch. Ceir hanesyn am y mab, Joshua, 23 oed, yn 1895 yn gweld ieir dŵr ar lyn y felin ac yn 'nôl gwn, ei lwytho, y gwn yn ffrwydro ac yn malu bawd y brawd. Cafodd Robert Jones, Maesanod ddamwain angeuol yn 1912 pan redodd ei geffyl rownd y tro wrth y Drovers a'i daflu. Hefyd yn 1912 bu damwain fawr ar Lady Bagot's Drive pan gwympodd y goits i'r afon a lladdwyd William

John (Jack) mab 12 oed S J Wilkinson, Cae Gwyn, Cyffylliog ac anafu ei fam yn ddrwg. Yn cario'i arch yn yr angladd yr oedd ei gyfoedion ysgol: R Goronwy Jones, Nilig; Trefor M Lloyd, Plas Meredydd; Tom Roberts, Tafarn y Bont; Tom Hughes, Tŷ Capel Hiraethog; Tom Williams, Foel Uchaf; Tom Davies, Cefniwrch; Howel Jones, Foel Ganol a Teddy Jones, Minffordd.

Y trigolion hynaf oedd Anne Jones, Groesfaen (93) yn byw ar ei phres ac Isaac Davies,Telpyn (86) ffermwr.Ymysg y genhedlaeth newydd yr oedd Robert Hannam, Llawog Bach yn 3 mis; Robert mab Evan a Charlotte Roberts y Llan, David Williams, Drefechan a John Jones, Sgeibion y tri yn ddeufis oed. Un pâr o efeilliaid oedd yn y plwy sef Thomas a David, meibion 22 oed Samuel Evans, Wern Sied. Joseph a Miriam Jones oedd ym Mhantglas Canol ac yr oedd ganddynt fab blwydd oed o'r enw Gwilym Hywel a aeth i'r weinidogaeth. Un arall aeth i'r weinidogaeth oedd John Bennett Williams Ty'n Twll. Yn 1891 yr oedd yn 17 oed, yn fab i John ac Elizabeth Williams.

Ni wn i ble'r aeth y teulu Jenkins oedd ym Mhlas y Ward yn 1881 ond yn 1891, toc wedi'r Cyfrifiad, daeth Henry Williams a'i deulu yno o Bentre Derwen. Cyn iddo droi rownd yr oedd yn flaenor. Ŵyr ydoedd i Henry Williams, Llwyn Onn, Bryneglwys a symudodd i Wern To yn 1822, i Wern Helen yn 1836 ac i Gellifor yn 1840. Yn 1900 lladdwyd wyth o fustych Plas y Ward gan fellten. Yr oedd yna storm fawr wedi bod yn 1892 hefyd pan laddwyd ceffyl eiddo i Edward Jones, Penygraig, ebol perthynol i Mr Foulkes, Pentrefelin yng nghae Plas Bennet ond yn waeth na hynny lladdwyd Mrs Jones, gwraig y beiliff yn y Grange. Bu farw Henry Williams yn 1919 ac yn ei angladd enwir ei blant: **Edith** priod R C Evans mab W R Evans, y twrne, Heulfre, Rhuthun. Mab iddynt oedd Charles Evans aeth hefo John Hunt, Edmund Hillary, Sherpa Tensing a James (Jan) Morris i fyny Everest yn 1953. Wedi hynny bu Charles Evans yn Brifathro Coleg y Brifysgol, Bangor; **Margaret** a briododd y Parch Griffith Parry Williams, cyn athro'r Hebraeg yn Nhrefeca cyn mynd yn weinidog ar gapel Bethesda'r Wyddgrug; **Tudor Williams (Dr)** a foddodd yn Ffrainc yn 1928, gadawodd £24,000 yn ei ewyllys; **Capten (Dr) Howel Meyrick Williams** (ei wraig oedd Olwen Gee, wyres Thomas); **Dr Thomas Williams,** Caergwrle; **Herbert Williams,** dyn dylanwadol, Ynad Heddwch a fu farw yn Hafodynys yn 64 oed yn 1943, ei wraig oedd Mary merch Dr Jones, Penygarth, Harlech, Uchel Siryf Meirionnydd; **Dora** priod John Evans, Hafodynys, Cyfarwyddwr Cwmni John Evans & Co, Lerpwl; **Mrs Emily Jones Jarret,** Plas y Faerdref, Llandrillo; **Lily** oedd yn byw ym Mhentre Derwen ac **Owen Williams,** (llysfab) Pentre Derwen. Y mae i Blas y Ward hanes gwiw – bu Catrin o

Ferain yn byw yno wrth gwrs.

Fferm doreithiog arall yw Glan Clwyd ac ar un adeg bu John ac Elizabeth Jones yn byw yno ac ymysg eu plant yr oedd Kate, David, Mary, Maggie, Grace, Annie, Elizabeth, John, Robert, Lily ac Ellen. Yn 1910 bu priodas ddwbl pan unwyd **Ellen** gydag Elias Hughes, Fron Ucha, Parc y Bala a **Maggie** gyda John Jones, Fron Gain, Waen y Bala. Athrawes oedd **Annie** a phriododd y Parch R G Roberts, Derwen. Bydd nifer o ddarllenwyr y papur bro *Y Bedol* yn cofio'r llun trawiadol ar y dudalen flaen yn 1985 o'r tair chwaer – Lily yn 98, Ellen yn 102 ac Annie yn 96. Cafodd y tair weld eu canfed pen-blwydd os cofiaf yn iawn. Yn 1903 treuliodd y bardd Wilfred Owen wyliau yng Nglan Clwyd ac yn ei gofiant dywed ei fod yn cofio'n arbennig am dair chwaer yno heb air o Saesneg. Edward Shaw Owen oedd enw tad Wilfred ac yn 1882 chwaraeodd bêl-droed dros Gymru yn erbyn yr Alban. Y sgôr oedd Cymru 1 Yr Alban 4. Yn 1884 chwaraeodd yn erbyn Iwerddon a'r sgôr oedd Cymru 6 Iwerddon 1. Bu farw Wilfred Owen yn y Rhyfel Mawr ond y mae ei farddoniaeth wedi'i anfarwoli. Yr oedd y ffilm *Regeneration* wnaed allan o nofel Pat Barker yn dangos y cyfeillgarwch rhyngddo ef a Siegfried Sassoon a'r modd y dylanwadwyd ar y ddau gan erchylltra'r Rhyfel uffernol hwnnw. Yng ngeiriau Owen yn ei *Anthem for Doomed Youth*:

O my brave brown companions, when your souls
Flock silently away, and the eyeless dead
Shame the wild beast of battle on the ridge,
Death will stand grieving in that field of war
Since your unvanquished hardihood is spent.
And through some mooned Valhalla there will pass
Battalions and battalions, scarred from hell;
The unreturning army that was youth;
The legions who have suffered and are dust.

Cofiwn am Hedd Wyn a Dei Elis, dau fardd disglair a gollwyd yn y Rhyfel Mawr. Gall Dyffryn Clwyd hefyd hawlio Wilfred Owen.

Clocaenog – Lle Bach Cyfleus

Y tri chofnod cyntaf yng nghofrestri plwy Clocaenog yw am gladdu John Evan y Wern ar 30 Ebrill 1672; am fedyddio Jonet ferch Hugh ap Reignald a Catherine ar 6 Mehefin 1672 ac am briodi Edward Lloyd, Trewyn a Margaret merch hynaf William Bumffrey ar 15 Hydref 1676. Ardal hyfryd yw hon er na fu bob amser yn ardal ddiogel oherwydd bu storm fawr o fellt a tharanau fis Mehefin 1858 pan laddwyd tair o fuchod eiddo Mr Edwards y Pentre pan oeddynt yn cysgodi tan goeden. Yr oedd dwy wiwer hefyd yn eistedd ar gangen y goeden a lladdwyd hwythau'n gelain. Yn 1898 daeth dau frawd ifanc, David a John Jones, Garth, Galltegfa, o hyd i gorff ar ffordd Clocaenog, rhyw ddwy filltir y tu allan i Rhuthun. Yr oedd y dyn wedi'i saethu yn ei ben ac yr oedd rifolfar Young USA yn ei law dde. Yr oedd yn gwisgo crys a'r rhif M400 arno ac yr oedd ganddo fag yn cynnwys cap Norwyaidd a brynwyd yn siop Woolf, Chicago, sbectol aur o wneuthuriad Husbands o Fryste, crys gwyn o Shellenberg, Philadelffia, bocsied o getris wedi'u gwneud ym Mridport, Connecticut, amlenni, dau bwrs gwag a matsus o Lerpwl. Yr oedd tua 60-65 oed, 5' 5" o daldra, gwallt wedi britho, mwstas wedi britho, wedi colli bys un a pedwar ar ei law chwith a bys o'r law dde. Dim pres. Cadach poced sidan a'r llythyren S arno. Neb â syniad pwy oedd.

Datgelwyd y dirgelwch ymhen rhai wythnosau ac ymddengys mai Samuel Ash, Almaenwr yn byw yn America, 63 oed, ydoedd. Yr oedd ganddo wraig a phlant ond yr oeddynt wedi cael ffrae. Yr oedd ganddo frodyr yn Hamburg oedd yn berchen distyllfa fawr. Cafodd David a John Jones y Garth eu munud o enwogrwydd a buont yn sôn am y peth weddill eu hoes meddir!

Fis Ebrill 1881 dim ond wyth o'r trigolion oedd wedi'u geni y tu allan i Gymru. Hoffwn i ddim bwrw amcan ar beth yw'r nifer heddiw; mae'n bur uchel 'rwy'n siwr. Yr oedd Margaret a John, dau o blant Hugh ac Elizabeth Hughes, Bryn Llwyn, wedi'u geni yn Bootle; un o Benbedw oedd Elin, merch Isaac Lloyd, Llygfynydd; rhai o'r Alban oedd John a Helena McLellan, Bron Bannog (lle mae tarddiad afon Clwyd); ganwyd George Evans, gwas yn Llannerch Gron Isa, yn Lerpwl ac o Northwich y deuai Elizabeth Hughes, gwraig y cipar oedd yn byw yn y Kennel, tra ganwyd gwraig y rheithor yn Cheltenham. Nid oedd hyn yn golygu mai Saesneg oedd eu hiaith, wrth gwrs. Mewn cymdeithas a oedd bron yn gwbl uniaith yr oedd pobl ddwad yn dysgu Cymraeg yn fuan iawn. Wel, y rhan fwyaf ohonynt beth bynnag.

Yn ôl Pierce Owen codwyd y capel yn 1872. Bu ymdrech fawr i gael un am lawer o flynyddoedd ond wynebwyd hwy ag un rhwystr ar ôl y llall. Er hynny bu yno Ysgol Sul ers tua 1810 ac yn cael ei chynnal o bryd i'w gilydd yng ngweithdy'r crydd, yn ysgubor Tan y Llan, yn y Plas ac yn yr Henblas. Wedi brwydro caled yn eu herbyn o du'r rheithor a'r tirfeddiannwr codwyd capel ar dir Tŷ Coch ar gost o £250. Y tri blaenor cyntaf oedd Henry Davies, Bryn Gwyn, Evan Hughes, Parc Uchaf ac Evan Williams, Henblas. Mae'r capel wedi cau ers rhai blynyddoedd. Yn 1881 yr oedd Henry Davies, Bryn Gwyn, yn 53 oed ac yn ffermio 140 acer o dir. Mab Hewl Fawr, Derwen oedd o ac yr oedd wedi dod i Fryngwyn drwy briodi merch y lle, Anne Williams, nith i Robert Lloyd, Pantygynne. Yr oedd yno bedwar mab: Robert W (19), Henry (17) yn cael ei ddisgrifio fel *'pupil teacher'*, Llewelyn (14) a Thomas (10). Beth ddaeth o Henry tybed? A aeth yn athro trwyddedig ai peidio? Do! oherwydd deuthum o hyd iddo yn 1891 yn brifathro ysgol Maesywaen ger y Bala. Ddeng mlynedd yn ddiweddarach yr oedd Llewelyn yn dal ym Mryn Gwyn ac yn byw hefo'i chwaer Mary. Yr oedd eu brawd Robert William newydd briodi Elizabeth Edwards y Parc. Bu Robert William a'i frawd Llewelyn yn godwyr canu yn y capel.

Yr oedd Evan Hughes, blaenor cynnar arall, yn dal yn y Parc yn 1881, yn 65 oed, ac yn ffermio 150 acer gyda'i wraig a chwech o weision a morynion. Yr oedd yna bedwar o bregethwyr yn aros yn y plwy y noson honno sef John Jones, gweinidog Wesle ym Mryn Bedwen, Robert Jones ar ymweliad o Lansansior, William H Jones y rheithor, brodor o Lanfihangel Genau'r Glyn, Sir Aberteifi – un arall o'r rhestr hir o Gardis oedd yn gwasanaethu'r eglwys yn y rhan yma o'r byd yr adeg honno – ac yn aros yn y Waen Ucha yr oedd Griffith F Jones o Langower, myfyriwr diwinyddol – o Goleg y Bala mae'n debyg.

Dyma fel y rhestrir Casegwen, Waen Ucha a Thŷ Brith yn y Cyfrifiad:

CASEGWEN

John Davies	pen	42	Ffermio 110 acer	Clocaenog
Margaret "	gwraig	42		Derwen
Hugh "	mab	19		Clocaenog
Harriet "	merch	18		"
Thomas "	mab	16		"
Jane "	merch	14		"
John "	mab	12		"
Samuel "	"	9		"
Margaret "	merch	7		"
David "	mab	5		"
Elizabeth "	merch	4		"

William	"	mab	1		"
John Jones		gwas	25		Cyffylliog

Ddeng mlynedd yn ddiweddarach yr oedd Margaret yn weddw a phedwar mab a merch yn dal adre. Nodir hefyd mai ym Mryneglwys y ganwyd Samuel, David, Elizabeth a William. Ym Mryneglwys y cafodd Harriet uchod ŵr sef Robert Rogers, Rhydlydan. Bu hi farw y 1915. Bu Samuel yn ffermio Ty'n Celyn, Llanelidan a Phlas Ashpool, Llandyrnog. Soniais am y teulu yn y bennod ar Lanelidan.

WAEN UCHA

Robert Williams	pen	63	Gweddw	Clocaenog
			Ffermio 170 acer	
Robert	"	mab	26		"
Anne	"	merch	20		"
Elizabeth Jones	morwyn	17		"
Griffith F "	ymwelydd	20	Myfyriwr	Llangower
			diwinyddol	
Edwin Davies	gwas	22		Wrecsam
Michael Williams	"	18		Gyffylliog
William Parry	"	12		Llanrhaeadr

Priododd Robert, y mab 26 oed uchod â Sidney Jane merch Thomas a Sidney Hughes, Pantglas, Llanynys, sef mab Humphrey Hughes, Cae Du, Bryneglwys, ac aethant i fyw i Faes Tyddyn Mawr a ganwyd iddynt chwech o blant: **Robert Thomas** a briododd Ceinwen Roberts, Waen Rhydd, Llanelidan a ffermio Caenog, Gwyddelwern; eu mab Wyn sydd yno heddiw tra mae eu merch Ann Gwendolen wedi priodi Eifion Ellis, Cae Haidd, Llanelidan ac yn byw yn y Cernioge; **Gwilym Dewi** a fu'n ffermio yn y cartref ar ôl priodi Glenys, Allt y Celyn, rhieni Eryl, Cynlywydd Ffermwyr Ifanc Prydain, Cynghorydd Sir a chyn-Gadeirydd Cyngor Sir Ddinbych a brawd i Nest a Nan; **Ceinwen** a briododd Trefor Morris Lloyd, Maesaleg, Cyffylliog sef rhieni Morfudd Maesaleg, Bronwen Wilson Jones, Geraint Lloyd a Meinir Maesaleg; **Agnes,** priododd Hugh Morris, Elor Garreg, mam Myra sydd wedi priodi Bryner Jones ac yn byw ym Mhorthaethwy – rhieni Sioned, Huw Edward a Nia Lloyd Jones; **Sidney**, priod R D Jones, Y Fach, Henllan – nain y delynores Eleri Wyn Jones, ac Edward ei brawd sydd wedi priodi Rebecca, merch John Albert Jones, Caerdydd a'i wraig Gaynor John arferai fod yn aelod o'r grwp Y Diliau; a **Myra Catherine** a briododd Augustus Lloyd Evans, Hendre Forfudd, un o ddisgynyddion John a Betsen Evans. Teulu cerddorol dros ben oedd teulu'r Waen Ucha.

TŶ BRITH

John Jones	pen	65	Ffermio 94 acer	Corwen
Jane "	gwraig	64		"
Sarah M "	merch	31		"
Richard Ll "	mab	29		Llanelidan
Hugh "	"	24		"
John Roberts	gwas	39		Cynwyd
Elizabeth Price	morwyn	22		Llanelidan

Mab Pen y Bont, Carrog oedd John Jones (1812-1890) a bu'n byw ym Mhlas yr Esgob, Llanelidan. Yr oedd ganddo un ar ddeg o blant: **Jane Anne** a briododd Llewelyn Roberts; **John Maurice**, dilledydd; **Sarah Mary** priod Robert Jones; **Catherine Elizabeth**, priod Morris Roberts; **Edward Stephen** aeth i'r Leyland Arms, Llanelidan (soniais am y teulu hwn eisoes); **Margaretta** ddaeth yn wraig i John Jones, Cae'r Delyn; **Richard Lloyd** a briododd ei gyfnither Mary Adelaide, Pen y Bont a mynd i fyw i Maerdy Mawr, Gwyddelwern (gweler y bennod honno); **Emma** priod Thomas Jones, Plas Einws y Rhewl; **Sophia** priod Edward Henry Edwards, Tŷ Newydd, a **Hugh** a **Thomas**. Cafodd Sophia ac Edward H Edwards chwech o blant: Jane Lloyd (1879-1932) Mary (1880-1939) a briododd Gruffydd Pierce Evans, Llain Wen; John Lloyd fu'n byw yn Ayr, Ontario; Edward a dreuliodd ei oes yn ardal Penbedw; Sarah Anne a Hugh (1888-1965). Gor-wyres i'r olaf yw Sian Edwards, Bodanwydog, Llandegla a chwaraeodd hoci dros Gymru. Priododd **Hugh** ag Elizabeth Jones a chawsant bump o blant: John Edmunds, Gelli Gynan, Llanarmon yn Iâl – mae ei ferch Mary wedi priodi John Beech, Tŷ Mawr, Bryneglwys; Janie a briododd Edward Gruffydd Jones, Pen y Maes, Llanarmon – mab iddyn nhw oedd Vernon Parry Jones a fu'n cadw siop gigydd yn Crown House, Rhuthun; Hugh Maurice sef tad Eirlys priod Llew Hughes, Pentir, Rhuthun ac Olga, Cae'r Groes; Elias Clwyd a briododd Annie Mary Bryan – merch iddyn nhw yw Gaynor Bryan Jones; ac Edward Berwyn a briododd Myfanwy Moss. Y mae disgynyddion Hugh a Mary Jones, Penybont, Carrog, fel rhif y gwlith. Pwy a rif dywod Llifon chwedl Goronwy Owen.

Fel y pentrefi eraill y soniais amdanynt eisoes yr oedd hwn hefyd yn hunan-gynhaliol: William Roberts, Cefn Isa yn gwneud clociau, Thomas Jones, Cae Wgan yn dreifio injian ddyrnu, David Hughes, Plas Newydd yn gweud olwynion, Isaac Jones, Ty'n y Mynydd yn dal tyrchod; Edward Lewis yn nhafarn y Cloion, Laura Wynne y fydwraig, Lewis Owen yr ysgolfeistr a John Hughes, Tŷ Capel, y teiliwr. Clerc y plwy oedd Joseph Harnaman oedd hefyd yn arddwr a'i wraig Anne yn bostfeistres a groser. Yr oedd yno dri o blant: Anne (16) Sarah (12) a Jonathan (10). Erbyn 1891 yr oedd Anne yn weddw a bu farw'n fuan wedi hyn. Priododd ei merch Anne ag Edward Roberts, gof ym Mryn Saith Marchog; ei merch Sarah â Rice Jones, Plas Lelo; a'i merch Elizabeth â Chadwaladr Evans, y teiliwr a'r clochydd y soniais amdano yn y Gyffylliog. Yr oedd merch arall, Elen Ann, wedi priodi Robert Davies, Llandegla.

Humphrey ac Ann Evans oedd yn Nhan Llan Mawr, y ddau o Gwm Celyn, ef yn fab Penbryn a hithau o Goed y Mynach, dau le sydd dan ddyfroedd Llyn Tryweryn erbyn hyn. Yr oedd eu merch Jennie yn 23 oed. Priododd hi â John Lloyd, Fachlwyd Uchaf a buont yn cadw busnes llaeth yn Lerpwl. Yr oedd ganddi chwaer, Margaret, a daeth hi'n wraig i John Williams, Nant y Celyn sef mab Llwyn y Brain, Cwmtirmynach oedd yn frawd i Thomas, David a Robert. Gor-wyres i Thomas yw Meinir Jones, Llanfihangel Glyn Myfyr sydd wedi priodi gor-ŵyr i John Austin a Margaret Roberts, Tai'n y Maes; bu Robert yn byw ym Maesgadfa ac aeth David i'r Gydros. Yr oedd yn hen daid i Huw Iorwerth Morris a'i chwaer Rhiannon Hafod y Maidd.

Bu cyd-ddigwyddiad rhyfedd rai blynyddoedd yn ôl. Yr oeddwn yn gwybod bod fy hen-hen-nain, Elizabeth Hughes, Tŷ Helyg, Bryneglwys, yn ferch i Dafydd a Margaret Williams, Coed y Mynach, a'i bod yn un o naw o blant. Wedi tipyn o holi a stilio a chwilota am y naw plentyn darganfûm bod **Jane** wedi marw'n ifanc; **Elinor** wedi priodi Thomas Lloyd, Hafodwen, Llanarmon Dyffryn Ceiriog; **William, David** a **Samuel** wedi marw'n ddibriod; **John** yn ffermio Maes Hir, Cwm Hirnant wedi priodi Elizabeth Davies, merch crydd Llwyneinion. Ond yr oeddwn wedi methu'n lân a darganfod beth oedd wedi digwydd i'r ddwy ferch arall, **Ann a Grace.** Y drafferth wrth geisio darganfod ble mae merched wedi mynd yw eu bod yn newid eu henwau wrth briodi – arferiad a ddaeth yn boblogaidd yn ystod Oes Victoria'n bennaf ac arferiad anymarferol ydio hefyd yn aml iawn – er bod llawer ohonom wedi bod yn reit barod i gael gwared â'r holl-bresennol gyfenw Jones.

Un diwrnod, y tu allan i siop Dafydd Williams y Fferyllydd yn Rhuthun (nai i Waldo Williams) yr oeddwn yn sgwrsio hefo Thomas Jones, un o hen ffrindiau fy nhad, henwr diwylliedig, ffermwr a hyfforddwr cŵn defaid, a brodor o'r Berllan Helyg, Glyn Ceiriog. Bu'n ffermio ym Mryn Golau, Gwyddelwern a'r Tyddyn Isa, Rhewl, a siaradai'n ddistaw bach gan edrych i'r awyr. Yn sydyn fe'i clywais yn dweud 'Cofio clywed am eich modryb Grace . . . ' Modryb Grace? Pwy? Nid oedd gennyf y fath fodryb . . . Holi mwy. A darganfod mai hon oedd y Grace ddiflanedig, chwaer fy hen hen nain – ond chwarter canrif yn iau na hi – a'i bod wedi magu teulu mawr yn Rhospengwern, Glyn Ceiriog. Awgrymodd Thomas Jones y dylwn anfon gair at un o'i gor-wyrion, Berwyn Kerfoot, oedd yn ffermio yn yr Henllys, Tywyn, Abergele. A dyna wneuthum.

Ymhen rhyw wythnos daeth dau lythyr drwy'r post: un o Surrey, un o Dywyn. Un gan Eric Lloyd Williams o Weybridge, un gan Berwyn Kerfoot o'r Henllys. Y ddau'n ddieithriaid hollol i mi. Llythyr Eric ddarllenais gyntaf. Llew Williams, cyn-brifathro Cyffylliog, wedi rhoi f'enw iddo fel un allai ddod o hyd i'w hen nain, Ann Evans, Tan Llan, Clocaenog. A fuaswn mor garedig â mynd i'r Archifdy, gofynnodd Eric, i edrych ar Gyfrifiad 1881 i weld ble ganwyd Ann er mwyn iddo gael rhyw fath o awgrym o sut i ddarganfod pwy oedd hi. Yr oedd ei merch Jane, oedd wedi priodi John Lloyd, Fachlwyd, yn nain iddo. Iawn, meddyliais, dim trafferth, yr oedd gen i gopi o'r Cyfrifiad yn y tŷ, dim ond mynd i fyny'r grisiau. Ond cyn mynd agorais lythyr Berwyn oedd yn ymateb i'm llythyr iddo ar awgrym Thomas Jones. Merch Dafydd Williams, Coed y Mynach, oedd Grace, ei hen nain, meddai, wedi priodi David Jones o Gefnddwygraig a magu llond tŷ o blant yn Rhydonnen Isa, Rhewl, Llangollen cyn symud i Rospengwern, Glyn Ceiriog. Yr oedd hi'n aelod o deulu mawr, meddai Berwyn, ac enwodd ei brodyr a'i chwiorydd: Elizabeth, William, Samuel ac yn y blaen. Ac yna cododd gwallt fy mhen: 'Ac yr oedd ganddi chwaer Ann' meddai, 'wedi priodi Humphrey Evans, Penbryn Mawr, Capel Celyn a mynd i fyw i Tan Llan, Clocaenog . . . ' A dyna fi wedi dod o hyd i'r ddwy chwaer y bûm yn chwilio amdanynt cyhyd, ac heb unrhyw ymdrech nac ymchwil, ac yr oeddwn yn medru anfon at Eric Lloyd Williams a dweud wrtho bod ei hen nain Ann yn ferch i Dafydd Williams, Coed y Mynach oedd yn fab i John Williams y Garn, Cwm Celyn, a'i wraig Margaret yn ferch i John ac Elizabeth Jones, Gorseddau – oedd yn mynd â ni'n ôl i ddechrau'r 1700au. O ganlyniad y mae Eric wedi cyhoeddi cyfrol am ei deulu ac y mae ei ferch Kathy wedi bod yn Awstralia i ymweld â'r ugeiniau o berthnasau na wyddent am eu bodolaeth – sef disgynyddion John Henry Williams, mab i chwaer ei nain yn Queensland. Gweler eu henwau yn y bennod ar Efenechtyd. Credwch fi – mae olrhain hanes teulu yn hwyl oherwydd y mae rhai o'r cyd-ddigwyddiadau'n ddigon â'ch ysigo gan syndod!

Yr oedd llond tŷ yng Nghefn Eithin – John ac Elizabeth Jones a naw o blant, gan gynnwys Hugh un ar ddeg oed. Cafodd ef fyw tan 1967 a bu farw'n 92 oed yn hen lanc, a'r olaf un o'r teulu. Disgrifir ei frawd Richard fel 'pupil teacher' ond yn ddiweddarach aeth i'r eglwys. Bu Hugh'n ffermio Plas Efenechtyd a'r Berth, Llanynys. Bu farw ei ddau frawd, Richard (oedd yn ficer Eryrys) ac Ellis Powell oedd yn ffermio'r Plas yn 1935. Yr oedd llond tŷ hefyd yn Llannerch Gron Isa – mwy amdanynt mewn munud. John Hughes y teiliwr oedd yn y Tŷ Capel ac yr oedd ganddo fo ac Elizabeth dri o blant: Thomas (15) Sarah (11) a John L (7). Prentis teiliwr oedd Thomas ar y pryd ond yn 1887 dechreuodd bregethu ac aeth i goleg Handsworth oedd yn hyfforddi gweinidogion Wesleaidd. Bu'n weinidog yn Abergele, Llanfair Caereinion, y Rhyl, Tywyn, Coedpoeth, Tregarth, Lerpwl, Blaenau Ffestiniog, Llanrhaeadr ym Mochnant, Porthmadog, Llundain, a Biwmares. Dyna oedd ffawd gweinidog Wesle onide. Adwaenid ef fel Thomas Isfryn Hughes a bu farw yn 1942. Ei wraig oedd Catherine, merch Thomas a Margaret Jenkins, Aberdyfi. Cafodd fywyd llawn a phrysur a'i gynnwys yn y Bywgraffiadur Cymreig 1941-1950.

Y personau hynaf oedd Sarah Roberts (93) Brynhyfryd, Gwen Jones, Cae Wgan (85) Elizabeth Lewis, Llofft hefyd yn 85 a Chadwaladr Jones, Ty'n y Maen (80). Y ddau ieuengaf oedd Margaret E Davies, Stryd a Thomas Jones, Paradwys, ill dau yn ddeufis oed. Yn 1911 priododd y Thomas hwn â Kate Jones, Derwydd. Bu'n orsaf feistr yn Broughton. Ceir dau bâr o efeilliaid sef Sarah a William Jones (16) Pen y Parc a Winifred ac Edward Hughes (12) Plas Helyg.

Rhyw dri chant a hanner oedd yn byw ym mhlwy Clocaenog yn 1891 a phawb namyn pymtheg yn siarad Cymraeg – y rhan fwyaf yn unieithog. Ymysg y di-Gymraeg cawn Elijah Francis Jones o Rydychen oedd yn gofalu am geffylau'r rheithor a William Hepburn a'i deulu o wraig a chwech o blant yn feiliff yn byw yn y Kennel. Edward Meredith Griffiths oedd enw'r rheithor, brodor o Sant Thomas yn Sir Faesyfed. Gellir gweld ym mhle y bu ef a'i wraig Harriette yn byw oherwydd ganwyd eu plant mewn gwahanol leoedd: Jeanette ac Edward Meredith (myfyriwr meddygol) yn Aberdâr; Theodore Howell ym Mynwy; Harriette yn Llandâf; a Rosamond a Henry yn Llanwyddelan, Sir Drefaldwyn. Yr oeddynt i gyd yn ddwyieithog. Bu farw Harriet yn 1910 ac yn bresennol yn ei hangladd yr oedd ei thri mab: yr Archddiacon Howell G Griffiths, Bagillt, Dr Edward Meredith Griffiths, Abercarn, Sir Fynwy, a Henry Griffiths o Goleg y Brenin, Llundain. Priododd Jeanette â'r Parch Hiram Smyth Rees, ficer Abertyleri ac yr oedd ei chwaer Susannah Henrietta wedi priodi ychydig cyn y Cyfrifiad â warden y Gymysie yn Queensland sef Victor Conradedery Mousset Sellheim. Dyna i chi enw i ymgodymu ag o.

Yr oedd Lewis Richards yn byw hefo'i frawd-yng-nghyfraith yn Nant y Celyn. Brodor o Drawsfynydd ydoedd a'i waith oedd gyrru'r injian ddyrnu: swydd weddol newydd yr adeg honno ac un sydd wedi diflannu erbyn heddiw. Bryn Ffynnon oedd cartref y cigydd Richard Watkins, brodor o'r Mwynglawdd a'i wraig Winifred o Langower. Gwneud olwynion oedd David Hughes, Bryn Fedwen. Bu ef farw yn 1843 yn 85 oed a dywedir ei fod wedi gwneud cannoedd o droliau ac eirch. Yr oedd William Roberts, Cefn Isa, yn gwneud hetiau, tra'r oedd Anne Harnaman yn cadw swyddfa'r post gyda chymorth ei dwy ferch.

Yr oedd nifer o dai llawn ac un ohonynt oedd Llannerch Gron Isa. Dyma'r manylion:

LLANNERCH GRON ISA

John Jones	pen	56	Ffermwr, Llanelidan gwerthwr glo a choed
Elinor "	gwraig	54	"
Elizabeth "	merch	25	"
John Henry "	mab	21	"
William T "	"	14	Clocaenog
Benjamin "	"	13	"
Mary "	merch	9	"
Robert Davies	gwas	23	Llanychan
William Hughes	"	25	Rhuddlan
Charlot A Rowlands	morwyn	17	Efenechtyd

Ffermwr a gwerthwr coed a glo oedd John Jones (1835-1916) ei wraig Elinor (1835-1893) yn ferch i Edward ac Ann Williams, Gwrych Bedw, Llanelidan ac yn wyres i Robert ac Elinor Lloyd, Pant y Gynnau, Gwyddelwern. Mab John a Mary Jones, Tyddyn Ucha, Llanelidan oedd John Jones, Llannerch Gron – ei dad o Fryneglwys, ei fam yn ferch Bodlywydd Fawr ac yr oedd o'n ddeugain oed pan anwyd ei chwaer ieuengaf, Elizabeth Ellen. (Hynny oherwydd bod ei dad wedi priodi deirgwaith ac yn dal i epilio pan oedd dros ei bedwar ugain.) Wyres i Margaret, chwaer John Jones, Llannerch Gron, oedd y gantores Violet Jones y rhoddir Ysgoloriaeth er cof amdani yn yr Eisteddfod bob blwyddyn – rhodd ei diweddar briod Towyn Roberts. Cafodd John ac Elinor un ar ddeg o blant ac erbyn 1891 yr oedd rhai wedi gadael y nyth.

Dyma nhw yn eu trefn: **Anne/Annie** (1863-1946) a briododd â Hugh Jones, y Cwm, Llanelidan a chael chwech o blant (John T, Eglwys Wen, Dinbych a briododd Kate, Cefn Griolen; Marged Elin a briododd y ddau frawd John Ellis a William Thomas Edwards, Highgate, Corwen; Thomas a briododd Muriel Hughes, Bryn Tangor; Gwilym Hugh a briododd Doris Roberts, Tir Barwn, Betws GG; Edward Lloyd a briododd Eurwen

Hughes, Bryn Tangor a Florence Anne a briododd Hugh Roberts, Tir Barwn. Sylwer bod un wedi priodi dau frawd, bod brawd a chwaer wedi priodi brawd a chwaer a bod dau frawd wedi priodi dwy chwaer . . .) Priododd **Jane** (1864-1950) â dyn o'r enw Doble a mudo i Dde Affrica lle ganwyd eu tri phlentyn, Gladys, Winifred, a Frank a laddwyd yn y Rhyfel Mawr. Daeth Jane yn ôl i weld ei theulu tua 1914 a methu â dychwelyd i Cape Town am hydoedd o achos y Rhyfel; **Elizabeth** (1865-1936) oedd y drydedd ferch a phriododd hi â David Davies, mab Dewi Glan Peryddon, a buont yn ffermio Gwrych Bedw cyn symud i Glanoge, Llansilin. Yr oedd Dewi'n fardd cadeiriol ond am ryw reswm aeth i'r America a bu farw yno mewn tlodi (meddai'r *Bywgraffiadur*). Yr oedd yn frawd i Einion Ddu oedd yn cadw'r post yn Nhregeiriog a meibion oeddynt i grydd Llwyneinion ger y Bala. Cafodd Elizabeth a David Davies ddau o blant – Myfanwy a David John. Yr oedd yr olaf yn Bleidiwr brwd ac yn llythyrwr cyson i'r wasg cyn ei farw yn 91 oed yn 1990. Ei ŵyr Aled sydd yn ffermio Glanoge heddiw. Pedwaredd ferch Llannerch Gron oedd **Margaret** a phriododd hi â John Austin Roberts, (mab Nant y Creua a brawd i Catherine, priod John Hughes, Pencoed Isa, Pwllglas) a buont yn ffermio yn Nhai'n y Maes, Pentrefoelas. Cawsant dri o blant: Winifred, John ac Ella. Priododd John ac Ella frawd a chwaer sef Elizabeth a Griffith Jones, Pant y Griafolen. Mae ganddynt nifer fawr o ddisgynyddion yn ardal Uwchaled a Dyffryn Conwy, teulu Plas Hafod y Maidd a Farmyard, Conwy er enghraifft. Bu farw John Austin Roberts yn 1898 pan oedd y tri phlentyn yn 8, 5 a 4 oed ac ail-briododd Margaret â John Roberts, Maesgwyn. Wedyn ganwyd pumed ferch i John ac Elinor sef **Elinor Lloyd** (1868-1946) a phriododd hi â Thomas Hughes, mab David Hughes, Pencoed Ucha. Buont hwy'n ffermio Bodeiliog Isa ger Dinbych lle magwyd eu plant Gwladus, Edna, Trefor a Thomas: arhosodd Gwladus gartref, aeth Edna i Dde Affrica, aeth Trefor i'r banc a bu Tomi'n ffermio Gwern Cilia, Betws-yn-Rhos (ef yn daid i Richard Wyn Jones, y sylwebydd gwleidyddol y Mhrifysgol Aberystwyth ac i Huw Llywelyn, cynhyrchydd hefo'r BBC). Ac yna ganwyd mab, **John Henry** (1870-1946). Ei wraig ef oedd Elizabeth, merch Jane a Francis Beech, y Cricor a chawsant saith merch a dau fab. Ganwyd ail fab yn Llannerch Gron yn 1871 sef **Edward Price** ond bu farw'n chwe wythnos oed. Yn 1872 ganwyd **William Thomas** adweinid fel *'Timber Jones'* gan iddo gymryd busnes ei dad drosodd. Priododd ag Anne Jones, Ty'n y Wern, Bryneglwys a magu saith o blant. Bu un o'u meibion, Trefor, yn brifathro ym Mhandy Tudur ac ef oedd – taid Nia, Rhys a Dyfan Tudur. Sylwer bod gan Elinor Lloyd Jones ar un cyfnod wyth o blant dan ddeg oed. Ai dyma feddylir wrth hiraethu am y *good old days*?

Yn 1874 ganwyd **Robert Lloyd** ac aeth yn brentis dilledydd ac yn y man daeth yn rheolwr siop Densons yn Ninbych cyn prynu siop Nelson yng Nghaernarfon. Bu farw yn 1954 ar orsaf Caer wrth redeg i ddal trên. Ei briod oedd Edith Hughes o Landyrnog a chawsant ddau o blant, Rita a Robert, ac yr oedd un mlynedd ar ddeg rhyngddynt. Bu cryn dipyn o firi yng Nghaernarfon yn 1937 ddiwrnod priodas Rita ac E V Stanley Jones, y cyfreithiwr fu'n amddiffyn Tri Penyberth – Saunders Lewis, D J Williams a Lewis Valentine. Ddiwrnod y briodas daeth teligram o 'Lwyn y Wermod' yn dweud *'Congratulations from the Three now on holiday at His Majesty's expense'*. Cafwyd nifer fawr o deligramau eraill pryfoclyd gan gynnwys un oddi wrth Gapten y Frigâd Dân ym Mhwllheli ac un arall oddi wrth y Gwyliwr Nos ym Mhenyberth: *'I was not there!'* Bu hanes y briodas ym mhapurau Llundain a chafwyd cryn hwyl oherwydd y teligramau. Lladdwyd E V Stanley Jones yn fuan wedyn yn y Llu Awyr yn 1939. Ail-briododd Rita â'r Capten Elwyn Davies o Benrhyn Llŷn a bu ef yn Faer Poole yn Dorset. Graddiodd Robert, brawd Rita, o Goleg Wrekin, Caergrawnt ac Ysgol Fusnes Havard a dod yn Gyfarwyddwr y Brick Development Association, yn Gyfarwyddwr Woolmark ac yn un o Wŷr Lifrai Dinas Llundain ymysg nifer o swyddi eraill a bu farw ar y cwrs golff yn 1999; **Benjamin** oedd y degfed plentyn (1877-1960) a'i wraig ef oedd Mary Catherine Roberts, Hendre Isa, Gwyddelwern, merch Hugh Roberts, Clegir Mawr ac Ann Edwards, merch Hen Ddewin Llwyn y Brain. Aethant i fyw i'r Gwrych Bedw, Llanelidan, hen gartref Elinor ei fam a chawsant naw o blant (John Hugh; Idwal a briododd Greta Hopkins o Bontrhydyfen; Alun a briododd Morfydd Jones, Tal y Bidwel Fawr, Bryneglwys; Robert Lloyd a briododd Joan Roberts, Trefor, Caernarfon – rhieni Rita Morton ac Eirian Evans, Rhuthun; Owen fu farw'n ddwyflwydd; Ella a briododd William Clarke, Blackpool; Edward Gwynn a briododd Sylvia Greenwood o Ddyfnaint, Olwen a briododd Herbert Saggerson o Rochdale a Nansi a fu farw o diphtheria yn ddwyflwydd oed.) Mae bedd Ben Jones a'i wraig a'u dau blentyn bach ym Mhandy'r Capel. Plentyn olaf Llannerch Gron oedd **Mary** (1881-1919) a phan fu farw gadawodd eneth fach naw oed yn Llundain ac nid oes neb o'r teulu'n gwybod beth a ddigwyddodd iddi. Bu farw Elinor y fam yn 1895 ac yn reit fuan ail-briododd John Jones ag Anne Roberts, Efenechtyd a chawsant fab o'r enw **Howell** (1897-1982) a fu'n rheolwr siop y Co-op yn ardal Hen Golwyn. Y mae John Jones wedi'i gladdu ym mynwent y Rhiw yn yr un bedd â'i ddwy wraig a dau o blant, nid nepell o'r rhes tai coch a melyn a godwyd ganddo ddechrau'r ugeinfed ganrif.

Soniais eisoes am Humphrey ac Ann Evans, Tan Llan Mawr, a'u dwy ferch – Jane a briododd John Lloyd y Fachlwyd a Margaret a briododd

John Williams, Pen y Gaer. Plant i'r ddau olaf oedd **John Henry** (aeth i Queensland – gweler hanes Llanfwrog) **Annie** priod Hugh Wynne Hughes, Pen y Coed Ucha; **Humphrey** a briododd Lily, Glan Clwyd a **Ginnie** a briododd Robert Williams, Garreg Lwyd, Graigfechan. John Henry oedd yr unig un â disgynyddion.

David Evans a'i wraig Mary oedd ym Mhlas Helyg yn 1891 (fferm oedd yn eiddo i John Hughes, Pencoed Isaf) ac yr oedd ganddynt blentyn naw mis oed – Mary Jane, neu Polly fel y gelwid hi. Cawsant naw o blant i gyd: Margaret; Elizabeth; Edith Myfanwy (a briododd John Gruffydd Rees a byw yn Rhodesia); Blodwen; Gladys May; David (fu farw yn y Rhyfel Mawr) a Humphrey Turner ac un arall sef efaill David o'r enw Annie. Ganwyd y ddau yn 1896. Gwyddom dipyn o hanes Annie oherwydd yn 1990 cyhoeddodd ei hatgofion – *Mewn Gwisg Nyrs* – Annie Boumphrey (Gwasg Carreg Gwalch, golygwyd gan Merfyn a Nova Davies). Ac atgofion difyr ydyn nhw hefyd gan iddi gael bywyd cyffrous iawn.

Dechreuodd ei gyrfa fel nyrs yn Ysbyty Sant Thomas yn Llundain ac yna aeth i helpu'r milwyr yn Passchendale lle gwelodd erchyllterau. Wedyn bu'n nyrsio yn Sbaen, ac ym Mhortiwgal bu'n gofalu am ddau fab y teulu brenhinol. Yna bu'n gweithio mewn ysbyty yn Ceylon ac yno cyfarfu â dyn a ddywedodd mai ef a saethodd Goch Bach y Bala. Yn yr India bu'n nyrsio gwraig y Maharajah Calkwar, ac yr oedd ei stâd bron gymaint â Chymru meddai hi. Dro arall gwrthododd gusanu traed y Pab ac yn Rhodesia agorodd gartref i blant amddifad yn y brifddinas, Salisbury yr adeg hono, Harare yw ei henw heddiw. Yno cyfarfu â gŵr o'r enw Townley Williams o Rhuthun, perchennog pyllau glo ac yn cyflogi miloedd. Yn weddol hwyr ar ei hoes, yng Nghadeirlan Llanelwy, priododd Annie â Joseph Boumphrey, perchen busnes trwsio llongau yn Lerpwl ac yn 1943 aeth y ddau i'r Seychelles ac yn ystod y fordaith cawsant eu herlid gan un o longau tanfor yr Almaen. Wrth edrych ar ôl gwahanglwyfion ar ynys y Seychelles cyfarfu â Chymro o Fangor, Huw Thomas, oedd wedi bod yno am 43 mlynedd ac heb yngan gair wrth neb nes y clywodd Annie yn siarad Cymraeg. Medrodd hi ei gael adre i Gymru. Collodd ei gŵr yn 1951 ac aeth i Dde Affrica fel matron Ysbyty Berea a sefydlodd ysgol i ddysgu plant mud a byddar. Dychwelodd i Rhuthun i gartref Abbeyfield a bu farw mewn cartref i'r deillion yn Abergele bron â bod yn gant oed. Dynes anarferol iawn a byddai rhaglen deledu amdani wedi bod yn werth chweil. Dirprwy lyfrgellydd Sir Ddinbych oedd ei brawd Humphrey Turner Evans a'i wraig oedd Nora Mildred merch W S Davies, Ynyswen, Rhuthun. Athrawes yng Ngellifor oedd hi a chododd ei thad dŷ iddynt yn Rhuthun. Wedi hynny bu'n Brif

Lyfrgellydd Sir Gaerfyrddin. Dysgais y ffaith honno ar long bleser yn hwylio o gwmpas y Mil o Ynysoedd ar afon St Lawrence yng Nghanada a diolch i T Elwyn Griffiths, cyn-Lyfrgellydd Sir Gaernarfon am yr wybodaeth. Mae un yn dysgu rhywbeth newydd yn y mannau mwyaf annisgwyl. Erbyn hynny yr oedd Turner-Evans wedi ail-briodi ac wedi heiffeneiddio ei gyfenw.

Mae'n rhaid mai newydd briodi oedd William (31) a Catherine (Kate) Jane Roberts (22) Maestyddyn Isa (merch Pencoed Ucha) gan nad oedd ganddynt blant. Ond ganwyd o leiaf dri ar ddeg iddynt yn ddiweddarach! Mab Evan Roberts, Tal y Cafn Isa, Llanfihangel, oedd William a bu farw yn 54 oed yn 1913 gan adael Kate a deg o blant: yr oedd eu merch Dilys Alwen wedi marw'n 6 oed yn 1912 ac yn ôl y wasg wedi gadael chwe brawd a chwe chwaer. Yr ail blentyn yn y teulu oedd Gwendolen ddaeth yn wraig i Hugh Roberts, Ty'n Celyn, Gwyddelwern a'r ieuengaf oedd Myfanwy, mam Glenys a Gwynfor Williams, Llannerch Gron, Gwynfor yn ymhel llawer â Chymdeithas Hen Beiriannau Amaethyddol.

Dyma pwy oedd ym Maes Tyddyn Canol:

Edwin Roberts	pen	32	ffermwr	Llanrhaeadr
Margaret "	gwraig	24		Derwen
Price "	mab	6		Llanelidan
Ed. "	"	3		"
Thomas "	"	1		Clocaenog

Ni wn pa un ai Edwin ynteu Edward oedd yr Ed teirblwydd uchod ond y mae'n wir bod yno fab o'r enw Edwin ac yn 1916 priododd ag Ellen Williams, Talycafn Uchaf a magu deg o blant yn y Ffriddoedd. Wyresau iddynt yw Ann, Hendre Cennin ac Elspeth, Llawr y Glyn, Trefaldwyn, teulu â chanu yn eu gwaed gan mai plant iddyn nhw eu dwy yw John Eifion, Helen Medi a Chatrin Alwen er enghraifft – pob un yn enillydd cenedlaethol.

Yr oedd un pâr o efeilliaid yn y plwy sef Laura a Maggie, 2 oed, plant Hugh a Jane Jones, Bronbanog. Yr hynaf yn y plwy oedd John Jones (86) tad-yng-nghyfraith David Davies, Bryn Coch. Yr oedd Margaret Hughes, Bryn Golau yn 83, John Jones, Caeau Bedw ac Elinor Jones, gweddw'r gof, ill dau yn 82. Yr ieuengaf o bawb oedd John Albert, mis oed, plentyn John ac Elizabeth Jones, Paradwys.

Fel pob pentref arall yn y fro fe gollwyd nifer o'r bechgyn yn y Rhyfel Mawr ac ar y golofn gwelir yr enwau canlynol:

Lieut. W H Jones, Pen Parc
Corp. S Davies, Penbryn
Bomb.E Edwards, Lodge
Pte. J W Addis, Llan
Pte. Asket, Llan
Pte. W Williams, Tyisa'r Cefn
Pte. A H Banques, Pool Park
Pte R T Roberts,   "

Corp. J S Savager, Pool Park
Pte H E Davies, Brynffynnon
Pte. W Jones, Gweithdy
Pte. E Morris, Parc
Pte. W G Hetherington, Pool Park
Pte H Loveday

Ac o Ryfel 1939-45
Fus Elwyn Edwards

Yng Nghyfrifiad 1891 yr oedd George Stanley Davies, Pen y Bryn, yr ail enw ar y gofeb, yn 11 mis oed ac yn byw hefo'i dad John Davies, cipar o Langedwyn, Sir Drefaldwyn, ei fam Margaret Elizabeth o Bromwich, Swydd Stafford. Ganwyd cannoedd o blant y fro mewn pryd i fynd yn aberth i'r Rhyfel. Mor wahanol oedd Coed Ypres i goed Clocaenog. Ac wrth fynd drwy'r coed deuir yn y man i Bincyn Llys. Dywedir os medrwch weld y Pincyn ei bod yn mynd i lawio ac os na fedrwch ei weld, y mae hi **yn** glawio. Ond os dringwch i'w gopa gwelwch y cofnod:

*As a memorial of his having
completed the large range of mountain
plantation which in part skirts the
base of this hill, Willam second
Lord Bagot erected this pile of
of stones in the year 1830*

A'r ochr arall

*Lord Bagot's Plantations were felled
during and after the Great War 1914-18.
The Forestry Commission began to
plant Clocaenog Forest in 1930.*

O achos rhyfel fe syrthiodd bechgyn a chwympodd coed ond er hynny y mae'n werth dringo yno.

Llanrhydd – Lle Bu Cell

A minnau'n byw ym mhlwy Llanrhydd yr wyf yn medru dweud fy mod yn byw 'yr ochr yma i'r dre'. Yn ystod gaeaf 2000 cafodd yr ochr yma i'r dre le i ddiolch oherwydd yn yr 'ochr arall' – Llanfwrog a'r Borthyn – fe gafwyd llanast y llifogydd pan orlifodd afonydd Mwrog a Chlwyd. Yn ôl Cyfrifiad 1881 Llanrudd yw'r sillafiad ac y mae hynny'n gwneud synnwyr gan mai ar bridd coch y saif y plwy, y tywodfaen a roddodd yr enw Dinas Goch – neu Rhudd-ddin – ar y dref hyfryd hon yr wyf wedi dewis byw ynddi. Y mae'r eglwys wedi'i chysegru i Meugan, seryddwr, meddyg i'r brenin Gwrtheyrn a nawddsant teithwyr. Ac y mae gan y plwy bychan hwn gysylltiadau rhyfedd gyda phêl-droediwr enwog, Prif Weinidog, awdur Saesneg, arlunydd nodedig, Hitler a Gorsedd y Beirdd. Darllenwch ymlaen!

Ymhlith enwogion y plwy y mae'r teulu Thelwall ac yn yr eglwys y mae cofeb i rai o aelodau'r teulu a ddaeth i'r fro fel rhan o osgordd Reginald de Grey. Yn y cerflun gwelir y tad a'r fam a rhes o'u plant, deg o fechgyn a phedair merch. Bu farw John Thelwall yn 1586 a'i wraig Jane flwyddyn o'i flaen. Un arall fu'n byw yma, ym Mhlas Llanrhydd, oedd Stanley Weyman (1855-1928) ac y mae cofeb iddo yntau hefyd yn yr eglwys. Ysgrifennodd nifer o nofelau ond maent wedi mynd yn angof fwy neu lai. Gadawodd £100,000 yn ei ewyllys. Ac wrth gwrs yn y Bathafarn y ganwyd Edward Jones, 'tad Wesleaeth Cymru'. Bathafarn yw enw capel Wesle Rhuthun ar Stryd y Farchnad ac y mae ei garreg goffa yn y mur y tu allan.

Yn byw ym Mhlas Llanrhydd yn 1881 yr oedd R G Johnson, Ynad Heddwch, bar-gyfreithiwr, yn ffermio 100 acer, brodor o Gaer. Mary Shone oedd enw'r forwyn laeth yno. Dyna i chi gyfenw diddorol, syrnâm oedd yn bodoli o flaen Jones. Tybed a ŵyr y nifer fawr o drigolion Bistre a Bwcle sydd yn arddel yr enw Shone bod ganddynt gyfenw sydd yn llawer hŷn na phob Davies a Williams a Roberts sydd o'n cwmpas? Aeth Sion yn Shone ac yn Jones yn nhreigl y canrifoedd. Yr oedd yna Ynad Heddwch arall ym Mhlas Bathafarn sef Brooke Cunliffe, 65 oed, wedi ymddeol o'r gwasanaeth suful yn yr India. Fe'i ganwyd yn India'r Dwyrain ac yr oedd tri o'i blant hefyd wedi'u geni dramor, yn cynnwys merch o'r enw Gwenydd. Mae'n amlwg bod yna ryw ddylanwad Cymreig yn rhywle.

Yn ffermio 129 o aceri ym Mathafarn yr oedd Daniel Roberts, blaenor dylanwadol yng nghapel Llwynedd ac yn cael ei gyfrif fel un o ffermwyr gorau Dyffryn Clwyd. Bu farw yn 1896. Fel y gellid disgwyl yr oedd nifer o'r trigolion wedi cael ysgol gan fod llawer iawn o bobl broffesiynol yn byw yn y plwy. Yn Haulfre yr oedd William O Edwards y twrne hefo llond tŷ o blant a staff helaeth – y cwbl wedi dod o Loegr. Yr oedd twrne arall ym Mrynhyfryd (y tŷ a ddaeth yn ddiweddarach yn 1899 yn Ysgol y Merched) sef Marcus Louis, brodor o Abergele, a'i briod Isabella o Brighton. Ymddengys mai ail wraig oedd hi oherwydd ceir hanes llawn yn y wasg ym Mehefin 1857 amdano'n priodi Henrietta Lloyd Smith o Kensington. Dywedir bod clychau Llanfwrog a Llanrhydd wedi canu drwy'r dydd a bod 160 o fasnachwyr wedi gwledda yn y George, 30 yn y Bull a 30 yn y Queens Head.

Fferyllydd oedd John Bancroft oedd yn byw yn Glasfryn a William D Jones, Rhianfa yn feddyg teulu, brodor o Lanengan, Sir Gaernarfon. Mae 'Rhianfa' yn dal i gael ei alw yn Tŷ Doctor. Yr oedd W Powell Owen, 17 oed, yn lletya yn 12 Wernfechan ac yn cael ei ddisgrifio fel Athro'r Clasuron a John Foulkes, 13 Wernfechan yn weinidog hefo'r Calfiniaid. Bu'n weinidog ar gapel Stryd y Rhos am 19 mlynedd a bu farw'n fuan ar ôl y Cyfrifiad yn 70 oed. Yr oedd hyn ddeng mlynedd cyn agor y Tabernacl. Yr oedd John Foulkes yn cyfrannu llawer i'r cylchgronau ac ef oedd 'Hen Ŵr y Cwm' yn y Faner.

Drws nesaf yn West Bank yr oedd pregethwr arall sef David Johns, gweinidog capel Pendref (A) brodor o Lanfyrnach, Sir Benfro. Thomas Griffiths oedd yn byw yn Stanley House ac ef oedd yn cofrestru holl enedigaethau, priodasau a marwolaethau'r fro ac fe fu'n gwneud hynny am ddeugain mlynedd o 1858 ymlaen. Bu farw yn 1909 yn 90 oed. Mab oedd i Robert a Mary Griffiths, Llanasa ac yr oedd yn frawd i Henry Griffiths, gweinidog Wesle yng Ngwaenysgor ac i William Griffiths gweinidog Wesle yn Llanfair Tal Haearn. Prentisiwyd ef yn wneuthurwr esgidiau yn 13 oed. Yn ystod ei gyfnod yn Rhuthun cofrestrodd 2660 o enedigaethau, 909 o briodasau a 2589 o farwolaethau. Bu'n gefn mawr i gapel Bathafarn. Bu farw ei wraig Mary yn 1895 ac yr oedd y ddau wedi 'nabod ei gilydd am 70 mlynedd ac yn briod am 55 mlynedd. Nid oedd hi'n medru siarad Saesneg. Cawsant chwe mab a chwe merch. Dyma pwy oedd yn Stanley House yn 1881:

Thomas Griffiths	pen	61	Cofrestrydd	Llanasa
Mary "	gwraig	61		Dyserth
John "	mab	28	dilledydd	Rhyl
Maggie "	merch	25	cwmni boneddiges	"
David "	mab	22	dilledydd	"
Samuel Williams	ŵyr	15		Rhuthun
Siegfried Herkomer	ymwelydd	6		Bushey
Elsa A "	"	4		Flint

O'u plant bu **John** yn cadw siop y Free Trade Hall yn y Rhyl a **Robert** yn arolygydd hefo'r NSPCC yn Burnley. Dilynodd **David** yrfa ei dad fel cofrestrydd ond bu farw yn 1903 yn 44 oed. A beth am y ddau blentyn gyda'r enwau Almaenig? Mae yma stori ddiddorol. Plant oeddynt i Syr Hubert von Herkomer (1849-1914) a anwyd yn Waal ger Landsberg yn Ne Bafaria – y lle y bu Hitler yn garcharor yn 1923. Yno yr ysgrifennodd *Mein Kampf.* Pan yn wyth oed ymsefydlodd Hubert a'i deulu yn Ne Lloegr a chafodd fynd i Ysgol Gelf Southampton a datblygodd i fod yn arlunydd enwog a llwyddiannus. Yr oedd yn rhedeg ysgol i arlunwyr ifanc yn Bushey ger Watford a phan fu farw ei wraig Anna yn 1883 fe hysbysebodd Herkomer am *'governess'* i'w blant, Siegfried ac Elsa. Y sawl a gafodd y swydd oedd **Eliza** (neu Lulu fel y gelwid hi) merch Thomas Griffiths, Rhuthun, a chyn pen dim fe briodwyd y ddau ar 12 Awst 1884 yn eglwys Llanrhydd. Daeth y torfeydd allan i weld y briodas ar ddiwrnod heulog braf ond cawsant eu siomi, meddir, oherwydd nid oedd gan Lulu yr un morwyn briodas ac nid oedd yn gwisgo gemau o gwbl. Ond lladdwyd Lulu gan gerbyd wrth geisio achub un o'r plant yn 1885. Yr oedd Herkomer eisiau gwraig arall ac yr oedd ei lygad ar **Maggie** merch arall Stanley House. Ond yr oedd yna anhawster mawr yn wynebu'r ddau sef ei bod yn anghyfreithlon ym Mhrydain i briodi chwaer-yng-nghyfraith; hynny yw, chwaer gwraig fu farw. Pam, ni wn. Beth wnaeth yr hen Hubert yn 1897 oedd cymryd dinasyddiaeth Almaenig am yr ail waith ac aeth y ddau i Landsberg i briodi yn 1888 gan nad oedd gwaharddiad yno. Cawsant ddau o blant, Lorenzo (1889-1922) a Gwenddydd (1893-1927), enw o Lyfr Coch Hergest.

Bu'r newid dinasyddiaeth hwn yn faen tramgwydd i Maggie druan yn ddiweddarach. Yr oedd hi a'i merch yn byw yn Lloegr ond pan dorrodd y Rhyfel allan yn 1914 ystyrid hwy'n elynion oherwydd eu bod yn ddinasyddion Almaenig ac fe'u halltudiwyd i'r Almaen. Yno hefyd yr oeddynt yn cael eu hystyried yn elynion. Ceir hanesyn yn y wasg yn dweud bod Maggie a Gwenddydd wedi cael dirwy gan Dribiwnlys yn Augsberg am fod yn rhy gyfeillgar â charcharor rhyfel Ffrengig. Ymddengys y byddent yn arfer sgwrsio hefo rhyw garcharor Ffrengig yn y goedwig ac un noson cymerwyd nhw i'r ddalfa am yr hyn a elwid yn *'fraternization'*. Dirwywyd Mrs von Herkomer 600 marc neu 60 diwrnod yn y carchar a'i merch 1500 marc neu 150 diwrnod o garchar. Druan ohonynt. Mae'n siwr eu bod yn hiraethu am ddiogelwch Llanrhydd a Stanley House. Bu farw Lorenzo a Gwenddydd yn weddol ifanc, ni wn beth ddigwyddodd i Elsa ond yn 1911 priododd Siegfried ag Evelyn Wilson, gweddw Samuel Broar, masnachwr brics o Langollen.

Bu Herkomer (a urddwyd yn farchog yn 1907) yn arlunydd prysur gan dderbyn comisiynau i beintio dynion enwog megis Tennyson, Ruskin a Richard Wagner, yn ogystal â Chymry megis Hwfa Môn, Thomas Charles Edwards, yr Arglwydd Penrhyn, Syr Watkin Williams Wynne, H M Stanley a Syr John Puleston a fagwyd yn y Plas Newydd, Llanfair. Ond yr ydym yn cofio Herkomer yn bennaf oherwydd mai ef a gynlluniodd Wisg yr Archdderwydd a gwneud y Goron a'r Ddwyfronneg o aur pur yn 1896. Cyn hynny, yn 1894, yr oedd wedi cynllunio gwisgoedd y Gorseddogion ac erbyn Eisteddfod Caerdydd yn 1899 yr oedd wedi saernio'r Cleddyf Mawr a'i gyflwyno'n anrheg i'r Orsedd.

Y drws nesaf i Stanley House, lle heddiw y saif Ysbyty Gymunedol Rhuthun (a werthfawrogir yn aruthrol) yr oedd y Wyrcws. Isaac Williams o Gaer oedd y Meistr a'i wraig Anne yn Fetron. Yr oedd hi'n chwaer i John Owen 'Owain Alaw' – cyfansoddwr, beirniad, athro – ef oedd yn dysgu Madam Edith Wynne, y gantores enwog ac ef yw awdur y gân 'Mae Robin yn Swil'. Yr oedd bron i 60 yn y Wyrcws yn amrywio o 92 oed i blant blwydd oed – amryw ohonynt heb hyd yn oed eu henwi. Nid oeddynt yn neb o bwys, dyna oedd y gred. Llawer ohonynt yn fud a byddar neu'n ddall, rhai yn wallgof neu loerig neu hurt. Nifer o weddwon a mamau dibriod hefyd. Nid oedd unlle arall iddynt fynd. Pobl leol oedd y rhan fwyaf er bod un o Ddulyn.

Yr oedd nifer o dafarnau yn y plwy. Leonard Parry o Lanelidan oedd yn yr Angor; Margaret Simons yn y Plu; Thomas Chapman yn y White Bear; Arthur H Davies yn y Machine. Yr oedd efeilliaid yn y Parc Gwyn sef David ac Ellis Roberts (24), eu tad o Lanycil a'u mam o Lansannan. Efeilliaid hefyd yn Nhŷ Dŵr sef Peter a Michael Malley, eu tad yn Wyddel gyda theulu mawr (nifer ohonynt yn dal yn y dre); Peter a Charles Thomas (21) yn 11 Rhes yr Orsaf a Robert a William (13) Stryd Llanrhydd. Y rhai hynaf yn y plwy oedd Catherine Jones, 8 Stryd Llanrhydd (96); John Simon yn y Wyrcws (88) a Sarah Edwards yn y Wyrcws (92). Y rhai ieuengaf oedd Elizabeth merch John ac Ann Morris y Coed, tri diwrnod oed; Walter mab 3 mis oed Jane Davies, 21 Stryd Llanrhydd; Elizabeth merch deufis oed Jonathan ac Anne Jones, 22 Stryd Llanrhydd; Mary merch deufis oed John ac Eliza Williams, 17 Stryd y Rhos, y tad o Lanynys a'r fam o Wytherin; Albert Williams, 5 wythnos oed yn lletya hefo Isaac Roberts y llifiwr yn 58 Stryd y Rhos; John mab Edwin ac Elizabeth Rickman oedd yn cadw siop groser a Susannah (11 wythnos) merch Mary Lloyd, 2 Rhes yr Orsaf (yr oedd wyth o blant yn y bwthyn bychan hwnnw). Cadw siop groser yn Stryd y Ffynnon oedd Edwin Rickman o Lymington. Tybed ai dyna sut y cafodd Leamington Stores yr enw? Yr oedd Rhes yr Orsaf yn gartref i nifer o bobl brysur iawn: Alfred Maddocks y plymar, George Price y porter, Thomas Williams y saer, Charles Thomas y teiliwr, David Jones yr argraffydd, a Mary Humphreys yn golchi. Merch y Nant, Bryneglwys oedd hi. Codwyd Rhes yr Orsaf yn 1864 gan John Savin ac yr oedd pawb yn chwerthin am ei ben yn 'taflu ei bres i ffwrdd'. Gelwid y teras yn 'Savin's Folly'. Beth pe gwelent bris y tai heddiw! Diflannodd y trenau oedd yn cadw sŵn ac yn chwythu huddug' ar eu dillad a'u ffenestri a'r hyn sydd yn weddill yw rhes o dai Fictoraidd hynod o ddeniadol.

Yr oedd yn tynnu at naw cant o bobl yn y plwy yn 1891 ac er bod y rhan fwyaf ohonynt yn ddwyieithog yr oedd rhyw bedwar ugain yn uniaith Saesneg. Ymysg y di-Gymraeg yr oedd teulu Thomas Turner, y milfeddyg, brodor o Gaerhirfryn, ei wraig o Windermere a'u dwy ferch Florence ac Annie, yn byw yn 12 Stryd y Rhos. Mae yna lwyth go helaeth o Turners yn y fro heddiw er nad wn a oes ganddynt gysylltiad â'r milfeddyg ai peidio – rhaid cofio ei fod yn gyfenw Saesneg reit gyffredin. Saesneg hefyd oedd iaith Jane Jones, groser, a'i theulu yn Stryd y Ffynnon, yn y lle y saif y siop edafedd heddiw, ar draws y ffordd i Ddanteithfa bechgyn Ffynnon Tudur. Gweddw James Roberts Jones, gorsaf-feistr y Rhyl oedd Jane ac yr oedd tri o'r plant adre noson y Cyfrifiad: Emily (21) Walter (15) a Charles (11). Priododd **Emily** â Walter Brocklehurst a buont yn cadw'r 'off-leisens' ar y sgwâr cyn mudo i Southport lle bu ei gŵr yn ennill bywoliaeth fel taflwr llais gyda doli fawr o'r enw Jimmy. Aeth **Walter** i Utica a hyfforddi ei hun i fod yn offeiriad gyda'r Eglwys Esgobol a bu'n weinidog yn Syracuse. Y plentyn arall oedd **Charles** a phriododd ef Mary Maria Glynne merch David Glyn Jones, yr argraffydd. Ganwyd tri mab iddynt – aeth yr hynaf, Charles Emerson, i'r eglwys a gwasanaethu fel caplan i'r awyrlu am flynyddoedd; Wilfred oedd yr ail a bu'n blismon yn Sheffield a bu Norman, y mab arall, yn glerc ym mhencadlys rheilffordd Llundain. A beth am y Prif Weinidog a'r arlunydd a'r awdur?

Wel, yr oedd gan James Roberts Jones y gorsaf-feistr o'r Rhyl (a chyn hynny o Lanrhaeadr YC) sef tad Emily, Walter a Charles uchod, fodryb Hannah, chwaer ei dad, y ddau wedi'u geni yn Ninbych. Ganwyd Hannah yn 1809 a mudodd i Fanceinion pan yn ifanc. Priododd â'r Parch George Brown MacDonald, gweindog gyda'r Wesleiaid a chawsant un ar ddeg o blant. Crybwyllaf dair merch yn unig. Ganwyd **Alice** yn 1837 a phriododd â John Lockwood Kipling. Ganwyd eu mab Rudyard yn yr India a chafodd yr enw anghyffredin oherwydd mai mewn picnic ar lan llyn Rudyard yn Swydd Stafford y cyfarfu ei rieni. (Mae'n siwr eich bod wedi clywed am yr athro hwnnw'n cael cyfweliad am swydd a Chadeirydd y Cyngor Sir, oedd yn digwydd bod yn imperialydd mawr, yn gofyn iddo *'Do you like Kipling?'* ac yntau'n ateb *'I don't know, I've never kippled.'*) Ar waethaf ei nain o Ddyffryn Clwyd, Sais rhonc oedd Kipling ac y mae peth wmbredd o'i waith yn parhau'n boblogaidd – e.e. y *Jungle Book* a'r gerdd *If* ac y mae nifer fawr o'i ddywediadau yn wybyddus. Er enghraifft, ef a ddywedodd fod y *'female of the species is more deadly than the male'*; *'east is east and west is west and never the twain shall meet'*; a *'For the Colonel's Lady and Judy O'Grady are sisters under their skins'*. Un arall o ferched Hannah a George MacDonald oedd **Georgiana** (bu farw 1920) a'i gŵr hi oedd Syr Edward Burne Jones, yr arlunydd enwog. Wyres iddyn nhw oedd y nofelydd Angela Thirkell. Ysgrifennodd yr hyn a alwaf yn 'nofelau ra-ra'. Mab-yng-nghyfraith iddynt oedd J W MacKail, awdur cofiant i William Morris, symbylydd y mudiad Celf a Chrefft. Cymro oedd William Morris ond nid oedd ganddo rithyn o ddiddordeb yng Nghymru. Testun ei edmygedd ef oedd y Tiwtoniaid. Ganwyd **Louisa**, merch arall Hannah yn 1845 a phriododd hi ag Alfred Baldwin oedd yn Aelod Seneddol ac yn berchennog gwaith haearn. Mab iddyn nhw oedd Stanley Baldwin a fu'n Brif Weinidog deirgwaith. Tipyn o nain oedd yr hen Hannah!

Yr oedd ambell i fferm yn y plwy. Ezekiel Lloyd oedd yn y Merllyn yn ffermio mewn partneriaeth â'i chwaer Elizabeth a'i nai Peter. Thomas Griffiths, gŵr gweddw, oedd yn Nhy'n y Caeau (fe'i ganwyd yng Ngharreg Afon, Corwen) a theulu o Fryneglwys oedd ym Maes Llan sef John a Mary Jones. Cyn hynny yr oeddynt yn ffermio'r Farmyard, Llandysilio. Yr oedd John Jones yn ŵyr i Dafydd Jones, Tŷ Gwyn, Bryneglwys a'i wraig yn ferch i Jonathan Thomas. Soniais amdanynt yn y penodau ar Lanfair a Bryneglwys. Un o Glocaenog oedd Daniel Roberts, Fferm Bathafarn (Bacheirig cyn hynny). Yr oedd yn flaenor yng nghapel y Llwynedd, Llanbedr, ac yn ôl *Hanes Methodistiaeth Dyffryn Clwyd* yr oedd 'yn ŵr craff yn gweld ymhell ac yn un o amaethwyr gorau Dyffryn Clwyd.' Yr oedd yno lond tŷ:

Daniel Roberts	pen	72	Gweddw. Ffermio	Clocaenog
William Edwards	mab yng nghyfraith	53	Prisiwr	"
Eleanor "	merch	48		Llandyrnog
Eleanor "	wyres	15		Ruthin
Thomas "	ŵyr	13		"
Daniel H "	"	10		"
Annie "	wyres	7		"
Mary Parrry	merch	40	Ymwelydd	Llandyrnog

Sarah Jane Roberts	merch-yng-nghyfraith	31	Wyddgrug
Eliz M "	wyres	9 mis	Brymbo
Jane Simon	morwyn	35	Nantglyn
Robert Davies	gwas	70	Llangynhafal
Robert Lloyd	"	33	Rhuddlan

Yr oedd rhyw drigain yn y Wyrcws – un o'r llefydd mwyaf anwaraidd y gallech ei ddychmygu. Pan fyddaf yn clywed pobl yn dweud bod y Wladwriaeth Lês yn costio gormod byddaf yn meddwl am y trueiniaid diymgeledd ers talwm – gweddwon ac amddifaid a'r gwan yn cael eu taflu i'r Wyrcws neu'r Seilom, o'r golwg. O blith y trigain yn Wyrcws Rhuthun yn 1891 yr oedd un yn fud a byddar, tri yn ddall, pedwar yn cael eu disgrifio fel *idiot* ac yr oedd deunaw dan 12 oed. Hen deiliwr o'r Alban oedd yr hynaf – yn 91 oed ac yn uniaith Saesneg. Pawb arall yn siarad Cymraeg. Meistr a Metron y lle oedd John a Margaret Roberts. Ymhen rhai blynyddoedd, ar 14 Mehefin 1914, ganwyd mab i Catherine Jones, merch ddibriod, yn y Wyrcws. Y babi hwnnw oedd taid Vinnie Jones, y pêl-droediwr. Wyrcws Rhuthun yw'r rheswm pam ei fod wedi cael chwarae dros Gymru er nad oes ganddo fawr o gysylltiad â'r wlad mewn gwirionedd.

Ceir dau bâr o efeilliaid yn y plwy: Ellis a David Roberts (34) oedd yn ffermio Parc Gwyn, ac Albert a John, meibion 6 oed Robert Evans, gwerthwr moch, yn byw yn 60 Ffordd Llanfair. Yr oedd saith dros eu 90 oed: Elizabeth Williams (95) yn 32 Stryd y Rhos; Daniel Roberts (91) casglwr rags; Ann Jones (98) yn 9 Rhes y Rheilffordd; Elizabeth Roberts (90); Mary Williams (94) a Jane Roberts (94) yn yr Elusendai a'r hen greadur John Paul yn y Wyrcws oedd yn 91 oed. Yr ieuengaf oedd Mary, merch 3 wythnos oed William (o Langwm) a Ruth Williams, 59 Stryd Llanrhydd. Eraill dan flwydd oedd Margaret (3 mis) wyres Jane Davies, golchwraig, 40 Stryd y Rhos; Hannah (6 mis) merch John a Hannah Roberts, 44 Stryd y Rhos.

Ymysg y trigolion eraill sylwaf bod 75 ohonynt yn uniaith Saesneg. Yn eu plith yr oedd Jane Kaye a Robert Quayle o Ynys Manaw; Margaret a Mary Burgess o'r Alban; Elizabeth Percival o Felfast. Ceir nifer o bobl digon difyr yn y plwy. Yn 16 Wernfechan yr oedd Samuel Owen y saer a'i deulu oedd yn cynnwys mab 4 oed David Samuel. Daeth hwn yn weinidog nodedig – a deuthum i'w adnabod pan oedd yn weinidog eglwys Jewin yn Llundain. Difethwyd y capel yn llwyr gan y bomiau ac ni chafodd DS fyw i weld y capel newydd modern a godwyd yn ei le. Yr oedd yn adroddwr da. Priododd â Grace Jones o Lan Conwy. Wyres iddynt yw Mair Barnes a fu'n Brif Weithredwr cwmni Woolworth am flynyddoedd. W Theodore Rouw oedd yn byw yn Dedwyddfa, genedigol o Lundain (ond yn siarad Cymraeg), yn byw ar ei bres wedi bod yn fferyllydd ac yn ddyn pwysig iawn yn y dre. Harriet, merch Robert Wynne y Clegir oedd ei wraig. Efengylydd gyda Byddin yr Eglwys oedd David Evans o Sir Benfro, ei wraig Sarah o Aberdâr, ei fab David o Hafod, Sir Forgannwg, a'i ferched Elizabeth a Millicent o Ferndale. Sarjant Major mewn byddin o fath arall oedd John Field, 53 Stryd y Ffynnon, brodor o Lundain, ei wraig Jane o Efrog, a thri plentyn – John C a William anwyd yn Brighton a Frank yn Iwerddon.

Enw cyffredin yn y fro oedd Maddocks a chawn Margaret Maddocks, gweddw 32 oed, yn byw yn Hughes Terrace hefo pump o blant: Goodman (15) Sarah (11) Dorothy (9) Caroline (5) a Walter (1). Gweddw arall oedd Margaret Wynne ac yr oedd dau fab adre hefo hi: Ambrose (15) a Herbert (13) negesydd yn swyddfa'r post. Prentisiwyd Ambrose fel teiliwr a bu'n gweithio i'r Henadur Joe Roberts am flynyddoedd. Yr oedd yn nai i 'Beti Wyn fy Nghariad' yr ysgrifennodd Ceiriog amdani. Un o Landegai oedd Hugh Williams, prifathro Stryd y Rhos ac yr oedd ganddo fo a Susannah ei wraig saith o blant: Herbert (12) Olivia (10) Thomas (9) Gladys (8) Susannah (7) Ellen (5) a Richard (2). Yr oedd y fam yn ferch i Mrs Simon, tafarn y Plu. Aeth y teulu hwn i Dde Affrica lle bu Hugh Williams farw yn 1944 yn 95 oed. Cyfenw cyffredin arall yn y fro oedd Garner ac yr oedd teulu ohonynt yn 11 Rhes y Rheilffordd sef Evan Garner o Lanelidan, ei wraig Eliza a thri mab, Hugh (12) Osborne (9) a Douglas (6).

Dyn pwysig arall yn y dre oedd John Watkin Lumley, Brynhyfryd (symudodd i Heulfre'n ddiweddarach). Brodor o Aberystwyth ydoedd, Ynad Heddwch a Chadeirydd Cyngor Sir Ddinbych. Yr oedd ei ferch Florence wedi priodi John Roderick Matthews, Caerdydd, oedd yn ŵyr i Thomas Gee. Nid nepell yn Stryd y Rhos yr oedd Vaughan Cartwright yn gwneud balŵns a thân gwyllt a'r drws nesaf iddo yn y tŷ to gwellt trigai 'Jane Papur Newydd' – nid am ei bod yn gwerthu papur ond am ei bod yn gweld a gwybod popeth! Byddai'n treulio llawer o amser yn pwyso ar ei drws stabal yn gwylio'r plant a dweud 'Mi weles i hynne. Mi ddeudai amdanat wrth dy fam'. Y mae'r tŷ hwn newydd gael ei adnewyddu a'i ail-doi a chredir mai dyma'r tŷ hynaf yn y dre. Ychydig lathenni i lawr y ffordd yr oedd y Machine, teulu Wesleaidd, ond aeth dau fab, Albert a Llewelyn Roberts, yn ficeriaid.

Ar y gofgolofn ryfel gwelir yr enwau canlynol:

Lieut   P H Lecomber

Lieut	R C Evans
Sergt	G S Davies
Gunner	G P Dudley
Pte	T Burd, Penybont
"	T J Owen
"	J Jones
"	J R Jones
"	R W Morris
"	R E Morris
"	J R Roberts
"	R T Owen
"	E T Treharne
"	R Williams

Dadorchuddiwyd hi gan Stanley Weyman.

Medraf ddweud ychydig mwy am rai o'r milwyr uchod – diolch yn bennaf i gyfrol fechan ddaeth o law David W Williams, Plas Tirion, *Heroic Circumstances* (Cyhoeddiadau Coelion 1997) – llyfr llawn ffeithiau yn olrhain hanes y bechgyn a gollwyd o ardal Rhuthun sydd a'u henwau ar y golofn ar Stryd Wynnstay.

Mab oedd **Philip Hebdon Lecomber** i W G a Margaret Lecomber – y tad wedi bod yn Faer Rhuthun yn ystod y Rhyfel 1af. Un o deulu'r Speakmans oedd Margaret ei fam a fu farw yn 1941 yn 71 oed. Addysgwyd Philip yn Ysgol Rhuthun ac yn Ysgol Dechnoleg Manceinion ac aeth yn brentis peiriannydd gyda Thos. Ryder & Co, Knott Hill, Manceinion – cwmni sefydlwyd gan ei daid. Lladdwyd ef yn Flammerville ar 27 Mawrth 1918 yn 21 oed ac fe'i henwebwyd am VC. Yr oedd yn efaill i Lieutenant George aeth ar goll yr un diwrnod. Yr oedd ganddynt frawd arall, Eric, anafwyd yn Gallipoli. Yn Siambr y Cyngor yn Neuadd y Dref y mae llun mawr o W G Lecomber yng ngwisg ysgarlad y Maer.

Yn y 15eg Gatrawd Gymreig oedd **Robert Charles Evans** oedd wedi graddio yn y Gyfraith o Brifysgol Llundain ac yn dwrne yn Wrecsam. Lladdwyd ef ar faes y gad 24 Awst 1918 yn 36 oed. Mae ei fedd ym mynwent filwrol Pozieres, Ffrainc. Mab ydoedd i W R a Mary Evans, Heulfre, Stryd y Rhos – ei fam yn ferch i Lewis Edwards, prifathro Coleg y Bala ar un adeg ac yn or-wyres i Thomas Charles o'r Bala. Gadawodd R C Evans weddw ifanc sef Edith sef merch i Henry Williams, Plas y Ward. Ddeufis wedi lladd R C Evans ganwyd mab iddi sef Syr Charles Evans, un o'r criw goncrodd Everest yn 1953 ac wedi hynny Prifathro Coleg y

Brifysgol, Bangor. Bu farw W R Evans yn 83 oed yn 1931. Ganwyd ef ym Mangor is y Coed a dysgodd Gymraeg er mwyn medru pregethu. Yr oedd yn un o fyfyrwyr cyntaf Prifysgol Cymru gan fynd i Aberystwyth yn 1872 a phriododd chwaer y prifathro cyn mynd i weithio ym musnes ei dad. Ond yn 46 oed gadawodd a graddio yn y Gyfraith a dod yn 5ed drwy Gymru a Lloegr yn yr arholiadau. Yn ogystal â'r mab laddwyd yn Ffrainc yr oedd yna hefyd ferch Edith Mary yn Ynad Heddwch, mab Glyn yn llawfeddyg yn Wrecsam, mab Lewis yn Wrecsam, merch yn rhedeg fferm ffrwythau yng Nghanada a merch o'r enw Jane Ardlui wedi priodi Idris Owen mab y Parch T N Roberts, Llanfyllin.

Lladdwyd **Henry Peter Bostock Dudley** 13 Ebrill 1917 a'i gladdu yn y British Gore and Indian Cemetery yn Ffrainc. Cyn ymuno â'r fyddin yr oedd yn stiward ar fwrdd y *Lusitania* pan dorpediwyd hi. Gadawodd weddw oedd yn byw yn 9 Stryd y Rhos. Dim ond 19 oed oedd **Thomas Burd**. Mab hynaf Richard Burd, Pen y Bont ydoedd ac ymunodd â Chatrawd South Lancs cyn cael ei symud i adran y Gynnau Mawr. Wrth gerdded yn ôl i'w wersyll un noson niwlog yn Grantham cafodd ei daro i lawr gan gar modur a marw o'i anafiadau yn Ysbyty Filwrol Belton ar 28 Medi 1916.

Aelod o'r RASC oedd **Thomas James Owen**, Penrhos. Bu farw o malaria 3 Gorffennaf 1917 yn Gibraltar ar ei ffordd adre o Gairo. Yn Wernfechan oedd cartref **John Jones** oedd gyda'r Ffiwsilwyr Cymreig ac a laddwyd yn Ffrainc gan adael gweddw a phump o blant a bu farw **John Richard Jones**, 5 Stryd y Rhos, ar 21 Mai 1915 yng Ngwlad Belg. Un o Stryd y Rhos (rhif 56) oedd **Robert William Morris**, hefyd, genedigol o Lanynys, a laddwyd yn 20 oed ar 31 Gorffennaf 1917 a'i gladdu yn y Fynwent Gymreig yn Boezinge, Gwlad Belg. Mab ydoedd i Thomas a Susannah Jane Morris. Lladdwyd **Robert Thomas Owen** mab Owen a Dorothy Owens, 7 Stryd y Rhos, ar 16 Mai 1915 yn 36 oed. Yr oedd **Edward Thomas Treharne** yn fab i William Thomas a Mary Treharne. Lladdwyd ef ar faes y gad 14 Awst 1916, yn 32 oed, fel aelod o'r Gwarchodlu Cymreig.

Ychydig iawn o'r trigolion oedd ag enwau Cymraeg: dyma rai ohonynt:- Ifor Jones o Langynhafal yn y Wyrcws, Blodwen merch 5 oed David ac Elizabeth R Davies, 10 Ffordd Llanfair, Llewelyn Lloyd, ostler, 35 Stryd Llanrhydd, Goronwy mab blwydd oed Samuel Owen y saer, Myfanwy merch 13 oed John a Miriam Rowlands y groser, Llewelyn Rowlands, postman a'i fab dwyflwydd Aneurin. Lladdwyd Llewelyn yn Rhyfel y Boer Ebrill 1901.

Heddiw lle bu'r Wyrcws y mae Ysbyty Gymunedol Rhuthun, lle bu cartref Marcus Louis'r twrne, y mae Ysgol Brynhyfryd, a lle bu capel

Stryd y Rhos y mae Modurdy Haulfryn. Pwy fydd yma mewn can mlynedd?

Llanychan – Bychan Bach

Plwy bychan iawn oedd Llanychan ac erbyn heddiw y mae wedi diflannu – er ei fod yn parhau i fodoli fel plwy eglwysig. Nid oes sôn amdano ar fap OS ac y mae hynny'n medru creu cryn anhawster i ymwelwyr sydd yn edrych am ffermydd sydd â Llanychan yn rhan o'u cyfeiriad – Plas Coch, Stryd Fawr a Rhydonnen er enghraifft. Enwyd yr eglwys ar ôl Hychan, un o deulu Brychan Brycheiniog ac fe'i sefydlwyd yn 450 OC. Yn ôl traddodiad yr oedd gan Brychan a'i wraig Prawst deulu o un ar ddeg o feibion a phump ar hugain o ferched! Saif yr eglwys ar y ffordd sydd yn arwain o'r Rhewl i Landyrnog, ar y gornel rhyw filltir cyn cyrraedd y Plas Coch a Rhydonnen. Dyma lle y priodwyd Thomas Gee a Susannah merch John Hughes, Plas Coch, ar 11 Hydref 1842. Un arall a fu'n byw ym Mhlas Coch oedd John Edwards awdur *Meddyg Anifeiliaid*.

Henry Taylor Harrison, gŵr o Gaer, oedd yn ffermio Plas Llanychan ac yr oedd un ar ddeg yno noson y Cyfrifiad. Yn Claremont yr oedd dau ymwelydd diddorol: Reginald Arnold, arlunydd o Gaint, a James Rayess, printiwr sidan o Lundain. Henry Jones MA, mab Plas Llanynys, oedd y ficer. Robert Hughes oedd yn ffermio Plas Coch, 300 acer. Ganwyd ef yn Llanelwy. Ddeng mlynedd yn ddiweddarach yr oedd y lle wedi newid dwylo ac yr oedd Thomas Jones a'i wraig Mary yno ynghyd ag wyth o'u plant: Edward H (24) Jane (20) Thomas H (18) Herbert W (15) Howell (13) Mary (11) Humphrey L (10) ac Alfred G (9). Soniais amdanynt yn y bennod ar Lanynys gan eu bod, yn 1881, yn byw yng Nglan Clwyd. Teulu dylanwadol iawn oedd hwn yn y byd a'r betws.

Dyma deulu Rose Cottage:

Thomas Atkinson	pen	40	Coitsmon	Llangwyfan
Ann "	gwraig	39		Gyffylliog
John "	mab	13		Llangynhafal
Daniel "	mab	11		Llanychan
Thomas "	mab	8		"
Mary Elen "	merch	7		"
Ann "	merch	4		"
Robert "	mab	2		"

Erbyn 1891 yr oedd yno ddau blentyn arall – Edward (9) a Price (7). Yn 1895 priododd **Daniel** â Mary Jane merch Edward a Catherine Edwards o'r Bont Garreg, Llanynys. Aethant i fyw i Drefnant lle bu Daniel yn goetsmon a garddwr i'r rheithor David Lewis. Bu **Price** farw yn 1962 yn 78 oed. Yr oedd yn ganwr arbennig o dda, yn berchen llais bâs fel yr eigion. Gwrthododd ymuno â'r Imperial Singers am ryw reswm ond ef a sefydlodd Gôr Meibion Corwen. Y mae wyres iddo, Ann Atkinson, yn gantores lwyddiannus dros ben (wedi canu gyda Glyndebourne a chwmnïau eraill) a bu hefyd am gyfnod yn arwain y côr sefydlwyd gan ei thaid. Yr oedd Price hefyd yn daid i'r bardd Aled Lewis Evans, Wrecsam. Taid arall Aled, wrth gwrs, oedd bardd cadeiriol 1952 – John Evans (Sion Ifan). Daeth **Mary Elen**, chwaer Price, yn wraig i William Owen Hughes, saer, Tŷ Gwyn, Corwen, y ddau yn 22 oed ar ddydd eu priodas yn Llanychan yn 1896. Symudodd Thomas ac Ann Atkinson a'u plant dibriod i'r Foel Bach, Corwen yn 1897.

Edward Jones oedd yn byw ym Mhenrhos. Yr oedd tri o'i frodyr wedi ymfudo i Nebraska ac yn ffermio yno'n hynod o lwyddiannus ac yn y man fe brynwyd y tir oddi wrthynt gan gwmni rheilffordd. Bu farw Robert Evan, un o'r brodyr, yn Wymore, Nebraska, yn 1931 yn 73 oed. Yr oedd wedi priodi Elizabeth Evans o Ddinbych oedd yn ffermio hefo'i brawd yn y cyffiniau. Cawsant chwech o blant. Betsy Jones oedd mam Edward Jones a'i frodyr (bu farw 1914 yn 86 oed) ac yr oedd ganddi hefyd ddwy ferch – Mary Roberts y Clytir a Jane Hughes, Ty'n Llan. Yr oedd Mrs Roberts y Clytir yn fam i David Lloyd Roberts, Bryn Teg, Gellifor, i T E Roberts, Llysfasi, i J Herbert Roberts, Ty'n Celyn, tad Emyr Roberts a fu'n Gynghorydd Bro ar un cyfnod ac i Blanche yng Nghaerdydd. Yr oedd Mrs Hughes yn nain i Olga Evans sydd yn byw yn Nhy'n Llan, Llandyrnog heddiw. Priododd Edward Jones (ar ôl marwolaeth ei fam) ag Elizabeth merch Daniel Williams, Plas Coch Bach.

Y person hynaf yn y plwy oedd Elizabeth Thomas (84) Pen y Rhos, brodor o Lansannan oedd yn byw hefo'i dau fab Edward a John. Yn 1891 y plwyfolyn hynaf oedd John Blythe (79) garddwr yn byw yn Rhos, Gellifor, brodor o Swydd Gaer. Dyma enghraifft o gyfenw Cymraeg wedi'i Seisnigeiddio – Blythe wedi dod o 'blaidd'. Mi synnech o wybod faint o enwau Cymraeg sydd wedi'u Seisnigo – Coch wedi mynd yn Gough neu Gooch, crythor wedi mynd yn Crowther, moel yn Voyle, fychan yn Vaughan ac yn y blaen. Yn 1881 y ddwy ieuengaf yn y plwy oedd Florence Coupland, Claremont Lodge ac Eliza Williams, Stryd Bach, ill dwy yn 3 mis. Ddeng mlynedd yn ddiweddarach cawn Henry A Jones, hanner blwydd, mab Henry a Mary Jones, Stryd Fawr. Yr oedd yna efeilliaid ym Mhen Isa'r Rhos sef Margaret a Mary, merched 3 oed Edward a Margaret Thomas. Yr oedd pawb yn siarad Cymraeg heblaw William Graham ac Annie Rigby, Plas Llanychan, a'u mab John. Un o'r Alban oedd y tad. Saesneg hefyd oedd iaith Mary Jane Lloyd Roberts, Plas Gwyn, a'i phlant Margaret Gwendoline (26) a Gabriel Henry (24).

Y prifathro oedd Thomas Jerman o Lanidloes. Merch Tyddyn Roger oedd Elizabeth ei wraig ac yr oedd ganddynt ferch saith oed, Mary.

Er mai ychydig a ŵyr ble mae Llanychan y mae'n fangre hyfryd gyda ffermydd a phlasau braf ac eglwys hynafol sydd yn werth ymweld â hi.

Llanrhaeadr y Cinmeirch – Lle Ceir Ffenest . . .

Fe ddywedodd yr hanesydd Frank Price Jones bod dau Lanrhaeadr yn Nyffryn Clwyd, un yn glwstwr o gwmpas Eglwys Sant Dyfnog a'r llall ar fin y ffordd lle mae'r capel. Yr enw ar yr ail yw Pentre Llanrhaeadr. Un o brif nodweddion y plwy yw'r Ffenest Jesse wych sydd yn yr eglwys. Yn ystod y Rhyfel Cartref cafodd ei chuddio mewn cist rhag i filwyr Cromwell ei dinistrio.Y mae hi'n werth taith i'w gweld. Dylid hefyd grybwyll mai dyma ardal Edward Jones, Maes y Plwm, Yr Anllygredig Ann o Fryn Mulan a charreg fedd hynod a welir rhwng dwy ffenest ddwyreiniol yr eglwys gyda'r cofnod hwn arni:-

> Yma y gorwedd corff John ap Robert o'r Borth ap Dafydd
> ap Griffith ap Dafydd Fychan ap Bleddyn ap Griffith ap
> Meredydd ap Iorwerth ap Llywelyn ap Jerorh ap Heilin
> ap Cowryd ap Cadfan ap Alawgan ap Cadell Brenin Powys
> a ymadawodd â'r fuchedd hon 20 Mawrth 1642 yn 95 oed.

Breuddwyd unrhyw un sydd yn olrhain hanes ei deulu fyddai dod o hyd i'r fath drysor o bedigri.

Y mae hwn yn blwy mawr ac yn cynnwys cyfran o ardaloedd Prion, Saron a Pheniel yn ogystal â rhannau o'r Gyffylliog ac i lawr i gyrion tref Dinbych. Mae llawer o'r fro yn sefyll ar dir da Dyffryn Clwyd. Yr oedd un ar bymtheg ym Mhlas Ystrad noson Cyfrifiad 1881. Y penteulu oedd Hugh Hughes, Ynad Heddwch a Lefftenant Cyrnol ac unig fab Thomas Hughes, Maer cyntaf Dinbych, a'i wraig Margaret, unig ferch Robert Williams, Pentremawr. Yr oedd Thomas Hughes yn fab i John Hughes, Llain Wen a Mary Matthews aeres John Matthews, Wilington. Merch Charles Townsend, Trefalyn, oedd Susan Marian, gwraig Hugh Hughes. Bu hi farw yn 1895 yn 55 oed. Yr oedd ganddynt bum merch ac wyth o staff ac yr oeddynt yn magu eu plant yn ddi-Gymraeg. O'r merched priododd **Evelyn Vera** â Guy Thompson, banciwr o Rydychen; **Susan Gladwyn** â Guy Francis, twrne yn Ninbych (priodwyd yn Pimlico a threulio'r mis mêl yn Brighton); a **Mildred** â'r Parch R J Davies, Cei Conna. Enw'r drydedd ferch oedd **Katherine Christiana** a phan fu farw yn 1955 yn 87 oed cafodd dudalen gyfan o deyrnged yn y *Denbighshire Free Press*. Yr oedd yn un o'r 'Kilburn Sisters' a bu'n gweithio yn y rhannau tlotaf o ddwyrain Llundain a gadawodd swm mawr o arian i Eglwys Sant Dyfnog ac elusennau lleol.

John Williams Lloyd oedd yn ffermio 240 acer yn y Brwcws, yntau hefyd yn Ynad Heddwch ac yn feistr tir ffeind iawn yn ôl yr hanes.

David Jones oedd yn ffermio'r Sgeibion ac yr oedd ganddo fo a Mary bum merch a'r ieuengaf, Hannah, yn 18 mis oed. Yn ffermio 400 acer ym Mryn Lluarth Mawr yr oedd Joseph Williams, genedigol o Lanfihangel Glyn Myfyr a'i blant i gyd wedi'u geni yn Llandrillo. Ef oedd piau Foel Uchaf hefyd gan bod ei fab Joseph Thomas Williams, 21 oed, yn byw yno ar ei ben ei hun a cheir sylw yn nodi *Farming 206 acres employing no one yet*. Yr wyf yn hoffi'r *'yet'* yna. Dyna ddyn llawn gobaith ac uchelgais! Dyma pwy oedd yn Bryn Lluarth Mawr:

Joseph Williams	pen	66	ffermio 400 acer	Llanfihangel
Margaret "	gwraig	63		"
Mary "	merch	28		Llandrillo
William "	mab	23		"
Robert Michael "	mab	19		"
Mary Jane Roberts	morwyn	16		Llangollen
John Jones	gwas	40		Llandrillo
Robert Owen	"	18		Pentrefoelas

Y flwyddyn ganlynol priododd y mab **William** ag Elizabeth, merch Robert Jones, Ffynnon Wen, Cerrigydrudion ac yn 1896 priodwyd **Robert Michael** â Jane, merch John Jones, saer maen, Windsor Villa, y Rhyl. Sylwer ar y Michael yna yn ei enw: yr oedd yn enw teuluol gan bod gan Margaret, ei fam, frawd o'r enw Michael sef Michael Thomas, Llwyn Onn, Bryneglwys (1826-1900) – sef mab John Thomas, Ty'n Rhedyn, Cerrig a Margaret Williams, Arddwyfaen, Llangwm. Ond os nad oedd **Joseph Thomas** wedi dechrau cyflogi neb yn y Foel Ucha fe gafodd wraig cyn bo hir sef Winifred Roberts o Glocaenog. Un o'u meibion nhw oedd Robert Alfred a briododd â Catherine Alice Jones o Fryn Llwyd, Cyffylliog. Y mae Carys Roberts sydd yn gweithio yn Llyfrgell Rhuthun yn wyres iddynt – merch arbennig o annwyl a gwên ar ei hwyneb bob amser yw Carys. Joshua oedd enw tad Catherine Alice ac yr oedd ganddo ddau frawd aeth i'r weinidogaeth sef y Parch Thomas Ellis Jones a fu'n olygydd y *Goleuad* a'r Parch Robert Jones, cenhadwr yn Assam. Gwraig yr olaf oedd Annie Vaughan Jones, Bryn Melyn, Talybont ger y Bala. Mab iddynt oedd y Dr Robert Austin Vaughan Jones, Canada.

Tri brawd oedd yn ffermio 170 acer Cernyfed sef John, Robert a Hugh Jones, tra'r oedd Evan Morris yn berchen 200 acer yn yr Hafod Lom. Ef, mi gredaf, oedd sylfaenydd Cwmni Morris & Jones, Lerpwl. Y mae yno hefyd un fferm helaeth ac adnabyddus lle dywedir mai mab y ffermwr a'r forwyn oedd John, 11 oed . . . Ymysg y swyddi angenrheidiol yr oedd Robert Williams, y melinydd, Melin Ganol; Thomas Jones, Ystrad yn gwneud olwynion; Elizabeth Roberts, Bryn Tirion (78) yn gwau hosanau; Thomas Roberts, Berthen Gron y saer maen; James Hughes y gof du a William Jones oedd yn fugail yng Nghoed Acas.

Yr oedd tri phâr o efeilliaid yn y plwy. Yn y Lodge, Evan Thomas ac Alice Mary Jones, 2 oed, eu tad yn goetsmon ym Mhlas Llanrhaeadr; John a George Williams 5 oed Bryn y Gwynt ac yr oedd ganddynt wyth brawd a chwaer ac yn Tan y Dderwen cawn David a Job Davies 4 oed. Bu farw David yn weddol ifanc yn Saskatchewan ac aeth Job i ardal Glanwydden ger Llandudno lle bu farw yn 89 oed yn 1966. Plant oeddynt i David a Margaret Davies ac yr oedd ganddynt ddwy chwaer fach, Winifred yn 2 a Jane yn 4 mis. Merch oedd Margaret y fam i Job a Winifred Williams yr Hen Efail, y ddau wedi eu claddu yn yr hen fynwent o flaen yr Elusendai. Ddeng mlynedd yn ddiweddarach yr oedd David a Margaret yn byw yn y Ffordd Fawr hefo Gwenifred (11) Margaret (8) Maria (6) Thomas (5) Emma (4) ac Elizabeth (2). Wŷr i Winifred neu Gwenifred yw Cyril Jones, Pumsaint, Sir Gaerfyrddin, ei ferch Nia wedi priodi Gwyn Williams, Y Wern, Rhuthun a fu ar un cyfnod yn un o'n Cynghorwyr Sir. Y ddau ieuengaf yn y plwy oedd Elizabeth Griffiths, Llwyn Ucha (2 ddiwrnod oed) a mab heb ei enwi, hefyd yn ddau ddiwrnod oed, ym Mryn Grugor. Ymysg babanod eraill y plwy yr oedd Thomas Foulkes, Pant y Foel (4 mis); Ernest Robert Robinson, Bryn Golau (3 mis); William Salisbury Jones, Bwlch y Gynog (2 fis); Harriet Jones, Nant yn 3 mis ac Isaac Roberts, Berthen Gron, hefyd yn dri mis.

Yn lletya yng Ngharreg Pennill yr oedd David Williams, y curad, gŵr gweddw 34 oed o Ferthyr Tydfil. Un o Norwich oedd y plismon lleol, George Julian Boast (enw da) tra'r oedd Henry Revilly yn cadw tafarn Y Cymro, brodor o Lundain, ei wraig o Ddolgellau ac yr oedd ganddynt bump o blant. Dyma drigolion Plas Llanrhaeadr:-

Laura Fitzroy Price	pen	37	gweddw	Llundain
Mary Jones	morwyn	29	cogyddes	Llanfair TH
Ellen Hughes	"	20	morwyn parlwr	Llanrhaeadr
Jane Salusbury	"	34	morwyn tŷ	Henllan
Harriet Hughes	"	18	morwyn cegin	Llanrhaeadr
Thomas Williams	gwas	42	beiliff	Llanrhaeadr
Ruth "	morwyn	35		"

Yr oedd Robert Wynne Price, gŵr Laura, wedi marw ers tair blynedd a chyn hir yr oedd y lle'n cael ei werthu i Charles Bamford. Yn 1883 cynigiodd Bamford y tir i godi Coleg Prifysgol Gogledd Cymru arno. Gwrthodwyd y cynnig am ei fod yn rhy bell o'r dref ac aeth y coleg i

Fangor. Tybed sut le fyddai yna yn Llanrhaeadr heddiw pe bai cynnig Bamford wedi'i dderbyn? Enghraifft o petae petase hanes. Ddeng mlynedd yn ddiweddarach yr oedd Anne Bamford weddw (wedi'i geni yn Baltimore) wedi symud i Fryn Morfydd.

Un o swydd Stafford oedd y prifathro John Ordish Hulme a'i fam weddw, Emily Carol, yn athrawes hefyd. Druan o blant y fro yn dod wyneb yn wyneb ag athrawon uniaith bob bore. Ficer y plwy oedd Robert Wynne Edwards, Canon Eglwys Gadeiriol Llanelwy a gŵr gradd o Rydychen. Un o Golwyn oedd ef a'i wraig o Swydd Hants. Ganwyd eu pum merch (Althea, Edith, Emily, Charlotte a Helen) ym Meifod. Cefais fy synnu gan enw morwyn y Ficerdy – Heather Anne Benbow o Sir Drefaldwyn. Roeddwn bob amser wedi meddwl mai enw gweddol fodern oedd Heather. Gwraig arall ag enw anghyffredin oedd Persis, gwraig John Wood y Rhewl. Hyd heddiw Rhewl Wood y gelwir y lle ond go brin bod llawer yn gwybod pam! Bu farw tri o'u plant o'r diciâu gan gynnwys eu merch Mary Ann fu farw'n 24 oed pan oedd yn athrawes yng Nghynwyd. Mewn llythyr ataf fis Chwefror 1997 dywed Emrys Evans o Lôn Llewelyn, Dinbych bod y Persis (Hughes) uchod yn chwaer i'w nain, Eunice. Daeth John Wood o Swydd Gaerwrangon yn goetsmon i Blas Llewesog ac wedyn ffermio'r Rhewl cyn ymddeol i Lôn Ganol, Dinbych. Bu eu mab John Arthur y cadw siop yng Nghyffordd Llandudno, ei dad yn tyfu llysiau yn y Rhewl ac yn eu rhoi ar y trên yn Ninbych i'w fab eu gwerthu yn y siop. Aeth dwy chwaer i Persis ac Eunice i'r America ac wedi hir dawelwch daeth un o'u disgynyddion drosodd yn 1971 i chwilio am y gwreiddiau.

Bu J W Thomas yn ficer yma hefyd a mab iddo ef oedd John Godfrey Parry Thomas a enillodd fri gyda'i gar rasio 'Babs'. Lladdwyd Parry Thomas a chladdwyd Babs yn y tywod ar draeth Pendein.

Yr oedd yno lond tŷ yn Rossa Fawr:

Name		Relationship	Age	Occupation	Birthplace
Alice O Jones		pen	59	gweddw Perchennog tir	Bodffari
Gertrude S J Bradwyn		merch	27	Cantores	Llandyrnog
Amy Louisa	"	"	26		"
Emily M	"	"	25		"
J G E J	"	mab	23	Myfyriwr meddygol	"
C E J Jones		"	22		Llangwyfan
H S J	"	merch	18	Athrawes	"
A S	"	mab	16		"
L P G	"	merch	14		"
Emma	"	morwyn	18		Dinbych

Mary L	"	"	18	"
Henry W Christie	gwas		15	Hampton
				Middlesex

Gweddw'r Parch John Owen Jones, ficer Llangwyfan oedd Alice. Pan benderfynwyd codi capel yn y Glyn cynigiodd hi ddarn o dir iddynt – tir a gredai hi oedd yn dir comin ond cysylltodd y Cyrnol Hughes o'r Ystrad â hi'n bur chwim i ddweud mai ef oedd piau'r tir! Ond chwarae teg i'r hen Alice, rhoddodd gae ar ochr y ffordd wrth Berllan Bach iddynt. Bu farw ei merch Gertrude yn 1898 a dywedir ei bod yn organydd ac athrawes piano arbennig o ddawnus. Nid wyf yn gwybod pam bod rhai o'r plant wedi dewis y cyfenw Bradwyn.

Diddorol sylwi ar drigolion Bryn Tirion hefyd:

David Jones		pen	30	Llanrhaeadr
Sarah	"	gwraig	34	"
Mariah	"	merch	7	"
Price	"	mab	4	"
Oliver	"	"	2	"

Mab i Price oedd Frank Price Jones yr hanesydd a gafodd ei fagu yn Y Berllan, Dinbych ac a fu farw yn rhy ifanc o lawer. Ac i'r rhai sydd yn mwynhau ymaflyd codwm gyda chroesair da un o'r gosodwyr gorau yw 'Helebor' yn yr *Independent* a *Barn* a 'Tail Neis' yn *Taliesin*. Dafydd Price Jones, mab Frank, yw'r ymennydd y tu ôl i'r ddau ffugenw. Planhigyn yw *'helebore'* a'r enw Cymraeg arno yw pawen yr arth. Enw arall arno yw *'stinking setter wort'* ac er bod croeseiriau Dafydd yn arbennig o ddifyr gellir dweud hefyd ei fod yn 'setio *stinkers*'.

Yr oedd Margaret Jones, Tŷ Mawr, yn weddw 55 oed ac yn ffermio gyda chymorth Ann (30) Jane (21) a David (18) a phedwar gwas. Bu farw ei gŵr, David Jones, yn 55 oed yn 1876 a'i gadael hefo chwech o blant. Priododd **Ann** â Huw Hughes, Pen Aled, Llansannan a **Jane** â John Jones, Tai Isa, Saron, adweinid yn well fel John Jones y Trethwr yn Rhuthun: bu hi farw ar enedigaeth plentyn; Elizabeth Hughes y Fron oedd gwraig **David** a nhw fu'n ffermio'r Tŷ Mawr; aeth **John** i ffermio'r Angor yn Nhrefriw, priododd **Mary** â Joseph Williams a ffermio Pen y Cae a phriododd **Edward** â Catherine Williams, Henfryn, Nantglyn a buont yn ffermio Tŷ Mawr, Prion. Daeth yr wybodaeth uchod oddi wrth Gwilym Hywel Jones, Isglan, Bryn Rhydd, Rhuthun (gynt o Isglan, Llannerch y Môr, Mostyn) sef mab Edward a Catherine. Brawd i Catherine oedd Hugh Williams sef tad Thomas a William Williams, Ffordd Las,

Bontuchel a Muriel Wynne, Rhewl Felen, Llanelidan.

Bu teulu dylanwadol yn byw yn Llewesog (perthnasau i deulu Williams, Bryn Lluarth) ac yno yn 1881 cawn William Williams (68) genedigol o'r Betws, ei wraig Catherine (62) o Gorwen. Bu farw William Williams yn 1893. Yr oedd yn ddyn busnes mawr iawn yn Lerpwl a Chaer, sefydlydd cwmni Williams & Co., yn Ynad Heddwch ac yn Uchel Siryf Sir Ddinbych yn 1859, yn ddyn cyfoethog ac yn berchen tir yn Lerpwl, Penbedw, Rhyl, Caer, Sir Drefaldwyn a stâd Llewesog. Dilynwyd ef yn Llewesog gan ei fab Thomas oedd wedi priodi merch Charles Bamford, Plas Llanrhaeadr, a chawsant chwech o blant: **Capten T R Williams** a gafodd yr M.C. yn 1918 a **Major W C B Williams**, a gafodd yr M.C. yn 1916, **Vera** a briododd ŵr o Ganada, merch a briododd y Capten F G Ellis, Dinbych, merch a briododd Lefft Col Clover ac **Eleanor Gladys** a briododd Parch Edward Milo Richards, Llangystenin. Yr oedd yr Arglwydd Waring yn frawd-yng-nghyfraith i Thomas Williams. Yr oedd yn Rhyddfrydwr brwd a chapelwr mawr ond ar ôl y Datgysylltiad ymunodd â'r eglwys a gadael y Blaid Ryddfrydol oherwydd ei bod wedi cefnogi Datgysylltu. Bu farw 1923 yn 78 oed. Bu farw Charles Bamford yn 1890 a rhannwyd ei stâd rhwng ei ddwy ferch, Mrs Thomas Williams, Llewesog a Mrs S J Waring, a'i stâd arall, Misterton, i'w fab oedd yn Aelod Seneddol dros ran o Lerpwl. Yn 1921 bu farw'r Capten Thomas Reinallt Williams, Llewesog yn 30 oed. Ef oedd rheolwr y stâd, yn raddedig o Gaergrawnt ac yn aelod o'r Bar yn y Deml Fewnol ac enillydd yr MC yn 1918. Claddwyd ef ym mynwent Prion.

Yn Nhy'n Llidiart hefo'i rieni John a Catherine a'i nain weddw Mary a'i chwaer Mary a'i frodyr John, Thomas a Hugh, yr oedd Benjamin Hughes 7 oed yn byw. Cyn diwedd y ganrif aeth i Russell Gulch, Denver, Colorado i'r mwyngloddiau aur. Yn 1905 daeth yn ei ôl i fyw yn y Ffordd Las. Ganwyd ei ferch Gwendolen yn Denver. Daeth hi'n wraig i W E Williams, prifathro Dinmael ar un adeg, ac yn fam i'r Athro Gruffydd Aled Williams, Aberystwyth.

Robert Hughes oedd yn ffermio Rhiwlas Isa. Yr wyf yn crybwyll y lle oherwydd mai yma, yn yr ysgubor yn 1816, y ganwyd John Roberts, Telynor Cymru. Un o dylwyth Abram Wood ydoedd. Yr oedd ei blant i gyd yn delynorion ac fe soniais amdanynt yn y bennod ar Fryneglwys. Yr oedd Catherine Jones, Fferm y Groes yn weddw 45 oed. Thomas Jones oedd ei diweddar ŵr sef mab i John Jones, Hendre Isa, Gwyddelwern, un o sefydlwyr Pandy'r Capel ac yn frawd i wraig Robert Edwards y Siop, Bryn Saith Marchog ac i wraig y Maerdy Ucha. Yr oedd gan Catherine bedwar o blant: John Thomas (14) Mary Harriet (13) Margaret Catherine (11) a Robert Morris (9). Ddeng mlynedd yn ddiweddarach yr oedd y teulu hwn wedi symud i'r Groes Gwta. O'r plant priododd **John Thomas** â Margaret Catherine Hughes, Fron, Llanrhaeadr oedd yn chwaer i Elizabeth a briododd David Jones, Tŷ Mawr; priododd **Mary Harriet** ei chefnder John Edwards, Swyddfa'r Post, Llanelidan ar 13 Awst 1892. Soniais am y teulu hwn (a gollodd ddau fab yn y Rhyfel Mawr) yn y bennod ar Lanelidan; priododd **Margaret Catherine** â William Davies, Cae Segrwyd, Prion ac yn 1918 prynasant fferm Rhydonnen, Llanychan am £1,250 pan chwalwyd stâd Cerrigllwydion. Yr oedd ef yn flaenor yng nghapel Gellifor. Bu ei wraig farw yn 1933 yn 62 oed. Bu iddynt ddau o blant, Ogwen a Blodwen. Priododd mab ieuengaf y Groes Gwta, **Robert Morris**, â Harriet Elizabeth merch Henry Lloyd, Red Hall, Cei Conna.

Yn rhyfedd iawn yr oedd bron pob sir yng Nghymru'n cael ei chynrychioli yn y plwy. Er enghraifft: Lewis Williams, ficer Eglwys Sant Iago, Prion, yn dod o Lanbadarn Fawr, Sir Aberteifi ac yn byw mewn rhan o dŷ Tan y Waen; Elizabeth priod Robert Williams, Cae Coch yn dod o Chwitffordd, Sir y Fflint; Winifred gwraig Hugh Parry, Pen y Gerddi, yn dod o Glynnog, Sir Gaernarfon; James Charles Fox, garddwr yn lletya ym Men y Maes, brodor o Sir Fynwy; Elizabeth gwraig Thomas Morris y Brwcws o Sir Fôn; Caroline gwraig Llewelyn Hooks y Parc o Sir Faesyfed; Hugh Jones y Wenallt o'r Bala, Meirionnydd. Ymysg y rhai gydag enwau Cymraeg ceir Prys Williams, gwas yn Wern To, Lowry Davies, Tŷ Capel Saron, Myfanwy a Goronwy Lloyd, Felin Segrwyd. Dau gydag enwau mwyaf anghyffredin y fro oedd Bezabeel mab un ar ddeg oed Evan Jones, Ty'n Twll a Jezabeel Jones oedd yn ffermio Corniwch. Maent yn swnio fel enwau Beiblaidd ond nid ydynt yn cael eu rhestru yn fy Nghoncordans. Mae'n bosib, wrth gwrs, eu bod wedi eu camsillafu ar y ffurflenni.

Rhyw naw cant oedd yn byw yn y plwy yn 1891 ac yr oedd 69 ohonyn nhw wedi eu rhestru fel rhai uniaith Saesneg ac un yn siarad 'Scotch' sef Eliza Brown, Yr Hen Efel. Saesneg oedd iaith y plismon James Wyse o'r Alban a gwraig y ficer, Mary Ellen Williams o Oxton, Swydd Gaer a'r gorsaf-feistr William Progers o Gaer. Dyn o'r enw Brooke Cunliffe oedd ym Mhlas Llanrhaeadr, wedi'i eni ym Madras yn yr India, ei wraig Diana yng Nghaeredin, ei ferch Georgina ym Madras, ei ferch Lettice yn Calcutta a'i ferch Helen yn Dorking. Yr oedd yno hefyd bedair morwyn – Elizabeth Landres o Drefaldwyn, Annie Williams a Ruth Roberts o Lanrhaeadr ac Ellen Williams o Rhuthun. Y rhyfeddod yw bod PAWB yn y tŷ yn siarad Cymraeg er eu bod wedi'u geni ym mhellafoedd byd. Ddeng mlynedd cyn hyn yr oedd Brooke Cunliffe yn byw ym Mhlas Bathafarn. Pur wahanol oedd y sefyllfa ym Mryn Morfydd lle'r oedd tri ar ddeg yn byw oedd a dim ond eu hanner yn siarad Cymraeg. Saesneg oedd iaith y Ficerdy – heblaw am y ficer ei hun, John Williams, brodor o Ruddlan. Yr oedd ei fab John Tyson Williams yn fyfyriwr diwinyddol a'i fab arall William Edward a'i ferch Mary Isabel ill dau mewn coleg celf yn rhywle.

Thomas Ellis a'i deulu oedd yn y Llwyn ac ymhen y flwyddyn yr oedd ei ferch Elizabeth Helen wedi priodi Rice Jones, Plas Lelo, Gwyddelwern. Lewis Morris a'i deulu oedd yn Nhy'n Ddôl ac yr oedd un o'i feibion, Evan, yn byw ym Maen Efa, Tremeirchion pan oedd yn feiliff yn Llewenni. Mab iddo oedd Griffith Owen Morris, Llindir oedd wedi priodi merch Owen Williams, Glan Clwyd, Bodffari. Plant iddynt oedd y diweddar Janet, Dorothy, David a John Morris a fu mor weithgar yn y fro.

Dyma deulu Tu Draw i'r Afon:

Henry Lloyd	pen	32	Cigydd	Cyffylliog
Elizabeth "	gwraig	34		Nantglyn
Catherine A "	merch	13		"
Elizabeth "	"	10		"
Mary "	"	8		"
Henry "	mab	6		"
Evan "	"	3		"
Humphrey "	"	3 mis		"

Symudodd y teulu hwn i'r Diffwys. Bu farw'r tad yn 1943. Daeth **Catherine** yn wraig i Robert Jones, Llidiart y Sais; **Elizabeth** yn wraig i Thomas Jones, a bu **Evan** yn byw yn Glanynys. Priododd **Humphrey** a anwyd yn 1891 â Mary Winifred Hughes, Pen Stryd a mab iddyn nhw oedd y diweddar Robert Lloyd adweinid gan bawb fel 'Bob Ocsiwniar'. Wyrion i Humphrey Lloyd yw Emyr Lloyd yr arwerthwr a Gareth Lloyd y deintydd. Wyres i Henry Lloyd yw Margaret a fu'n athrawes yn Nantglyn ac a briododd ag Ifan, Ffynogion. Mae hi'n byw yn Wrecsam ac y mae ei mab Gethin Clwyd wedi priodi Lowri, merch Huw Iorwerth ac Olwen Morris, Hafod y Maidd.

A theulu'r Graig Lwyd:

John Williams	pen	42	Ffermwr	Llanrhaeadr
Dinah "	gwraig	53		Nantglyn
Jane "	merch	7		Llanrhaeadr
Robert "	mab	5		"
William "	"	2		"
Miriam Jones	morwyn	13		"

Ymhen hir a hwyr aeth William y mab i'r Ffynogion a phriodi Elizabeth Jones, Hafoty Llechwedd. Yr oedd Elizabeth yn un o ddeuddeg (gweler Llanfihangel GM) a chafodd ddeuddeg o blant (John fu'n arolygydd banc ac yn byw yn Llanfarian erbyn hyn; Robert yr Hendre, Betws, a briododd Edna, Pwllcallod; Myfyr a briododd Mair y Pandy; Gwilym a briododd Blodwen y Fachlwyd Ucha; Ifan a briododd Margaret, Groesffordd, Prion, Harri'r Berth a briododd Morfudd, Llwyn Mawr; Elizabeth a briododd Idris Hughes, Pentre Piod, Llangower; Morfudd a briododd Wyn Pierce, Tŷ Newydd, Yr Wyddgrug; Menna, Hefina, Clwydwen ac Eirys). Bu farw'r taid, John Willams, yn y Ffynogion yn 1926. Merch iddo oedd Mrs Davies, Maes Sied, Bodffari.

Edward Hesketh oedd yn ffermio yn y Ffos Goch ac yr oedd ganddo fo a Catherine ddau o blant: Catherine Elizabeth (11) a Joseph Thomas (5). Bu farw'r tad yn 1906 pan syrthiodd dan y tracsion oedd yn cario cerrig o Eyarth i Rhuthun – cerrig ar gyfer codi swyddfeydd y sir. Yr oedd llond tŷ yn Glasmor:

Cadwaladr Hughes	pen	34	Ffermwr	Henllan
Alice "	gwraig	35		Cerrig
John Morris "	mab	7		Nantglyn
Tudur "	"	6		"
Cadwaladr Owen "	"	4		"
Jannett E "	merch	2		"
Edward J "	mab	1		"
Mary Williams	morwyn	19		Dinbych
Mary Evans	"	18		Nantglyn
Thomas Hughes	gwas	24		Cerrig

Mae yna ambell enw sydd yn edrych yn gyfarwydd yn y rhestr uchod ac ymhlith eu disgynyddion y mae teulu presennol Meifod, y ddiweddar Alice a briododd J W Jones, Eglwys Wen a Bodeiliog Isa, Myfanwy a briododd Huw W Hughes, Eglwyswen a Dolawel a Janet a briododd y diweddar G Trebor Hughes, Rhuthun.

Yr athro ym Mhrion oedd Griffith Jones o Edeyrn sef y bardd 'Ellteyrn'. Un o Borthaethwy oedd Ann ei wraig ac yr oedd yno ddau blentyn Ellen (6) a Henry (3). Bu'r olaf, Harri, yn glerc bwrdeistref Dinbych am gyfnod. Ganwyd mab arall yn Nhŷ'r Ysgol sef Arthur Gwynn Jones y bardd ac awdur y delyneg wych honno i Fro Hiraethog lle mae 'gwŷr a merched braf'. Bu'n brifathro yn Nhanyfron. Cofiaf hefyd ei fab yntau, Emyr Gwynn Jones, yn athro yn Ysgol Brynhyfryd.

Yr oedd pump dros eu pedwar ugain oed: Robert Roberts (80) tad-yng-nghyfraith Evan Bather, Bodynys; Ellen Roberts (81) mam weddw John Roberts, Tanfaes; Robert Williams (80) gweddw yn byw yn yr Elusendai; Elizabeth Ellis (88) mam weddw Eliza Morris, Ty'n Ddôl ac Elias Owens (83) Ty'n y Ffridd. Y rhai ieuengaf oedd Margaret merch Peter a Jane Jones, Tandderwen, Samuel mab George a Martha Hughes y gof, Robert mab Hugh a Mary Jane Hughes, Wern Neidr, Humphrey mab Henry ac Elizabeth Lloyd, Tudrawirafon oll yn 3 mis oed; George mab James ac Ada Wyse (y plismon) yn 2 fis; Walter mab Morris ac Elizabeth Roberts, Pen y Bryn (mis) a'r ieuengaf oll oedd David mab 5 diwrnod oed John ac Anne Wynne, Bryn Eglur. Yno hefyd yr oedd yr unig bâr o efeilliaid, Margaret a Jane tair oed.

Gwelir yr enwau canlynol ar y gofeb ryfel ar y gornel wrth y King's Head:

Francis Graham Evans
Edward Jones
John Davies
Hugh Jones
Robert Thomas Hughes
Robert Roberts Jones
William Harold Jones
Thomas Lloyd
George Mulley
John Owen
David Rowlands
Thomas Williams
Stanley Willoughby

Gwnaed y groes gan R James Jones, Rhuthun a dadorchuddiwyd hi gan Major W C B Williams, Llewesog yn 1921.

Llangar – Gynnar fel Gardd

Llangar yw enw'r plwy a Chynwyd yw enw'r pentref a thair nant ac un bryn yw'r ffiniau, Nant Croes y Wernen yn y de, Nant Rhyd y Saeson i'r gogledd, Nant Rhydyglafes i gyfeiriad y Bala a Bryn Bu'r Gelyn i gyfeiriad Corwen. Ac ar y gwaelod y mae fy ail hoff afon, y Ddyfrdwy sydd yn cychwyn rywle ar y Garneddwen ac yn gadael tir yng nghyffiniau Caer. Aeth rhai o'r Crynwyr oedd yn gorfod dianc o Feirion â rhai o'r enwau i'w canlyn – mae llefydd o'r enw Bala-Cynwyd a Meirion ym Mhensylfania. Dyma fel y canodd Ffowc Wynn o Nantglyn yn 1684:

> A – Llangar, gynnar fel gardd – yn Eden
> Afon deg, Dyfrdwy hardd,
> 'n brashau cyrhau'r ardd
> 'n wych a'i drigolion a chwardd.

> Meysydd a dolydd sydd deg – hoff lesawl
> A phlasau pur, gwiwdeg;
> Yn wych iawn yn ychwaneg
> Tan Ferwyn yn ddyffryn teg.

A chan ei fod yn cyfeirio at blasau – dywedir i gymaint â thri ar ddeg o farwniaid fyw yn Edeyrnion er y drydedd ganrif ar ddeg; yn eu plith Barwniaid Cymer a briododd i mewn i bron bob teulu dylanwadol yng ngogledd Cymru – teuluoedd Meifod a Hendwr a Chrogen a Branas a Nannau a Chors y Gedol a Phlymog a Bryntangor a Rhydonnen. Ac wrth gwrs, y Gwerclas. Huw ap Wiliam, yr unfed barwn ar ddeg, oedd yr un a symudodd o'r Cymer i'r Gwerclas yn 1600 ar ôl priodi Alice ferch Richard o Laneurgain. Dyma gychwyn teulu Gwerclas a ddaeth i ben yn 1825 gyda marwolaeth Richard Hughes Lloyd pan werthwyd y stâd ac aeth nifer o'r ffermydd yn eiddo i stâd y Rug. Edward ac Elizabeth Williams ddaeth i fyw yno wedyn a mab iddyn nhw oedd William Ednyfed Williams anwyd yn 1838. Dyma fo yn 1881:

William E Williams	pen	41	Ffermio 250 acer	Llangar
			Asiant a bragwr	
Sarah C "	gwraig	34		Llundain
Edward "	mab	5		Llangar
Marry Ll "	merch	4		"
Catherine Ll "	"	2		"

Martha Ll "	"	8 mis	"
Edward Hughes	gwas	18	Llandysilio
Margaret Wynn	morwyn	22	Derwen
Margaret Williams	"	23	Gwyddelwern
Elizabeth Humphreys	"	17	"

Yr oedd W E Williams yn Gynghorydd Plwy ac yn ddiweddarach yn Gynghorydd Sir Feirionnydd. Erbyn 1891 yr oedd yno fab arall, William R Ll Williams, 9 oed. Yr oedd y plant i gyd yn ddwyieithog er bod ganddynt 'governess' uniaith Saesneg, o'r enw Clara Hughes o Fwcle, Sir y Fflint. Bu gan W E Williams ran ym mrwydr fawr addysg y fro. Yr oedd yna delerau gwahanol, llai ffafriol, i blant yr Anghydffurfwyr yn ysgol y pentre. Er enghraifft, yr oedd plant aelodau o'r Eglwys Sefydledig yn cael eu haddysg am ddwy geiniog yr wythnos ond plant yr Anghydffurfwyr yn gorfod talu tair ceiniog. Aeth dirprwyaeth i weld y rheithor, Lodwick Davies, ond gwrthododd eu derbyn na chlywed beth oedd ganddynt i'w ddweud. Ar 24 Mai 1887 trowyd trigain o blant Anghydffurfiol allan o'r ysgol. Nid oedd unlle arall iddynt fynd ond penderfyniad y Rheolwyr oedd mynd â'r rhieni i'r llys am beidio ag anfon eu plant i'r ysgol! Gyda chymorth yr Aelod Seneddol, Tom Ellis, yr Athro Gethin Davies, Llangollen a'r Athro Ellis Edwards y Bala aed ymlaen i geisio codi ysgol fwrdd a chafwyd etholiad i weld a oedd yna gefnogaeth i'r syniad. Pan oeddynt wrthi'n cyfrif y pleidleisiau cerddodd Williams, Gwerclas i mewn gan hawlio bod yn bresennol yn y cyfrif er nad oedd ganddo hawl. Gwrthododd fynd allan, defnyddiodd iaith sarhaus ond mynd fu raid iddo. Agorwyd yr ysgol 23 Hydref 1889 gan T E Ellis ac ar 1af o Dachwedd cychwynnodd 90 o blant ar eu gyrfa addysgol ac erbyn troad y ganrif yr oedd yno 110.

Y Parch Edward Williams oedd yn byw yn Cae Mawr, 69 oed ar y pryd a'i wraig Jane yn 72. Ef oedd gweinidog cyntaf capel Bethel (MC) pan symudodd yno yn 1849. Mab Plas Bennett, Llandyrnog oedd o a bu'n weinidog yng Nghynwyd am 47 o flynyddoedd ac erbyn diwedd ei oes (bu farw yn 1906) ef oedd y gweinidog Methodistaidd Calfinaidd hynaf yn y BYD. Ganwyd ef yn 1811 yn fab i John Williams, Coed Cochion, Llanfair Talhaearn ac Annie merch John William Jones Cae Mawr, Cynwyd, oedd ei fam. Yn 1846 ordeiniwyd ef a phriododd â Jane Davies, Pentre Bach, Dyffryn, Llandyrnog. Dywedir ei fod yn ddyn tal, bonheddig yr olwg. Y mae ar gof a chadw hen bennill:

Sion a Sian yn byw yn Cae Mawr
Côr a sgubor bron dod lawr,
Tŷ heb ddim to, grât heb ddim tân,
Sion, Sion, gymri di Sian?

Ewythr i'r Parch Edward Williams oedd y Sion hwn a dywedir nad oedd fawr o lewyrch ar y fferm, y gwartheg allan haf a gaeaf a Sian yn mynd hefo'i stôl a'i phiser a'i lantarn i'r caeau i odro yng nghanol yr eira hyd yn oed.

Robert Jones o Lanelidan oedd yn ffermio Trwyn Swch, enw sydd yn awgrymu siâp y fferm efallai – a'i fab-yng-nghyfraith Robert Owen yno hefyd yn magu teulu hefo Margaret ei wraig a'i blant sef Catherine (12) John (6) a Margaret (7 mis). Bu iddynt o leiaf un plentyn arall sef Harriet a daeth hi'n wraig i W O Lloyd Davies, Prince Albert Island, Saskatchewan, a fagwyd ym Maes Gwyn, Bryneglwys hefo'i daid a'i nain ar ôl colli ei rieni ac a fu'n hael iawn yn ariannol gyda chapel Sion am flynyddoedd. Yr oedd ei fam Letitia wedi'i geni yn y Derwgoed, Llandderfel.

Yr oedd yno lond tŷ yn y Gwnodl Fawr:

William Lloyd	pen	58	Ffermwr 160 acer Llangar
Catherine "	gwraig	45	Tanygaer
Humphrey "	brawd	56	Llangar
Humphrey "	mab	15	"
William "	"	13	"
John "	"	11 } efeilliaid	"
Hugh "	"	11 }	"
Peter "	"	9	"
Elizabeth "	merch	7	"
Thomas "	mab	5	"
Anne Roberts	morwyn	15	Llandrillo
Peter Lloyd	gwas	18	Gwyddelwern
Ellis Thomas	"	18	"

Ddeng mlynedd yn ddiweddarach yr oedd yr efeilliaid yn cychwyn gyrfa, John fel cigydd a Hugh fel fferyllydd. Yr oedd eu brawd bach Peter wedi cael ei enwi ar ôl un o'i hynafiaid nodedig, y bardd Peter Llwyd (1765-1842). Bu ef yn weithgar iawn yng Nghymdeithas Cymreigyddion Corwen ac enillodd lawer o wobrau yn ei ddydd gan gynnwys cadair y Gymdeithas mewn eisteddfod a gynhaliwyd 'yn nhŷ John Hughes dan arwydd y Dderwen Freiniol yn Llangollen' am Awdl Farwnad i'r Parch

Robert Williams, Periglor Llangar, gyda Bardd Nantyglyn yn beirniadu. Yr oedd yna ffraeo dibendraw ymysg y beirdd – Peter Llwyd, Eos Iâl, Twm o'r Nant ac eraill yn dadlau'n ddi-stop. Yr oedd ŵyr i William Lloyd, Gwnodl uchod, yn blismon yn Llundain – Gwilym T Lloyd, gŵr a fu'n hynod o weithgar yng nghapel Cymraeg Sussex Way, Holloway, yng Nghymdeithas Sir Feirionnydd, yn y Clwb Llyfrau ac yng Nghwmni Drama Cymry Llundain. Urddwyd ef gan Orsedd y Beirdd dan yr enw 'Llwyd Llangar.' Mab-yng-nghyfraith iddo yw John Stout a fu'n gynllunydd hefo'r BBC – bu ganddo ran yn nyfeisio'r Dalecs, er enghraifft.

Robert M Taylor, Ynad Heddwch gyda phensiwn oddi wrth y Militia oedd yn Nhy'n Llwyn, ei wraig Elizabeth wedi'i geni yn Lisbon a'i ferch Fanny yn India'r Dwyrain. Y person ieuengaf yn y plwy oedd Margaret (5 mis) merch John ac Elizabeth Jones, Blaen Gwnodl a'r hynaf John Lloyd, Ty'n y Berth (79). Cyn symud i Dy'n y Berth yr oedd John Lloyd yn byw yn Hafod yr Afr a bu'n Glerc Festri'r Plwy ac yn glochydd Llangar 1841-1889. Dilynwyd ef yn y ddwy swydd gan ei fab Robert a fu wrthi tan 1929.

Allan o ryw chwe chant a hanner o drigolion Llangar yn 1891 yr oedd pawb namyn ugain yn siarad Cymraeg, y rhan fwyaf ohonynt yn uniaith. Ymhlith y di-Gymraeg yr oedd teulu'r gorsaf-feistr, George Price. Yr oedd ef ei hun yn siarad Cymraeg ac wedi'i eni ym Melin Puleston ond un o Benbedw oedd Mary ei wraig ac yr oedd ganddynt dri o blant: Grace (4) Edith (2) ac Allen Hayes (2 fis). Os buont yng Nghlynwyd am rai blynyddoedd yna mae'n debyg iddynt dyfu i fod yn Gymry Cymraeg ond gan mai gorsaf-feistr oedd y tad pwy ŵyr i ble'r aeth o nesaf. Un o Lanarth, Sir Aberteifi oedd y rheithor Lodwick E Davies ond Gwyddeles oedd ei wraig ac yr oedd eu merch Linda 3 oed, wedi'i geni yn Richmond, Surrey. Enw anghyffredin iawn oedd Linda yn 1891 ac yn wir dyma'r unig Linda y deuthum ar ei thraws yn ystod fy holl ymchwiliadau drwy gyfrifiadau rhannau helaeth o siroedd Meirionnydd, Dinbych a Fflint. Yr oedd y rheithor yn hynod o wrth-Gymreig a gwrth-anghydffurfwyr a bu yno helynt ffyrnig ynglŷn ag addysg plant y fro fel y soniais uchod. Ac ef gychwynnodd yr helynt. Arno fo oedd y bai.

Nid Peter Llwyd oedd unig fardd y plwy. Un o Garrog oedd David Hughes, Eos Iâl, ond symudodd i Gynwyd: ef oedd awdur y garol 'Ar gyfer heddiw'r bore'. Teiliwr ydoedd a chododd dŷ iddo'i hun a'i alw'n Llety'r Siswrn. Er iddo ennill llawer o wobrau yr oedd hefyd yn medru 'sgwennu pethau digon annisgwyl – megis cerdd i 'Ofergoelion ac arferion yr hen Gymry' – dyma ran ohoni:-

Ymgasglent ar y sulie
I lan neu bentre
I chware tenis
A bowlio Ceulys
Actio Enterliwtiau
Morrus dawns a Chardiau,
Canu a dawnsio
Chware Pel a phittsio,
Taflu Maen a Throsol
Gyda gorchest ryfeddol,
Dogio Cath glapp
Dal llygoden yn y trapp

ac ymlaen. Mae'n swnio'n debyg iawn i Gemau Olympaidd Cymreig! Ni wn beth oedd 'dogio cath glap' ond nid wyf yn hoffi ei sŵn. Hysio ci arni efallai? Rhywbeth tebyg i rasus milgwn yn rhedeg ar ôl 'sgwarnog glwt? I gathmon fel fi mae hyn yn gabledd. Ni welaf unrhyw hwyl mewn hambygio cath. Tynnwyd Llety'r Siswrn i lawr yn 1972. A beth am Gwilym Cynwyd? Yr oedd ef yn englynwr da. William Evans oedd ei enw bedydd, saer maen wrth ei alwedigaeth ac yn 1891 yr oedd yn byw yng Nglan Trystion:

William Evans		pen	41	Saer maen	Cynwyd
Winifred	"	gwraig	40		"
Hannah	"	merch	13		"
Evan	"	mab	9		"
John D	"	"	7		"
Edward	"	"	5		"
William F	"	"	4		"
Elizabeth	"	merch	2		"
Robert O	"	mab	1 mis		"

Ni wn beth a ddigwyddodd i'r plant – heblaw am y pumed – William Ffowc Evans, BA, BD, ac a fu'n ddiweddarach yn weinidog ac yn athro yng Nghlynnog, yntau hefyd yn fardd cymeradwy iawn. Ysgrifennodd y tad englyn i'r Wialen Fedw a dyma'r paladr:

Hen forwyn o'i harferyd
Ry ben ar garcharau byd.

Byddai rhai'n cydweld ag o! Un arall enwog oedd Jane Williams, Ty'n

Caeau. Pwy? Boddodd ei hun yn 1868 yn 23 oed wedi i'w chariad ei gadael. Ysgrifennodd John Jones 'Llew o'r Wern' gân amdani sef *Yr Eneth Gadd ei Gwrthod*, cerdd a ddaeth y enwog iawn.

Yr oedd pregethwr arall heblaw am Edward Williams yn y fro y noson honno hefyd sef Emmanuel Roberts o Landysilio, pregethwr Wesle yn aros yn yr Hafod lle'r oedd Edward Lloyd yn ffermio. Ganwyd Emmanuel yn y Nant, plwy Rhewl Llangollen, yn un o un ar ddeg plentyn Morris a Jemima Roberts. Cafodd ei brentisio fel crydd ond pan oedd yn 24 oed penderfynodd fynd i'r weinidogaeth a chafodd ei benodi i gynorthwyo John Evans, Eglwys-bach ym Mhontypridd. Nid oedd John Evans yn meddwl y dylai unrhyw fod dynol gael ei alw yn Emmanuel a mynnodd roi'r enw Berwyn arno. Felly, fel y Parch Berwyn Roberts yr adwaenid ef o hynny ymlaen. Merch Hafod Las, Llanelidan, oedd ei wraig. Cawsant bedwar o blant a daeth un o'u meibion yn enwog fel y nofelydd Selyf Roberts.

Brodor o Bwllheli oedd yr athro lleol John Thomas (33) a'i wraig Jane o Lanbedrog yn 45. Yr oedd yno athro arall hefyd sef David John Saer, 23 oed, yn lletya ym Mron y Glyn hefo Thomas Davies a'i deulu. Un o Bontyberem oedd o ac ef oedd prifathro cyntaf Ysgol y Bwrdd yng Nghynwyd, yr ysgol yr oedd Lodwick Davies gymaint yn ei herbyn. Cofiaf ŵr o'r enw John Saer yn brifathro Ysgol y Bechgyn y Bala yn ddiweddar ond nid wyf yn gwybod beth oedd y cysylltiad rhwng y ddau: mae'n siwr bod yna berthynas. Y mae'r cyfenw'n engraifft o syrnâm Cymraeg wedi goroesi er bod yr ynganiad wedi'i Seisnigo. Yn 1892 aeth D J Saer yn brifathro i'r Drenewydd ac oddi yno i ysgol Heol Alexandra, Aberystwyth. Bu farw yn 1928 yn drigain oed. Yr oedd ganddo ddiddordeb arbennig mewn dwyieithrwydd. Yn 1889 yr oedd ei frawd William Rhys Saer yn fonitor dros dro yn ysgol Cynwyd.

Yr oedd nifer o dafarnau yn y plwy: David Davies yn y Prince of Wales a godwyd yn 1846; a Winifred Morris yn yr Eagles, hi oedd yr olaf yno gan i'w drwydded gael ei ddileu yn 1904; Walter Vaughan yn y Cross Keys ac ef oedd yr olaf yno a John W Jones yn y Llew Glas – dywedir mai hen garchardy oedd yr olaf. Dywed Gomer Roberts yn ei *Atgofion Amaethwr*: 'Gwirionedd cyffredin am frodorion Cynwyd oedd eu bod naill ai wedi bod yn canlyn mulod un o'r ddwy felin, neu yn gweithio yn un o'r tair ffatri, neu yn 'aros' yng Ngwerclas am ryw dymor cyn bod yn ugain oed. Yr oedd mwyafrif y dynion wedi bod drwy'r tri 'coleg' uchod a gallent droi eu llaw at bopeth.' Ymysg crefftwyr y fro yr oedd Lizzie Owen, Ty'n Twll yn gwnio; John Roberts, Ty'n Wern yn gwneud brwshus; Elizabeth Thomas, Cerrigllwydion y fydwraig; Jonathan Thomas y felin wlân; Zachariah Jones y gof a cherddor nodedig;

Edward Edwards y groser a Robert Roberts, Edeyrnion House y crydd.

Ganwyd Zechariah Jones y gof yng Nglanrafon yn 1840 a bu farw yn 1922. Bu'n pedoli gwartheg pan oedd yn ifanc ac âi cyn belled â Dolgellau yn awr ac yn y man i bedoli tua thrigain o wartheg ar y tro. Yr oedd hefyd yn enwog am wneud erydr. Yr oedd yn gerddor da a dysgodd lawer o ieuenctid y fro i ganu. Yr oedd ganddo harmoniwm fechan yn Llofft yr Efail a byddai'r bobl ifanc yn heidio yno sawl tro yn ystod yr wythnos i ymarfer ar gyfer noson lawen neu eisteddfod a'r hen Zechariah islaw yn gwrando arnynt. Gwaeddai 'Encôr!' os byddai wedi'i blesio ond byddai'n dyrnu'r distiau os nad oedd wrth ei fodd. Yn 1891 yr oedd yn 52 oed, ei wraig Ann (o Bentrefoelas) yn 48, eu merch Elizabeth yn 12 a'u mab Edward yn 2. Bu Edward fyw i wth o oedran yng Nghaer. Erbyn heddiw y mae'r efail yn rhan o weithdai Trelars Ifor Williams – gŵr sydd yn sicr wedi rhoi Cynwyd ar y map. John mab Thomas Williams, Pencraig Fawr, oedd tad Ifor.

Rhaid dweud gair am Robert Roberts y crydd Edeyrnion House. Martha oedd enw ei wraig ac ar y pryd yr oedd pump o blant ganddynt: Edward S (13) David T (10) Martha (8) Sarah (6) a Hannah (3). Daeth yr hynaf yn enwog – Edward Stanton Roberts ac yr oedd wedi cael yr enw dieithr, Stanton, oddi wrth Thomas Stanton, crydd y bu Robert Roberts yn brentis iddo. Bu Edward Stanton Roberts yn brifathro ym Mhentrellyncymer, Cyffylliog a Gellifor ac yr oedd yn fardd, yn ysgolor ac yn Grynwr. Priododd ag Annie, merch Cefn Post, Llanfihangel, a chawsant dri o blant – Hywel, Gwerfyl a Gweneirys. Meibion i Gweneirys yw Dylan a Trystan Iorwerth. Soniais am y teulu hwn yn y bennod ar Lanfihangel.

Merch David a Sarah Williams, Pant Clai, oedd Martha Roberts, mam Edward Stanton. Yn 1891 yr oedd David Williams yn 80 oed a'i wraig yn 77: daeth y ddau i amlygrwydd cenedlaethol gan iddynt ennill Pum Gini gan y papur *Tit Bits* am fod y pâr hynaf priodasol ym Mhrydain – wedi priodi am 68 mlynedd. Priodwyd nhw yn eglwys Sant Beuno, Gwyddelwern, 29 Gorffennaf 1831 a bu'r ddau farw o fewn tridiau i'w gilydd fis Ionawr 1900. Cawsant ddeuddeg o blant. Bu nifer ohonynt fyw i oedran mawr e.e. David (89) Ann (92) Robert (81) Martha (82) Moses (96) Sarah (92). Un o'u meibion-yng-nghyfraith oedd Hugh Evans, Gwasg y Brython ac awdur *Cwm Eithin*. Ymysg eu gor-gor-wyrion y mae Geraint a Gerallt Lloyd Owen, Dafydd Mei gynt o Gyhoeddiadau Mei ac fel y soniais uchod, Dylan a Trystan Iorwerth. Teulu dawnus ac inc yn eu gwaed!

Yr oedd saith yn byw ar y plwy ac un ar ddeg yn byw ar eu pres. Cadw giât y Crossing oedd gwaith David Evans a dywed y Cyfrifiad ei fod yn anabl ar ôl cael damwain o ryw fath. Yr oedd Robert Hughes, plentyn mabwysiedig 4 oed yn y Tyisa yn fud. Yr hynaf yn y plwy oedd Hugh Jones (87) tad-yng-nghyfraith Thomas Jones, Ty'n y Gotel. Yr oedd ganddo ffatri wlân, y Ffatri Uchaf. Cymerwyd hi drosodd yn 1923 gan R Vaughan Wynn y Rug a'i throi'n bwerdy i gynhyrchu trydan i Gynwyd a Chorwen. Y tri ieuengaf oedd Kate Jones (4 diwrnod) yn lletya hefo'i mam ddibriod yn y Siop Isa; John mab 5 diwrnod oed Evan a Martha Jones, Tai Newydd a Lewis J Vaughan, tair wythnos oed oedd ar ymweliad â Siambr Wen.

Samuel Jones oedd ym Mhen y Felin. Mab ydoedd i John a Margaret Jones, Rhos y Maerdy, bwthyn sydd yn adfail ar dir Rhyd y Glafes ydyw erbyn hyn. Yr oedd Samuel yn frawd i fy hen hen nain, Margaret Jones, Tŷ Cerrig, Glyndyfrdwy. Hoffwn yn fawr wybod beth ddaeth o'i fab John (15) a'i ŵyr David (5) oedd ym Mhen y Felin yn 1891. Taid a nain y Parch William Williams oedd Hugh a Mary Davies, Bryn Saint – ef oedd awdur *Hanes Methodistiaid Dwyrain Meirionnydd*. Ŵyr i Lewis Edwards, Ty'n Twll, Llanarmon Dyffryn Ceiriog oedd Edward Edwards, Brynheulog ac felly'n or-ŵyr i Richard a Catherine Hughes, Sarffle. Un o Gaernarfon oedd Mary ei wraig.

Dau gyfenw a gysylltir yn arbennig â Chynwyd yw White a Yaxley. Yr oedd teulu White wedi hen sefydlu yma gan y dywedir bod y cyntaf ohonynt wedi byw yn Rhyd y Glafes ers dyddiau'r Frenhines Mari Tudur, Mari Waedlyd fel y gelwid hi. Aelod o'r teulu oedd Richard White a losgwyd wrth Eglwys Wrecsam yn 1585. Buont hefyd ymhlith arloeswyr Anghydffurfiaeth yn y fro pan gododd Richard White a Sion William achos y Methodistiaid Calfinaidd mewn Caban Unnos ar fynydd Mynyllod yn 1772. Yn 1891 cawn David White a'i deulu yn Rhyd y Glafes hefo'i wraig Ellen a thri o blant: David H (9) Robert O (7) a Richard G (2). Bu David H(owel) yn byw yn Groeslwyd ac yn Henadur a'i frawd Richard hefyd yn weithgar mewn llywodraeth leol. Un arall o'r tylwyth oedd Dr Howell White, Corwen a laddwyd yn 1912 pan gafodd ei daflu oddi ar gefn ei geffyl. Brawd iddo oedd John White, Syrfewr Tir yn Llundain a brawd arall oedd y milfeddyg Thomas White. Priododd ef â Dorothy, merch Tyisa, Llanfair DC a fu farw'n 100 oed yn 1933. Priododd eu merch â Sam Evans, Groes Lwyd a buont yn byw yng Nglan Aber, Gwyddelwen. Fo oedd y dyn dall cyntaf i mi ei weld erioed. Mae nifer o'r Whites wedi bod yn gynghorwyr bro a sir am dros ganrif bellach – Meirion White gŵr Mair (Edwards) Highgate er enghraifft. Aelod arall o'r teulu yw Eleanor Burnham sydd yn Aelod o'r Cynulliad dros Ogledd Cymru ers Ebrill 2001 i olynu Christine Humphreys a orfodwyd i ymddiswyddo oherwydd afiechyd. Yr oedd yna ddau arall yn arddel yr enw hefyd ond nid wyf yn meddwl eu bod o'r un tylwyth sef Priscilla a Henry Thomson White o Lerpwl oedd yn cael eu magu gan Richard a Catherine Baines ym Mhen y Mynydd. Bydwraig oedd Catherine. Ni wyddai Priscilla fach bump oed bod yna Priscilla White arall o Lerpwl yn mynd i fod yn enwog ganrif yn ddiweddarach ond iddi newid ei henw i Cilla Black!

Dim ond y ddwy forwyn a'r gogyddes oedd adre yn Nhy'n Llwyn, y ddwy forwyn yn uniaith Gymraeg a'r cwc yn uniaith Saesneg . . . Bu'r teulu Irvine yn Nhy'n Llwyn wedyn ac ar 8 Mehefin 1924 gadawodd y mab, Andrew Irvine a'i gydymaith George Mallory eu pabell ar y ffordd i fyny Everest gan obeithio bod y cyntaf i gyrraedd y copa. Diflannodd y ddau. Yn ddiweddar darganfuwyd gweddillion Mallory ond ni fu sôn am Irvine ac ni wyddom ai ar y ffordd i fyny neu ar y ffordd i lawr y buont farw. Pe bai modd gwybod, fe âi tipyn o wynt o hwyliau Hillary.

Yn y Tŷ Capel yr oedd Margaret Hughes yn byw, gweddw 56 oed, hefo'i merch Elizabeth Yaxley a'i hŵyr Robert A Yaxley wedi'i eni yn Lerpwl. Credaf mai mab i'r Elizabeth hon oedd John (Jack) Yaxley'r Stamp, y Sychnant wedyn. Yr oedd ganddo fo bedwar o blant: Renee a briododd Hugh Edwards, Highgate; Frank a briododd Glenys, Bryn Llan, Gwyddelwern; Dennis a fu'n byw yn y Sychnant ar ôl priodi Brenda Parry o Lanbedr DC a Joan a ddaeth yn wraig i Emyr Hughes Jones, Alafowlia, Dinbych. Ar waethaf yr enw, Cymry pybr yw'r Yaxleys i gyd.

Cowper oedd Thomas Roberts y Boncyn Glas ac yr oedd yn gwneud pob math o bethau – bwcedi godro, cawgiau, cwpanau, llwyau pren, printiau menyn, buddai. Bu farw yn 1900. Yr oedd Elizabeth gwraig William Roberts, Siop Ucha yn gwneud llestri. Deuddegfed plentyn John Roberts, Telynor Cymru oedd ef ond gaji (hynny yw, estron, nid oedd o waed y Sipsiwn) oedd ei wraig.

Dau frawd a dwy chwaer oedd yn ffermio Fron Guddio: Edward Jones yn 41, John (35) Prudence (33) a Winifred (21). Y mae Glyn Owen, Corwen, awdur y gyfrol ddifyr *O Wely Plu i Wely Gwellt* (Gwasg Carreg Gwalch 1992) yn ŵyr i Prudence. Yr oedd ganddynt chwaer arall, Elizabeth, yn byw yn Nhy'n Celyn, Trerddol ac wyres iddi hi yw fy hen ffrind ysgol Eileen sydd yn byw mewn tŷ ag iddo enw trawiadol – Dyma Fo – yn y Mwynglawdd. Wyres arall iddi yw Alwen sef y Fonesig Elystan Morgan. Brawd Alwen sydd yn Nhy'n Celyn heddiw, wedi priodi Gwenfyl, merch Bryn Du, Gwyddelwern sydd yn or-wyres i David Hughes, Pencoed Ucha, Pwllglas.

Fel ym mhob man arall pur anghyffredin oedd yr enwau Cymraeg. Cadwaladr Jones (9) Bryn Golau; Hywel Davies (1) Glan Trystion; Taliesyn Roberts (11 mis) Siop Isa; Llewelyn Owen (32) saer yn Rug

Terrace a'i ferch Nesta (4).

Llangar, plwyf hyfryd ydyw
Y fan fydd le da i fyw

ebe Ffowc Wynn o Nantglyn yn 1684. Siwr gen i bod ei eiriau'n dal yn wir ac y mae'r ardal yn parhau i gael ei rhoi ar y map, nid yn unig gan arloeswyr megis Ifor Williams (Trelars) ond hefyd gan eraill o blant y fro megis yr Athro R Rees Davies, Rhydychen, ein prif arbenigwr ar Owain Glyndŵr. Mae pentrefi bach cefn gwlad yn dal i fagu glewion.

Rhuthun – Perl y Dyffryn

A dyma ddod i ben y daith yn yr hen dref hyfryd hon, Perl y Dyffryn, Brenhines y Gogledd, y ddinas goch a dyfodd ar y bryn. Byth oddi ar y dyddiau pan godwyd y Castell ac y bu Iarll de Grey ac Owain Glyndŵr wrthi'n bygylu y mae'r Cymry a'r Saeson wedi bod yn ceisio cyd-fyw yma. Maent yn cymdeithasu ac yn cytuno ac yn cydweithio ond y mae'r rhan fwyaf yn byw bywyd cwbl ar wahân a'r di-Gymraeg yn byw bywyd un dimensiwn er nad ydynt yn llawn sylweddoli beth mae hynny yn ei olygu. Mae gan y gweddill ohonom ddwy ffenest yn wynebu'r byd: dwy iaith, dau ddiwylliant, a dim ond y dwyieithog sydd yn medru elwa ar bopeth sydd gan y dref i'w gynnig. Er mai tref gastellog fu hi dros y cenedlaethau y mae hi hefyd wedi bod yn dref hynod o Gymreig ac fe ysgrifennwyd nifer fawr o ddisgrifiadau ohoni – gan gynnwys un anghyfarwydd gan Nathaniel Hawthorn, yr awdur Americanaidd oedd yn Gonswl yn Llundain 1853-57. Yn 1854 bu ar ymweliad â Rhuthun. Yr wyf am gadw'r dyfyniad yn Saesneg er mwyn cynnal arlliw ei eiriau:-

'. . . it was market day, there being quite a hustle of Welsh people. The old women came around the omnibus curtseying and intimating their willingness to receive alms, witch-like women such as one sees in pictures or reads of in romances and very unlike anything feminine in America. Their style of dress cannot have changed for centuries. It was quite unexpected to me to hear Welsh so universally and familiarly spoken. Everybody spoke it. The omnibus driver could speak but imperfect English, there was a jabber of Welsh all through the streets and market places and it flowed out with a freedom quite different from the way in which they expressed themselves in English. I had had an idea that Welsh was spoken rather as a freak and in fun than as a native language, it was so strange to find another language, the people's actual and earnest medium of thought, within so short a distance from England . . .'

Wedyn mae o'n syrthio i'r un pwll diwaelod â nifer fawr o sylwebyddion eraill ac yn awgrymu bod y bobl yn deall Saesneg yn iawn ond mai troi i'r Gymraeg yng ngwydd estroniaid yr oeddynt! Dyna 'urban myth' sydd wedi parhau hyd heddiw. Sawl gwaith y clywsoch un yn dweud 'and as I walked into the pub they all started speaking Welsh'. Mae yna nifer o bethau ar flaen fy nhafod pan glywaf y fath ffiloreg, megis: sut oedd pawb yn gwybod mai Sais uniaith oedd y sawl ddaeth drwy'r drws a newid eu sgwrs ar amrantiad? pam ei fod o mor fusneslyd ac eisiau gwybod am beth yr oedd pawb yn siarad? pam ei fod o'n meddwl ei fod yn ddigon pwysig i bawb ddechrau siarad amdano? beth sydd yn digwydd pan mae o yn Ffrainc neu Sbaen – ydy pawb yn y fan honno yn siarad Saesneg nes daw o i mewn? sut mae o'n meddwl bod yr iaith Gymraeg wedi goroesi os mai dim ond yng ngŵydd Saeson yr ydym yn ei siarad? pam bod y Saeson mor groendenau? pam bod sŵn iaith arall yn rhoi cymaint o fraw iddynt? Chwedl Dewi Emrys 'Dina'r meddylie' ddaw pan glywaf y stori big am ddichell anghwrtais y Cymry. I'r gwrthwyneb yw'r gwirionedd – cwrteisi laddodd yr iaith.

Yn 1881 nid oedd sôn am gloc ar y sgwâr, dim ysbyty na chanolfan grefft nac Ysgol Brynhyfryd, na chapel y Tabernacl, na chartref hen bobl, na llyfrgell. Yr oedd yma gastell ac eglwys Sant Pedr a nifer fawr o dafarnau. Hefyd carchar a wyrcws a gorsaf, tri pheth a ddiflannodd. Rhaid dweud i mi gael fy syfrdanu gan nifer y tafarnau:- Robert Roberts yn yr Hand; Elizabeth Gilbert yn y Vaults; John Joyce yn yr Eagle; Samuel Green yn y Star; John Roberts yn y Royal Oak; David Rowlands yn y Spreadeagle; Eliza Ann Aldred yn y Cross Keys; John Jones yn y Myddelton Arms (y lle a elwir yn Llygaid Rhuthun oherwydd y modd y mae'r saith ffenest wedi eu gosod yn y to yn y dull Fflemaidd dan ddylanwad Richard Clwch a fu'n byw yn Antwerp hefo'i wraig Catrin o Ferain); John Edwards yn y Ceffyl Du; Edward Jones yn y Golden Hart; Thomas Taylor yn y Wynnstay. A llawer mwy! Ac yr oedd yma amrywiaeth o bobl yn byw yn y plwy, sef plwy Eglwys Sant Pedr sydd ar ben y bryn lle mae'r gloch enhuddo (curfew) wedi canu'n ddifeth am wyth o'r gloch bron bob nos er y Canoloesoedd heblaw am flynyddoedd y rhyfel. Yr oedd nifer o bobl ddwad a mwy o alwedigaethau amrywiol nag mewn unrhyw blwy arall o fewn cylch y gyfrol hon – yr hyn a alwaf yn Fro'r Bedol. Dewch inni fynd o stryd i stryd ac edrych ar rai o bobl y dre.

Ar y briffordd allan o'r dre heibio'r Castell y mae fferm Felin Ysguboriau ac yr oedd yno lond tŷ – tri ar ddeg o bobl. Maria Symond, gwraig weddw 37 oed oedd yn ffermio ac yr oedd ganddi chwech o blant ifanc: John (11) Maria J (9) Henry (8) Walter (6) Hannah (4) Alfred (3). Yr oedd ei mam Jane Roberts yno hefyd, a morwyn bymtheg oed, Laura Edwards, a phedwar o letywyr: Harry Hornsby, o Leamington, clerc yn y banc; Thomas Evans, bugail o Lanwddyn; Alun ac Aneurin Lloyd o Lanelwy – y cyntaf yn dwrne a'r llall yn gweithio yn y banc. Nid oedd byddigions y Castell adre, dim ond criw o staff: Margaret Lyall o Northumberland, morwyn; John Williams, garddwr a'i wraig Elizabeth o Sir Fynwy; Alfred Atkins yn cadw'r lodge, brodor o Northumberland, ei wraig Ann o Efrog. Teulu wedi teithio tipyn oedd hwn – eu merch Harriet (15) wedi'i geni yn Nulyn, Herbert (13) yn Aldershot ac Arthur

(10) yn Birmingham.

Teulu Cornwallis-West oedd perchnogion y castell. Achoswyd cryn gyffro yn 1900 pan briododd George Cornwallis-West, mab y castell â'r Fonesig Randolph Churchill, y cyn-Jenny Jerome o America. Ni fu dathlu yn y dref o gwbl ac nid oedd ei deulu'n bresennol yn y briodas chwaith. Nid oeddynt o blaid y briodas o gwbl oherwydd ei bod hi lawer yn hŷn na fo. Yn wir yr oedd ganddi fab hŷn na George. Ei enw oedd Winston Spencer Churchill. Ni fu'n briodas lwyddiannus ac yn 1914 ysgarodd hi ef a phriododd George â Mrs Patrick Campbell, yr actores yr ysgrifennodd George Bernard Shaw y ddrama *Pygmalion* yn arbennig iddi. Yn 1901 priododd Sylvia, merch y castell â Dug Westminster, y dyn cyfoethocaf yn y wlad. Bu rhaid newid dyddiad y briodas gan i'r Frenhines Victoria farw a difetha eu cynlluniau. Collodd ei mab cyntafanedig, yr aer, yn bedair oed o bendics ac ni pharhaodd y briodas hon chwaith. Chwaer i George a Sylvia oedd Daisy, y Dywysoges Pless.

Stryd ddeniadol yw Stryd y Castell. Yn rhif 16 yr oedd George Byford, arwerthwr ac asiant tai, dyn adnabyddus iawn yn y dre. Bu ei fab William yn feddyg yma yn nechrau'r 20fed ganrif. Yr oedd Susan ei chwaer yn 4 oed. Priododd hi yn Ceylon yn groes i ewyllys ei thad ac mi gafodd ei diarddel o'r teulu; bûm yn helpu ei hwyres, Philippa Birket, i olrhain hanes y teulu ond erys nifer o ddirgelion o hyd. Edward Edwards yr *ironmonger* oedd yn rhif 10, ganwyd 13 Ionawr 1812 ym Mhwllheli. Bedyddiwyd ef gan Thomas Charles. Yr oedd ei dad wedi ymladd dan Wellington yn Waterloo. Bu'n byw yng Nghorwen am gyfnod ac ef oedd yn gyfrifol am y *'mail'* ar y trên rhwng yr Amwythig a Chaergybi ar y ffordd i Iwerddon. Yr oedd yn 'nabod Daniel O'Connell ac yn ei hoffi'n fawr meddid. Bu'n Faer Rhuthun deirgwaith cyn symud i'r Rhyl yn 1883 lle bu farw yn 91 oed yn 1903.

Yn lletya yn rhif 10 yr oedd Joseph Peers, twrne, 80 oed. Bu ef yn arbennig o hael, yn rhy hael oherwydd diweddodd ei fywyd yn dlawd iawn. Codwyd y cloc hardd ar y sgwâr fel cofeb iddo ac arno'r geiriau: *Ex hoc momento pendet aeternitas* (Mae tragwyddoldeb o'ch blaen). Ar yr ochr arall gwelir y geiriau (yn Saesneg): 'Codwyd 1883 OC gan nifer o'i gyfeillion i gofio gwasanaeth cyhoeddus Joseph Peers, trigianydd clodfawr o'r dref hon a fu am yr hanner canrif ddiwethaf yn Glerc yr Heddwch dros Sir Ddinbych.' Un fraich oedd ganddo a bach ar y llall – fel Capten Hook yn stori Peter Pan. Bob bore Calan byddai'n rhoi basged ar y bach ac yn sefyll ar risiau Neuadd y Dre ac yn rhannu ceiniogau i'r plant.

Yr oedd llond tŷ yn rhif 8:

John Simon	pen	48	Meistr ddilledydd yn cyflogi saith	Dinbych
Elizabeth A "	gwraig	45		Rhuthun
Edith "	merch	21	Yn y siop	"
William "	mab	18		"
Goronwy "	"	15		"
Myfanwy "	merch	13 } efeilliaid		"
Gwenydd "	"	13 }		"
Gertrude "	"	10		"
Jessie M "	"	7		"
Esther B "	"	6		"
Elizabeth Jarvis		34	gwneud hetiau	"
Ellen Williams	morwyn	32	cogyddes	Llandyrnog
Martha Evans	"	20		Llanfair

Symudodd y teulu hwn i Gorffwysfa yn y man. Yr oedd John Simon yn Fedyddiwr brwd ac ef oedd awdur y Catecism. Priododd ei ferch Gertrude ag Ernest Dazar o Lundain. Bu farw ei fam-yng-nghyfraith, Ann Evans, yn ei gartref. Yr oedd hi bob amser yn brolio mai Christmas Evans, y pregethwr enwog, oedd gwas priodas ei rhieni ac aethant i'r capel i briodi ar gefn ceffyl. Gwneud hetiau oedd ei gwaith a dywedodd rhywun amdani 'She was a living concordance.'

Yn rhif 4 yr oedd Robert Roberts, bragwr. Bu yntau hefyd yn ddyn hael. Cychwynnodd ei yrfa yn un ar ddeg oed yn gweithio hefo William Green yng Ngwesty'r Castell. Daeth yn ei flaen yn dda, mae'n rhaid, gan mai ef, yn y man, oedd perchen yr Hand, y Corporation Arms, Y Ceffyl Du, y Drovers' Arms yn Rhewl, Y Llew Aur, Llangynhafal, y Bridge yn y Bontuchel, a'r Ceffyl Gwyn yn Rhydymeudwy. Gadawodd £2000 i godi capel y Bedyddwyr yn Rhuthun yn ogystal ag eiddo yn 34 Heol Clwyd er budd y Bedyddwyr. Bu cryn dipyn o dynnu coes y Bedyddwyr yn y dre am mai pres cwrw a gododd eu capel newydd! Bu farw RR yn 1923. Martha merch Ellis a Grace Jones, Llwyn Derw, Llanelidan oedd ei wraig.

Lewis Jones oedd yn 2 Heol Clwyd, argraffydd, adweinid yn well fel 'Rhuddenfab' a bu'n byw yn Clwyd Bank, cartref yr enwog J D Jones. Rhuddenfab oedd awdur y cofiannau i Ioan Jones a Dick Nancy. Bu farw yn 1915 yn 80 oed. Priododd ei ferch, Edith Emily, â Benjamin Buxton Haram, newyddiadurwr o Lerpwl, golygydd The Birkenhead Advertiser. Ymysg y gwahoddedigion yn y wledd yng Ngwesty'r Castell ar y sgwâr yr oedd Isaac Foulkes y Llyfrbryf a Hwfa Môn. Mae sôn am yr Hwfa'n f'atgoffa am yr adeg pan gafwyd ymweliad gan y teulu brenhinol â Llandudno yn 1899. Aeth morwyn fach o Rhuthun i'w gweld ond yr

347

oedd yn andros o siomedig. Nid oedd Duges Efrog (sef yr hen Frenhines Mary'n ddiweddarach) ddim byd tebyg i'w llun – yn wir, yr oedd hi'n hyll, meddai'r forwyn fach. Sylweddolwyd wedyn mai wedi bod yn edrych ar Hwfa Môn yn ei lifrau Archdderwydd yr oedd hi!

Yr oedd Ioan Jones yn gymeriad, ei sgwrs yn llawn o ddywediadau a geiriau tafodieithol Rhuthun e.e. ponsh (dene fi wedi gwneud ponsh o bethe = llanast), crec (ma'ne grec yn y gwpan ene = crac), crugo (roedd o'n crugo i fod o wedi mynd = edifar), hwchw (mi 'nath y grydures hwchw o'i bywyd = smoneth), cloncyn (lolyn gwirion), propor (andros o eneth broper ydy honne = tlws). Clywir nifer o'r geiriau hyn ar lafar o hyd ac yn rhan o 'ngeirfa innau hefyd. Ioan Jones oedd y cyntaf i ymarfer yr ymadrodd 'Y Pethe'. Bu farw yn 1883 a dyma englyn Daniel Owen iddo:-

Wele gŵr yr alegori – sy'n fud,
    Sŵn ei fawl wnaeth dewi;
Ei laniad i oleuni – wna i'r engyl
Yn y gŵr annwyl, hanner gwironi.

Un arall fu'n byw yn Clwyd Bank oedd J D Jones y cerddor a fu'n brifathro ar Ysgol Stryd y Rhos ac yr oedd ganddo fo a'i wraig, Catherine Daniel, Caethle, Tywyn, bedwar mab – John Daniel (Y Parch), Owen (pennaeth cwmni yswiriant), (Syr) Haydn (AS Meirion) a David Lincoln (Parch). Mae yna blac ar Clwyd Bank i ddangos bod J D Jones wedi bod yn byw yno.

Drws nesaf i Rhuddenfab yr oedd John Joyce, tafarnwr a chigydd. Yr oedd hwn yn enw cyfarwydd yn y dre. Yr oedd Robert G Joyce, oriadurwr, yn 4 Stryd y Ffynnon, ei wraig Sarah Anne a dau o blant, Robert G (16) ac Annie G (8). Ac ar Sgwâr Sant Pedr yr oedd Walter Conway Joyce, oriadurwr a warden eglwys a John Price Williams, o Efenechtyd, yn ei helpu yn y siop. Robert G druan oedd y cyntaf o'r fro i gael ei ladd yn Rhyfel y Boer. Yn rhif 6 Heol Clwyd yr oedd dilledydd arall, William Simon, a theulu o chwech o blant. Ni wn a oedd hwn yn perthyn i John Simon, Stryd y Castell. Nid oeddynt yn ddau frawd oherwydd yr oedd y ddau yn 48 oed, John wedi'i eni yn Ninbych a William yn Llanferres. Yr oedd hon yn stryd brysur: John Griffiths yn gwerthu pysgod, Elizabeth Magin yn gwerthu sanau, Edward Roberts y teiliwr, David Lloyd yn gwneud olwynion.

Ar waelod y stryd yr oedd y carchar, lle heddiw sydd yn Archifdy Sirol. Y llywodraethwr oedd James Walmsley (53) o Mellor, Swydd Gaerhirfryn, ei wraig Hannah'n dod o Hanover yn yr Almaen. Yr oedd ganddynt ddwy ferch anwyd yng Nghaernarfon (ac yn siarad Cymraeg) Josephine a Wilhelmina a mab, Frederick, anwyd yn Rhuthun ac yn ddi-Gymraeg. Priododd Wilhelmina â Thomas Carlton, peiriannydd o Hull yn 1891. Byddai James Walmsley'n teithio drwy'r dre ar feic penni ffardding. Yr oedd rhyw ddeugain o garcharorion – nifer ohonynt yn Wyddelod, ac un wraig, ffermwr o Henllan. Deuent o bob math o wahanol gefndir – glanhawr simne, saer, rheolwr chwarel, tincer crwydrol, mynyddwr, pobydd ac un morwr, creadur o Efrog Newydd o'r enw John Major . . . Ymysg eraill yn y dref a anwyd dramor yr oedd James Lloyd y plismon o Fadagasgar, Stuart Kirby (7) yn y Punjab, Maria, gwraig David Thomas y rheolwr banc ar y Môr Indiaidd ac Alfred Waldemar Schleimer o Bafaria, athro yn yr Ysgol Ramadeg.

Yr oedd Owen Fox, tincer o Mayo yn Iwerddon, wedi crwydro cryn dipyn gan mai un o Borthmadog oedd ei wraig a ganwyd eu plant mewn gwahanol fannau: Michael (19) ym Mwlchgwyn, Bridget (16) yn Nefyn, Owen (11) yng Nghroesoswallt, Rosie (9) ym Mhentrefoelas, Thomas (6) ym Mhenbontfawr, Kitty (4) ym Mryneglwys a Margaret (2) yn Nhreffynnon. Yn un o'i ysgrifau y mae Peryddon (Wmffre Lloyd o'r Bala) yn dweud y byddai'n arfer mynd hefo rhai o blant Owen Fox (oedd yn byw mewn carafan ar Green y Bala ar un adeg) â cheffylau i'r Gydros. Enw Owen Fox ar Gaws Cymru oedd Ap-Curds-ap-Milk-ap-Cow-ap-Grass-ap-Earth. Sydd yn ein hatgoffa o'r gân 'Y Pren ar y Bryn'.

Joseph Williams y gof (41 oed) oedd yn byw yn 1B Heol y Prior. Y rheswm pam yr wyf yn sôn amdano yw iddo fyw i fod yn 93 oed a phan fu farw yn 1931 ef oedd y person hynaf yn y dre. Yr oedd ganddo naw o blant ac fe welir rhestr ohonynt yn hanes ei gladdu: y mae'r hyn a ddigwyddodd i'w blant yn dangos yn glir beth a ddigwyddodd i Gymru, y diboblogi a thrwy hynny dlodi'r iaith: yr oedd ei ferch , **Mary Ann**, yn magu plant ym Manceinion; ei fab **John R** yn Llundain; ei fab y Parch **Joseph Williams** yn Stockport; ei fab **Rowland H** yn yr Amwythig; **Jane E** yng Nghaerwysg; **Margaret H** yn Lythgoe; ei fab **Richard H** yn Weston super Mare.

Collwyd y rhain a'u hepil o gefn gwlad Cymru.

Y meddyg lleol oedd yn y Colomendy sef Josiah R Jenkins, 54 oed, o'r Wyddgrug. Yr oedd ei fab Thomas Griffith hefyd yn feddyg teulu. Ef oedd Swyddog Meddygol yr ardal ac adweinid ef fel Dr Tom. Bu farw yn 1900. Yn 1887 priododd ag Annie Louise Parry Jones, Bryn Morfydd, Llanrhaeadr. Yr oedd yn briodas enfawr a'r papurau wythnosol yn defnyddio tudalen gyfan i restru'r anrhegion. Yr oedd merch arall Bryn Morfydd, Isabella Gertrude Parry Jones, wedi priodi Thomas Alured Wynne Edwards o Ddinbych. Yn 1891 priododd Mary Elizabeth merch

Dr Jenkins ag Edward Garner Glover o Benbedw.

Stryd brysur arall oedd Stryd y Ffynnon (cam-gyfieithiad o Welsh Street) ac yn y Manor House yr oedd Owen Evans, y gweinidog Presbyteraidd oedd wedi bod yn weinidog yn America, a'i wraig Sarah oedd yn rhedeg ysgol breifat yn y tŷ. Wrth lwc yr oedd ganddi *governess* breifat o Stirling yn yr Alban a nyrs o Riwabon i ofalu am ei thri mab bychan – Arthur Morgan (4) Robert Watkin (3) ac Owen Arnold (1). William Hathorn Mills oedd prifathro'r Ysgol Ramadeg, brodor o Orton Waterville, Huntingdon a'i wraig Eliza o Gaergrawnt. Yr oedd pump o ddisgyblion yn byw i mewn yn yr ysgol sef William Lifton Wynne (15) a'i frawd Walter (13) o Rhuthun; Richard Cecil Carey (14) a'i frawd Frank o Southport a John Richard Roberts (15) o Gefn Mawr.

Gerllaw yn y Cloisters yr oedd cartref y Parchedig Bulkeley Owen Jones a fu'n Warden Eglwys Sant Pedr 1851-1908. Mab ydoedd i'r Parch Hugh Jones, rheithor Biwmares a'i fam yn disgyn o deulu Llywarch ap Bran, Arglwydd Menai a brawd-yng-nghyfraith i Owain Gwynedd. Nid oedd gan y brawd Bulkeley air o'r iaith. Dywedir ei fod yn 'urddasol, mawreddog ac amhoblogaidd.' Bu Robert Roberts Y Sgolor Mawr yn Rhuthun am gyfnod ac yr oedd yn nabod y Warden ac yn ei ddisgrifio fel 'gweithiwr caled, hael, cymeriad dilychwin. Ddim yn boblogaidd, llawn o'i urddas ei hun – pechod oedd ei gyfarch fel 'Mr Jones' yn lle 'Warden'. Dim Cymraeg ganddo ac yr oedd y mwyafrif o'i blwyfolion yn uniaith Gymraeg.' Yr oedd ei wraig yn ferch i'r Capten Thomas Lewis Coker o Rydychen. Bu'n Warden am hanner can mlynedd ac i ddathlu hynny y prynwyd yr organ yn 1901. Arno ef y seiliwyd y cymeriad 'Slogger Williams' yn y nofel *Tom Brown's Schooldays*. Yr oedd y plant wedi gadael y nyth – Fanny Aubrey wedi priodi Fleming Brisco o Maryland yn 1871 a Charlotte Anne wedi priodi William Mathewman Long yn 1874. Bu farw Bulkeley Owen yn 1914 yn 90 oed a gadawodd £249/2/3 yn ei ewyllys. Bu farw ei 'elyn' (sef Tom Brown) y Parch Augustus Ovlebar yn 1912 gan adael £19,543.

Thomas Taylor o Warrington a'i wraig Margaret oedd yn cadw'r Wynnstay. Bu George Borrow yma a chanmolodd y bwyd yn fawr. Bu Tegid Owen yn edrych ar ôl y ceffylau yn y Wynnstay cyn symud i westy'r Castell ar y sgwâr. Yn 1910 prynodd y Llew Gwyn yn y Cerrig am £3,700. Hefyd prynodd Top Llan Cottages am £200, Cae Tŷ am £260, Cae Ffynnon am £205 a dau fwthyn a gardd am £200. Mae'n debyg mai pres y Klondyke oedd hwn. (Gweler Llanfair) Daeth ei ewythr, William Owen o'r Llew Gwyn yn y Bala yn enwog yn 1895 pan groesodd Lyn Tegid hefo ceffyl a throl yn ystod rhew caled. Dywedir iddo gael braw mawr pan sylweddolodd beth oedd wedi'i wneud. Pan oeddwn yn blentyn 'rwyf yn cofio pobl yn sôn am y digwyddiad ac yn dweud bod William Owen wedi gofyn 'Beth oedd enw'r cae mawr wyf newydd ei groesi?' a phan ddywedwyd wrtho mai Llyn y Bala ydoedd fe syrthiodd yn farw o sioc. Ond nid wyf yn meddwl ei bod yn stori wir. Nid nepell o'r Wynnstay, ar draws y ffordd i Swyddfa'r Bedol a lle bu'r cigydd hyd yn ddiweddar, yr oedd Robert Roberts yn gwerthu ffrwythau a physgod. Ŵyr iddo oedd Dyfed Roberts a fu'n Faer y dref yn y 1970au. T P Roberts yr arwerthwr oedd ym Mhlas Tirion, dyn pwysig, beiliff y llys, Maer deirgwaith. Ef gododd yr ocsiwn ddodrefn yn Stryd Wynnstay a nifer o dai yn Heol y Parc. Yn Iard Morris Griffiths yr oedd chwe teulu yn byw yn y bythynnod gan gynnwys Arthur Roberts yn gwerthu pysgod, Robert Jones, labrwr, a Thomas Davies, crydd. Dyma'r fan lle saif y Tabernacl heddiw.

Yn 1881 y tri hynaf yn y dre oedd David Edwards (90) oedd yn byw ar ei ben ei hun yn 12 Stryd y Priordy; Elizabeth Roberts (89) tlotyn oedd yn byw yn Iard y Royal Oak; Catherine Edwards (87) mam William Edwards oedd yn gwerthu gwirodydd yn 17 Stryd y Ffynnon. Yr oedd ganddo fo ac Eleanor ei wraig saith o blant: John (15) Catherine (11) William (10) Elizabeth (6) Eleanor (4) Thomas (3) a Daniel Albert (3 mis). Y pump ieuengaf yn y plwy oedd plentyn 6 diwrnod oed (heb ei enwi) mab Alfred Waldemar Schleiner a'i wraig Julia yn 6 Stryd y Ffynnon; mab tair wythnos oed (hefyd heb ei enwi) gan Edward ac Elizabeth Joy Evans, 35 Stryd y Ffynnon (yr un teulu oedd hwn â Mary Tellett ym Mhlas y Rhal gan mai Emily Tellett a Leonard Joy oedd enw dau o'u plant eraill), Barbara, nith mis oed i Thomas a Barbara Humphreys, dodrefnydd meddal yn 6 Stryd y Prior; James Henry (9 wythnos) mab Arthur a Jane Roberts, masnachwr pysgod yn Iard Morris Griffiths, a Thomas G Humphreys (11 wythnos) mab Price ac Elizabeth Humphreys, gwneuthurwr hamperi yn 21 Stryd y Prior. Yr oedd tri phâr o efeilliaid – Martha a Moses, plant 11 oed Moses a Mary Hughes, 24 Heol y Prior; William ac Elizabeth (9 oed) plant Hugh a Margaret Roberts, Iard Crispin a Hannah a Ruamah merched pump oed John a Sarah Lewis, Iard Crispin.

Yr oedd diwrnod Cyfrifiad 1891, Ebrill 5ed, yn un prysur iawn gan mai ar yr union ddiwrnod hwnnw yr agorwyd capel y Tabernacl yn swyddogol ac yr oedd y dref yn ferw o bregethwyr. Yr oedd Ezra Roberts wedi cyfansoddi emyn arbennig ar gyfer yr achlysur:

Dy nawdd, O! Dduw, rhoi inni'n awr;
Ymddyrcha mewn gogoniant mawr,
A llanw'n llwyr holl gonglau'r tŷ
A gwres a goleu oddi fry.

a phum pennill arall sydd yn arddangos un o wendidau'r Cymry sef dal i fynd ar ôl gorffen. Pregethwyd ar yr achlysur gan R Ambrose Jones (Emrys ap Iwan) Dr Hughes, Dr Saunders, W Thomas, W Owen, E W Parry, I James (B), Richard Hopwood (W) a W Caradog Jones (A). Un o Dreuddyn oedd Richard Hopwood ac yr oedd ef a'i wraig Mary (o Lanelidan) yn byw yn Aubrey House. Hynny yw, y tŷ elwir heddiw yn Tŷ Bathafarn. Un o arwyr mawr yr achos Wesleaidd oedd Aubrey. Mr Williams o Lerpwl oedd pensaer y Tabernacl ac yr oedd y gost o brynu'r tir a chodi'r capel yn £3500 ac yr oedd hyn yn codi arswyd ar lawer. Ond penderfynwyd cario ymlaen ac y mae'r Tabernacl yn adeilad hardd iawn gyda'i dŵr pigfain a'i seddi mewn cylch. Y gweinidog ar agoriad y capel oedd Emrys ap Iwan a'r blaenoriaid y Mri Ezra Roberts, David Jones, John Jones, Jesse Roberts, Robert Hughes, Owen Williams.

Dilledydd oedd John Jones, y blaenor, Stryd y Farchnad, brodor o Feifod, Sir Drefaldwyn ac yr oedd Owen Williams o Lanrwst yn gweithio yn y siop ac yn lletya yno ynghŷd â chriw o rai eraill: Joseph Atkinson o Rhuthun, Evan A Jones o Nefyn, Thomas H Jones o Lanfair, William Jones o Ffestiniog, Thomas G Jones o Lansantffraid, Kate Davies (yn gwneud hetiau) o Drelawnyd, William Dowell o'r Rhyl ac Anne Jones (hefyd yn gwneud hetiau) o Ddolgellau. Oriadurwr oedd Jesse Roberts yn 36 Heol Clwyd, genedigol o Dreuddyn. Gŵr gweddw ydoedd ac yr oedd tri o'i blant yn byw hefo fo – Elizabeth (24) Sarah (18) yn gwneud hetiau a Harriet (15). Yr oedd yn ddirwestwr selog. Bu farw yn 1904 yn 64 oed.

Yr oedd Thomas H Roberts, y dilledydd yn 21 Heol Clwyd yn ddyn pwysig a dylanwadol, Henadur ac Ynad Heddwch – ac yn ddiweddarach fe symudodd i'r Sgwâr. Dathlodd ef a Margaret Elizabeth ei wraig eu Priodas Aur ar 22 Mehefin 1932 ac yr oedd ganddynt bump o blant – Edward yng Nghaerdydd, Meiric yn Rhuthun, Aneurin yn feddyg yn Ninbych, Gladwyn a Gwilym Henry a laddwyd yn Ffrainc ddiwedd 1917 wedi cyrraedd safle Sarjant Major.

Yr oedd James Walmsley yn dal yn geidwad y carchar, yn weddw erbyn hyn, a'i ferch Wilhelmina yn cael ei disgrifio fel organydd. Yr oedd yno un ar hugain dan glo, un ar ddeg o Gymru, pump o Loegr a phump o Iwerddon ac yn cynnwys tair o ferched. T J Simpson y milfeddyg oedd yn 13 Heol Clwyd, genedigol o'r Rhyl, ei wraig Jessie o Gaeredin ond yr oedd eu plant yn ddwyieithog:

Thomas J Simpson	pen	42	Milfeddyg	Rhyl
Jessie E	"	gwraig	37		Caeredin
Ethel M	"	merch	17	Gwniadwraig	Rhuthun
Dora J	"	"	13		"
Gwennie B	"	"	11		"
J M	"	"	9		"
Vera A E	"	"	8		"
Thos J C M	"	mab	6		"
Reginald A	"	"	5		"
Norman M	"	"	3		"
Hetty D	"	merch	3 mis		"

Yr oeddynt wedi colli un ferch, **Enid Myfanwy**, yn chwech oed yn 1883. Lladdwyd un mab, **Thomas James** ym mrwydr Verdun fis Mai 1916 a bu tair o'r merched yn nyrsio mewn ysbytai ar faes y gad. Bu **Dora** yn nannedd y frwydr a dyfarnwyd iddi fedal y Legion d'Honeur gan Lywodraeth Ffrainc. Priododd **Ethel Mabel** â John Llewelyn Veal o Benbedw. Ymfudodd y Simpsons i Seland Newydd ar ôl y Rhyfel. Y mae enw Thomas Simpson ar y golofn ryfel ger y Capel Saesneg lle'r oeddynt i gyd yn aelodau.

Y drws nesaf yn 13 Heol Clwyd yr oedd y Dr Job Medwyn Hughes, mab y Parch David Hughes, Bryneglwys. Un o Lanymddyfri oedd Margaret Rhydderch ei wraig, ac yn 1891 yr oedd eu merch Lydia yn 3 oed. Enwyd hi ar ôl ei nain, Lydia Roberts, Tŷ Cerrig, Bryneglwys. Priododd hi â Lieut Benjamin Bradshaw Ormerod. Ganwyd o leiaf bum plentyn arall – Muriel oedd yn fezzo-soprano wych ac yn canu llawer mewn cyngherddau, Cyril, y Dr Trevor (a briododd Enid Cadle, wyres Ceiriog) Enid, a Medwyn a fu farw yn 1932 yn 30 oed. Nid oedd eu tad yn hoffi ei enw gan bod pobl yn tynnu ei goes a dweud y dylai bod ganddo ddigon o amynedd hefo cleifion – ac ychwanegodd 'Medwyn' ato – nid am ei fod yn enw Cymraeg ond o'r gair *'medicine'*.

Yr oedd gan y Parch John Elias Hughes, brawd y Dr Medwyn, fab a laddwyd yn y Rhyfel Mawr sef John Arthur Elias Hughes. Yr oedd yn aelod o Fataliwn Sir Ddinbych o'r Ffiwsiliwyr Cymreig a bu farw o'i glwyfau ar 26 Ionawr 1915 yn 27 oed. Enwyd ef mewn cadlythyrau. Claddwyd ef ym mynwent filwrol Bethune nid nepell o Arras. Twrne ydoedd wedi'i erthyglu gyda Foulkes Roberts, Dinbych. Ddeg diwrnod cyn ei farwolaeth yr oedd wedi ysgrifennu cerdd a chafodd ei chyhoeddi yn y *News of the World* (yr oedd yn 'nabod un o'r gohebwyr). Deuthum ar draws copi ohoni mewn llawysgrif ymysg llythyrau fy hen ewythr Robert a laddwyd yn 1917. Yr oedd gan y ddau gysylltiadau cryf â Bryneglwys ac yn 'nabod ei gilydd mae'n debyg:

UNDER COVER

I am lying under cover in a damp and dirty trench
Writing 'high explosive' stories to a much believing wench;
Of the deeds of might and valour I've continually done,
How I led a charge at midnight, how I've grappled with the Hun;
But it is all imagination and my conscience gives a wrench
For I am lying under cover in a damp and dirty trench.

I am lying under cover in a damp and dirty trench,
For the battle is commencing, we're defending with the French,
It is all a deafening thunder and the shrapnel's bursting glow,
For the Germans in their myriads are attacking us and so
We are waiting to receive them, our revengful thirst to quench,
While I'm lying under cover in a damp and dirty trench.

I am lying under cover in a damp and dirty trench,
Every breath becomes a torture, every moment now a wrench,
Yes we've fought as we had hoped to and we did not flinch or quail,
And they're telling me so kindly I 'made good' and didn't fail,
And my life is slowly ebbing and with blood the ground I drench
As I am lying under cover in a damp and dirty trench.

Mae'r defnydd amwys o'r gair *'lying'* yn eironig ac ymddengys i mi ei fod wedi'i glwyfo a'i fod yn gwybod ei fod yn marw. Nid yw hi'n gerdd wleidyddol gywir erbyn hyn, bron i ganrif yn ddiweddarach (e.e. y defnydd o'r gair *'Hun'*) ond y mae yna rywbeth calonrwygol iawn yn y geiriau.

Yn rhif 14 yr oedd Robert Williams, tafarnwr, brodor o Langynhafal, ei wraig Martha o Wyddelwern a chriw o blant: John (21) Catherine (18) Robert (13) Margaret (11) Edward (9) Martha (7) Sarah (5) ac Ellis (1). Yr oedd ganddynt fab arall, William Owen, a laddwyd yn 23 oed y Ffrainc fis Rhagfyr 1916 a chladdwyd ef ym mynwent filwrol Sailly-au-Bois. Yr Ellis blwydd oed oedd yr Ellis Williams arferai gadw siop barbwr ar y Sgwâr, y drws nesaf i Elsa Frischer heddiw.

Yn 29 Heol Clwyd yr oedd Robert Roberts y sadler a'i wraig Grace o Lanfor. Mab oedd ef i John a Mary Roberts, Pencraig, Cyffylliog. Bu ei dad farw yn 81 oed yn 1898 a'r fam yn 98 oed yn 1912 gan adael naw o blant, 53 o wyrion a 53 o or-wyrion. Dywedid bod John Roberts yn ddyn gonest ac wedi bod yn sadler am 70 mlynedd ac yn nabod pawb. 'Roedd yn cofio'r Goets Fawr yn mynd o Ddinbych i Gorwen heibio Cae Coch a Choed Marchan. Gallai olrhain ei achau dros 300 mlynedd ac yr oedd ei hynafiaid yn grefftwyr yn oes Elisabeth I. Yr oedd gan Robert y sadler a'i wraig o leiaf saith o blant: **Thomas John** a fu'n fferyllydd yn y dre ac yn Henadur ac a briododd un o ferched Hugh Hughes, Pen Stryd, Llanynys; **Ruth Mary** a fu'n nyrs ac yn byw ym Mhwllglas; **Robert** a fu'n sadler yn Ninbych; **William** oedd yn glerc i dwrne yn y Rhyl; **David**, fu'n rhedeg y busnes yn Heol Clwyd y drws nesaf i'r fan lle mae John Jones a'i Fab, Cigydd, heddiw; **Annie Grace** a **Richard** a fu'n fferyllydd hefo Boots yn yr Amwythig. Un ar ddeg oed oedd Annie Grace yn 1891 ac y mae hi'n fwy enwog fel Grace Bowen. Hi a Megan Lloyd George oedd y ddwy ferch gyntaf i sefyll mewn Etholiad Gyffredinol yng Nghymru a hynny yn 1929. Priododd Grace â George Arthur Bowen Jones a bu'n gweithio ar y *Daily News* a'r *News Chronicle*. Pan oedd yn 77 oed cyhoeddodd nofel – *Lowri* – digon darllenadwy ond yn rhoi darlun ystrydebol o Gymru. Yr oedd ganddi nith o'r enw Grace a ddaeth yn wraig i Hywel Iorwerth, mab E Stanton Roberts.

Yn Rhif 63 oedd cartref Alfred Rickman, saer o Lymington, Hants, a'i wraig Elizabeth o Iwerddon ac yr oedd ganddynt ddau o blant – John (7) ac Emily (1) a dau letywr, Tudor Thomas o Benfro a George Thurson o Lerpwl, ill dau yn geidwaid yn y carchar. Y mae'r enw Rickman wedi bod yn un amlwg yn y dre – dyna oedd enw morwynol y cyn-Gynghorydd Margaret Roberts, Royal Oak. Ei mam oedd Amy, merch Hugh Hughes, Penstryd. Ac yn rhif 34 yr oedd William Williams y plymar ac er ei fod ef a'i wraig Maria yn enedigol o'r dre yr oedd yn amlwg eu bod wedi symud tipyn gan i'w plant Mary a William gael eu geni yn Rhiwabon a Maria a Thomas yn Sheffield – Cymry Cymraeg i gyd. Ond druan o'r Cynghorydd William Williams 34 Heol Clwyd. Fis Awst 1898 cafodd ei ladd gan fellten yn Nantclwyd wrth ymochel dan goeden. Daeth Mary Williams, Bodlywydd, o hyd iddo. Yn 1891 yr oedd yno bump o blant: Mary (18) William (16) Thomas (14) Maria (5) Edith (2). Y mae'r bwlch rhwng Thomas a Maria yn awgrymu mai plant o ail briodas oeddynt efallai – ac yn egluro pam bod yno ddwy chwaer o'r enw Mary a Maria.

Yn Stryd y Farchnad yr oedd siop y fferyllydd Theodore J Rouw a fu'n Faer y dre yn 1907. Mab ydoedd i William a Harriet Rouw – ei fam yn ferch i Robert Wynne y Clegir. Ef hefyd oedd capten y Frigâd Dân ac yn 1889 cyhoeddodd *A Guide to Ruthin*. Edith Mary d'Almaine o Abingdon oedd ei wraig ac yr oedd nifer o berthnasau yno y noson honno – eu merch Dorothy (3), ei chwaer-yng-nghyfraith Amy d'Almaine (23) Rubaisc, nith (3 mis) Ada Shepherd (25) chwaer-yng-nghyfraith. Yr oeddynt yn Wesleiaid selog ac y mae plac er cof am Mrs Rouw ar wal capel Bathafarn. Bu Theodore Rouw farw 18 Ionawr 1901 a buasech yn disgwyl y byddai dyn mor amlwg wedi cael teyrnged haeddiannol yn y wasg leol. Yn anffodus bedwar diwrnod yn ddiweddarach bu farw'r Frenhines Victoria ac yr oedd hi'n amlwg yn ddiwedd y byd. Bu'r ddau bapur lleol yn llawn o deyrngedau a dadansoddiadau ac ing a gwae ac anghofiwyd am bawb arall a fu mor ddifeddwl â marw ar adeg mor anghyfleus.

Enw cyfarwydd oedd Beech ac yn 11 Stryd y Castell yr oedd y canlynol:

Robert Beech	pen	33	Ironmonger	Llanarmon DC
Katie "	gwraig	35		Bishopfield, Caer
Francis "	mab	8		Wrecsam
Roberta E "	merch	7		"
John F "	mab	5		"
Katie "	merch	3		"
Alice Thompson	morwyn	16		Regents Pk Llundain

Bu farw Francis yn 20 oed yn Awst 1902 ac yn rhestr y rhai oedd yn claddu ceir Norman a Jack (brodyr– Norman wedi priodi Hilda merch yr Arolygydd John Harvey o'r Ceffyl Du), Doris, Katie a Roberta (chwiorydd), Edward R Beech, Pengwern, Rhuddlan (ewythr), John Beech, Perthi Chwarae (ewythr), Edward a Francis Beech (cefndryd), Ellis Beech, Bryniau (ewythr), William Beech, Llanferres, R Beech, Pentrecelyn, Francis Beech, Cricor, Mr Beech, Bryneglwys a Mrs Parry, Llain Wen (cefnder a chyfnither). Pan agorwyd Ysgol Ramadeg y Merched, Brynhyfryd yn 1899, yr enw cyntaf ar y gofrestr oedd Roberta Eleanor Beech. Bu hi'n Faer yn ddiweddarach.

Erbyn hyn yr oedd yna brifathro gwahanol ar yr Ysgol Ramadeg sef Watkin P Whittington o Gastell Nedd ac yr oedd ganddo bedwar o blant ifanc. Metron yr ysgol oedd Marion Clarke o Lincoln. Rhestrir hefyd yr holl ddisgyblion oedd yn byw i mewn:

David P Williams	18	Aberhonddu
James J Barratt	16	Chwitffordd
William W Brereton	16	Iwerddon

John Ellis	14		Dinbych
Walter Wright	11		Lerpwl
Fredk. V Carman	17		Treffynnon
William R Howard	11		Lerpwl
Speakman Pendlebury	16		Llanfair
Frank M Howard	14		Lerpwl
Pierre Pilletge	12		Iwerddon
Thomas Roberts	15		Pentrefoelas
George H Manwell	15		Iwerddon
Addison T Howe	15		"
Reginald L Jones	15		Rhosllanerchrugog
Robert E Wright	14		Lerpwl
Thomas H "	11		"
John E Brereton	11		Iwerddon
Nelson Low	11		Llundain
Basil L Thurlow	12		Port Elizabeth, De Affrica
Sam G W Stephenson	22	Athro	Lincoln
Hedwig Jaegi	22	Athro Iaith	Bern, Swisdir
Mary Humpheys	50	Morwyn	Dinbych
Sarah Jone	17	"	Llanynys
Anne Amo	24	"	Manceinion
Anne Sly	41	Nyrs	Caerloyw
Dinah Williams	23	Cogyddes	Llanfair

Yr unig ddau ddisgybl oedd yn siarad Cymraeg oedd y bachgen o Bentrefoelas a'r bachgen o Ddinbych. Ffrangeg ac Almaeneg oedd iaith Hedwig.

Yr oedd John Jones (70) o Lanelidan yn lletya yn 6 Stryd y Farchnad. Bu farw yn 1895 pan oedd yn byw ym Mronwylfa. Hen lanc ydoedd, mab Nantclwyd Ucha, ac yr oedd wedi byw yn Llundain ac yn nabod Charles Dickens. Yr oedd yn ddyn busnes craff ac yn arwain y canu yn y Tabernacl. Yr oedd yn frawd i Hugh Jones, Bodanwydog a Mrs Davies, Machine Cottage. Edward W Thomas oedd yn ffermio Caerfallen ac yr oedd ef a Jemima wedi priodi yng nghapel Rehoboth, Llangollen 8 Ionawr 1887 ac yr oedd ganddynt dri o blant: Mary Jane yn dair oed, Letitia yn ddwyflwydd a Michael yn flwydd. Yn fuan wedi hyn aethant i fyw i Lwyn Onn, Bryneglwys. Soniais amdanynt yn y bennod ar blwy Bryneglwys. Yr oedd cowman o'r enw Cornelius O'Donnell yng Nghaerfallen. Mae'n rhyfeddol faint o Wyddelod oedd yn byw yn Rhuthun yn 1891.

Y rhai hynaf yn y plwy oedd Bridget Jones (87) o Lerpwl yn byw ar ei phres yn 2 Stryd y Prior hefo'i wyres Edith o Gasnewydd, Sir Fynwy; Mary Ellis (82) wedi ymddeol o redeg ysgol i ferched oherwydd ei bod yn colli ei golwg ac yn byw yn 15 Stryd y Castell; William Green (81) oedd wedi ymddeol o redeg Gwesty'r Castell ac a oedd yn dad-yng-nghyfraith i Byford yr arwerthwr (dywedir mai Eidalwr ydoedd o ran gwaed ac mae'n debyg, felly, mai Guillemio Verdi oedd ei enw bedydd!); Richard Edwards yr Elusendai, cigydd wedi ymddeol (84). Babis y dre oedd Robert (3 mis) mab John ac Ann Hughes, Iard Crispin; Hetty (3 mis) merch T J Simpson y milfeddyg; Rubaisc (3 mis) nith Theodore Rouw y fferyllydd; Price mab 2 fis Peter a Margaret Thomas, saer maen, 51 Stryd y Ffynnon ac Emily (2 fis) merch Evan Evans y saer. Un pâr o efeilliaid oedd yna: Frank ac Edith, plant blwydd oed Thomas ac Elizabeth Williams, tafarnwyr yn 4 Heol Clwyd. Yr oedd dau wedi eu geni dramor: Basil L Thurlow, disgybl yn yr Ysgol Ramadeg o Port Elizabeth, Affrica, ac un o'r athrawon, Hedwig Jaegi, o Bern yn y Swisdir.

Tref fel yna oedd Rhuthun ganrif a mwy yn ôl, cymysgedd diddorol o bobl, o Ioan Jones i Bulkeley Owen Jones ac o George Cornwallis-West i Grace Bowen. Yn yr iaith Romani 'Tref y Cathod' oedd Rhuthun. Ac mae hynny'n fy mhlesio i'n iawn. Mae'n gwir haeddu cael ei galw'n Frenhines y Dyffryn.